L'HÉRITAGE

Michael Korda

L'héritage

Traduit de l'américain
par
Marianne Véron

UNE ÉDITION SPÉCIALE DE LAFFONT CANADA LTÉE,
EN ACCORD AVEC LES ÉDITIONS STOCK

Titre original :

WORLDLY GOODS
(Random House, New York)

ISBN 2-89149-231-5

Pour Margaret encore, tendrement,
Et pour Dick et Joni, avec mon amitié.

« Et cependant la brise épicée
Souffle très doucement sur l'île de Ceylan ;
Et cependant chaque paysage séduit,
Car seul l'homme est abject... »

Évêque Reginald HEBER

Première Partie

Plus-values

1

Le jour où la compagnie de Paul Foster apparut sur la liste du Grand Tableau de la Bourse de New York en 1958, un journaliste parvint à franchir le mur de secret qui l'entourait et lui demanda quelle était la clé de son succès. « C'est le premier milliard de dollars le plus dur, répondit Foster. Après, c'est facile. »

Mais, songeait Foster vingt ans plus tard en contemplant de son bureau les lumières de la Cinquième Avenue, ce n'était jamais facile, en vérité.

Il se détourna des fenêtres et retourna à sa table en poussant un soupir. En arrivant à New York, il n'avait même pas un téléphone — il circulait avec les poches pleines de monnaie et traitait ses affaires dans des cabines téléphoniques. La cabine téléphonique demeurait l'unique chose dont il eût vraiment besoin, même aujourd'hui, songea-t-il. Peut-être même se serait-il mieux porté de s'en tenir à cela.

Pendant des années Foster avait résisté à la tentation de construire une organisation tout autour de lui, mais il était en Amérique — l'étalage constituait une valeur comme une autre. A contrecœur, il avait consenti à construire un immeuble, un restaurant d'entreprise, un bassin avec un jet d'eau dans le hall, une salle à manger privée donnant sur son bureau.

Que lui importait-il, après tout ? Foster quittait rarement son bureau, entièrement conçu en fonction des panneaux de bois d'une bibliothèque sculptée par Grinling Gibbons, chef-d'œuvre pour lequel Foster avait battu le Metropolitan Museum aux enchères. Les inestimables rayons de la bibliothèque contenaient désormais des rangées de classeurs en cuir rouge maroquin gaufré d'or : un pour chaque année écoulée depuis la fondation de la compagnie. La fabrication de chaque classeur coûtait plus de cinq cents dollars — Foster s'était attaché les services d'un des meilleurs artisans du cuir en Amérique — et ils

étaient tous vides. Foster ne croyait pas au système des archives, surtout là où elles risquaient de tomber entre des mains indiscrètes.

Ces classeurs trônaient là pour les apparences. Le seul lieu sûr, pour entreposer des renseignements, était sa mémoire. Il ne faisait confiance à personne. La confiance, c'était pour les amateurs.

Foster méprisait les amateurs, et redoutait la faiblesse — surtout la sienne. Dans sa jeunesse, il avait appris par la voie la plus dure que seuls les forts survivent. Ceux qui manquent de discipline meurent pour être évacués avec une efficacité brutale et sordide.

Foster avait survécu. Il prenait chaque jour de l'exercice et surveillait son poids. Les rigueurs extrêmes qu'il avait connues dans sa jeunesse lui avaient donné cette bénédiction qu'est un appétit modéré. La nourriture ne l'intéressait pas. Il préférait manger irrégulièrement — une pomme, des œufs pochés, un yaourt, ce qui lui rendait insupportables les réunions mondaines auxquels il devait parfois assister. Plusieurs fois par an, il était obligé de rencontrer ses cadres, mais il parvenait très rarement à les mettre à leur aise — en vérité, il paraissait chaque fois extrêmement déplacé et tendu parmi eux.

Même les confrères de Foster devenaient nerveux en sa compagnie — non point pour sa réputation, qu'ils lui enviaient, de brasseur d'affaires impitoyable et rusé, mais parce que dans les rares occasions où il parlait en public ou accordait des interviews, il semblait davantage un social-démocrate européen qu'un capitaliste américain. Parmi les patrons et les présidents des cinq cents autres compagnies placées en tête par la revue *Fortune,* Foster était considéré comme un dangereux libéral, et même soupçonné d'être un intellectuel. Il lisait des livres, s'entretenait sur Ricardo, Keynes, Sartre, parlait couramment plusieurs langues et étonna un jour le rédacteur financier du *New York Times,* en suggérant qu'il manquait à l'Amérique un ministre des finances hégélien.

Ce journaliste du *Times* aurait été bien surpris d'apprendre que Foster s'éveillait parfois en hurlant au milieu de la nuit. Quand cela lui arrivait, Foster allumait la lumière, prenait cinq milligrammes de Valium, buvait une gorgée d'eau glacée de la Thermos qui se trouvait sur sa table de nuit, jetait un coup d'œil à la pendule en émail qui trônait à côté d'un plateau de fruits, d'une pile de livres et d'un bloc-notes accompagné d'un stylomine en or, puis s'efforçait de calmer ses nerfs en contemplant ses tableaux.

Ces rêves terribles devaient être les fragments visibles d'horreurs passées et tapies sous la surface et, à cause d'eux, Foster préférait dormir seul. Il emmenait généralement les femmes dans la grande chambre, que jamais il n'employait quand il était seul, et puis il regagnait ensuite sa propre pièce, plus petite, lorsque sa compagne

dormait. Il s'arrangeait souvent pour la faire reconduire par le chauffeur au milieu de la nuit, sous prétexte qu'il avait du travail.

Au cours de son unique et bref mariage — avec Dawn Safire, la vedette de cinéma — il n'avait tout d'abord pas pu la convaincre de faire chambre à part, mais après quelques nuits passées dans le lit de Foster, elle fut bien heureuse de s'installer dans une chambre séparée. « J'ai besoin de sommeil pour rester belle, mon chéri, lui dit-elle. Et puis tes cauchemars me flanquent la frousse. »

Dawn n'avait pas imaginé ce que serait la vie conjugale avec un homme qui ne se couchait jamais avant une heure du matin, s'éveillait bien souvent à trois heures et se levait invariablement à cinq heures pour téléphoner en Europe et connaître les prix d'ouverture à Londres, Paris et Zurich. Foster acquit un studio de cinéma pour faciliter la carrière de Dawn, acheta des maisons à Malibu, à Cuernavaca et à Beverly Hills, organisa des réceptions somptueuses partout où ils allèrent — mais le cœur n'y était pas. Même quand il recevait à dîner chez lui, il passait le plus clair de la soirée au téléphone. Dawn se plaignait qu'elle était fatiguée de toujours voir ce téléphone noir gâcher l'harmonie de sa table et, le soir où elle en trouva un blanc à la place de l'ancien au milieu des fleurs, elle décida que leur union était terminée.

La pension alimentaire ne présenta aucune difficulté. Foster établit au bénéfice de Dawn une véritable pyramide de biens, depuis les centres commerciaux jusqu'aux marinas, et lui donna des parts importantes dans des affaires minières. Il fit d'elle une femme riche et, bien qu'elle l'eût quitté pour un milliardaire mexicain, il lui laissa les maisons de Malibu et de Cuernavaca ; puis il vendit celle de Beverly Hills pour deux fois le prix des trois à un marchand d'armes libanais, de sorte que sa générosité ne lui coûta rien. « Je n'ai aucune animosité contre toi, lui expliqua Dawn tandis qu'ils signaient les papiers. Mais je semble incapable de te rendre heureux, alors à quoi bon ? »

S'il existait une réponse à cette question, elle échappait à Foster aussi bien qu'à Dawn. Il avait du goût pour les bonnes choses de la vie, mais aucun talent pour la jouissance. Le passé continuait à le hanter, quel que fût le nombre de compagnies qu'il contrôlât (et il avait depuis longtemps renoncé à les compter).

Une lumière s'alluma sur la table de Foster — il détestait les sonneries et les bourdonnements — et il se tourna vers son interphone.

« Qu'est-ce que c'est ?

— Lord Meyerman appelle de Londres.

— Passez-le-moi. »

La brusquerie de Foster avec son personnel était bien connue, mais il s'agissait tout simplement de timidité et il trouvait difficile de manier les usages courants de la vie sociale. L'acharnement qu'il mettait à protéger sa vie privée était légendaire. D'autres magnats employaient

les services de sociétés de relations publiques pour être cités dans les journaux. Foster payait une fortune pour ne *pas* y être mentionné. Un ascenseur personnel le menait directement à son bureau, de sorte qu'il n'avait pas à affronter les gens qui lui diraient bonjour ni à essayer de se rappeler leurs noms. Ce n'était pas qu'il fût distrait — il aimait simplement se concentrer sur une seule chose à la fois. Lorsqu'il avait une liaison, sa secrétaire plaçait à côté du téléphone un carton portant le nom de la femme, pour le cas où il l'aurait oublié.

Il y eut un déclic, et une voix gutturale déclara : « Comment vas-tu, mon vieux ? »

L'accent de Meyerman était difficile à définir. Les diverses couches de l'assimilation se recouvraient l'une l'autre cependant qu'il parlait l'anglais de la haute société britannique avec un accent qui évoquait Budapest, Vienne et Berlin, avec parfois une indéniable trace de yiddish.

« Il paraît que tu as repris les schistes bitumineux du Wyoming à Biedermeyer, poursuivit Meyerman. Belle acquisition.

— Ce n'est pas encore réglé. »

Meyerman eut un petit rire entendu. Foster pouvait presque le voir : avec son nez en bec d'aigle trompeusement adouci par la chair ; ses yeux noirs et durs que tant de gens, par erreur, croyaient tristes et nostalgiques, et auxquels ils se laissaient prendre à leurs dépens ; son double menton. Sans aucun doute il fumait son éternel cigare, le tenant entre ses doigts gras avec une surprenante délicatesse.

« Je ne t'appelle pas pour fouiller tes secrets, Paul. Même si, entre nous, je te conseille de ne pas provoquer Biedermeyer trop souvent. Il a l'air d'un bouffon, mais ce n'est pas le genre d'homme que je voudrais avoir pour ennemi.

— Bah ! on a déjà tellement d'ennemis ! La seule manière de ne pas en avoir serait de s'écrouler.

— C'est vrai. Mais il y en a de plus dangereux que d'autres. En vérité, mon vieux, c'est à ce propos que je t'appelle. J'ai appris quelque chose d'inquiétant.

— Inquiétant pour qui ?

— Pour tes vieux amis les Greenwood. Mais aussi pour toi, et le cas échéant pour moi-même. Irving Kane écrit un livre sur ta famille.

— Impossible ! s'exclama Foster d'une voix soudain aiguë. Que pourrait-il savoir ?

— C'est un journaliste d'enquêtes. Une question par-ci, une question par-là... Je ne pense pas qu'il puisse *tout* découvrir — mais s'il passe les témoignages du procès de Nuremberg au peigne fin et qu'il va faire un tour à Budapest, il risque de comprendre pas mal de choses. Il n'est pas idiot. »

Il y eut un bref silence, pendant lequel Foster étudia la question. Il

n'était pas homme à réagir vivement. Il préférait réfléchir, soupeser les possibilités. L'expérience lui avait enseigné, ainsi que bien d'autres choses, qu'il valait toujours mieux laisser parler l'autre — même Meyerman, qui en savait plus long sur les affaires de Foster que la plupart des gens. Que Kane ne fût pas idiot, Foster le savait déjà. Il éprouva un léger spasme nerveux quelque part au creux de l'estomac et se força à le réprimer.

« Tu es encore là, mon vieux ?

— Bien sûr », répondit Foster en s'efforçant de manifester un calme assez peu susceptible, il le savait, de convaincre Meyerman. Il s'agissait d'une question d'orgueil. « Comment l'as-tu appris ?

— Je me trouvais en face de son éditeur, hier soir, à dîner. David Star. Tu le connais ?

— Je l'ai rencontré.

— Il débordait d'enthousiasme. Un vrai best-seller, il en est convaincu !

— Il ne manquait plus que cela, bon Dieu !

— Bah ! c'est bien pire pour les Greenwood, tu sais. Il ne restera pas grand monde pour vouloir traiter avec l'homme qui voulait vendre la bombe atomique aux nazis ! »

Foster soupira. Il y avait des choses dont il valait mieux ne pas parler au téléphone. Meyerman devrait bien le savoir, songea-t-il. Il se demanda s'il existait un moyen de profiter du déplaisant intérêt que Kane manifestait pour les affaires de la famille Greenwood, mais sur l'instant n'en trouva aucun. Il faut toujours laisser place pour l'imprévu quand on fait des projets, mais un scandale au sujet des Greenwood, en ce moment délicat, serait vraiment mal venu. Une fois lancé à creuser l'histoire des Greenwood, qui pouvait savoir jusqu'où irait Kane ?

« Peut-on l'acheter ?

— Je ne le pense pas. Il serait même dangereux d'essayer.

— La plupart des gens sont à vendre.

— On ne peut acheter les journalistes qu'en leur donnant un meilleur sujet. Je ne pense pas que tu veuilles faire cela, Paul. La première chose, c'est de découvrir ce que sait déjà Kane. Tu pourrais peut-être le rencontrer fortuitement, lors d'une réception... Le sonder un peu.

— Peut-être... » Foster ne paraissait guère enthousiaste à cette idée. C'était parfait pour Meyerman, dont l'appétit de festivités était insatiable et qui depuis trente ans n'avait jamais passé une seule soirée chez lui, à moins qu'il n'y reçût, mais Foster n'allait jamais nulle part.

« Star m'a dit que Diana Beaumont donne une réception pour Kane dans deux jours, à propos. Parfaite occasion. Kane boit comme un trou, et tu ne devrais avoir aucun mal à lui tirer les vers du nez. Cela te

ferait peut-être du bien, tu sais... Tu devrais sortir davantage, mon petit. »

Foster lâcha un grognement contrarié. Il détestait les conseils, et il venait soudain de se rappeler qui était Diana Beaumont. « Je ne peux pas y aller, répliqua-t-il d'un ton coupant, c'est la maîtresse de Nicholas Greenwood. »

Un bruit mou parvint à Foster — Meyerman tirant sur son cigare, tout en pesant ses mots et prenant son temps.

« Je crois qu'elle est en passe de devenir son ex-maîtresse, déclara-t-il avec l'enthousiasme d'un amateur de cancans. J'ai entendu des rumeurs, et il semblerait que le vieux exige de voir Nicholas se ranger. Il veut un mariage sérieux, tu comprends. Diana ne correspond absolument pas à ses vues.

— Nicholas est déjà marié.

— Uniquement aux yeux de l'Église, mon joli. Une de mes sources au Vatican dit qu'on négocie une annulation... Tu peux bien imaginer que ce ne serait pas difficile, avec l'influence des Greenwood. La pauvre femme de Nicholas vit dans une institution privée depuis des années. Un endroit charmant près de Montreux — cet excellent air suisse ! Il paraît qu'ils ont un infirmier pour chaque patient, un chef français aux cuisines, un moniteur de ski... Évidemment, je ne pense pas qu'elle en tire grand profit, puisqu'elle passe une bonne partie du temps en camisole de force.

— Cette Diana sait-elle qu'il va la lâcher ?

— Mon cher garçon, une femme sait toujours quand un homme ne l'aime plus. Elles ont un sixième sens, *Fingerspitzengefühl,* pour la trahison. Diana ne sait peut-être pas qu'elle le sait, mais elle le sait.

— Épargne-moi ta philosophie !

— Il ne s'agit pas de philosophie mais d'expérience. Si tu m'avais écouté avant d'épouser Dawn... Bon, n'en parlons plus ! Il y a plus important : une nouvelle dont personne ne sait rien, concernant la famille Greenwood.

— Jusqu'à présent, il s'agit de ragots plutôt que de nouvelles !

— Ne sous-estime jamais les ragots, Paul. Ce n'est pas parce qu'une chose est frivole qu'elle n'a pas d'importance. Ton manque de frivolité est une faiblesse et non une force, mais cela tient sans doute de famille... En tout cas, il semblerait que Nicholas et Diana aient eu un enfant. »

Paul ne répondit rien. Quelle que fût la situation, il fallait chercher les points faibles de l'autre, les petits secrets dissimulés tant bien que mal. Il se demanda un instant si c'était là le point faible de Nicholas, mais cela semblait peu probable.

« Un héritier pour la fortune des Greenwood ? s'enquit-il d'une voix paisible.

— Non. L'enfant est illégitime. Il est né voici une dizaine d'années, tout au début de leur vie commune. Le vieux était furieux. Après tout, il se trouvait lui-même dans une situation délicate à cette époque-là, et il voulait avant tout éviter un scandale. Il s'est jeté sur les amoureux avec son carnet de chèques et ses avocats et il a fait placer l'enfant dans une famille adoptive.

— Nicholas ne s'est pas interposé ?

— Il fait toujours ce que son père lui dit de faire. Tu le sais bien, non ? Diana a dû beaucoup en souffrir, mais elle était très amoureuse et elle n'a pas dû avoir le choix. Et puis elle se disait sans doute que Nicholas l'épouserait. Une femme accepte n'importe quoi pourvu qu'il y ait un mariage en vue. Et maintenant elle n'est toujours pas mariée, et Nicholas s'offre ostensiblement des aventures avec d'autres femmes... Tu devrais absolument aller à cette réception, à mon avis. Il sera peut-être même encore plus utile de parler avec elle qu'avec Kane. Et en tout cas plus stimulant.

— Que sait-elle donc sur les Greenwood ?

— Ah ! apprécia Meyerman, ravi. Je me demandais quand tu finirais par poser la question... Pas autant que toi et moi. Mais fais attention, Paul.

— Pourquoi ?

— C'est une femme intelligente.

— Il n'y a rien de mal à cela.

— Non, bien sûr. Mais les hommes sous-estiment fréquemment l'intelligence d'une femme quand elle est très belle. Même toi. Tu me tiendras au courant ?

— Évidemment.

— Il est toujours important de ne pas oublier ses vrais amis, n'est-ce pas ? Ce fut la première faute de Greenwood, après tout... *Auf Wiederhören,* mon garçon. »

Foster se carra dans son fauteuil, et soupira. Meyerman savait tout sur tout le monde. En dépit de son aspect ingrat, il cultivait les femmes en connaisseur, et avec un surprenant succès. Foster avait partagé un appartement à Londres avec lui, à l'époque où tous deux étaient encore jeunes et pauvres — mon Dieu, quelle pauvreté ! — et, même alors, le succès de Meyerman auprès des belles femmes s'était révélé phénoménal. Meyerman était convaincu que la plupart d'entre elles avaient une préférence secrète pour les hommes laids. Elles aiment détenir le monopole de la beauté, et semblent considérer que l'enjeu est moindre avec un homme laid. Peut-être avait-il raison, songea Foster. Il avait sans aucun doute été jaloux des conquêtes de Meyerman, à cette époque, et lui avait tenu rigueur des innombrables soirées qu'il avait dû

passer à arpenter les rues de Londres, avec ses chaussures usées et craquelées, tandis que Meyerman monopolisait l'appartement avec une fille. Foster n'avait eu qu'une seule petite amie à Londres, et ce n'était pas un sujet sur lequel il aimât s'attarder.

Une fois par semaine, le dimanche, Foster repassait son costume avec un vieux fer à vapeur, cirait ses chaussures et les frottait jusqu'à les faire resplendir, et puis il disparaissait pendant deux ou trois heures. Meyerman supposait que son ami avait une petite amie et le harcelait pour savoir qui c'était mais, après bien des hésitations, Foster lui répondit qu'il allait simplement à l'hôtel Ritz, à Piccadilly, et qu'il restait dans le hall.

« Mais pour quoi faire ? s'étonna Meyerman.

— Je regarde les gens riches venir prendre le thé. Quand j'en aurai les moyens, je veux savoir me tenir », répondit Foster. Quand il devint riche, il tint parole — mais il n'avait plus guère le temps d'y prendre plaisir, ce qui était fort triste, se dit-il, et typique de la vie.

Foster pressa le bouton de l'interphone et dit : « Savage. » Devant lui, la surface du bureau était nue. Foster se mêlait rarement de paperasserie — c'était à des gens comme Burton (« Bud ») Savage de s'occuper des détails. Savage était un administrateur compétent qui croyait aux chiffres comme d'autres croient en Dieu : ils expliquaient tout, ils justifiaient tout, et en fin de compte ils *étaient* tout.

« Savage. » La voix sèche et métallique explosa dans le micro, et Foster cilla, puis baissa le volume.

« Que savez-vous sur la compagnie de David Star ?

— Édition de livres. Vingt, vingt-cinq millions de dollars par an, excellente position. Star a hérité de son père, il possède la plupart des actions. Il a cherché un acheteur deux ou trois fois, mais il n'a pas vraiment envie de vendre — à moins qu'un *schmuck*[1] lui offre le double de ce que vaut sa boîte. C'est drôle que vous m'en parliez. On dit justement que Nick Greenwood fait une offre à Star en ce moment. C'est sûrement des foutaises, à mon avis.

— Pourquoi ? » Foster pianotait sans bruit sur son bureau. Il ne manquait jamais de s'exaspérer quand Savage, protestant bon teint du Connecticut et ancien élève de Yale, employait des mots yiddish pour jouer au petit dur de la rue. Foster n'employait jamais de mots grossiers dans aucune des langues qu'il parlait et de manière générale il éprouvait une certaine aversion pour les gens qui le faisaient.

« Qu'est-ce que Nick peut vouloir faire d'une maison d'édition, Paul, je vous demande un peu ? Votre fric vous rapporterait plus à la caisse d'épargne, bon Dieu ! »

Foster avait les yeux rivés sur l'interphone. Savage avait sans doute

1. *Schmuck* : Connard, en yiddish.

raison — en ce qui concernait les chiffres, il était difficile à mettre en défaut —, mais il ne connaissait pas toutes les données. Les Greenwood trouvaient peut-être justifié d'acheter une maison d'édition pour apprendre ce qu'il y avait dans le livre d'Irving Kane. Et éventuellement pour le supprimer. Nicholas ne voyait peut-être pas les choses ainsi, mais l'idée avait bien dû venir au vieux comme elle était venue à Foster.

« Tâtez donc le terrain », dit Foster.

Il y eut un moment de silence à l'autre bout du fil, pendant que Savage réfléchissait rapidement. Il s'éclaircit bruyamment la gorge, puis exprima sa réprobation.

« Voulez-vous mon avis, Paul ? Laissez tomber. Qu'avons-nous à faire d'une maison d'édition ? Ce n'est pas le genre d'affaire dans lequel vous voulez vous lancer.

— J'aime les livres.

— Eh bien, adhérez à un club du livre ! Écoutez, Paul, je connais vos sentiments à l'égard de Nick Greenwood, mais nous ne pouvons quand même pas dépenser l'argent de la compagnie dans le seul but de le coincer chaque fois qu'il veut acheter des conneries. Qu'est-ce que vous avez donc contre Nick ? Ce n'est pas sérieux, de dépenser des millions de dollars pour le seul plaisir de cracher dans sa soupe ! »

Foster ne parut pas avoir entendu les objections de Savage.

« Prenez contact avec Star, dit-il.

— Pour de bon ? Attention, parce que nous allons finir par nous retrouver avec une foutue maison d'édition sur le dos !

— C'est très bien. »

Savage soupira.

« C'est vous le patron, répondit-il d'une voix lugubre. J'espère seulement qu'il n'exigera pas du liquide au lieu de valeurs.

— Même du liquide. En tout cas, proposez-lui-en. Une fois que nous le tiendrons solidement, nous pourrons toujours trouver un moyen de lui refiler des titres. Appâtez-le.

— J'espère que vous savez ce que vous faites, Paul. A propos, je poursuis l'action en baisse sur l'argent ?

— Jusqu'à ce que je vous dise d'arrêter. » Foster coupa la communication et appuya sur le bouton d'appel pour sa secrétaire. « Avons-nous un dossier sur Diana Beaumont ? »

Un instant de silence, puis :

« Elle est classée dans le dossier Nicholas Greenwood, monsieur Foster.

— Rien de récent ?

— Nous avons reçu d'elle une invitation, il y a quelques jours. Une réception pour un éditeur, si je m'en souviens bien. Votre nom devait figurer sur une liste de relations publiques.

— Qu'avons-nous fait ?
— Refusé.
— Eh bien, maintenant, nous acceptons. Envoyez quelque chose, avec un petit mot pour dire que j'ai changé d'avis.
— Des fleurs ?
— Non, tout le monde envoie des fleurs. Plutôt du caviar.
— Combien, monsieur Foster ? Une livre ?
— Certainement pas. Au moins deux kilos. Apportez-moi le dossier et du thé. »

Foster arpenta son bureau jusqu'au moment où sa secrétaire, l'une des trois femmes maternelles qui s'étaient adaptées à ses horaires interminables et à ses habitudes irrégulières, déposa sur son bureau un plateau d'argent et un dossier en cuir.

Foster attendit d'être seul, se versa du thé et ouvrit le dossier. Il ne lisait guère les potins mondains, de sorte que l'essentiel des renseignements contenus là était nouveau pour lui, et lui paraissait totalement dénué d'intérêt. Il savait déjà presque tout ce qu'on pouvait savoir sur les Greenwood et dépensait une fortune pour demeurer au courant de leurs affaires financières, mais la vie privée de Niki Greenwood le laissait parfaitement indifférent. Foster savait que Niki avait une maîtresse, mais le fait n'avait rien d'extraordinaire et n'avait jusqu'à présent jamais compté dans les calculs de Foster.

Il parcourut rapidement le résumé de la vie de Diana, qui occupait une simple page. Certains éléments lui étaient vaguement familiers. Elle possédait une petite affaire de relations publiques, spécialisée dans les auteurs à succès et les gens de cinéma. Foster hocha la tête avec approbation. Il admirait les femmes indépendantes. Après tout, Nicholas était riche et généreux, de sorte que cette femme Beaumont n'était pas *obligée* de travailler...

Quinze ans auparavant, elle avait été un mannequin réputé. Foster hocha une nouvelle fois la tête. Nicholas ne pouvait choisir une femme qui ne fût extrêmement belle. Le résumé mentionnait brièvement qu'elle avait été mariée deux ans au jeune comte de Winchester. Foster ferma les yeux. Il se souvenait d'un scandale. Le comte avait été mêlé à des histoires de drogue, d'orgies, de jeu... Foster ne se rappelait pas les détails, mais Meyerman le saurait sûrement.

Il feuilleta un paquet de coupures de presse, puis s'empara d'une photographie récente qu'avait publiée le magazine *Women,* et l'examina attentivement. Son cœur chavira l'espace d'un instant en songeant que la photo devait se trouver là par erreur, que ce n'était pas Diana Beaumont mais quelqu'un d'autre. Quelqu'un lui avait-il joué un tour ? se demanda-t-il. Mais l'idée était absurde et impensable. Il ferma les yeux et vit un visage exactement semblable à celui de Diana, puis les rouvrit et se reprit à examiner le portrait. Les yeux étaient les

mêmes, la bouche — et même la forme du visage. Un visage mystérieux, bouleversant. Foster but une gorgée de thé en luttant douloureusement contre les souvenirs qui l'assaillaient. La sentimentalité est une faiblesse, décida-t-il pour se ressaisir, puis il reprit la photographie.

Diana Beaumont avait été surprise lors d'un dîner, penchée en avant d'un geste naturel. Elle riait et sa chevelure blonde encadrait un visage presque parfait. Elle avait les pommettes hautes, et la coupe audacieuse de sa robe du soir révélait en partie sa poitrine. Elle était coiffée autrement, songea-t-il avec espoir, mais sinon la ressemblance était vraiment saisissante, en dépit du bronzage et du maquillage théâtral. Il espérait que sa voix, au moins, serait différente. Sinon, ce serait vraiment intolérable.

Sur le côté, un homme lui chuchotait à l'oreille, le visage en partie coupé par le cadrage de la photographie. D'après ce que Foster voyait de l'œil et du nez, ce devait être Nicholas Greenwood. Il ne paraissait pas heureux.

Foster scruta l'œil de Greenwood, sur la photo. Greenwood était un playboy — rien à voir avec l'implacable solidité de son père. Le vieux Matthew Greenwood était un dur ; mais Nicholas, malgré toute sa fortune, restait un amateur. Foster comprenait la faiblesse de Niki — il l'avait découverte des années auparavant, et elle avait failli lui coûter la vie. Un jour, il la ferait payer à Niki, mais pas encore. Il fallait attendre le moment juste. En fin de compte, tout était dans le choix du bon moment.

Il se pencha et scruta une nouvelle fois la photo de Diana Beaumont. Elle avait la fermeté d'un athlète, le regard clair d'une personne attentive à sa santé. Il chercha des défauts et n'en trouva pas. Quelle était sa faiblesse à elle ? se demanda-t-il. Avec les hommes, c'est habituellement la vanité ou la convoitise ; avec les femmes, cela se complique davantage.

Il replaça soigneusement les photos et les coupures de presse dans le dossier — Foster détestait le désordre — puis termina son thé. Il était surprenant d'observer quels ennuis pouvait créer une chose aussi limitée qu'un livre, même si longtemps après... Cela ferait un bon sujet, songea Foster — assez bon pour valoir vingt ou trente millions de dollars pris sur la fortune du vieux Greenwood — ou plutôt sur celle de ses actionnaires — afin de garantir qu'il ne soit jamais publié !

Il appuya à nouveau sur le bouton et s'adressa à sa secrétaire. « Appelez-moi le bureau de Paris, dit-il.

— Il est très tard, monsieur Foster.

— Alors appelez Rosenthal chez lui. Je veux qu'il me déniche quelqu'un, sur qui nous avons un dossier confidentiel — Günther Freytag von Lorenberg. Envoyez-le dès ce soir à Paris par la valise. »

Mais, alors même que Foster prononçait ce nom, il se sentit singulièrement rougir d'angoisse. Il avait espéré oublier Loringhoven jusqu'à la fin de ses jours. Foster ferma un instant les yeux. Très haut au-dessus de la Cinquième Avenue, dans son bureau bien ventilé, entouré de lambrissures si belles que Hoving, du Metropolitan Museum, avait versé de vraies larmes quand Foster lui avait damé le pion aux enchères, Paul Foster sentit soudain comme naguère la fumée, les cendres, la crasse du camp de concentration. Des scènes de terreur et de trahison lui traversèrent l'esprit et, en dépit de la température soigneusement maintenue à un degré idéal, il se sentit brusquement transpirer.

Il se força alors à réfléchir logiquement. Les Greenwood avaient bien plus à craindre que lui.

Il rouvrit les yeux, respira profondément, et reprit son étude du dossier de Diana Beaumont. On ne peut pas s'engager dans une situation sans avoir d'abord pris ses précautions, se dit-il. C'est une faute d'amateur.

2

« Qui d'autre vient à cette réception ? s'enquit Nicholas Greenwood tout en arpentant nerveusement la chambre de Diana Beaumont.

— Personne qui t'intéresse vraiment, répondit-elle de la salle de bains. C'est pour le nouveau livre d'Irving Kane. Il y aura Aaron Diamond, son agent. Et David Star, l'éditeur, tu sais. Un tas de journalistes, d'écrivains, de producteurs de films, ce genre-là. Pas du tout ton genre de soirée.

— Je resterai peut-être quelques minutes. » Greenwood semblait espérer qu'elle l'en dissuaderait. « Mon Dieu, reprit-il en jetant un coup d'œil au *New York Times* posé sur le lit, l'argent monte encore.

— Fais comme tu veux, mon chéri. » Diana émergea de la salle de bains en brossant ses longs cheveux blonds, revêtue d'un bikini extrêmement réduit et d'une chemise d'homme en soie portant les initiales « N.G. » sur la poitrine, à gauche. Greenwood alluma une cigarette et la contempla avec admiration. Elle était de ces femmes qui donnent au moindre de leurs gestes — se brosser les cheveux, se pencher pour examiner ses ongles de pieds, attacher son soutien-gorge — une dimension érotique. Quelque chose dans l'acceptation calme et lucide de sa beauté attirait et exaspérait Greenwood tout à la fois, comme si sa beauté avait constitué un bien comparable à la fortune de Greenwood.

Diana n'était pas simplement belle — le monde regorge de belles femmes. Elle avait également l'esprit solide, ainsi qu'une vive intelligence et une indépendance inébranlable. D'autres femmes dans la position de Diana se seraient contentées de vivre luxueusement en maîtresse d'un homme riche, mais Diana travaillait autant que Nicholas — et même davantage, en vérité, car Nicholas avait encore des accès de paresse et de suffisance, et il manquait de *Sitzfleisch* pour rester à son bureau dix ou douze heures par jour, comme font les

hommes d'affaires américains. Laissé à lui-même, Nicholas se serait fort bien contenté de vivre en play-boy, mais jamais son père ne l'aurait admis et jamais Diana ne l'avait encouragé dans cette voie. Elle appréciait le luxe, mais elle aimait également travailler. Comme elle l'avait un jour expliqué à Nicholas, elle n'était pas taillée pour la vie d'odalisque, en dépit d'une silhouette et d'une nature sensuelle qui l'aurait aisément qualifiée pour ce rôle.

Les ancêtres de Diana lui avaient transmis non seulement un physique flatteur, mais aussi un fort degré de bon sens et de prudence yankee. Des années auparavant, Nicholas avait éprouvé un choc en découvrant que, quand il donnait un chèque à Diana, elle investissait la somme au lieu de courir acheter des folies. Elle pressait méthodiquement le tube de dentifrice à partir du bout, utilisait le savon jusqu'à ce qu'il n'en restât qu'une fine lamelle et courait volontiers les soldes. Elle possédait davantage de sous-vêtements qu'aucune autre femme que Nicholas eût connue, mais elle les lavait et les réparait même, assise nue en tailleur sur le lit, une aiguille à la main, totalement absorbée dans sa tâche. Il tenta de convaincre Diana qu'il était plus simple de jeter les choses quand elles commençaient à révéler un peu d'usure, mais sur ce point comme sur tant d'autres, il ne put la métamorphoser. Elle était la première personne qu'il eût rencontrée, à l'exception de son père, qui ne lui cédait pas.

Toute sa vie Nicholas avait eu l'habitude de garder l'avantage, facilement, automatiquement même. Il était riche, charmant, beau, audacieux. Les femmes l'adoraient. Peu d'entre elles remarquaient, ou se souciaient de savoir, qu'il était également infantile, impétueux et terrifié par son père.

Diana l'avait compris, et cela comptait à ses yeux. Pour elle, il ne suffisait pas d'être un jeune homme riche avec toute une batterie de chevaux de polo et une écurie de voitures de course. Elle voulait voir Nicholas se comporter en homme et, à cause d'elle, il avait fini par tenir tête à son père, devenir un homme d'affaires et prendre le contrôle des intérêts américains de sa famille. Il devait beaucoup à Diana, mais en même temps il en éprouvait de la rancœur, et depuis longtemps il se consolait avec d'autres femmes qui n'attendaient rien de lui.

Diana avait été le seul véritable amour de sa vie, mais il n'était plus à l'aise auprès d'elle. Elle le connaissait trop bien, avec ses faiblesses. Et puis des pressions s'exerçaient à présent sur lui pour qu'il fît ce que son père appelait un mariage « sérieux » et, quelles que fussent les qualités de Diana, il lui manquait une fortune.

Cependant il restait attiré vers elle et, en dépit de toutes ses fermes intentions, il lui prit la brosse des mains et se pencha pour l'embrasser. Malgré la détérioration de leurs relations, malgré la perspective de

devoir la trahir et malgré ses nombreuses infidélités, Nicholas demeurait sensible à la sexualité de Diana. C'était une habitude qu'il trouvait difficile de perdre et son impuissance à la quitter le fâchait, rendant plus impérieux encore son désir sexuel. Comme tant d'hommes, il couchait avec d'autres femmes pour prouver son indépendance, et justifiait son comportement en le comparant au besoin d'autonomie de Diana. Elle voulait absolument travailler pour se prouver qu'elle ne dépendait pas de l'argent de Nicholas. C'était important pour elle. Etait-ce donc si différent, son besoin de prouver qu'il ne dépendait pas d'elle sexuellement ?

L'argument n'avait jamais convaincu Diana, ni même Nicholas en vérité, mais il s'y cramponnait parce qu'il lui fallait justifier son attitude. Le pire, c'était que jamais il n'éprouvait avec d'autres le plaisir qu'il avait connu avec Diana et il jouait volontiers avec l'idée que, si seulement ils pouvaient retrouver l'intensité sexuelle magique qu'ils avaient éprouvée naguère ensemble, il changerait peut-être d'avis et resterait avec elle ; mais bien entendu cette magie sexuelle ne pouvait plus se réveiller, il le savait aussi bien qu'elle, et cette perte irréparable l'attristait parfois.

Diana en éprouvait sans aucun doute une tristesse plus profonde, mais elle était trop fière pour le laisser paraître. Elle était également trop fière pour lui accorder une petite séance amoureuse rapide et bien faite pour fuir le problème, même si en vérité c'était exactement ce qu'elle souhaitait en ce moment précis, si seulement il avait présenté cette proposition comme une offrande de paix au lieu d'une simple exigence immédiate. Une demi-heure plus tôt, elle aurait peut-être serré Nicholas contre elle pour tenter de ressusciter le passé, mais il avait attendu que la réception commence comme pour lui prouver qu'il venait en premier, et qu'il pouvait toujours obtenir d'elle ce qu'il voulait.

« Pas maintenant, déclara-t-elle d'un air sévère, je viens de me maquiller.

— Eh bien, je ne toucherai pas ton visage. » Il déboutonna la chemise de Diana et lui passa un bras autour de la taille, puis glissa la main dans sa culotte.

« Reste à la réception, suggéra Diana. Tu pourras passer la nuit ici. Il faut que je m'habille, maintenant.

— Quelles absurdités ! Je me rappelle l'époque où tu venais me chercher à l'aéroport, et nous baisions à l'arrière de la voiture.

— Je m'en souviens aussi, mais tu n'avais pas une demi-douzaine de petites amies, en ce temps-là. Tu ne passais pas juste pour baiser en vitesse avant d'aller ailleurs.

— Tu es la seule femme que j'aie jamais aimée, et tu le sais.

— Le plus triste, c'est que tu dis sans doute vrai. Et maintenant, rends-moi ma brosse, s'il te plaît.

— Attrape-la toi-même », riposta Nicholas en la brandissant hors de portée de Diana. Tandis qu'elle sautait pour s'efforcer de l'atteindre, il l'enserra dans ses bras et la souleva — elle était plutôt grande, mais Nicholas Greenwood mesurait plus d'un mètre quatre-vingts et avait une carrure d'athlète — puis la jeta sur le lit, la retenant d'un bras tout en défaisant son pantalon de l'autre main.

Nicholas pensait qu'elle rirait. C'était là un jeu auquel ils avaient joué naguère, mais les yeux verts tachetés d'or de Diana le contemplaient froidement et il eut le sentiment de perdre sa dignité, avec son pantalon baissé et son pénis dressé dans son caleçon.

« Je n'ai pas l'intention de lutter, dit-elle. Vas-y, baise-moi. Mais pas de marques, s'il te plaît, et laisse mon maquillage tranquille. Je dois donner une réception. Et si j'étais toi, je retirerais carrément ce pantalon. »

Nicholas sentit son érection disparaître, se releva, remonta son pantalon et se reboutonna.

« Navré, dit-il. J'avais sous-estimé tes talents de salope.

— Non. Tu as cru que tu pourrais me sauter en vitesse, voilà tout. Une bonne petite partie de jambes en l'air entre deux rendez-vous, le temps de boire un whisky et de changer de chemise. Bah ! pour un homme beau et riche comme toi, ce ne devrait pas être difficile à trouver. Mais c'est une prestation que je ne fournis pas.

— Je te présente mes excuses. »

Elle haussa les épaules. L'orgueil de Nicholas était tel, elle le savait, que des excuses représentaient de sa part une importante concession — il les lui offrait comme un collier de valeur inestimable.

Calmement, elle examina son maquillage dans le miroir, lissa ses cheveux, rajusta son slip et enfila une chemise de soie noire diaphane. Diana n'était pas de ces femmes qui prennent un temps infini pour s'habiller. Il lui fallait fort peu d'embellissements artificiels et, bien que Nicholas l'eût souvent emmenée voir les défilés de mode à Paris, elle ne s'y était jamais intéressée. « La haute couture, disait-elle, c'est pour quand j'aurai l'âge d'en avoir besoin. » Mais elle ne donnait nullement l'impression d'approcher de cet âge.

« Nous aurions dû nous marier », observa tristement Nicholas.

Diana soupira. Elle éprouvait un étonnement constant à constater qu'elle aimait toujours Nicholas, en dépit de ses trahisons. C'était exactement le genre de faiblesse que les féministes déplorent chez les femmes et Diana, bien qu'elle ne fût nullement féministe, méprisait ce penchant en elle-même. Aimer Nicholas avait naguère constitué un défi, un plaisir, une aventure. Ce n'était plus désormais qu'un fardeau, mais dont elle semblait incapable de se débarrasser. Il lui manquait

quand il s'absentait, comme c'était le cas la plupart du temps mais, dès qu'il reparaissait, la tension s'instaurait entre eux pour exploser, inévitablement, en querelle. Ils s'entre-déchiraient au sujet du passé, car ils savaient fort bien tous deux qu'ils n'avaient plus d'avenir ensemble et elle se détestait parfois pour n'avoir pas le courage de mettre fin à leur relation.

Elle se glissa dans une longue jupe moulante fendue d'un côté jusqu'à la cuisse, et se pencha pour chausser ses sandales à hauts talons. « Tu ne peux pas te plaindre de ne pas avoir eu ta chance », dit-elle.

Nicholas haussa les épaules.

« Il n'est jamais trop tard, répondit-il sans grande conviction.

— Si. J'ai une carrière, j'ai organisé ma vie. Et tu as ta liberté. C'est ce que tu as toujours voulu, n'est-ce pas ? D'ailleurs, qu'en diraient l'Église et ton père ?

— Laura est dans cette foutue institution suisse depuis des années — il ne serait pas bien difficile d'obtenir une annulation, maintenant. Quant à mon père, il est très âgé.

— Mais il vit toujours. »

Diana dévisagea Nicholas pendant un long moment, attendant une réaction, mais il garda le silence. Elle savait trop bien qu'il vivait toujours dans l'ombre colossale de Matthew Greenwood et que cela ne cesserait jamais. Nicholas prenait tous les risques qu'un sportif fortuné pût s'offrir, mais un coup de téléphone de son père en pleine nuit lui emperlait le front de sueur et agitait ses mains solides d'un léger tremblement. Dans ces occasions-là, il parlait une langue que Diana ne connaissait pas, mais sa peur n'avait nul besoin de mots pour s'expliquer et, après avoir raccroché, il se versait toujours une forte rasade de cognac et se recouchait sans faire l'amour.

Le vieux Greenwood rêvait sombrement à son vaste empire entre un fauteuil roulant et un lit d'hôpital, dans sa villa « Azur », au cap d'Antibes, où un infirmier s'occupait de ses derniers besoins et un secrétaire le tenait au courant. Le matin, avant que le vent se lève, il se faisait promener en fauteuil sur sa terrasse tandis que son secrétaire le suivait en lui lisant les journaux. Il était important, expliquait Nicholas, d'entretenir l'intérêt du vieillard pour le présent. Lorsqu'il pensait au passé, il devenait déprimé et anxieux, comme s'il y avait eu des échardes susceptibles encore de le blesser, même à la fin d'une longue vie et protégé entre de hauts murs.

« Oui, il vit toujours, répéta Nicholas d'une voix lugubre. Mais à présent, l'affaire pourrait s'arranger. Nous pourrions même récupérer l'enfant. »

Diana fit volte-face avec une fureur cinglante. « Salaud, ne me fais plus *jamais* ce coup-là, tu m'entends. J'ai extirpé toute cette affaire de

ma mémoire. C'est à toi et à ton maudit père que je le dois et je ne vous l'ai jamais pardonné, ni à l'un ni à l'autre. Si jamais tu m'en reparles, je prends Dieu à témoin que je te tuerai ! »

Nicholas la dévisagea, et soupira.

« Figure-toi, dit-il après un moment de silence, que je t'en crois capable.

— Tu peux y compter, Niki.. Je suis une femme de parole. Et maintenant, restes-tu à la réception, oui ou non ? J'ai beaucoup à faire. »

Greenwood poussa un nouveau soupir, reconnaissant sa défaite.

« Je resterai peut-être quelques minutes. Tu ne me croiras sans doute pas, mais il se trouve que *j'ai* un rendez-vous d'affaires.

— Un dîner avec une starlette ? »

Nicholas parut furieux, mais se retint d'exploser. Il était bien décidé à ne plus se mettre dans son tort.

« Pas du tout, répondit-il en allumant une cigarette pour se maîtriser. Je pars pour Washington. Strictement entre nous — nous avons mis au point une centrale nucléaire qui est petite, de haut rendement, et totalement sûre. Un procédé absolument neuf. Il s'agit de milliards de dollars.

— Les actions vont monter ?

— Elles vont décoller, oui ! Bien entendu, il faut que le gouvernement approuve le procédé, et crée un programme pilote en quelques points clés. Je ne décèle aucun problème particulier, mais il faut se tenir sur ses gardes. L'enjeu est considérable. Viens, allons boire quelque chose.

— Pourquoi pas ? La soirée va être longue », répondit Diana.

Nicholas enfila sa veste et la suivit dans le couloir jusqu'à la vaste pièce qui dominait Central Park, où Frank, le maître d'hôtel que Diana avait engagé, mettait la dernière touche au buffet.

« Comme d'habitude, monsieur Greenwood ? » s'enquit Frank en tendant la main vers une bouteille de vodka russe.

Greenwood acquiesça, observant Diana tandis qu'elle inspectait brièvement la pièce pour s'assurer que tout était en place et qu'un exemplaire du nouveau livre d'Irving Kane trônait bien en évidence.

« Toujours aussi professionnelle, observa Nicholas. Les affaires doivent aller très fort.

— Qu'est-ce qui te le fait penser ?

— Le caviar. Une profusion vulgaire, en vérité. »

Diana se retourna pour contempler le buffet, au centre duquel se dressait un cygne grandeur nature, sculpté dans un bloc de glace. Le dos était creusé de manière à contenir une grosse boîte de Beluga Malossol frais et un petit carton pendait au bec.

« C'est quelque chose, hein ? renchérit Frank. Il vient d'arriver à l'instant. Il a fallu deux hommes pour le porter.

— Superbe, déclara Nicholas avec une intonation cassante. Un cadeau d'un riche admirateur, sans doute. »

Diana fit mine de ne pas entendre. Nicholas n'avait aucune raison d'être jaloux, au grand regret de Diana, et donc aucun droit à l'être non plus. Le cygne l'intriguait, mais elle ne connaissait personne susceptible de le lui avoir envoyé ; en fait, lorsqu'elle l'avait vu, en entrant dans le salon, elle avait cru deviner un geste romantique de Nicolas, et elle éprouvait une contrariété d'autant plus vive à l'idée qu'il allait devenir entre eux un sujet de dispute.

« Je ne vois vraiment pas qui a pu m'envoyer cela, dit-elle. Certainement pas Irving Kane. Ce n'est pas son style, et puis de toute façon il est toujours fauché, entre ses arriérés d'impôts et ses pensions alimentaires.

— C'est un geste princier, ma chère. Même moi, j'y songerais à deux fois. Tu dois être fort occupée, en mon absence, pour recevoir de telles gâteries. Pourquoi ne regardes-tu pas la carte ? »

Diana prit le carton et dénoua le ruban qui le retenait au bec du cygne. « Comme c'est étrange, observa-t-elle. Écoute : " Je me fais une joie de venir. Paul Foster. " »

Nicholas la foudroya du regard, les doigts crispés sur son verre. « Tu fréquentes Paul Foster ? articula-t-il. Cherches-tu donc à me ridiculiser ? Tu sais parfaitement que Foster mijote une sorte de vendetta démente contre moi ! Il nous a empêchés d'acheter cette mine d'uranium l'an dernier — dès l'instant où nous manifestons de l'intérêt pour une compagnie, il fait monter les enchères contre nous. Il a même essayé d'acquérir suffisamment d'actions chez nous pour avoir un siège au conseil d'administration ! J'ai dû payer une fortune pour l'en empêcher. Ce type est un obsédé. Tout le monde sait qu'il me hait — et tu t'amuses avec lui derrière mon dos ?

— Je ne fais rien de tel. Contrôle-toi. »

Le visage de Nicholas s'empourpra sous son bronzage de sportif. « Et ne viens pas me dire de me contrôler ! hurla-t-il. Nous avons une relation adulte, d'accord, et je ne te demande pas de vivre en bonne sœur, bon Dieu, tu le sais bien ! Mais *Foster ?* Un homme qui cherche à avoir ma peau ?

— Voyons, Niki, je ne le *connais* même pas.

— Foutaises ! Foster n'a pas besoin de relations publiques. Il a passé sa vie entière à se cacher de la presse. Il n'y a qu'une seule explication à ce cygne rempli de caviar : c'est entre tes cuisses !

— Sors d'ici !

— Je ne resterais pas même si tu me payais. Va donc dire à ton ami Foster de ne pas se mêler de mes affaires. Et amuse-toi bien. On m'a

dit qu'il engageait des call-girls à cinq cents dollars la nuit pour monter chez lui et lui mettre les doigts de pied en bouquet de violettes. Il trouve sans doute moins cher de te payer plusieurs séances avec son caviar. »

Diana contempla un moment Greenwood, puis lui jeta au visage, d'un geste précis, le contenu de son verre.

Greenwood tira de sa poche de poitrine un mouchoir en soie, s'essuya le visage en souriant poliment, puis la gifla du plat de la main, si fort qu'elle tomba à la renverse sur le canapé. D'un signe de tête grave, il salua Frank qui se tenait rigidement au garde-à-vous, les yeux fixés au plafond, puis tourna les talons et sortit.

Frank s'éclaircit la gorge. « Puis-je vous servir quelque chose, mademoiselle Beaumont ? » demanda-t-il.

Diana retenait ses larmes.

« Une vodka.

— Ce cygne lui a vraiment déplu.

— Oui, vraiment.

— Ça ira, madame ?

— Oui, Frank, ça ira. Mais il faut que je refasse mon maquillage.

— Il ne manque pas de poigne. Vous êtes *sûre* que ça va ?

— Jamais été aussi bien. M. Greenwood vient de me libérer de dix années d'illusions romantiques.

— Puis-je vous servir un peu de caviar ?

— Oui. Et puis, Frank, en partant ce soir, veuillez emporter les affaires de M. Greenwood. Tout ce qui vous ira, c'est pour vous. »

Quand elle regagna son salon après avoir réparé les dégâts de son maquillage, il lui sembla, à la lumière du contrecoup, que les premiers arrivés de ses invités provenaient d'une autre planète. Irving Kane, l'invité d'honneur, vacillait et gesticulait au milieu de la pièce, le visage marbré de rouge, dépoitraillé jusqu'au nombril. Il était soutenu d'un côté par son agent, Aaron Diamond, et de l'autre par son éditeur, David Star, un homme nerveux et de haute stature qui commençait à s'empâter ; il arborait des verres épais comme le fond des bouteilles de Coca. Ses yeux pâles semblaient flotter derrière ses lunettes tandis qu'il s'efforçait de fixer son regard sur Diana.

« Félicitations », déclara Diana à Kane, mais il se contenta de réprimer un rot, puis ajouta dans un murmure implorant : « Il faut que j'aille pisser. »

Diana lui indiqua la porte et fit signe à Frank de lui montrer le chemin, mais il repoussa le bras du maître d'hôtel. « Pas besoin d'aide », éructa-t-il en titubant vers la porte, heurtant plusieurs meubles sur son passage.

« Je ne suis pas sûre qu'il ait raison sur ce point », observa Diana.

Aaron Diamond l'embrassa. « Je suis navré », dit-il en s'essuyant les lèvres avec un mouchoir — il avait une peur morbide des microbes et transportait toujours dans ses poches des quantités de Kleenex ainsi qu'un petit vaporisateur de désinfectant, pour le cas où il se serait trouvé dans l'obligation d'utiliser des toilettes inconnues. « Irving était un peu parti quand nous sommes passés le prendre à son hôtel, mais je n'avais pas imaginé que nous viendrions dans une limousine agrémentée d'un bar à l'arrière. Avec les embouteillages qu'il y a en ce moment, il a eu le temps de se saouler pendant le trajet. Je te présente ma petite amie. »

Il désigna une jeune femme sculpturale, revêtue d'une tunique métallique argentée qui cliquetait, et qui prononça quelques mots dans une langue gutturale.

« Elle ne parle pas anglais, ajouta inutilement Diamond. Elle doit être finlandaise, je crois. Vedette célèbre là-bas, mais ici tout le monde s'en branle. »

Diana lança un coup d'œil à la jeune femme qui dominait Diamond d'au moins cinquante centimètres avec ses talons aiguilles et ses cheveux relevés au sommet du crâne. « Tu ne la trouves pas un peu grande pour toi, Aaron ? » demanda-t-elle.

Aaron contempla attentivement sa petite amie, comme s'il venait seulement de s'en rendre compte, puis haussa les épaules. « Bah ! je m'en fous, dit-il. Tu sais ce que c'est. Une fois à genoux, elles sont toutes de la même taille.

— Tu ne risques pas de te disputer sur ce point avec Niki Greenwood.

— J'ai vu Niki partir, quand nous sommes arrivés. Il avait l'air fou furieux. Je lui aurais bien vendu quelque chose, mais ça n'avait pas l'air d'être le moment. On dit qu'il veut racheter ta boîte, Star. »

Star opina d'un air lugubre et accepta un verre de champagne que lui présentait Frank.

« Je crois que c'est surtout le vieux qui voudrait, en vérité. Nick, lui, s'en fiche royalement.

— Si tu veux, je négocie l'affaire pour toi, reprit Diamond. J'ai souvent eu affaire avec Greenwood depuis qu'il a acheté la chaîne et le studio. Je connaissais son père, mais c'est devenu un vrai légume, d'après ce qu'on m'a dit. Je l'avais rencontré plusieurs fois à Antibes, dans le temps. Il avait une *cabaña* à Eden Rock, avec un grand yacht et plein de filles.

— Quel genre c'était ?

— Une vraie carrure. Pas le même modèle que Nick. Avec un accent à couper au couteau, comme Bela Lugosi. »

Star cligna des yeux.

« Kane dit qu'il y a là une histoire formidable. Il y a très longtemps qu'il essaie d'écrire un livre sur les familles juives très riches et leurs pactes avec les Allemands, vous savez. Il veut l'appeler *Les Traîtres cousus d'or*... En tout cas, il a découvert des choses sensationnelles sur Greenwood. Il envisage même de construire tout le livre autour de lui, à présent. Comme un roman.

— Je ne savais pas que Greenwood était juif.

— Tous les gens qui comptent sont juifs, répliqua Star. Kane m'a montré des documents très intéressants sur Greenwood. Il a débarqué à Lisbonne pendant la guerre, figurez-vous, avec énormément d'argent. A la fin de la guerre, il a filé en courant. Immobilier, constructions balnéaires, banque, mines d'uranium quand c'était le bon moment, il était dans tout.

— Je me rappelle quand il a acheté le casino de Cannes, raconta Diamond. Ils avaient une roulette truquée pour qu'il puisse gagner chaque fois qu'il jouait. Il avait horreur de perdre.

— Qui aime cela ? riposta Star.

— Bien sûr, mais Greenwood était véritablement obsédé. Il gagnait contre lui-même, son propre argent ! Je n'aurais pas cru qu'il s'intéresse aux livres.

— Moi non plus, franchement, répondit Star. Mais Nick ne m'a pas caché que l'idée d'acheter venait de son père. Lui-même paraissait un peu surpris.

— Cela ne ressemble à rien. Les types comme lui achètent des studios de cinéma pour aller se faire sauter sur la côte ouest. Mais qu'est-ce qu'un gars comme Greenwood peut trouver dans l'édition ? C'est de la petite bière, pour lui. »

Star paraissait peiné, bien qu'il fût d'accord sur le fond avec l'analyse de Diamond. Il sembla vouloir défendre sa profession, puis se contenta de hausser les épaules.

« Tout ce que je peux te dire, Aaron, c'est qu'il s'y intéresse sérieusement.

— C'est sans doute pour lire le manuscrit de Kane », suggéra Diamond.

Star fronça les sourcils.

« C'est drôle que tu en parles. Nick Greenwood m'a téléphoné aujourd'hui, après la révélation des projets d'Irving au cours de l'émission télévisée *Aujourd'hui.* Et savez-vous qui d'autre m'a appelé ? Un lieutenant de Paul Foster. Il voulait aussi savoir si la maison était à vendre. Quelle coïncidence, vous ne trouvez pas ?

— Foster ? Quel sacré bonhomme ! J'ai eu affaire à lui aussi. Figurez-vous que, quand Foster était marié avec Dawn Safire, elle a réussi à l'emmener en croisière, juste pour se détendre. Il devenait

cinglé, coincé sur un bateau avec rien d'autre à faire que de *shtup*[1] avec Dawn. Là-dessus, il découvre qu'il existe un satellite et qu'il peut téléphoner dans le monde entier, à trois dollars la minute. " Je m'en fous, dit-il au capitaine, je veux louer le satellite pour toute la durée de la croisière. " Et il l'a *fait.* Ça lui a coûté la bagatelle de trente-quatre mille dollars. Les Anglais ne pouvaient pas y croire. Ils ont exigé un chèque certifié versé à l'avance, et une heure plus tard arrivait à Londres un gars de l'écurie Foster, avec le chèque. Foster a passé toute la croisière dans sa cabine à téléphoner, heureux comme un poisson dans l'eau.

« Dawn m'a raconté qu'il était enroué en accostant à New York et la première chose qu'il a faite en montant dans sa voiture, c'est de téléphoner à Abou Dhabi. Cela dit, je dois ajouter qu'il n'est pas mauvais bougre, pour quelqu'un qui a emprunté son nom à un magasin de chaussures. »

Diana éclata de rire.

« Non, je ne plaisante pas, reprit Diamond. Après la guerre, il était réfugié à Londres et il a décidé de changer son nom. Il paraît qu'il faisait des économies pour s'acheter une paire de chaussures ; il en a vu qui lui plaisaient chez Foster's, à Jermyn Street, et il a décidé de prendre le même nom que ce foutu magasin. C'est Meyerman qui m'a raconté cette histoire. Je me chausse là aussi, ajouta-t-il en montrant ses boots en crocodile bleu nuit.

— Paul Foster va sans doute venir ce soir, déclara Diana. C'est lui qui a envoyé le caviar. »

Diamond haussa un sourcil.

« Franchement, je suis surpris. On l'invite partout, mais il ne vient jamais. Vous le connaissez ?

— Non. Personne ne le connaît. Il figurait sur la liste. Il a d'abord refusé, et puis il a envoyé le caviar avec un petit mot.

— Il ne manque pas de classe, c'est le moins qu'on puisse dire.

— Ni d'argent, ajouta Star.

— C'est ce qu'il y a de mieux après la classe. »

La réception de Diana était réussie, et elle le savait. Elle aimait les gens, ce qui était rare, et savait les mettre à l'aise. A l'époque où elle avait été comtesse de Winchester, avant que le comte eût pris l'affreuse pente qui devait s'achever dans les dettes de jeu, les scandales sexuels et une fuite ignominieuse en Australie sous un nom d'emprunt, les réceptions de Diana avaient été fort réputées à Londres.

Lorsqu'elle se retrouva échouée en Angleterre sans argent, avec son

1. *Shtup :* fricoter, en yiddish.

seul titre et sa beauté, ce fut Meyerman qui lui suggéra d'employer ses talents pour lui. Il était alors déjà riche et célèbre, et l'on pouvait croire que l'octroi du titre de chevalier avait comblé ses ambitions sociales, mais Sir Meyer ne se satisfaisait pas de prendre place auprès de Sir Jimmy Goldsmith, Sir Charlie Clore et Sir Max Balogh.

Meyerman aspirait à de plus grandes choses, et il engagea Diana pour ce qu'un observateur appela une « course à la pairie ». Elle organisait ses réceptions, dressait les listes d'invités, faisait en sorte que l'on invitât les journalistes et les politiciens qu'il fallait et parvint à hisser Meyerman du monde des magnats de l'industrie jusque dans le *beau monde*. Les vedettes, les auteurs célèbres, les hommes politiques venaient à ses réceptions et l'invitaient aux leurs et, peu à peu, les aristocrates, les premiers ministres et même les membres de la famille royale suivirent le mouvement. Meyerman fréquentait les mondes de la finance, de la politique, de l'art, le « jet set » (comme on se mit à dire par la suite) et même le palais royal — véritable colosse d'Europe centrale au visage poupin, un cigare éternellement vissé aux lèvres. Il avait astucieusement choisi Diana pour sa beauté, ses relations et son énergie, sachant fort bien qu'on pardonnerait tous les excès à une ex-comtesse américaine et à un chevalier hongrois. « Les Anglais, lui avait-il dit, *adorent* les arrivistes pourvu qu'ils soient étrangers. Ce sont leurs compatriotes arrivistes qu'ils détestent. »

Le jour où il fut anobli par la reine et quitta le palais Saint-James avec le titre de baron Meyerman de Battersea, il adressa à Diana une enveloppe contenant un mince papier. C'était le reçu d'un dépôt de cinq cent mille francs suisses confié au nom de Diana à une petite banque discrète située sur la Banhofstrasse, à Zurich. Une carte était agrafée au reçu, portant simplement ces mots : « Noblesse oblige », et signée d'un « M » majestueux.

Beaucoup de gens soupçonnaient Diana d'avoir été la maîtresse de Lord Meyerman — laid comme il était, il avait la réputation d'être doté d'organes sexuels tellement impressionnants que bien des femmes couchaient avec lui par pure curiosité — mais à la vérité Diana vivait déjà secrètement avec le jeune Nicholas Greenwood et ses relations avec Meyerman furent toujours fondées sur l'amitié et le respect mutuel. Ni l'un ni l'autre n'étaient du genre à mêler le plaisir aux affaires.

Lorsqu'elle regagna New York pour être plus proche de Greenwood, Diana décida de se lancer dans les affaires pour son propre compte, bien que Nicholas se fût parfaitement contenté de l'entretenir sur un grand pied. Il respectait sa décision et comprenait son besoin d'indépendance — mais l'on ne tarda pas à observer dans certains milieux que, si l'on voulait traiter avec Nick Greenwood ou Meyerman, il

n'était pas mauvais de confier ses problèmes de relations publiques à Diana Beaumont.

Bien qu'elle prît un vif plaisir à connaître le succès, Diana n'était guère ambitieuse. Elle ne nourrissait aucun désir de faire fortune ou d'établir une compagnie importante. Elle avait trop le sens de l'humour et du plaisir de vivre pour se laisser dominer par une idée fixe ou une ambition, et n'éprouvait aucun besoin féministe de triompher pour la seule satisfaction de triompher. Elle aimait simplement être active et indépendante. La duchesse de Windsor lui avait dit un jour, comme elle le disait si volontiers, qu'une femme n'était jamais trop riche ni trop mince, mais Diana considérait non seulement que la duchesse avait tort, mais qu'elle représentait un bien piètre exemple de sa théorie. Pour sa part, Diana avait une silhouette pleine et voluptueuse et autant d'argent qu'elle pouvait en désirer. Elle travaillait parce qu'elle le voulait, et parce que cela l'intéressait plus que de rester chez elle à attendre Nicholas ou un autre homme.

Elle aurait été la première à admettre que sa « relation » — un mot qui lui faisait horreur, mais que pouvait-on dire d'autre ? — avec Nicholas, de même que son amitié avec Meyerman, lui avait apporté de nombreux clients et ouvert d'innombrables portes. Diana était réaliste — une femme lancée dans les affaires a besoin de toute l'aide qui peut se présenter. Elle se consolait en songeant qu'elle leur en donnait pour leur argent. Ses clients étaient invités aux réceptions qu'ils souhaitaient, interviewés lors d'émissions prestigieuses (après des séances de répétition en circuit fermé de télévision) et présentés aux journalistes qui comptaient, dans l'atmosphère détendue et l'éclairage flatteur du restaurant des Quatre-Saisons.

Irving Kane se révélait un client particulièrement difficile. Pendant les premières années de sa carrière, il était apparu comme un journaliste enquêteur plein de talent, et il était revenu du Vietnam transformé en héros populaire. Son compte rendu de l'opération Phoenix avait fait de son nom le véritable synonyme du premier amendement de la Constitution américaine aux yeux de bien des gens, et le fait qu'il devînt aussitôt un grand best-seller n'étonna personne, car il avait le don de transformer le simple compte rendu journalistique en un récit passionnant. Kane remporta le prix Pulitzer, apparut constamment à la télévision, combattit Norman Mailer lors de deux joutes publiques, et ne tarda pas à être corrompu par son propre succès. Ses révélations avaient naguère constitué des nouvelles importantes ; il ne recherchait plus à présent que les gros titres de la presse à sensation.

Kane buvait, Kane se bagarrait, Kane se donnait en spectacle. Issu de la petite bourgeoisie de Chicago, il était parvenu à entrer à Harvard et à devenir un redoutable journaliste, mais quelque part en chemin il

avait choisi l'argent et la célébrité. Sa réputation de perturbateur était si bien fondée que Diana l'aurait volontiers laissé tomber, mais elle avait de l'amitié pour Aaron Diamond et David Star.

Diamond était un ami des jours anciens, lorsqu'elle était encore mariée à ce pauvre Winchester qui aimait tant les orgies avec les filles au pair et le baccara, cependant que Star, à sa manière calme et réservée, la vénérait de loin — depuis tant d'années qu'elle le connaissait, jamais il ne lui avait fait d'avances, à l'exception d'une seule fois où il était ivre, comme ils revenaient ensemble en taxi d'une réception donnée à l'occasion d'un grand prix littéraire, et il s'était aussitôt excusé.

Une ou deux fois par mois, Star invitait Diana à dîner au Lutèce, et il lui faisait gravement la cour, heureux de se trouver en compagnie d'une femme intelligente et belle qui partageait son goût pour la nourriture raffinée.

« Si jamais tu décides de te remarier, lui déclara-t-il un soir en sirotant une liqueur de framboise glacée, je veux une option.

— Tu as déjà une femme, lui rappela gentiment Diana.

— Je pourrais m'en dégager moyennant finances », répondit-il galamment, mais ils savaient aussi bien l'un que l'autre qu'il ne pourrait jamais le faire. Il était beaucoup trop bien élevé.

Tandis que la pièce s'emplissait, Diana se retrouva tout naturellement auprès de Star, qui se servait copieusement de caviar.

« Beau tableau de chasse, apprécia-t-il en désignant la foule d'un haussement de sourcils.

— Comme d'habitude. Les surprises n'existent pas dans le monde des relations publiques. »

Star essuya une miette de caviar sur ses lèvres et se mit à rire, roulant des yeux amusés derrière ses verres épais.

« A propos, j'espère que tu ne me fais pas payer tout ce caviar ? demanda-t-il.

— Non. C'est un cadeau de Paul Foster.

— Ha ha ! Le complice criminel de Meyerman.

— Vraiment ?

— C'est ce qu'affirme Kane. Après tout, il y avait un Meyerman pauvre, prof d'allemand dans une école commerciale de Fulham Road en 1946, émigré juif sans aucun avenir, et dès 1950 le voilà bien lancé sur la route de la gloire, de la fortune, de la chevalerie, et de la noblesse. Mais tu connais déjà tout cela, bien sûr, je l'oubliais.

— Oui, mais Meyerman n'a jamais été très expansif au sujet du passé. Il a bien dit, un jour, que derrière toute fortune se tapit un crime, mais il parlait de quelqu'un d'autre.

— Et il *citait* quelqu'un d'autre. Foster était avec lui, comme tu sais. Puis il a quitté Meyerman pour faire surface ici en 1948. Il serait intéressant de savoir comment Foster et Meyerman ont démarré.

— Meyerman ne me l'a jamais dit.

— Je m'en doute. Quelle est l'expression, déjà, dans *Die Dreigroschenoper?* " *Und der Haifisch, der hat Zähne* "... » Star fredonnait joyeusement les notes d'ouverture de *L'Opéra de quat' sous,* avec une expression malveillante sur le visage. « Mackie Messer, Mack the Knife, ça correspond parfaitement à Foster; mais nul ne sait qui il a poignardé... Sauf Meyerman, je suppose. Attention à ta porcelaine!

— Pourquoi?

— Voici Irving.

— Misère! Alors, Irving, ça va mieux? »

Kane allait manifestement bien mieux, après s'être passé la tête sous l'eau froide. Ses cheveux gris se dressaient sur son crâne, sa chemise était trempée, mais il avait à nouveau les idées claires. Il accepta des mains de Frank un verre de champagne, malgré le coup d'œil d'avertissement de Star.

« Ils te traitent correctement, mon vieux? » demanda Kane à Frank. En vieux militant des droits civiques dans les années soixante, Kane considérait comme son devoir de subvertir les domestiques des autres.

« Parfaitement bien », se hâta de répondre Frank en se réfugiant derrière le bar. Il était franc-maçon et prédicateur méthodiste, et n'éprouvait que mépris à l'égard de Kane qui se servait joyeusement de caviar, à présent, comme il se serait fait des tartines de confiture, avec cet appétit farouche du type bien décidé à ne pas se laisser abattre par la gueule de bois.

« Bon Dieu, Star, s'exclama-t-il entre deux bouchées, je vais dire à Aaron de m'obtenir des droits d'auteur plus élevés la prochaine fois. Vous recevez comme si vous étiez ce putain de tsar de Russie, mon vieux. Vous avez spéculé sur l'argent?

— C'est Paul Foster qui l'a envoyé, expliqua Diana.

— Ce salaud? Figurez-vous qu'il voulait absolument me forcer à écrire un livre sur ce qu'il fait au Guatemala. C'est l'un de ses projets favoris. Il est venu exprès à Los Angeles pour me voir. Il a fallu que j'aille à l'aéroport et que je monte parler avec lui dans son avion, et aussitôt après l'entretien il a décollé pour retourner à New York! Il m'a fait penser à Kurtz, dans *The Heart of Darkness.* Je passais mon temps à chercher les crânes dans les recoins de la cabine.

— Comment cela s'est-il passé? s'enquit Diana.

— Mal. Il voulait parler de littérature, et moi d'argent.

— Quand on parle du loup », lança Star en indiquant la porte.

Diana leva les yeux et vit une haute silhouette vêtue avec simplicité qui se tenait sur le seuil de la pièce. Derrière Foster, un homme massif

et sanguin, arborant des lunettes d'aviateur, parcourait la salle des yeux avec une attention de professionnel.

A première vue, Foster n'était pas du tout l'homme que Diana s'était attendue à voir. Il mesurait environ un mètre quatre-vingts, et avait la silhouette déliée d'un jeune homme. Il était, comme toujours, vêtu comme pour d'élégantes funérailles et, de loin, ses traits semblaient figés dans une expression de deuil professionnel, comme un entrepreneur de pompes funèbres qui aurait pris son métier au sérieux.

Foster portait toujours un complet bleu sombre, presque noir, avec des chaussures noires, une chemise blanche et une cravate de soie noire. Même sous des climats tropicaux ou dans les hôtels de villégiature qu'il possédait, il s'habillait de la même manière. Très tôt dans sa vie, il avait dévolu son choix sur un tailleur, un chemisier et un bottier de grande classe à Londres. Son valet commandait un complet ou une douzaine de chemises pour lui chaque fois que cela semblait nécessaire, toujours exactement de la même coupe, du même style et de la même étoffe. Il ne portait jamais de montre, de boutons de manchettes ni de pince à cravate, et ses costumes étaient si bien ajustés qu'il ne s'encombrait manifestement pas de portefeuille, de monnaie, de clés, ni d'aucun de ces objets que les hommes ordinaires ont dans leurs poches. Quand Foster voulait se souvenir de quelque chose, quelqu'un le notait pour lui. Dans l'éventualité peu probable qu'il eût besoin d'argent, quelqu'un auprès de lui était prêt à le lui fournir. Des gardes du corps, des chauffeurs, des secrétaires se tenaient prêts à lui ouvrir les portes et lui indiquer l'heure.

Il congédia son garde du corps et traversa la salle en direction de Diana, sans paraître s'apercevoir du fait que toutes les conversations s'étaient interrompues à son entrée. Aucun des invités ne lui dit bonjour. Comme Foster détestait être photographié, on le reconnaissait rarement, et les quelques personnes qui savaient ou devinaient qui il était ne l'avaient jamais rencontré et ne savaient donc pas quoi dire.

Parvenu à quelques pas de Diana, Foster s'immobilisa un instant pour la dévisager. Il y avait quelque chose d'angoissant, songea Diana, dans l'intensité de ce regard, comme s'il avait voulu fixer ses traits dans sa mémoire. L'espace d'un instant, il parut troublé, puis il sembla se ressaisir. Il avança encore de deux pas, lui prit courtoisement la main et la porta à ses lèvres à la manière des Continentaux, tout en faisant claquer ses talons.

« Merveilleux », articula Foster d'une voix basse, feutrée — sans que Diana pût déterminer s'il parlait d'elle ou de la soirée. Elle devait faire un effort pour l'entendre.

Comme il était incliné sur sa main, elle ne voyait de lui que ses cheveux courts, blond argent. Lorsqu'il redressa la tête et la regarda, elle découvrit avec étonnement que ses yeux bleu pâle n'étaient pas du

tout ceux d'un pillard d'entreprises sans scrupules. En vérité, ils semblaient exprimer une chaleureuse compréhension. Il avait eu quelque chose d'un conspirateur en lui baisant la main, comme pour suggérer une sorte d'intimité, la connaissance entre eux deux d'une chose dont personne d'autre, dans la pièce, ne soupçonnait l'existence.

Diana décela au premier coup d'œil, sur le visage de Foster, ce don si particulier de gagner sans pour autant tricher. Le nez était fort mais dévié, visiblement brisé violemment autrefois. D'autres traces de son passé apparaissaient sur le visage de Foster — on devinait vaguement d'anciennes cicatrices, de fines lignes blanches que dissimulait presque complètement son teint bronzé d'homme riche, ainsi sans doute que de talentueuses interventions chirurgicales.

C'était là, songea Diana, un visage particulièrement beau, en dépit des traces de mauvais traitements et d'importants dommages. Elle se demanda comment avait été Foster avant que tout cela lui arrive — fort différent sans doute, à l'exception des yeux, bien sûr. Elle supposa un instant qu'il s'était fait faire un lifting, mais Foster ne semblait pas être ce genre d'homme-là. C'était au contraire le visage d'un être motivé par des besoins plus profonds et plus puissants que la vanité, un visage qui parvenait à exprimer tout à la fois la cruauté et l'humour, conjugaison que Diana trouvait fascinante et inquiétante. Elle remarqua que ses lèvres révélaient une indéniable sensualité, puis elle se rendit compte qu'il attendait d'elle quelques paroles. Il n'était manifestement pas venu pour se mêler aux autres invités — il s'était dirigé immédiatement vers Diana, comme si la salle eût été vide, afin de lui offrir son attention sans partage.

« Je suis ravie que vous ayez pu venir, dit-elle. Et merci pour tout ce caviar.

— Ce n'est rien. » Foster balaya le sujet d'un geste de la main. « Vous connaissez tout le monde, sans doute ? »

La question parut surprendre Foster. Ses yeux se portèrent brièvement vers l'assistance, perçurent la présence d'Aaron Diamond, de David Star et d'Irving Kane, et il acquiesça.

« Je connais quelques personnes ici, oui, reconnut-il sans paraître en éprouver aucun plaisir. Vos photos ne vous rendent pas justice.

— Comme c'est gentil à vous... Quelles photos ?

— Peu importe. Au vu d'une photo, on ne peut apprendre que des données limitées. La forme d'un visage. Les yeux. La figure est là, mais pas la personne.

— Est-ce pour cela que vous ne vous laissez jamais photographier ?

— Non, non, c'est pour de tout autres raisons », répondit Foster, mais il ne semblait guère disposé à s'expliquer davantage. « Je dois vous prier de m'excuser pour cette manière de vous dévisager en entrant chez vous. Vous avez dû me juger grossier.

— Pas du tout. Une femme n'éprouve jamais de déplaisir à être remarquée. Vous me paraissiez un peu surpris.

— Surpris ? Non. En vérité, vous m'avez rappelé quelqu'un que je connaissais. Je me disais : “ Bon, elle va parler, et sa voix sera différente ”, mais la voix est identique aussi. J'avais déjà eu cette impression en voyant votre photo. Je m'attendais à être déçu, et je n'ai pas été déçu du tout.

— Qui vous ai-je rappelé ainsi ?

— Peu importe. » La voix de Foster vibra. Manifestement, la question importait pour lui.

Il parut un instant avoir perdu sa maîtrise de l'anglais, ainsi que sa légendaire maîtrise de soi, et Diana se demanda s'il avait bu. Mais il se ressaisit, prit une profonde inspiration, et articula : « Je suis heureux d'être venu », comme s'il avait tout juste appris cette phrase dans un lexique de langue étrangère.

« Où avez-vous vu ma photo ? »

Foster éluda la question. « Je m'attendais à vous trouver plus mondaine, observa-t-il. Rayonnante, mais un peu dure. Je n'ai rien contre les femmes du monde, comprenez-moi. Sans elles, il n'y aurait plus de couturiers, ni de joailliers, ni de potins mondains, ni personne pour révéler aux jeunes gens les joies du sexe. Mais je constate que ce n'est pas du tout ce que vous êtes. »

Diana se mit à rire. A sa grande surprise, elle trouvait Paul Foster très sympathique. Non seulement il se révélait charmant, mais il semblait être venu dans le seul but de faire sa connaissance, ce qui était en soi fort mystérieux. Visiblement, quelque chose l'avait pris de court et forcé à montrer davantage de lui-même qu'il n'en avait eu l'intention, mais maintenant qu'il avait surmonté son embarras, il laissait paraître une expression plus circonspecte. Elle devinait qu'un homme comme Foster n'allait nulle part sans une intention bien précise et elle s'interrogeait avec une vive curiosité sur les raisons de sa venue. « Curieusement, déclara-t-elle, j'ai toujours nourri le désir secret d'être une femme du monde. Franchement, je croyais en être une. Les autres semblent le croire. »

Il avança sa lèvre inférieure et secoua la tête.

« Non, dit-il, ils se trompent. Pour les femmes du monde, la beauté est une affaire sérieuse. Elles ne vous le laissent jamais oublier. Vous, à mon avis, vous prenez plaisir à être belle. Et pourquoi pas ? Il faut savoir apprécier ce que l'on possède, non ? Que ce soit l'argent, la beauté, la santé... N'ai-je pas raison ?

— Vous avez parfaitement raison. Et vous me flattez.

— Je l'espère bien. Mais je manque de pratique, malheureusement. Comment vous êtes-vous meurtri le visage ? »

Surprise, Diana porta la main à sa joue en dévisageant Foster.

« Cela se voit ? interrogea-t-elle.

— Très peu. Ne vous inquiétez pas. La plupart des gens n'y verraient rien du tout, mais j'ai l'œil pour les détails, et puis je sais reconnaître une marque de coup quand j'en vois une. Vous allez me dire que ce ne sont pas mes affaires, et vous aurez bien raison, mais vous devriez aller mettre une petite touche de maquillage quand vous en aurez l'occasion. Qui vous a frappée ?

— Qu'est-ce qui vous faire croire qu'on m'a frappée ?

— Il est assez rare qu'une femme se heurte à une porte la joue en avant. Le nez ou le front, plutôt. J'espère que vous lui avez rendu son coup ? »

Diana se mit à rire. « Non, dit-elle. Je n'en ai pas eu l'occasion. D'ailleurs, il est beaucoup plus costaud que moi. »

Foster acquiesça, comme s'il avait assisté à la scène. « Était-ce Nicholas ? s'enquit-il d'une voix triste. Il est tellement emporté... Beaucoup d'énergie mais aucune maîtrise, comme si ce père effrayant ne lui avait jamais permis de devenir adulte.

— Je vous ferai observer que je n'ai jamais dit que c'était Niki. Je préférerais ne pas en parler, si vous voulez bien. »

Foster lui prit les deux mains dans les siennes — s'en empara, en fait — et arbora une expression affligée. Diana crut un instant qu'il allait pleurer, mais il se contenta d'articuler à voix basse et voilée :

« Pardonnez-moi. Voilà ce qui se passe, à toujours vivre seul. Je pose beaucoup trop de questions quand je rencontre enfin une personne qui me plaît. On se fatigue tellement de toujours parler d'argent.

— Les hommes riches de ma connaissance ne s'en fatiguent *jamais.*

Foster haussa les épaules.

« Ce n'est jamais qu'une commodité comme les autres.

— Qui ne peut donc pas vous garantir le bonheur ? » s'enquit Diana avec un petit rire.

Foster parut décontenancé, comme si ce cliché lui était inconnu. Sa connaissance de l'anglais comportait des trous, bien qu'il parvînt généralement à les dissimuler. « Le bonheur ? répéta-t-il. Mais seuls les gens ennuyeux sont heureux. C'est une ambition de second ordre... Écoutez, je veux encore parler avec vous, mais je vous retiens à l'écart de vos autres invités. »

En effet, Diana se rendit compte que ses invités les dévisageaient tous deux fixement, cependant que Kane, Diamond et Star, rassemblés en petit cercle à quelques pas de là, semblaient venus pour rencontrer la reine mère, et puis éconduits.

Elle se hâta de mener Paul Foster vers eux, fit signe à Frank de lui apporter un verre de champagne, et procéda aux présentations bien

que ce fût totalement superflu, car ils connaissaient tous trois Foster. L'hostilité de Kane apparaissait même si clairement qu'il évoqua aux yeux de Diana un cheval sur le point de se cabrer pour jeter à bas son cavalier, mais Foster semblait s'en moquer royalement. Il les salua l'un après l'autre avec une politesse distante, à l'exception de Star, dont il serra un instant la main entre les deux siennes pour marquer son respect à l'égard d'un homme qui possédait sa propre entreprise, si petite qu'elle fût.

« Nous parlions du Guatemala, déclara Kane avec une intonation menaçante.

— Ah oui ? C'est un projet qui me tient particulièrement à cœur. » Foster ne paraissait nullement sur la défensive, et semblait au contraire distrait et amusé. « Je persiste à penser que vous devriez écrire un livre sur cette question.

— La réponse reste non. Vous essayez d'acheter un pays au nom du progrès. Vous rendez-vous compte de ce qui se passe dans la jungle ? Il y a là toute une société tribale qui disparaît. Des Indiens en blue-jeans !

— Je les préfère également couverts de plumes et de peaux de singe, mon cher, mais ils veulent porter des blue-jeans comme tout le monde. D'ailleurs, je me préoccupe bien davantage de ce qui va nous arriver à *nous,* lorsque nous n'aurons plus de papier, de pétrole, de minerai ni d'engrais. Nous avons dépensé près d'un milliard de dollars pour construire une usine de traitement de la pulpe de bois. L'installation complète a été expédiée de Mobile, en Alabama, sur une péniche — le plus gros objet fabriqué par l'homme qui ait jamais flotté sur l'eau ! Les autres sont transformés en pâte liquide que l'on pompe ensuite par pipe-line jusqu'au port, et qui arrive jusqu'ici par bateau-citerne.

— Est-ce rentable ? voulut savoir Star.

— Pas encore. En vérité, il est très difficile de décrocher des capitaux. Les gens lisent les journaux et, pour eux, Guatemala signifie uniquement juntes et coups d'État. Mais tous les gouvernements sont effrayants, chacun à sa manière. On accomplit ce qu'on peut malgré eux, non ?

— Je suis du côté des Indiens, répliqua Kane.

— Moi aussi, affirma fermement Foster. Je leur ai construit un hôpital. Et un stade pour le football. »

Foster s'animait en parlant de son travail. Ses mains, qu'il tenait habituellement le long de son corps comme par un effort de volonté, s'élevèrent et commencèrent à faire des gestes. Il les dressait, les ouvrait largement à hauteur des épaules pour indiquer la dimension de son entreprise, les agitait pour exprimer qu'il déplorait la critique étriquée de Kane, les pressait l'une contre l'autre comme dans la prière, pour signifier sa sympathie pour les Indiens. Quelle que fût la perfection de son accent (mais il trébuchait ici et là dans le torrent de

l'enthousiasme, prenant le rythme d'une autre langue, plus émotionnelle et gutturale), ses mains trahissaient ses origines européennes. Pas plus que Meyerman, il n'était parvenu à dissimuler dans sa nouvelle identité l'ancienne langue gestuelle du commerce, les indispensables signaux de mains du marché.

Foster remarqua, apparemment, cet élan d'enthousiasme incongru. Diana songea qu'il avait l'air d'un homme mal à l'aise avec l'image de lui-même qu'il avait créée, comme si le fait d'être Paul Foster était en soi un exercice de contrôle personnel. Elle se demanda brièvement ce qui se cachait sous cette surface, tandis qu'il entreprenait d'étaler avec précision une cuillerée de caviar sur une tranche de pain grillé et qu'il pressait une rondelle de citron dessus.

« J'ai entendu dire que le caviar se raréfie aussi », lança Star.

Foster acquiesça. « Encore une ressource naturelle qui s'amenuise, oui. J'étudie actuellement la possibilité de développer ici un élevage d'esturgeon d'envergure réellement commerciale. Les États-Unis doivent devenir autonomes dans le domaine de l'énergie, bien sûr, mais pourquoi pas dans celui du caviar aussi ? » Diana allait éclater de rire, mais il semblait parfaitement sérieux.

« Est-ce là une proposition réaliste ?

— Bien sûr. Il convient cependant de maintenir l'eau à une température très précise, sans quoi les esturgeons ne frayent plus. Ils sont très maniérés, sur ce plan.

— Ne le sommes-nous pas tous ? rétorqua Diana avec un soupir.

— Bien sûr, acquiesça Foster en élevant son verre de champagne vers elle, avec un regard de franche admiration.

— Ne pensez-vous pas que la langue soit un problème ? » demanda Star.

Foster parut décontenancé, comme s'il avait craint une moquerie de Star. Les plaisanteries le prenaient parfois de court, l'anglais n'étant pour lui qu'une langue acquise. Et puis fort peu de gens plaisantaient dans son entourage, au fil de la journée.

« Avec les esturgeons ?

— Non, non. Avec le Guatemala.

— Ah ! soupira Foster soulagé. Pas du tout. Je parle un peu l'espagnol. Et l'allemand aussi, bien sûr. La plupart des hommes d'affaires sont d'origine allemande, là-bas. »

Star hocha la tête. « Vous avez de la chance, dit-il. Il est bien dommage que plus personne n'apprenne les langues étrangères, dans ce pays. Vous devez avoir le don des langues ? »

Foster eut un sourire modeste.

« J'ai appris l'allemand, l'anglais et le français quand j'étais enfant.

— Et le hongrois ? » interrogea Kane brusquement.

Le visage de Foster se figea dans une expression vide, et ses yeux

perdirent leur chaleur. Il n'avait pas l'habitude de voir les gens s'immiscer dans ses secrets. Il prenait grand soin de ne pas révéler ses origines, et son accent n'offrait guère d'indice précis. Manifestement, Kane avait touché un point sensible.

« Bien entendu, je connais aussi un peu le hongrois », répondit Foster d'une voix neutre, écartant l'exploit d'un geste avec son verre de champagne. « Le français est la langue des diplomates, et le hongrois celle des survivants.

— Laquelle est donc votre langue maternelle ? » insista Kane.

Foster haussa un sourcil. « Toutes », répondit-il.

Kane vida son verre et se mit à croquer les glaçons. C'était là un bruit que Foster détestait particulièrement, et son sourire pincé le montra.

« J'imagine que le vieux Greenwood devait être rudement fort en langues aussi », lança Kane.

Foster haussa les épaules avec un air d'ennui poli et d'indifférence, mais ses yeux restaient sur le qui-vive.

« C'est possible, dit-il, je n'en sais rien.

— Sans blague ? J'aurais cru que vous le connaissiez.

— Absolument pas.

— C'est un type intéressant, vous savez. J'envisage d'écrire un livre sur lui — sur cette période, disons. »

Foster avait les yeux fixés sur le mur, au-delà de la tête de Kane. « Je ne pense pas que ce soit un choix raisonnable, dit-il. Allez donc plutôt au Guatemala. Je serais ravi de payer tous les frais, et même de financer le livre. Je suis sûr que j'arriverais à mettre au point un très bon contrat pour vous, avec Aaron et Star. »

Kane secoua la tête.

« Je suis sur une histoire formidable.

— Avez-vous déjà commencé à l'écrire ?

— Oui. J'ai encore besoin de renseignements, mais j'ai déjà de la matière de première classe. On m'a raconté que le père de Nick Greenwood était allé à Lisbonne pendant la guerre dans l'avion personnel de Hitler. Il avait une valise pleine de bijoux, si lourde qu'il a fallu deux hommes pour la porter à travers le service des douanes. »

Foster sourit froidement.

« Ce n'était pas Greenwood, dit-il. C'était Manfred Weiss. La baronne Weiss vouait une véritable passion à ses bijoux. Elle refusait de partir sans eux. Et sans ses chiens. *Eux aussi* voyagèrent dans l'avion du Führer.

— J'ai entendu dire que Greenwood était impliqué dans le projet de bombe atomique allemande.

— Vous croyez ? Ce n'était pas Einstein, vous savez, mais un simple homme d'affaires.

— Les bombes atomiques sont des affaires comme les autres. Ce

n'est pas à *vous* que je l'apprendrai, monsieur Foster. Matthew Greenwood vendait apparemment de l'uranium aux Boches, par quantités énormes. Il avait un frère également mêlé à l'affaire, mais je ne sais pas ce qu'il est devenu. Il y a un type du nom de Lorenberg qui a connu toute l'histoire. C'était un grand copain de Greenwood et l'un des jeunes espoirs de Hermann Göring. »

Foster feignit l'indifférence.

« Il y a bien longtemps de cela. La plupart de ces gens sont morts.

— Toujours pas celui-là. J'ai des tuyaux sur lui. Il vit dans le midi de la France. Il possède des dossiers, des documents, des lettres. Une sacrée mine d'or ! Jamais entendu parler de lui ?

— Jamais. Ce nom ne me dit rien. Je dois reconnaître que tout cela semble extrêmement intéressant. J'aimerais beaucoup lire le manuscrit.

— Personne ne lit mes manuscrits sauf mon éditeur, mais que diriez-vous d'une interview ?

— Ah non ! je ne donne jamais d'interviews. Et puis c'est là un sujet très délicat.

— Délicat ? Mais c'est passé depuis trente ans, voyons ! Cela appartient à l'histoire, désormais.

— Que peut-il exister de plus délicat que l'histoire, mon cher ami ? » Foster agita son verre de champagne. « Et maintenant pardonnez-moi, monsieur, mais j'ai promis quelques minutes de mon temps à notre charmante hôtesse. »

Il salua d'un air absent et prit Diana par le bras, d'un geste indiquant à la fois qu'il avait eu assez de cette conversation et suggérant une certaine intimité, sans que l'on pût déceler dans quelle proportion.

« Envisagez-vous toujours de vendre votre affaire, Star ? » s'enquit Foster en s'éloignant.

Star tripota nerveusement sa cravate comme pour s'assurer qu'elle se trouvait toujours bien en place.

« J'y réfléchis, articula-t-il.

— J'ai entendu dire que Nicholas Greenwood était intéressé. »

Star acquiesça. Il transpirait abondamment et ses lunettes s'étaient embuées.

« Oui, Nick semble intéressé, admit-il.

— A-t-il fait une offre ?

— Il me paraît délicat d'en parler...

— Bien sûr, approuva Foster d'une voix calme, mais n'acceptez rien sans m'en parler. Je pourrai faire mieux, je vous le promets. Et puis c'est le père qui veut votre maison, pas Nicholas. Le jour où le vieux mourra, Nicholas vous revendra comme un vieux paquet. Avez-vous envie de voir Matthew Greenwood vous dicter ce que vous pouvez

publier — ou son fils, d'ailleurs ? Si vous voulez vendre, vendez plutôt à moi. J'aime les livres.

— Qu'avez-vous donc lu, dernièrement ? interrogea Kane en rétrécissant agressivement son regard à l'approche d'une belle querelle.

— Spengler, répondit Foster. Un philosophe fort mal considéré, mais extrêmement intéressant. Il prédisait le déclin de la culture et de l'intelligence au XXe siècle. Les gens l'accusaient de pessimisme, mais comme il avait raison ! » Il adressa un bref sourire à Kane, avec l'air d'un homme qui a eu le dernier mot.

Foster entraîna doucement Diana vers la cheminée, s'assit auprès d'elle sur le canapé et fit signe à Frank de venir remplir leurs verres. Il paraissait d'excellente humeur, malgré les regards nerveux qu'il lançait parfois en direction de la foule d'inconnus qui l'entourait. Foster tournait le dos à la salle et il se rapprocha de Diana, un bras posé sur le dossier du canapé dans un geste protecteur, de sorte que sa main se trouvait tout près de l'épaule de Diana. Cela lui procurait, observa-t-elle, un sentiment fort éloigné du déplaisir.

« Je vous dois des excuses, déclara-t-elle. Je n'imaginais pas qu'Irving Kane se montrerait aussi agressif.

— Ce n'est pas grave. Les journalistes ne sont pas payés pour être polis. En vérité, c'est moi qui devrais vous présenter des excuses.

— Pourquoi donc ?

— Je suis venu ici sous un prétexte plus ou moins fallacieux. Je voulais m'entretenir avec Irving Kane et j'ai vu là une excellente occasion. Je n'avais pas escompté le dividende que constitue le plaisir de rencontrer une personne aussi charmante que vous. »

Diana l'observa attentivement, mais il paraissait sincère. Il y avait chez Foster quelque chose d'attirant. Il semblait réellement intéressé par ce que les autres avaient à dire même lorsqu'il ne partageait pas leur avis, contrairement à la plupart des hommes. Les gens comme Augustus Biedermeyer, le brasseur millionnaire, se comportaient dans les réceptions comme s'ils avaient payé la location des invités pour se faire écouter, et ne paraissaient jamais entendre les interruptions ni les contradictions. Même Nicholas, dont la vanité se situait plutôt au plan sexuel que financier, considérait que sa richesse lui donnait le droit de pontifier sur n'importe quel sujet, depuis la politique jusqu'à l'art moderne, et il dominait toutes les conversations en se contentant de ne prêter attention à personne d'autre. Foster écoutait, la tête légèrement penchée sur le côté, les lèvres figées dans un sourire poli qui trahissait l'ironie, ainsi qu'une aptitude naturelle à l'amusement malicieux. Seuls les yeux demeuraient prudents et sceptiques, reflétant parfois l'arrogance et la cruauté de l'homme intérieur.

Ou bien peut-être le surestimait-elle ? s'interrogea Diana. Comme Foster était renfermé, on supposait aisément qu'il cachait quelque

chose, même si ce n'était que lui-même. A la surface, il paraissait se contenter d'arborer une courtoisie qui semblait presque une parodie du charme d'Europe orientale. Elle se demanda même si Foster ne lui jouait pas la comédie pour se divertir.

Il parut le ressentir aussi, car il se pencha vers elle en disant : « Je manque d'entraînement pour ce genre de choses.

— Quel genre de choses voulez-vous dire ?

— Les réceptions. La conversation mondaine.

— Vous êtes assez connu pour votre vie de reclus. »

Foster se mit à rire. « Un reclus ? Comme ce pauvre Howard Hughes ? Non, non, ma chère, je ne me vois pas du tout enfermé dans une chambre de motel à me faire pousser les ongles. Mon problème, c'est que je m'ennuie facilement. »

Diana se demanda un instant si Foster la critiquait, ou tout au moins ses qualités d'hôtesse, mais il lui effleura la main en poursuivant :

« J'avais oublié comme il peut être agréable de parler avec quelqu'un.

— Vous devez pourtant parler avec des gens toute la journée.

— Oui, oui. Mais cela aussi, c'est généralement fort ennuyeux. » Foster but une gorgée de champagne. Il avait soudain l'air morose, comme si toute son exubérance s'était évanouie.

« Aimez-vous votre travail ? s'enquit-il.

— Oui. Et vous ?

— Plus tellement. Au début, c'était une aventure. A présent, c'est énorme mais beaucoup moins intéressant. Je vis dans l'espoir d'une nouvelle aventure.

— Le Guatemala ?

— Non, quelque chose de beaucoup plus passionnant. »

Diana était tentée de lui demander de quoi il s'agissait, mais Foster avait parlé avec une force et une intensité qui différaient totalement du charme détendu qu'il avait jusqu'alors laissé paraître. Pour la première fois elle devinait le Foster légendaire dont les coups d'éclat financiers et les agissements en affaires secouaient et fascinaient la presse depuis des années. Elle trouva cet aspect de son personnage étrangement envoûtant. Elle avait un faible, et le savait fort bien, pour les hommes puissants, décidés et elle avait partiellement réussi à transformer Niki dans ce sens. Pas plus que Meyerman. Foster ne semblait avoir besoin d'aide. Il possédait une force et une dureté naturelles et, comme Meyerman, se donnait du mal pour les dissimuler. Niki était brutal en surface mais faible au-dessous, ainsi qu'elle le savait mieux que personne. La brutalité de Foster était profonde, mais se décelait à peine.

Elle changea de sujet, car il avait laissé entendre par son intonation qu'il ne souhaitait guère poursuivre, et elle eut conscience de lui

accorder une petite victoire qu'il aurait assez de subtilité pour apprécier.

« Pourquoi vous intéressez-vous tant au projet d'Irving Kane ? demanda-t-elle.

— Pure curiosité. Rien de plus.

— Cela ne paraît guère plausible. Cela concerne-t-il Niki ?

— Peut-être un peu, oui.

— Vous semblez vous haïr viscéralement, et pourtant vous ne vous êtes jamais rencontrés. Pourquoi cela ? En réalité, quand Niki a vu le caviar que vous m'avez fait porter, il est parti d'ici comme un fou.

— Ah ? Franchement, je n'avais pas prévu *cela*. Est-ce à ce moment-là qu'il vous a frappée ?

— Oui.

— Quelle puérilité... » Foster posa sa main sur celle de Diana et soupira profondément. « Éprouve-t-il toujours autant d'amertume à mon égard ?

— Apparemment, oui. Que lui avez-vous fait ? »

Foster sourit.

« Rien, protesta-t-il. Que pourrais-je faire à un homme comme Nicholas Greenwood, avec son père derrière lui ? Ce sont des gens. Six milliards de dollars par an, dans le monde entier. Je n'en fais encore que la moitié.

— Il semble croire qu'il y a entre vous quelque chose de personnel.

— Mais non, pas du tout. Ce sont uniquement les affaires, je vous assure. Nous sommes adversaires. C'est la méthode américaine. Évidemment, *certains* jugent que Nicholas s'engage au-delà de ses moyens, et qu'il lui manque le génie de son père. Cela se produit fréquemment à la seconde génération. Il a mis beaucoup d'argent dans la technologie nucléaire. Une obsession de famille, d'ailleurs... Si cela marche, les actions vont monter en flèche, mais sinon... » Foster baissa la main pour indiquer la parabole d'une flèche retombant.

« Je croyais que tout cela était secret.

— Le secret n'existe pas, quand il s'agit d'investissements de cette ampleur.

— Vous ne croyez pas que le nouveau joujou de Niki puisse marcher ? »

Foster haussa les épaules.

« J'en sais très peu sur les réacteurs nucléaires — mais je pourrais m'entourer de gens compétents pour me conseiller, bien sûr. La technologie de pointe, c'est toujours risqué. Regardez ce qui est arrivé à R.C.A. quand ils se sont lancés dans les ordinateurs ! Même quand tout marche, il y a des problèmes de production, c'est un énorme investissement de capitaux, et il peut toujours se produire des accidents. Je préfère me limiter à des choses que je puis toucher ou

comprendre moi-même. Il existe toujours un marché pour un bon film, une chambre d'hôtel, ou un million de tonnes d'aluminium. Je laisse les autres aller dans la Lune. Au fond, je ne suis qu'un commerçant.

— Vous êtes également un romantique.

— Il y a bien longtemps qu'on ne me l'avait dit. Qu'est-ce qui vous le donne à croire ?

— La manière dont vous avez parlé du Guatemala. Et le fait que vous tenez ma main. Un homme dénué de romantisme aurait posé sa main sur ma cuisse. »

Foster contempla sa main comme si elle avait appartenu à quelqu'un d'autre.

« Vous avez raison sur ces deux points, dit-il.

— Est-ce pour cela que vous menez une existence si secrète ?

— Elle n'est pas si secrète. Surtout terne. L'argent commence comme un jeu, et finit par être un fardeau. Montez-vous toujours ?

— Plus guère. Comment savez-vous que j'aime les chevaux ? »

Foster eut un sourire évasif.

« C'est mon métier, de savoir les choses. J'ai vu une photo de vous montée avec les Black and Tan, en Irlande — très bonne assiette. Et ce n'est pas un pays de chasse pour les amateurs.

— Vous êtes vraiment bien informé.

— Nicholas est également très bon cavalier, je crois. Polo, chasse, steeple-chase... Évidemment, c'est surtout le danger qui doit l'intéresser. Il n'est vraiment heureux que quand il risque de se blesser — ou de blesser quelqu'un d'autre. Il n'est guère surprenant que les femmes le trouvent séduisant.

— Oh ! il *est* séduisant. Mais peut-être suis-je devenue trop vieille pour ce genre de séduction. Et fatiguée d'être toujours blessée. Mais vous n'êtes quand même pas venu exprès pour me poser toutes ces questions ?

— Pas du tout. Mais en vérité c'est *vous* qui posez les questions. Quoi qu'il en soit, j'aimerais beaucoup vous revoir. Est-ce possible ? »

La question parut curieusement démodée à Diana, à moins que ce ne fût la traduction d'une expression plus appropriée dans une autre langue. Peut-être, songea-t-elle, Foster lui demandait-il simplement, avec son étrange politesse, si sa relation avec Nicholas lui permettait de le revoir. « C'est *possible* », répondit-elle avec un sourire.

Elle craignit un instant, en disant ces mots, que Foster y voie une moquerie, mais il hocha simplement la tête. « Si vous êtes inquiet à cause de Niki, reprit-elle, rassurez-vous. Je crois que tout a pris fin ce soir. Nous pourrions peut-être déjeuner ensemble ? »

Foster lui caressa doucement la main et parut étudier sérieusement la suggestion.

« Je ne suis pas très typique, avoua-t-il, et je me passe habituelle-

ment de déjeuner. Je me nourris d'un simple yoghourt et parfois d'une pomme, sans quitter mon bureau. Les Américains mangent trop. Mais je dois cependant reconnaître que mes compatriotes sont bien pires.

— Quels compatriotes ? »

Foster sourit, comme s'il avait failli se laisser percer à jour.

« Eh bien, les Européens, bien sûr ! s'exclama-t-il en souriant avec la meilleure humeur du monde. Je vois que nous allons devenir d'excellents amis. Il y a bien longtemps qu'on ne m'avait fait rire — ou qu'une femme séduisante ne m'avait souri.

— Un homme dans votre position doit bien... »

Foster agita sa main libre.

« Le sexe peut toujours s'acheter, dit-il, même s'il s'agit d'une transaction bien morne. Mais l'affection, l'amitié, une conversation sympathique, cela ne s'achète pas. Je vous téléphonerai. Peut-être accepterez-vous de venir voir ma ferme. Je pense que vous la trouveriez fort intéressante. Nous bavarderons.

— Est-ce loin ?

— Non. Une heure. Je dois partir, à présent. Veuillez saluer de ma part Star et Kane. Ainsi qu'Aaron, bien sûr.

— Ne pouvez-vous pas rester encore ? La soirée ne fait que commencer.

— Je le regrette vivement. Rien ne m'aurait fait davantage plaisir, mais d'abord je monopolise votre compagnie, et ensuite j'ai un rendez-vous à Paris. Mon avion m'attend. »

Foster se leva et tendit la main pour aider Diana avec une courtoisie à l'ancienne mode. Il lui baisa la main et la lâcha à regret, puis la dévisagea attentivement. « Vous êtes une femme très belle, dit-il. Nicholas est un sot. »

Il s'éloigna discrètement, traversant la foule sans parler à personne. Sur le seuil, le garde du corps attendait, avec le pardessus de Foster à la main, comme prévenu par quelque signal magique. Puis Diana se rendit compte qu'il n'entrait là nulle magie ; Foster avait simplement dû fixer une heure à son garde du corps et attendre de le voir arriver. Il s'agissait manifestement d'un homme qui ne faisait rien sans raison, et suivait toujours un plan précis. De même qu'un auteur dramatique, il se donnait du mal pour fournir des surprises à son public. Elle ne se serait guère étonnée de le voir disparaître dans un nuage de fumée en enfilant son manteau, mais il sortit simplement sans se retourner.

Et pourquoi se serait-il retourné, après tout ? songea Diana. Mais pour la première fois depuis le début de cette horrible soirée, elle se sentait heureuse. Quelle que fût la personnalité de Foster, il n'était assurément pas le monstre que Niki lui avait si souvent décrit. Elle s'interrogeait avec curiosité sur ce qui était caché sous cette surface si

soigneusement apprêtée, et s'aperçut avec surprise qu'elle attendait son appel avec impatience.

« Quelle fête superbe », observa une voix rauque tout près d'elle.

Diana baissa les yeux et découvrit Aaron Diamond à ses côtés, occupé à contempler la salle pleine d'une foule bruyante au travers d'un épais monocle qu'il tenait délicatement entre le pouce et l'index.

« Je suis ravie que tu l'apprécies, Aaron. Comment va ton client ?

— Kane ? Ivre mort. Mais ne t'inquiète pas, Star et moi le reconduirons à son hôtel avant qu'il se mette à tout casser. Écoute — je t'ai vue parler avec Foster. Prends garde à toi.

— Je suis une grande fille, Aaron.

— Je ne dis pas le contraire. Et Foster peut être un type très bien, pour un milliardaire. Mais il ne fait jamais rien sans une bonne raison. Nick est sans doute un vrai salaud, mais Foster appartient à une tout autre catégorie.

— Je ferai attention. En attendant, je vais reprendre de son caviar.

— Ne tourne jamais le dos aux bonnes choses de la vie, répliqua Aaron en riant, d'où qu'elles viennent. Foster est un type aux gestes extraordinaires. Figure-toi que quand il faisait sa cour à Dawn Safire, il lui a envoyé un superbe pot de caviar — il savait qu'elle en raffolait — et la voilà en train de tout dévorer à la cuiller quand elle sent brusquement quelque chose de dur dans sa bouche. Elle le recrache — et devine ce que c'était ? Un diamant ! Foster l'avait fait mettre dans le caviar pour lui ménager une surprise et elle s'est cassé une dent dessus !

— Je te promets de manger prudemment, Aaron.

— Oui, je te le conseille. Je vais te raconter une autre histoire. A l'époque où Foster possédait une partie de l'affaire de Ted Krieger, il donna une grande réception au Bistro en l'honneur de Krieger, et tout Los Angeles était là. Des pots de caviar partout, tu vois le genre. Le lendemain matin, Foster joua toutes ses actions contre Krieger. Et il avait suffisamment de soutiens au conseil d'administration pour forcer Krieger à démissionner. Krieger ne pouvait pas y croire. Il était assis là, au bout de la grande table du conseil, avec son costume en blue-jean peigné à quatre cents dollars, et il a *pleuré*. " Comment peux-tu m'offrir une grande fête avec plein de caviar, et me jouer ce tour dans mon dos ? " demanda-t-il à Foster. Et Foster répondit : " Le caviar, Ted, c'était hier. Aujourd'hui, ce sont les affaires. "

— Qu'est-il advenu de Krieger ?

— Il s'est ouvert les poignets dans sa douche Jacuzzi. C'était un type déjà vieux, et il n'avait pas l'habitude de perdre.

— Je ferai attention, Aaron, je te le promets. J'aimerais bien savoir pourquoi Foster et Niki se haïssent tellement. Il y a sûrement quelque chose d'autre que les seules affaires.

— Je n'en suis pas si sûr. Krieger croyait qu'il y avait autre chose que simplement les affaires, et regarde ce qui lui est arrivé. Je vais te dire une chose, *bubi* — si tu finis par trouver, ne me le dis pas. Il y a des choses qu'on a intérêt à ne jamais savoir. »

Deuxième Partie

Les cadeaux du diable
1935

« La Hongrie est un pays où abondent les scènes du caractère le plus exotique, et où l'on visitera de nombreux lieux avec admiration, comme Szeged et Debrecen, situés juste au cœur de la grande plaine hongroise, et où l'on pourra observer sur le vif les surprenantes particularités de la vie magyar. »

Joseph KAHN
Guide illustré de Budapest

3

Le baron Matthieu de Grünwald abaissa son fusil et contempla avec une certaine fierté la scène qui s'étalait devant lui. C'était un homme massif qui mesurait environ un mètre quatre-vingts et portait un costume à culotte de golf confectionné à Londres ; son impressionnante silhouette était surmontée d'un nez en bec d'aigle, de deux yeux aux paupières lourdes, et d'une forte mâchoire qui commençait seulement à s'adoucir avec l'âge.

Sur sa gauche, il pouvait voir les femmes et les enfants de la famille qui, de leurs voitures, suivaient la chasse. Sur sa droite, son frère Steven, fort élégant à son habitude et, comme toujours, ne portant pas le moindre intérêt au sport, s'allumait une cigarette. Plus loin sur la ligne de battue se trouvaient le prince Hamilcar Hatványi, grand-père maternel de Matthieu de Grünwald ; le prince Béla Bardossy, beau-père de Steven de Grünwald ; et enfin l'invité d'honneur. Tous disparaissaient à demi dans la fumée.

Il n'existait pas en Europe douze hommes capables de mettre sur pied une chasse pareille, songea Matthieu de Grünwald avec satisfaction, et il n'en était que plus exaspérant de voir Steven exhiber ainsi son manque d'enthousiasme, pour le sport aussi bien que pour l'invité d'honneur. Matthieu lança une cartouche vide vers la cache de son frère et lui adressa un signe de ses deux mains levées. Steven acquiesça, releva son fusil et tira à moyenne distance sans prendre la peine de viser.

Derrière Matthieu, le premier garde-chasse émit un claquement de langue réprobateur. « Un coup tiré à propos en vaut cinq tirés mal à propos », marmonna-t-il d'une voix lugubre en foudroyant Steven du regard, mais un coup d'œil du baron le fit taire. Quoi que Matthieu pensât de son frère, il s'agissait d'un Grünwald et les domestiques ne

pouvaient donc se permettre de le critiquer, même les plus vénérables d'entre eux.

L'essentiel était cependant que l'invité d'honneur passât un bon moment. C'était là, après tout le but de la journée entière. Du point de vue des affaires, cela se justifiait fort bien ; Steven lui-même en convenait, même si pour d'autres raisons il n'éprouvait guère de plaisir à voir cet invité particulier tirer de l'endroit même où le prince Edouard VII, le Kaiser, l'Empereur, le prince de Galles et Son Altesse Sérénissime le régent de Hongrie s'étaient tenus en d'autres occasions.

Le grand-père de Matthieu, le baron Hirsch de Grünwald, avait toujours méprisé la chasse mais, étant banquier et industriel hongrois, il savait ce qu'on attendait de lui. Personne, pas même un roi, ne pouvait résister à l'invitation de passer une bonne journée au grand air et, si le meurtre d'animaux faisait accourir les clients, il fallait bien que les animaux fissent leur devoir en se laissant tuer. Mais Hirsch lui-même se contentait de voir abattre les bêtes de sa voiture, ses jambes frêles enveloppées dans une couverture. Il n'était pas sentimental, ni pour les bêtes ni pour rien d'autre.

Matthieu non plus, bien qu'il soupçonnât Steven d'une certaine tendance sentimentale, héritage génétique encombrant et mal venu qui lui venait sans aucun doute du côté maternel de la famille. Matthieu croyait aux affaires. Il y avait consacré sa vie, tout en se ménageant les pauses qui convenaient pour les plaisirs de la chair et de la table. Pour le besoin de ses affaires, il avait fait un mariage stratégique en épousant Cosima von Schiller, dont le père courtisan, le baron *Hofrat* Anton von Schiller, détenait une part majoritaire dans deux des plus grandes banques autrichiennes. C'était un mariage qui n'avait procuré à Matthieu aucun bonheur — même si la notion de bonheur n'entrait pas en considération. Il s'agissait d'affaires et, dans le domaine des affaires, il arrivait fréquemment que l'on dût faire des sacrifices. Un jour, se disait Matthieu, son fils Nicholas le remercierait pour ce qu'il avait fait comme il avait remercié *son* propre père, et comme son père avait remercié le vieux Hirsch — mais il ne s'écoulait pas un jour sans que Matthieu regrettât de n'avoir pas plutôt épousé une femme comme Betsy, ou plutôt Betsy elle-même, qui ne se couchait sûrement pas, chaque nuit, avec les yeux clos et les cuisses serrées.

Cependant, il fallait garder les pieds sur terre, pour la question du mariage, hélas et, plus important, pour les affaires, malgré tous les pressentiments de Steven. A travers toute l'Europe et même en vérité dans le monde entier, les banques s'effondraient, les grandes fortunes vacillaient, les empires industriels s'écroulaient dans le sillage de la Grande Dépression. Les Grünwald continuaient néanmoins à prospérer, provoquant la rage et l'envie de leurs concurrents.

De son bureau principal à Budapest, Matthieu de Grünwald

contrôlait un vaste empire international et complexe — des banques et des mines en Hongrie, des usines et des laboratoires chimiques en Bohême, des mines de charbon en Autriche, des gisements de pétrole en Roumanie, sans parler de toutes les compagnies dont la Banque Grünwald, directement ou par le truchement de succursales suisses, détenait une part minoritaire ou majoritaire.

S'il se révélait nécessaire de consentir certains compromis pour garder intacte la fortune des Grünwald, eh bien, qu'il en soit ainsi, se disait Matthieu. Il était raisonnable de faire des affaires avec les Allemands, tout de même. C'était un peuple de barbares gouverné par un fou, mais que pouvait-on y faire ? On ne pouvait guère attendre d'une nation de quatre-vingt-dix millions de citoyens qu'elle demeurât à mariner dans sa défaite pour toujours, quelles que fussent les décisions prises à Versailles. Au moins, Hitler était anticommuniste, même s'il avait l'air d'un « valet malhonnête », comme l'avait observé le prince Hatványi en plus d'une circonstance embarrassante.

Matthieu de Grünwald n'avait rien à redouter des Allemands, et ne voyait aucune raison de ne pas faire d'affaires avec eux. Il était catholique, marié à une catholique, de même que Steven et comme il était normal en Hongrie. A vrai dire, les origines du vieux Hirsch de Grünwald étaient un peu plus douteuses — et même très douteuses aux yeux de certaines gens — mais cela remontait à deux générations, et la situation de Matthieu dans la société et les affaires de Hongrie le plaçaient au-delà de toute critique. Il avait eu l'astuce de prêter de l'argent aux nazis avant leur arrivée au pouvoir, de même que son père avait prêté l'argent qui avait permis à Horthy de faire son coup d'Etat et de prendre le pouvoir, et il en résultait une profusion de nouvelles affaires fort intéressantes.

Matthieu avait même été invité à rencontrer le Führer, et il avait éprouvé une franche surprise en découvrant le Chancelier du Reich vêtu d'un costume marron mal coupé et chaussé de souliers vernis noirs — n'y avait-il donc personne en Allemagne pour le conseiller sur ces questions ? Néanmoins, Matthieu était revenu avec une bonne impression générale.

Hitler avait évoqué le besoin de liens plus amicaux entre le peuple hongrois et la nouvelle Allemagne, bien qu'il fallût reconnaître une certaine verbosité et de nombreuses incursions stupéfiantes et inexactes dans l'histoire ancienne du peuple hongrois. Il analysa en détail la position unique du magyar comme seule langue non indo-européenne d'Europe, ébaucha des hypothèses sur ses relations avec le finnois et le turc, suggéra que les Magyars représentaient peut-être une ancienne souche aryenne pure, en dépit de leur aspect regrettablement olivâtre, et exprima son admiration pour le régent Horthy, sur lequel il s'attarda avec un lyrisme hystérique.

Pour la question du commerce entre la Hongrie et l'Allemagne, le Führer se montra plus terre à terre. Le destin avait placé le peuple hongrois au carrefour du bolchevisme asiatique et de la civilisation européenne. L'Allemagne avait besoin des céréales hongroises et, surtout, de minerais. Il prévoyait le jour où une large route — on pouvait presque l'appeler une *Autobahn* — relierait entre elles les anciennes capitales : Berlin, Vienne, Budapest, de même que le Danube avait constitué l'épine dorsale de l'empire austro-hongrois au temps de sa grandeur historique. En attendant, l'occasion se présentait de développer le commerce, la coopération industrielle et les crédits financiers. L'avenir, prédit le Führer — l'œil étincelant, ses mains molles et moites refermées sur celles de Matthieu dans un geste d'enthousiasme et d'amitié — l'avenir s'annonçait rose, sans aucun doute possible. Pour des hommes doués de vision et de bonne volonté, les possibilités étaient rien moins que colossales.

« Kolossal ! » répéta-t-il à voix forte, les yeux fixés sur l'infini avec un air d'extase, cependant qu'il congédiait Matthieu et que son entourage contemplait docilement le plafond comme si l'avenir rose était apparu là, en couleur, au vu de tous.

Le spectacle d'une douzaine d'Allemands debout dans un salon trop meublé et pompeusement décoré, dans un état d'hypnose collective et les mains pudiquement nouées devant leur sexe, ne diminua en rien l'enthousiasme de Matthieu de Grünwald pour les liens économiques avec la nouvelle Allemagne qui, de toute façon, ne lui paraissait pas particulièrement plus folle que l'ancienne. Le Kaiser était tout aussi fou, avec un bras infirme en plus.

La visite de Matthieu avait été organisée par son ami et compagnon de chasse Hermann Göring, qui bouillonnait d'enthousiasme tandis qu'ils descendaient les marches du perron, entre deux rangées de gardes du Chancelier, pour prendre place dans la voiture Horch que Göring utilisait alors.

« J'ai vu que vous plaisiez au Führer », déclara Göring en s'installant avec Matthieu sur la banquette arrière, tandis que la grosse voiture s'affaissait visiblement sous ce poids. « Croyez-moi, il ne touche pas souvent les gens de ses propres mains. C'est une question de flux électrique, je pense. Un charlatan lui a raconté que le corps décharge de l'énergie chaque fois que l'on touche quelqu'un. » Il se mit à rire et se pencha pour poser sa main sur le genou de Matthieu. « Évidemment, vous et moi déchargeons de l'énergie de manière plus conventionnelle. » Il ponctua l'insinuation d'un clin d'œil entendu, et cette grossière parodie de bonhomie masculine était rendue plus grotesque encore par le fard qu'il portait aux joues et les vifs effluves de parfum qui se dégageaient de son corps. « Cet aspect-*là* de la vie du Führer est quelque peu énigmatique, même pour moi. Peu importe, c'est le

premier pas. Je vais prendre à revers tous ces salauds réactionnaires et prétentieux de l'armée et de la marine. Ils ne veulent pas m'allouer les ressources dont j'ai besoin. Très bien ! Je m'adresserai ailleurs !

— Cela coûtera cher, Excellence. »

Göring éclata d'un énorme rire wagnérien, totalement différent du petit rire nerveux et pointu qu'il affectait en présence du Führer. « Vous autres, vous ne pensez qu'à l'argent, déclara-t-il jovialement en lançant une bourrade dans le ventre de Matthieu, avec sa main parée de bijoux. L'argent n'est pas un problème. La Luftwaffe a besoin d'armes, d'espace industriel, de matières premières, et je n'ai pas reçu ma part. Produisez ce dont nous avons besoin et je trouverai l'argent. En attendant, crénom, vous êtes banquier. Prêtez-nous de quoi démarrer l'affaire. Ne discutez pas. Je vois déjà sur votre visage que vous reniflez un joli petit bénéfice.

— Il se pose le problème des garanties, Excellence. »

Göring se mit à rire.

« Votre garantie, Grünwald, c'est ma corpulente personne. Vous ne pouvez rien souhaiter de plus solide. Voyez le détail avec mes gens.

— Volontiers, *Herr General.* Mais il pourrait encore subsister certains problèmes... »

Göring fronça le sourcil. « Des problèmes ? Avec qui ? Vous pourrez arranger n'importe quelles difficultés avec votre gouvernement. Les hommes riches savent toujours comment faire. Oh ! vous aurez sans doute à verser des pots de vin ici et là. Cela fait partie — comment dites-vous ? — des frais généraux. De mon côté, tout se passera bien. Ne vous inquiétez pas, mon cher Grünwald, en Allemagne c'est moi qui décide qui est juif ou ne l'est pas. »

« Il a un certain charme vulgaire, observa Betsy, l'épouse de Steven de Grünwald.

— Je n'en vois rien, répliqua sa belle-sœur Cosima. Il pue l'eau de Cologne, et j'ai l'impression qu'il se met du rouge aux joues. De surcroît, son costume est grotesque. »

Les deux femmes étaient assises dans un landau, Betsy blonde et appétissante, Cosima mince et pâle, avec des yeux gris et une bouche serrée qui exprimaient la réprobation. Devant elles, le laquais des Hatványi gardait les yeux fixés dans le vide et de ses mains tenait immobiles les deux Trakheners bais identiques. Les chevaux étaient accoutumés au bruit des fusils, mais l'odeur du sang les bouleversait toujours.

De même que tous les domestiques des Hatványi, le laquais portait des gants blancs immaculés, coutume qui remontait au temps où les classes inférieures ne se lavaient pas et où il était nécessaire de protéger

l'aristocratie de la vue et du contact de leurs mains crasseuses. Tibor ne devait d'ailleurs guère se laver davantage, songea Betsy. Le temps demeurait immobile sur la *puzsta* hongroise, tout au moins pour les questions d'hygiène.

Les deux femmes portaient des capes en loden, des chapeaux de feutre agrémentés de plumes de faisan, de longues jupes complétées par de courtes vestes à boutons dorés aux couleurs de chasse des Hatványi, vert sombre gansé d'écarlate, et elles tenaient à la main des jumelles.

Derrière elles se trouvait une seconde voiture ouverte pour les enfants et leurs deux nurses anglaises, mais en vérité les garçons avaient depuis longtemps couru rejoindre les gardes-chasse sur les buttes et même Louise était parvenue, à force de larmes et de protestations, à se joindre à eux, abandonnant les *nannies* à leur propre sort.

Non loin de là, le maître d'hôtel s'affairait à donner la dernière touche à la table du déjeuner. Longue de sept mètres, elle avait été transportée en pièces détachées sur un char à bœufs, puis décorée *à la russe,* c'est-à-dire en buffet. Au centre, une tête de cerf aux bois dorés se dressait sur un lit de fleurs, de fougères et de branches de sapin, et de chaque côté s'alignait somptueusement l'argenterie de chasse du prince Hatványi, chargée de jambons paysans, de pâtés en croûte, de galantines, de foie gras frais et truffé venu de chez Fauchon, à Paris, de tant d'espèces différentes de saucisses hongroises et allemandes qu'on pouvait à peine les compter, sans parler de les goûter tous, de salades, d'aspics, de légumes en mayonnaise, d'œufs à la Romanoff (parsemés de caviar), de fraises des bois arrivées de France à l'aube par la valise diplomatique de l'ambassade de Hongrie, d'ananas entiers évidés et remplis de fraises qui provenaient des serres des Hatványi, de coupes en cristal pleines de salade de fruits glacée, de gâteaux, de tartes, de strudels, de meringues, de mousses et de soufflés froids.

Une rangée de servantes aux joues roses et revêtues de leur uniforme vert se tenait sous les arbres, cependant que les valets plaçaient les chaises et les tables pliantes à des endroits connus pour leur vue pittoresque, et que le sommelier vérifiait la température des vins.

« Pour moi, les pique-niques sont toujours merveilleux, observa Betsy. Cette simplicité représente un tel changement...

— Sans doute, mais quel bruit épouvantable ! »

A l'extrémité du champ dégagé, à la lisière de la forêt, une longue barricade de fougères et de branchages avait été dressée, jusqu'à un mètre de hauteur, et derrière se tenaient les chasseurs, dos aux dames, chacun accompagné de son propre garde-chasse et de son porteur de fusil.

Betsy distinguait Steven, fort élégant dans son costume de tweed

anglais, et perché sur une canne-siège. Il fumait une cigarette, sa carabine Mannlicher posée en équilibre sur les genoux d'un air qui devait exprimer l'ennui ou le dégoût. Matthieu, le vieux prince Hatványi et le prince Bardossy, père de Betsy, gardaient une posture d'attente, leurs porteurs déjà penchés en avant, prêts à leur tendre un fusil chargé en échange d'un vide dès qu'il serait nécessaire, cependant que les gardes-chasse en longs manteaux discutaient chaque tir comme des théologiens, les yeux à l'affût du moindre indice de mouvement dans les rangées d'arbres.

A l'extrême droite, à la place d'honneur, se devinait la silhouette massive du général Göring, revêtu d'un pourpoint de cuir bordé de fourrure qui lui tombait au genou, par-dessus une tunique en daim. Ses grosses jambes — les cuisses du général avaient le même pourtour que la taille d'un homme moyen — étaient tassées dans de hautes bottes en cuir souple, et autour de son énorme taille il arborait une large ceinture médiévale, décorée de gros clous d'argent et d'une boucle sertie de pierres, d'où pendaient une bourse de cuir à franges, une dague à manche d'argent, et une trompe de chasse en or. Il était accompagné d'un aide de camp en uniforme, d'un domestique portant son fusil de rechange, et d'un garde du corps sanglé dans un imperméable et coiffé d'un chapeau melon.

« Il ressemble à Lauritz Melchior en Siegfried, déclara Betsy.

— Même Melchior n'est pas si gros. On dit qu'il est morphinomane.

— Les enfants l'ont trouvé assez drôle. Il a vraiment l'air de sortir d'un conte pour enfants.

— Peut-être ceux de Grimm. Ce n'est pas le genre de général que nous avions l'habitude de voir chez nous. C'étaient des *gentlemen.*

— Cosima, il a été un héros pendant la guerre. Il dirigeait le bataillon de Richthofen, et il a reçu la médaille pour le Mérite. Au moins, ne lui en ôte pas le mérite. »

Cosima eut un petit sourire pincé. « Le maréchal von Konrad disait toujours à mon père : " Les aviateurs sont les nouveaux riches de la guerre. " D'ailleurs, la plupart des héros sont vulgaires. Celui-ci ne fait pas exception. »

Betsy commença un soupir, puis s'interrompit. Cosima avait un sens des convenances typiquement autrichien. Malgré leur réputation de frivolité — ou peut-être même à cause d'elle — les Autrichiens jugeaient essentiel que toutes les conventions sociales fussent observées en public.

« Au moins, les hommes s'amusent bien », dit-elle, bien qu'à coup sûr Steven détestât chaque instant de cette partie de chasse.

« Les hommes s'amusent toujours bien. Pour ma part, je trouve barbare de chasser le sanglier. La chasse au cerf est incomparablement

plus élégante. Elle comporte une certaine dignité. Qu'y a-t-il de sportif à massacrer des cochons sauvages ? »

Betsy aurait pu répondre que les sangliers étaient protégés à grand mal et à l'extrême déplaisir des paysans dont ils dévastaient les cultures dans le seul but d'être massacrés par les nobles de temps en temps, mais elle partageait secrètement l'avis de Cosima. Cela ressemblait davantage à la guerre qu'à un sport et, bien que les bêtes fussent énormes et parfois dangereuses, les chasseurs en étaient protégés par une épaisse barrière. Les seules personnes en danger étaient les rabatteurs et les gardes-chasse, lorsqu'ils parcouraient les taillis et les fourrés avec leurs bâtons et leurs chiens pour rabattre les bêtes vers les fusils. Elle les entendait au loin, poussant les traditionnels cris de chasse à vous figer le sang, cependant que les chiens aboyaient de peur et d'excitation.

Sur la ligne de tir, l'odeur de sang et de poudre alourdissait l'air humide de l'automne. Devant chacun des chasseurs s'alignait une rangée de sangliers morts, lourdes créatures musclées aux défenses jaunâtres dénudées dans un dernier rictus de défi. Les sangliers étaient des bêtes mauvaises et agressives, avec des yeux malveillants et injectés de sang, toujours prêtes à charger et difficiles à tuer. Au combat de près, les sangliers pouvaient déchirer le tendon d'Achille d'un homme ; et si l'on se trouvait tombé à terre, on risquait fort de se faire éventrer d'un seul coup rapide.

Même vu de loin, l'amoncellement de dépouilles placé devant Göring était beaucoup plus important que tous les autres — les gardes-chasse Hatványi avaient reçu la consigne de rapporter le plus de bêtes possible au général, dont les pieds disparaissaient presque au milieu des cartouches usées.

« Ils arrivent », dit Betsy.

Le tir cessa, et les gardes-chasse apparurent à la lisière de la forêt, brandissant leurs chapeaux verts et ronds ornés d'une seule longue plume, cependant que les chiens bondissaient autour d'eux en aboyant. Le général s'avança pour examiner son tableau de chasse, ses mains gantées de souple cuir rouge, renforcé de clous dorés aux jointures, posées sur ses larges hanches. Il plaça un pied sur le plus gros sanglier, tira sa trompe de sa ceinture, et en fit retentir une longue note triomphante dont la tonalité mélancolique alla se répercuter dans la vallée, couvrant les cris des enfants qui accouraient l'un derrière l'autre sur la côte montant aux voitures, Paul menant la course, et Nicholas sur ses talons, tandis que Louise — dont les manières de garçon manqué désespéraient sa nurse — faisait de son mieux pour les rattraper.

« Ce n'est pas juste, maman, cria Nicholas, essoufflé, comme les trois enfants arrivaient. Pali est parti avant moi.

— Ce n'est pas vrai, protesta Louise, j'ai bien vu. »

Cosima posa un regard impatient sur son fils. « Cesse de te quereller avec tes cousins, dit-elle, et rajuste plutôt tes vêtements, je te prie. Vous avez tous l'air de gitans. »

A la vérité, les enfants n'avaient en rien l'air de gitans. Louise portait une blouse marinière et une longue jupe bleu nuit ; sa chevelure blonde était retenue par un ruban aux couleurs des Hatványi, rouge et vert. Au grand regret de Betsy, l'enfant ressemblait à son père, ce qui eût été parfait pour un garçon, mais semblait chez une fille dur et anguleux. On ne pouvait pas dire que Louise fût quelconque, Dieu merci, mais son visage promettait d'être intéressant, presque *belle-laide*, plutôt que d'une classique beauté en forme de cœur comme celui de sa mère.

Les deux garçons portaient des costumes marins de chez Rowes, à Bond Street, qu'envoyait le bureau de Londres des Grünwald, ainsi que des expéditions régulières de thé Ty-Thoo, de chez Harrods, pour les nurses, et de lotion capillaire Trumper's Eucris pour Steven.

A huit ans, Paul de Grünwald était grand pour son âge ; il avait hérité la blondeur de sa mère et le regard intelligent et pâle de son père. Son cousin Nicholas, d'un an son aîné, était plus brun et plus robustement bâti, avec sur le visage quelque chose déjà de l'implacable énergie de son père et de cette volonté de vaincre.

Nicholas et Paul étaient adversaires, prisonniers d'une compétition sans fin que ni l'un ni l'autre ne semblaient capables de gagner. Nicholas avait appris à monter à cheval avant Paul, mais Paul était bien décidé à le rattraper. Paul courait plus vite, mais Nicholas était plus fort et pouvait facilement battre son cousin à la lutte. Tous deux montraient de la facilité aux études — comme l'affirmait Matthieu avec fierté, il n'y avait jamais eu de Grünwald sot — mais, de même que celle de son père, l'intelligence de Paul était plus profonde, et il avait une plus vive curiosité intellectuelle.

On reconnaissait volontiers dans la famille que Louise était sans doute plus brillante qu'eux, mais personne ne pensait, pas même Betsy, que ce fût un avantage pour une fille et l'on éprouva un grand soulagement en lui découvrant un talent naturel pour l'équitation. Après tout, l'impératrice Elizabeth avait été la meilleure cavalière d'Europe ; c'était là une activité parfaitement respectable pour une jeune femme, et excellente pour la silhouette et le maintien, ce que l'on ne pouvait guère se permettre de négliger pour une fille qui devrait un jour se marier.

« Louise, déclara Betsy, laisse les chevaux d'attelage tranquilles et brosse bien tes cheveux. Voici Nanny, à présent. »

Et en effet les deux nurses accouraient, armées de peignes et de brosses, pour remettre de l'ordre dans la tenue de leurs charges respectives. Les enfants s'alignèrent docilement — l'expérience leur

avait enseigné que les nurses finissaient toujours par gagner — et regardèrent les chasseurs approcher à grandes enjambées dans le champ, irradiant cette satisfaction que procure aux hommes une saine matinée de sport.

Göring était en tête, le visage écarlate d'excitation et de fatigue. Il s'arrêta près des enfants, leur adressa un gros clin d'œil, fouilla dans sa bourse, et tendit à chacun d'eux un bonbon enveloppé de cellophane. « Glucose, expliqua-t-il. Nous fabriquons cela en Allemagne pour distribuer aux soldats, pour leur donner davantage encore d'énergie. Ce n'est pas que vous en ayez besoin, vauriens ! » Il s'appuya à la portière du landau pour saluer les dames, ôtant ses gants et les pliant dans sa ceinture.

« Baronne, dit-il à Cosima, mes respects. Madame, à vous de même. Quelle superbe journée ! Savez-vous que le Führer s'oppose fanatiquement à la chasse ? Il me dit toujours : " Göring, comment pouvez-vous regarder ce beau cerf innocent, avec ces yeux charmants et limpides, et puis abattre cette malheureuse créature ? " Il ne peut simplement pas comprendre ces choses-là, il est humanitaire. Quand je me trouve près de lui, je me sens toujours en présence d'un être supérieur, mais nous autres, pauvres mortels, devons prendre nos plaisirs là où nous les trouvons.

— A propos de plaisirs, Excellence, voulez-vous un verre de champagne ? » demanda Betsy.

Göring s'essuya le visage avec un grand mouchoir. « Avec joie », répondit-il en acceptant un verre présenté sur un plateau d'argent par le maître d'hôtel. « A votre santé ! » Il vida son verre, puis en prit un autre qu'il but plus lentement. « Très bon ! Il est d'ici ? »

Betsy secoua la tête.

« Pas du tout, dit-elle. Il est français. Les vins de Hongrie sont en général fort bons, mais le champagne est trop doux.

— Ah ! il est des domaines dans lesquels les Français se révèlent imbattables. Le champagne, inutile de le dire — les sous-vêtements de dames, les parfums. Le Führer m'a souvent confié que sa plus grande ambition était de voir Paris de ses propres yeux. Bien sûr, il pense aux musées, vous comprenez, pas du tout aux lingeries ni au champagne.

— L'occasion d'une visite officielle ne saurait manquer », suggéra froidement Cosima.

Göring se mit à rire.

« Je ne pense pas qu'une visite officielle soit exactement ce que notre Führer envisage, belle dame. Lequel de ces beaux enfants est à vous ?

— Le garçon placé à gauche, Niki. »

Le général se dirigea vers Nicholas et lui serra la main, puis le souleva, le jeta en l'air, commença avec lui une lutte, le reposa à terre avec un rugissement de bonne humeur exubérante.

Nicholas demeura pétrifié, hésitant entre la fuite et les larmes. Momentanément terrifié par cette brusque agression — de même que la plupart des enfants, il ne savait jamais très bien si les adultes jouent ou s'ils veulent vraiment faire mal — mais mû par quelque profond instinct de la nature humaine, il tint bon et refoula son envie de pleurer.

« C'est un costaud, annonça Göring à Cosima, un vrai soldat. Et toi mon garçon, comment t'appelles-tu ?

— Paul, Excellence.

— Et connais-tu la lutte ?

— Oui, Excellence. Mais je suis assez petit pour mériter un handicap, je pense. »

Le général demeura un instant interdit, puis rejeta la tête en arrière et éclata d'un grand rire, ses grosses joues ruisselantes de larmes. « Oh la la ! hoqueta-t-il, celui-ci sera intelligent, rappelez-vous ce que je vous dis, juriste ou financier, il nous achètera et nous revendra tous. Qui sont ces deux vieilles sorcières ? »

Betsy porta son regard sur les nurses qui, heureusement, ne parlaient pas un mot d'allemand et qui dévisageaient Göring avec une hostilité réprobatrice qu'elles ne cherchaient pas à dissimuler.

« Ce sont les nurses des enfants, Excellence. Nanny Crum et Nanny Bell.

— Elles sont anglaises ?

— Oui, bien sûr.

— Je ne comprends pas pourquoi, dans l'Europe entière et même en Allemagne, la bonne société engage des nurses anglaises pour ses enfants. On ne peut accorder aucune confiance aux Anglais. La perfide Albion — un peuple rusé, dangereux. Peut-être devrions-nous former un corps de nurses allemandes afin de pouvoir gouverner le monde comme les Anglais. Ou la nursery, en tout cas ! Allons, mesdames, permettez-moi de vous offrir ma main pour descendre et aller déjeuner. Rien de tel qu'un beau massacre pour donner de l'appétit aux hommes ! »

« Révoltant, déclara Nanny Bell avec un petit reniflement dégoûté. Il aurait pu blesser ce pauvre gamin. Un adulte pareil, qui lance un petit enfant en tous sens. Et un général, en plus !

— Il ne ressemble à aucun général que j'aie jamais vu, renchérit Nanny Crum. Déguisé comme un marchand des quatre-saisons. Il sentait même le parfum.

— Un véritable Hun. Bah, ils ne peuvent rien à leur façon d'être, vous savez. Mais ce n'est pas bien d'exposer les enfants à tout cela. Je ne vois pas d'inconvénient à ce que mes enfants voient tirer quelques

faisans, et ils finiront bien par chasser eux-mêmes un jour, bien sûr, mais ensuite ils sont fatigués et grognons, et ils attrapent la fièvre à force d'excitation.

— Sans compter les accidents.

— Là où il y a des chevaux et des chiens de chasse, il arrive toujours des accidents, et ensuite ce sont des " Nanny, j'ai mal ", sans fin, quand il est trop tard. Mais je n'appelle pas cela du vrai sport.

— Ce n'est absolument pas du vrai sport.

— Enfin, à Rome, faites comme les Romains, comme dit le proverbe. Mais qui aurait cru qu'un général se comporterait ainsi, franchement ?

— Les étrangers, riposta sombrement Nanny Crum. Ils n'ont tout simplement pas les mêmes principes que nous. »

Le prince Béla Bardossy, le père de Betsy, détestait également les étrangers. Il regardait avec réprobation les Grünwald escorter le général jusqu'à table. Il aimait à se considérer comme un homme dépourvu d'idées préconçues, mais il croyait à l'éducation, et quand on mélangeait les races, on finissait par créer des problèmes.

Il adorait ses petits-enfants, Louise et Paul, tout autant qu'aucun autre grand-père du royaume, il en raffolait même à la vérité, mais les péchés des pères demeuraient sur les enfants — c'était sûrement quelque part dans cette maudite Bible, songeait-il. En fin de compte, le sang des Grünwald leur apporterait des malheurs et des problèmes, et ce serait sa faute à lui, parce qu'il avait consenti au mariage de Betsy.

Le prince contempla Göring, occupé à remplir son assiette comme un gros porc allemand, et il en éprouva un mélange de dégoût et de honte. Il n'avait rien contre les Allemands, ces bons soldats — Dieu sait qu'ils s'étaient mieux battus que les Autrichiens, mais ce n'étaient que des parvenus, arrogants, prétentieux, et volontiers hystériques en période de crises, comme ces maudits Français qu'ils haïssaient tant. Le Kaiser avait été épouvantable — les Hohenzollern n'avaient aucune éducation —, mais celui-ci était bien pire, déguisé comme un ténor wagnérien pour la chasse au sanglier, un foutu étranger que les Grünwald n'avaient aucune raison d'amener ici. D'une certaine manière, c'était justement le problème des Grünwald. Ils étaient étrangers aussi.

Le prince Bardossy but une gorgée d'alcool de pêche au goulot d'un flacon, et contempla le paysage de Hatványi. Finalement, seule la terre comptait. On ne pouvait guère imaginer la Hongrie sans son aristocratie, et sans la terre être aristocrate n'avait plus aucun sens. Le péché des Juifs, quand tout était fait et dit, n'était pas d'avoir tué le Christ. C'était simplement de croire à l'argent plutôt qu'à la terre.

Bardossy ne détestait pas les Juifs *personnellement.* N'avait-il pas autorisé sa fille à épouser un demi-juif ? Il y avait trop de Juifs en Hongrie, d'accord, mais où n'y en avait-il pas trop ? Les gens se plaignaient que, quand un Juif reprenait le magasin du village, il baissait ses prix pour mener les commerçants magyars à la faillite, puis il faisait venir ses cousins pour reprendre les magasins abandonnés, et l'on se réveillait un matin pour découvrir que les Juifs tenaient tout le commerce et l'argent du village entre leurs mains. Que pouvait-on faire ? C'était un peuple qui serrait les coudes — et qui comprenait l'argent. On ne pouvait guère demander à la noblesse magyar de se lancer dans le commerce, et, quant au peuple, personne n'avait intérêt à ce qu'il apprît à lire et à compter.

Bardossy tendit sa gourde au prince Hatványi, qui venait de remercier ses gardes-chasse pour cette bonne matinée. Les deux hommes gardèrent un moment le silence, tous deux grands, maigres et la peau tannée, avec ces hautes pommettes farouches et ces yeux noirs effilés des véritables Magyars.

Le vieux Hatványi avait failli être expulsé du Club anglais quand sa fille avait épousé le père de Matthieu de Grünwald. Vingt-cinq ans plus tard, Putzi de Fekete avait traité Bardossy de « Judas à cheval » en bénissant le mariage de Betsy avec Steven. Rien ne changeait en Hongrie. Hatványi et Bardossy étaient des hommes orgueilleux, mais ils partageaient le sens des priorités de l'aristocratie — un mariage qui préservait l'intégralité des domaines pour encore une ou deux générations était un bon mariage, même au prix d'un peu de sang juif.

Ils possédaient toujours *leur* terre, libre de toute dette ou hypothèque, tandis que Putzi de Fekete, avec tous ses beaux discours nationalistes, vivait dans un appartement à Budapest, sans un seul hectare de terre à son nom, malheureuse créature dont le titre n'était bon qu'à graver sur des cartes de visite pour impressionner les nouveaux riches.

« Belle chasse, observa Bardossy.

— Pas mauvaise. Quarante-huit sangliers. Ce n'est plus comme naguère, quand on les abattait par centaines. Et puis on dirait qu'ils sont plus petits, à présent. Avant la guerre, nous perdions toujours un garde-chasse ou un rabatteur, mais ces maudites bêtes n'ont plus l'ardeur qu'elles avaient dans le temps.

— Voilà ce qui arrive quand on leur donne à manger pendant l'hiver, prince. Ils deviennent gras et paresseux.

— Comme notre ami là-bas ? »

Bardossy observa Göring qui était occupé à distribuer des souvenirs aux gardes-chasse. Il ne se déplaçait jamais sans une malle de souvenirs et de cadeaux. Cette caisse, que son aide de camp avait sortie de la limousine, était équipée de nombreux tiroirs soigneusement étiquetés,

dont chacun contenait une catégorie différente de cadeaux, en fonction des circonstances et de la qualité du bénéficiaire. Les gardes-chasse, le chapeau à la main, recevaient de petites médailles en bronze dont la face représentait Göring, et le revers un cerf avec une croix gammée dans ses bois, surmonté de cette inscription : « La chasse de l'animal développe le courage de l'homme. »

Bardossy hocha la tête. « Je crois que nos gens préféreraient un pourboire pour aller s'enivrer. Mais non, je ne pense pas que le général soit gras et paresseux. Il est gras et *dangereux*. Si j'étais Grünwald, je prendrais garde. »

Hatványi acquiesça. « J'ai connu trois générations de Grünwald, dit-il, et même quatre en comptant les enfants. Ils sont adroits.

— Ils sont adroits, oui. Peut-être même *trop*. C'est dans le sang, je le crains. »

« Embrasse-moi, chuchota Betsy de Grünwald à Steven, tu sens le héros — le cuir, la sueur, et la poudre à fusil. »

Steven l'entoura de son bras et l'embrassa sur la joue.

« Ah non ! pas sur la joue. Sur la bouche. Personne ne regarde. Ils sont bien trop occupés à contempler le général Göring qui distribue ses babioles. Voilà qui est mieux, mon amour.

— Tu es très belle, déclara Steven tandis que le trio de musiciens tziganes du prince Hatványi émergeait des bois et commençait à jouer pour les invités.

— Oui. Pouvons-nous nous éclipser au château ?

— Hélas non ! La vraie séance des cadeaux n'a pas encore commencé. Crois-moi, tout le monde rêve de partir le plus vite possible. Toutes ces victuailles seront pour les gardes-chasse et les rabatteurs, mais ils ne pourront pas commencer à manger avant notre départ. »

Steven la conduisit vers le cercle familial où trônait Göring, entouré des deux princes, de Matthieu, de Cosima, de quelques nobles des environs dont la plupart étaient apparentés aux Hatványi ou aux Bardossi, et des enfants, qui dévisageaient le général avec une expression qui parut à Betsy ressembler fort à de la vulgaire curiosité.

L'aide de camp de Göring prenait à présent des photographies avec un appareil Leica, à l'exaspération des Hatványi qui considéraient la photographie comme une faiblesse de petit-bourgeois — les gentilshommes se faisaient peindre.

Betsy observa que le visage du général paraissait enfantin dans son impatience. Bien qu'il fût généreux jusqu'à l'extravagance, Göring était réputé pour son amour des cadeaux, de préférence supérieurs à ceux qu'il offrait lui-même.

Les aides de camp du général spécifiaient souvent à l'avance ce qui

ferait plaisir à leur maître. Quand Göring était allé voir le baron von Thyssen, ce dernier s'était entendu suggérer courtoisement mais fermement que le général avait toujours souhaité posséder une esquisse de Holbein. Thyssen avait reculé devant ce sacrifice, car l'esquisse en question constituait un élément particulièrement précieux de sa collection. Il fit alors une contre-proposition, offrant une superbe gravure de Dürer, mais il lui revint délicatement aux oreilles que certaines commandes importantes d'aciers spéciaux seraient passées chez Krupp plutôt que chez Thyssen, de sorte qu'il offrit à contrecœur son Holbein à Göring, qui le reçut avec une telle excitation et un tel plaisir enfantins qu'on eût juré que c'était là une surprise pour lui.

Matthieu chuchota quelques mots à l'oreille de Göring, les doigts boudinés du général s'animèrent d'un tremblement nerveux, et les tziganes cessèrent la musique. Pour une fois, Göring était demeuré dans l'incertitude, car ses assistants n'avaient pas encore eu l'occasion d'étudier le catalogue des collections Hatványi-Grünwald pour y choisir le cadeau du général.

Matthieu frappa dans ses mains, et trois domestiques Hatványi apparurent de derrière une voiture. Le premier portait un coussin de velours vert sombre, sur lequel reposait un magnifique poignard de chasse incrusté d'or, ciselé à la manière turque du XVIe siècle, et la garde ornée de rubis bruts. Le second portait un sabre assorti dont le fourreau ciselé présentait des scènes de chasse. Quant au troisième, il portait une longue lance turque de chasse, dont la garde était recouverte d'or et de pierres précieuses, et la lame ornée de scènes de chasse au lion en incrustations d'or.

« Un gage de la joie que nous procure votre visite, Excellence, déclara Matthieu en adressant un geste en direction de la petite procession. Aucun musée au monde ne possède une plus belle collection d'armes de chasse du XVIe siècle. »

Des larmes de bonheur ruisselaient sur les joues de Göring. Il serra Matthieu de Grünwald sur son cœur, au risque de déséquilibrer Matthieu par son poids puis, rendu muet par le ravissement, il serra les mains des deux princes, embrassa Cosima, jeta ses bras autour de Betsy dans une exubérante embrassade d'ours et pinça amicalement la joue de Steven.

« Apportez-les ici, hurla-t-il, donnez-les-moi, vite, *vite !* » Il fit courir ses doigts sur les lames, caressa les pierres précieuses, poussa des exclamations admiratives en examinant le détail des ciselures, brandit chaque pièce au-dessus de sa tête pour que tous pussent admirer ses nouvelles possessions, puis demeura un moment silencieux, à les regarder d'un œil hagard, comme un homme atteint de tristesse post-coïtale. Il accepta un verre de champagne et le leva en signe

d'hommage. Maintenant qu'il avait ses cadeaux, il semblait plus calme et plus bienveillant, impatient de présenter ses propres présents.

Avec une hâte surprenante, il sortait des babioles de sa malle, réclamant à son aide de camp débordé l'objet qu'il lui fallait pour chaque personne à mesure qu'il avançait parmi les invités. « *Rittmeister,* criait-il, un poudrier pour la baronne, pas celui-là, idiot, un de ceux qui ont des diamants, un étui à cigarettes pour le prince Bardossy, une photo dédicacée pour les deux espionnes anglaises... »

Chacun des enfants reçut un cadeau, une solide poignée de main germanique et un pinçon à la joue qui leur fit venir les larmes aux yeux. Paul se vit offrir un canif des Jeunesses hitlériennes, Nicholas un coutelas plus élaboré avec un fourreau, et agrémenté d'un portrait du Führer gravé sur le manche ; et la pauvre Louise, fort déçue, eut une médaille d'argent, représentant la Jeune Vierge allemande, fixée à un ruban rouge, blanc et noir.

Pour Steven, le général tira de sa malle une carabine Luger 7.65, l'arme à long canon et crosse de bois qu'avait utilisée le Kaiser pour la chasse au daim, car il trouvait difficile de tenir un fusil classique avec son bras gauche endommagé. Un petit écusson d'argent était incrusté dans le fût, orné du monogramme du général et du *Parteiabzeichen,* un aigle portant une svastika et contemplant l'infini.

La cérémonie que Göring souhaitait mettre en scène, il la réservait à Matthieu de Grünwald. Le général prit des mains de son aide de camp une grosse boîte enveloppée de papier de boucherie ordinaire, emprunta le canif de Paul pour couper la ficelle, arracha le carton de ses gros doigts, et offrit à Matthieu un buste de lui-même en bronze, exécuté très en détail avec amour, mais avec un peu de flatterie aussi.

Göring contempla son propre portrait avec satisfaction. « Beau travail, hein ? » dit-il.

Matthieu acquiesça, encombré du lourd bronze et ne sachant où le poser.

« Je suis content qu'il vous plaise. Dites-moi, tout marche à notre guise ?

— Oui. Bien sûr, tout cela prend du temps.

— Je comprends. C'est l'organisation qui compte. S'il fallait que j'attende mon tour jusqu'à ce que l'armée ait tous les tanks qu'elle veut et la marine tous les sous-marins, je manquerais à mon devoir envers le Führer. Si nous pouvons sous-traiter, pour mes canons antiaériens, ici ou bien en Tchécoslovaquie, eh bien tant mieux, pourvu que nous soyons livrés rapidement, que la qualité soit respectée et le financement correct. Tout le monde y trouve son compte.

— Très juste. Nous n'avons jusqu'à présent rencontré aucune difficulté pour placer des commandes. Mon frère Steven est parvenu à en placer plusieurs en Angleterre, pour du matériel et des instruments

lourds. Bien entendu, les transactions se font par Grünwald Industries, mais les Anglais n'ont qu'à regarder les plans et les spécifications pour comprendre qui est le vrai client.

— Et ils s'en moquent, hein ? " Les affaires sont les affaires ", voilà le mot d'ordre des Anglais ! Ils finiront par nous construire des mires de bombardiers, avec lesquelles nous les bombarderons ! Non, il n'y aura pas de guerre. Le Führer croit à la diplomatie, mais une diplomatie fondée sur la force.

— En Hongrie, nous sommes obligés d'avoir une diplomatie fondée sur la faiblesse. Cela explique le caractère national hongrois. A propos de force, Votre Excellence a-t-elle connaissance du travail qu'accomplissent les Anglais dans le domaine scientifique ? »

Göring haussa les épaules.

« Qu'ils fassent ce qu'ils veulent, déclara-t-il, nous finirons quand même par leur casser la gueule.

— Bien sûr. Leur gouvernement se compose de vieilles femmes. Parfaitement méprisable ! Mais s'ils devaient un jour avoir un vrai chef, ce pourrait être une tout autre histoire. En tout cas, mon frère Steven y est allé pour affaires la semaine dernière et il en a rapporté une rumeur fort intéressante. Les Anglais s'efforcent d'acheter de l'uranium.

— De quoi ?

— De l'uranium, Excellence. Il s'agit d'une matière première extrêmement rare.

— Et qui sert à quoi ?

— On suppose que ce pourrait devenir une source d'énergie. De l'électricité pour mille ans, grâce à un morceau de minerai. Ce genre de chose-là. »

Göring se mit à rire sans gaieté.

« Des contes de fées, dit-il.

— On parle aussi, dans certains milieux, de s'en servir comme armes. Des rayons mortels, et ainsi de suite.

— Des rayons mortels ? Mais c'est absurde.

— Sans doute. Je crois comprendre qu'ils envisagent la fabrication d'une seule bombe colossale plutôt que de rayons mortels.

— Ils n'ont même pas de fusils, ricana Göring avec mépris. Les généraux anglais croient encore à la cavalerie ! La plupart des nôtres ne valent d'ailleurs guère mieux.

— Je ne parlais pas des généraux, Excellence. L'intérêt pour la physique nucléaire se limite encore à l'élite. Mon frère a dîné avec H. G. Wells. Le professeur Lindemann était également présent, venu d'Oxford. Wells est convaincu qu'un jour il existera une bombe de la taille d'un pamplemousse et capable de détruire entièrement Londres.

— Wells est romancier. Et Lindemann est juif.

— Tous deux sont fort bien introduits. Wells converse avec Keynes, Eden, Ramsay MacDonald... Lindemann est très ami avec Churchill.

— Churchill est *kaputt.* Un prophète sans honneur. Ribbentrop dit qu'il est saoul la moitié du temps. On ne peut évidemment guère se fier à Ribbentrop... Enfin, si les Anglais s'y intéressent vraiment, sans doute ferions-nous mieux de voir un peu de quoi il s'agit. Même si, en fin de compte, ce sont les bombardiers qui vont vraiment compter.

— Sans aucun doute. Curieusement, il se trouve à Budapest un homme qui en sait beaucoup sur ces questions — un professeur de physique du nom de Meyerman. »

Göring cracha.

« Meyerman ! Lindemann ! Einstein ! Toujours des Juifs.

— Ils sont doués pour les sciences, général.

— Pour les affaires aussi, à ce qu'on m'a dit, répliqua Göring d'une voix déplaisante en fixant ses yeux durs sur ceux de Matthieu de Grünwald.

— Cela aussi, oui. En tout cas, ce Meyerman m'a montré des papiers fort intéressants, l'un provenant de la revue anglaise *Nature,* et l'autre de *Wissenschaft,* en Allemagne. Steven, qui comprend ces choses mieux que moi, en a été très impressionné. Évidemment, avec le progrès scientifique, il y a toujours le risque...

— Oui, oui. Laissez-moi vous raconter une histoire, à propos de progrès, interrompit Göring d'un air sinistre. Il y a quelques jours à peine, le docteur Messerschmitt m'a montré son nouvel avion de chasse. Je lui ai suggéré de supprimer l'habitacle de verre. Comment un homme peut-il vraiment combattre s'il ne peut pas sortir la tête pour voir ce qui se passe ?

— Très juste.

— Non. Il semblerait que l'appareil aille trop vite pour qu'on puisse sortir la tête ! Messerschmitt a donc gagné, le salaud ! Je n'aime pas les choses que je ne comprends pas.

— Qui aime cela ? Cependant, on ne peut feindre d'ignorer le progrès. Je vous assure, Excellence, qu'on s'intéresse *beaucoup* à l'uranium. Pas uniquement les Anglais, d'ailleurs. Meyerman m'a dit qu'il avait reçu récemment la visite d'envoyés de *Herr* Himmler — un jeune homme sympathique, diplômé en physique. Très bien informé. Il se trouvait par hasard à Budapest pour un congé, et il est passé bavarder un peu — je suppose qu'il aimerait aller aussi à Oxford. »

Le lourd visage de Göring parut se durcir. Ses yeux se rétrécirent, les coins de sa bouche s'affaissèrent brutalement, et toute bienveillance disparut de son expression.

« *Scheiss !* s'exclama-t-il. Himmler — voilà qui est autrement plus sérieux ! Ce visiteur s'intéressait à — comment appelez-vous cette saloperie ?

— L'uranium. Oui.

— Les bombes sont mon affaire, et non celle de Himmler, ce porc ! Si seulement vous saviez, *Herr* Grünwald, les jalousies et les médisances qui existent... Je suis un homme simple, qui souhaite uniquement accomplir son devoir à l'égard du Führer. J'assume des responsabilités considérables ! La Luftwaffe, le bureau du Plan quadriennal, le numéro deux du Reich — c'est un terrible fardeau, mon cher ami, sans aucune possibilité de gains personnels. Ou très peu, en tout cas. Beaucoup moins que les gens ne le pensent. Mais qu'est-ce que les sacrifices personnels, en comparaison du mieux-être du peuple allemand ? » Göring garda un instant les yeux dans le vide en manipulant l'énorme rubis de la garde de son poignard et en rentrant le ventre.

« C'est exact, Excellence. Le Führer vous en est reconnaissant. Et le peuple ordinaire également. Il suffit de les écouter parler de vous...

— Oui, oui, ils m'adorent, il n'existe aucun doute sur ce point. Leurs visages sont tellement émouvants, Grünwald. Surtout les enfants ! Où trouve-t-on de l'uranium, exactement ?

— Par coïncidence, Excellence, ici même, en Hongrie. »

Göring dévisagea pensivement Matthieu et haussa un sourcil.

« *Na,* dit-il, j'aurais dû m'en douter. Mais si c'est ce foutu poulet-là que Himmler veut, je m'en emparerai avant lui. Je veux une option exclusive, comprenez-moi bien. Pas une miette pour lui, ni pour ces salauds d'Anglais.

— C'est compris. Quant aux détails...

— Je ne m'occupe pas des questions de prix. Je ne suis pas un Juif. Je vous enverrai un homme à moi. Il s'appelle Lorenberg. Et maintenant, rentrons. Je veux un bain et une bonne tasse de thé anglais avant le dîner. »

En raccompagnant le général vers les voitures, Matthieu passa devant Steven et Betsy, et cligna de l'œil à l'adresse de son frère. « C'est vendu ! » chuchota-t-il pendant que Göring s'arrêtait un instant pour parler aux deux princes, les pieds bien écartés et les mains posées sur les hanches, prenant la pose immédiatement repérable de Mussolini.

« Vendu quoi ? voulut savoir Betsy quand Matthieu et son invité se furent suffisamment éloignés.

— Depuis des années, répondit Steven, nous possédons toutes ces mines pleines d'uranium qui n'a aucune valeur commerciale — on s'en sert pour des expériences de laboratoire, mais uniquement en quantités infimes. Eh bien, il semble que dorénavant nous ayons trouvé un débouché. Nous allons le vendre aux Allemands.

— Qu'en feront-ils ?

— Rien, selon toute vraisemblance.

— Y as-tu réfléchi ? »

Steven haussa les épaules d'un air modeste.

« Je dois avouer que j'y ai réfléchi. J'ai rencontré le professeur Meyerman, de l'université, et il m'ennuyait à mourir. Soudain, j'entendis le mot " uranium ", et j'ai tiré des conclusions.

— Quelle intelligence ! Quand tout cela sera-t-il fini ?

— Bientôt. Je suis sûr que le général voudra faire la sieste avant de se remettre à manger.

— Je meurs d'impatience.

— Les réunions familiales de ce genre sont insupportablement rasantes, acquiesça Steven.

— C'est parce que vous, les Grünwald, ne vous réunissez que dans un seul but. Il ne s'agit guère de famille, mais d'affaires. »

Steven roula des yeux étonnés. C'était là un vieux sujet de querelle — l'un des rares qui survenaient entre lui et Betsy.

« Matthieu et moi sommes très proches, tu le sais.

— Proches, oui, mais au fil des ans j'en suis arrivée à la conclusion que vous ne vous aimez guère. Est-ce parce que Matthieu est désormais le chef de famille ?

— Pas du tout. Je ne suis pas toujours d'accord avec sa politique, mais je ne lui contesterais sûrement pas le droit de la choisir. Grand-père a arrangé les intérêts de la famille de manière à toujours en laisser le contrôle au fils aîné. Il redoutait que, sinon, tout fût morcelé. D'ailleurs, Matthieu est bien plus doué que moi pour toutes ces questions, reconnaissons-le.

— Tu es trop modeste. C'est uniquement parce qu'il a toujours su qu'il prendrait un jour le contrôle.

— Peut-être. Mais c'est aussi une question de tempérament. En tout cas, et étant donné que nous possédons plein d'argent, cela ne pose pas de problème. Notre force en affaires vient du fait que nous avons toujours tout gardé dans la famille. Aucun intrus — nous partageons des liens communs et un intérêt commun.

— Bon, j'admets que ton grand-père avait ses raisons pour agir comme il l'a fait — mais regarde l'effet que cela produit sur les enfants ! Le pouvoir devrait être partagé, à un certain point. Il est parfaitement injuste que Niki doive un jour hériter de tout le contrôle. Au moins, Matthieu et toi êtes frères, vous avez mis au point un *modus vivendi* — mais les garçons ne sont que cousins et ils n'ont même pas d'*amitié* l'un pour l'autre !

— Bien sûr que si. C'est absurde, mon amour.

— Tu ne vois que ce que tu veux voir. Niki se comporte en prince héritier ; il sait parfaitement bien qu'il héritera un jour la position de son père. Et Pali lui en tient rigueur, cela se voit.

— Je ne vois pas cela.

— Tu n'es pas mère...

— Tu prends les choses trop au tragique, Betsy. Ils vivent dans une saine rivalité, comme tous les garçons de cet âge. Rien de plus.

— Tu crois cela ? Regarde-les donc. »

Et, en effet, les deux garçons observaient chacun le coutelas de l'autre avec une envie impossible à dissimuler, tandis qu'ils demeuraient à proximité des adultes en attendant le départ. Ils se tenaient en bordure du champ déblayé, assez près de leurs parents pour ne pas recevoir l'ordre de venir plus près, mais juste assez loin pour échapper aux sermons, aux avertissements, et aux conversations des grandes personnes. L'excitation de la partie de chasse s'était estompée, et les enfants devenaient agités, maintenant, fatigués des cérémonies, « énervés » comme auraient dit les nurses, mais elles s'étaient déjà installées dans la voiture en attendant l'heure du thé, où elles pourraient reprendre enfin les enfants et restaurer le règne de la propreté et de la discipline.

Paul et Nicholas faisaient la course, depuis une vieille souche d'arbre sur laquelle se tenait Louise jusqu'à l'orée de la forêt, et puis ils devaient revenir. C'était là une compétition que Paul gagnait toujours, à la vive contrariété de Nicholas, et ce d'autant plus que Louise encourageait son frère de ses cris. Nicholas venait de gagner trois bras de fer de suite et se maudissait d'avoir accepté cette course, car Paul le battait toujours très facilement. Ils étaient convenus de faire douze tours, mais Nicholas se jurait bien de provoquer ensuite Paul à la lutte, pour lui montrer qui était le meilleur, qui était le chef, et Paul serait obligé de le supplier en gémissant devant sa sœur pour être libéré.

Le cœur battant, le souffle haletant, il suivait Paul en direction de la lisière sombre et noyée d'ombre, lorsqu'il aperçut quelque chose qui bougeait parmi les branches basses des sapins, qui bougeait à une vitesse surprenante pour sa corpulence, qui se précipitait directement vers son cousin, lequel ne l'avait manifestement pas repéré.

Nicholas s'arrêta sur sa lancée, ouvrit la bouche pour hurler un avertissement mais au contraire, comme si une main invisible était venue lui fermer la bouche, il demeura silencieux. Une partie de lui voulait alerter Paul pendant qu'il était encore temps, pour un coureur aussi rapide, de faire demi-tour et de regagner le champ plus dégagé et plus protecteur, mais une autre partie de lui-même, plus obscure, lui paralysait la volonté. Il semblait soudain exister deux personnes en lui, l'une souhaitant désespérément sauver Paul, et l'autre déterminée à ne point le sauver, et l'instinct le plus fort l'emporta, faisant de Nicholas le témoin muet d'une tragédie. Il voulait crier mais ne le pouvait pas, et à l'instant même où ses yeux embrassèrent toute la scène, il souffrit tous les tourments de la culpabilité de trahison et de lâcheté, la peur du châtiment, la terreur de savoir qu'il avait réprimé l'instinct humain fondamental. « J'ai assassiné mon cousin », se dit-il, et il hurla de

terreur à cause de son silence, maintenant qu'il était trop tard pour alerter Paul.

Car, émergeant des broussailles, le sanglier chargeait déjà Paul. Exaspéré par le bruit du tir et le harcèlement des chiens, rendu furieux par l'odeur du sang et peut-être simplement enragé par le tohu-bohu qui venait troubler sa routine, le sanglier était déterminé à revendiquer son droit au calme et à la paix. Il apparaissait d'une taille et d'une férocité à contenter même le prince Hatványi — énorme survivant d'innombrables combats avec les chiens, lourd, couvert de cicatrices, avec des yeux mauvais, et ses défenses jaunâtres avaient tailladé des dizaines de chiens et de bêtes rivales. Il pesait trois fois le poids de Paul, mais en quelques bonds il pouvait rattraper un athlète olympique et avoir encore la force de lui ouvrir le ventre d'un seul élan.

Paul fut trop surpris pour crier. L'espace d'un interminable et terrifiant instant, il s'immobilisa. L'hésitation lui sauva la vie car la bête, momentanément éblouie par le passage de l'obscurité du sous-bois à la lumière de l'espace ouvert, avait prévu que Paul continuerait à courir et, ayant par nature la vue assez basse, elle dévia de son trajet puis chargea le garçon de biais, le renversant en chemin.

Avec un grognement furieux, le sanglier poursuivit sur sa lancée, puis freina et fit lentement demi-tour avec une suspicion hargneuse pour repérer sa victime, qui gisait dans les hautes herbes, hors de la vue de l'animal. Le sanglier attendit qu'un bruit l'informât de la direction où charger. L'instinct et l'expérience lui enseignaient que la plupart des créatures émettaient des sons quand une première charge les avait jetés à terre — les chiens gémissaient et imploraient, les autres sangliers grondaient de peur ou de défi. Mais il n'y avait cette fois que le silence et les odeurs de sang, de poudre et de parfum humain lui troublaient l'odorat. Puis un hurlement aigu, dans le lointain, attira son attention, le troublant davantage encore car l'origine de ce cri était trop éloignée pour être la proie qu'il cherchait. Ce hurlement fut bientôt suivi d'un autre, plus aigu encore (car Louise se rendait soudain compte de ce qui se passait), puis de cris plus confus au loin.

Le sanglier piétinait sur place, ne sachant s'il devait charger à travers le champ en direction de tout ce bruit ou bien faire retraite dans la forêt, lorsqu'une voix toute proche murmura « maman ». Le sanglier tourna la tête avec un grognement de satisfaction. Tout allait bien. Il avait trouvé la position de sa victime et s'apprêtait à charger.

Le hurlement de terreur de Nicholas avait glacé les participants. Celui de Louise, un instant plus tard, les avait galvanisés.

Les gardes-chasse se trouvaient désormais trop éloignés pour pouvoir se rendre utiles et ils avaient rangé les fusils dans leurs étuis. Le

prince Hatványi se signa. Le prince Bardossy lâcha son verre et se mit à courir de toutes ses forces en direction des cris, mais ne pouvait guère espérer, à son âge, dépasser les propres parents des enfants, qui traversèrent le champ à temps pour découvrir Louise raidie d'horreur sur la souche d'arbre, le bras tendu vers l'orée de la forêt, où Paul gisait dans les hautes herbes, face contre terre. A dix mètres de lui, sur la gauche, le sanglier raclait le sol de ses pattes pointues renforcées de sabots et secouait la tête latéralement ; à mi-chemin entre Louise et Paul se tenait Nicholas, le visage dans ses mains et le corps secoué de sanglots.

Steven avait lâché le Luger — inutile car il n'était pas chargé — et en un bref instant, sans cesser de courir vers son fils, il comprit que le seul moyen de sauver l'enfant, si même il vivait encore, consistait à se jeter devant le sanglier, et il céda aux appels de son cœur, poussé par tous ses instincts à courir plus vite que jamais il n'avait imaginé pouvoir le faire.

Il ne vit pas Matthieu s'élancer pour soulever Nicholas dans ses bras, n'entendit pas Cosima et Betsy crier derrière lui, ne vit pas l'énorme silhouette qui accourait à une vitesse inhabituelle en direction du sanglier, n'entendit pas même le souffle lourd de la bête. Il arriva jusqu'à son fils et se jeta à plat sur lui, puis releva la tête pour regarder le sanglier charger, se demandant un instant ce qu'il éprouverait quand les défenses de la bête l'éventreraient, et où elles l'atteindraient.

A son intense surprise, le sanglier changea de direction, bifurquant vers le haut du champ pour attaquer ceux qui le pourchassaient. Il s'élança au galop dans le champ couvert de pousses vertes pour charger directement Göring, qui courait de toute la vitesse de ses jambes en direction de la bête. Pour un homme de sa corpulence, il courait très vite, le visage rendu écarlate par l'effort et arborant une expression enragée. Steven songea soudain que l'homme et la bête se ressemblaient, et même le sanglier parut surpris par la taille et la férocité de son adversaire.

Pendant une fatale fraction de seconde il hésita, se détournant juste assez pour exposer son flanc au général qui, poussant un hurlement de triomphe, leva avec toute la force de ses deux mains le sabre de chasse incrusté de pierreries et le plongea dans l'épaule de la bête, le poids du général se conjuguant avec l'élan de l'animal pour enfoncer la lame jusqu'au cœur. La bête se raidit un instant sous l'effet du choc et de la douleur, les yeux figés ; puis elle frémit comme pour reconnaître sa défaite, poussa un gémissement, tenta un dernier coup de défenses, et s'effondra sur le flanc tandis qu'un flot de sang lui jaillissait par la gueule.

Steven sentait respirer son fils. Il souleva dans ses bras l'enfant évanoui et se dirigea vers Göring, qui, un pied posé sur le sanglier

arracha le sabre de la blessure et le brandit au-dessus de sa tête en poussant un rugissement de triomphe qui alla se répercuter par-delà les champs et les bois, un farouche « *Ha-la-li* » jailli de l'antique passé germanique, un cri venu du temps de Wotan, et qui avait semé la terreur dans les cœurs des légionnaires romains lorsqu'ils affrontaient les tribus teutoniques. Puis il planta le précieux sabre dans le sol, s'essuya les mains sur ses gants, et s'avança pour examiner Paul.

« L'enfant est vivant ? demanda-t-il.

— Blessé mais vivant, Excellence, répondit Steven. Nous vous devons une dette éternelle.

— C'est vrai, déclara joyeusement le général. Une dette de sang. C'est celui qui est intelligent, n'est-ce pas ? Eh bien, il semble qu'il ait de la *chance,* en plus — quelle prodigieuse combinaison. Il ira loin. Ma chère, poursuivit-il à l'intention de Betsy qui venait de l'embrasser sur la joue, je tuerais volontiers un sanglier chaque jour pour un baiser d'une telle beauté. Vous vous assiérez près de moi à table, ce soir. » Il se tourna vers les gardes-chasse et cria : « Je veux garder les défenses en trophée ! Et nettoyez-moi ce sabre — ce maudit objet vaut une fortune !

— Pauvre Niki, observa Matthieu de Grünwald tandis que les nurses emmenaient les enfants. Il tremble comme une feuille. On voit bien qu'il a reçu un grand choc. Les garçons sont très liés, comprenez-vous. »

Göring acquiesça. « Mais un peu lent pour crier. Il ne sera toujours pas pilote de chasse, celui-là. Il s'en tirera bien. Les enfants possèdent une force naturelle — c'est l'éducation qui en fait des lâches et des faibles, sauf dans des pays comme le nôtre, bien sûr. Vous verrez que ce soir ils en riront tous. »

Mais cette nuit-là, quand Paul s'éveilla dans la nursery, meurtri et courbatu, il dévisagea longuement Nicholas, puis referma les yeux. Et Nicholas comprit à son expression que Paul savait, ou avait deviné, ce qui s'était passé et que l'accident demeurerait toujours entre eux. Il pleura toute la nuit, comme s'il avait eu conscience de perdre à jamais un lambeau de son innocence, et de voir un rival d'enfance devenir, en l'espace d'un seul instant, un implacable ennemi.

Troisième Partie

Valeurs personnelles

4

Diana était une femme active, fort peu portée à la rêverie. Le lendemain de sa réception, elle ne s'étonna guère du silence de Niki Greenwood, qui se ne préoccupa même pas de faire prendre ses effets personnels. Faire des excuses n'était pas dans son tempérament, et que valaient quelques costumes et des boutons de manchettes, aux yeux d'un homme dont le père possédait un yacht de cent mètres de long ?

A son bureau, elle prit la peine de lire la notice biographique de Paul Foster dans le *Who's Who des industriels américains.* Cela ne faisait que confirmer sa réputation d'homme secret, ou peut-être sa nature dissimulatrice. Diana lut : « *Naturalisé en 1950 ; création société 1951, président conseil d'administration depuis 1952 ; clubs, hobbies, associations professionnelles : néant ; décorations : néant ; adresse, bureau.* »

En rentrant chez elle à la fin de l'après-midi, elle trouva son salon transformé en boutique de fleuriste. Il y avait des fleurs partout — la domestique avait dû employer tous les récipients disponibles de la maison. Sur la table basse, Diana vit une carte de visite de Foster. Elle la retourna, mais n'y décela aucun message.

Diana trouvait étonnamment bon d'être ainsi courtisée — supposant que les fleurs de Foster représentaient une forme d'assiduité. Au cours des dernières années, personne ne l'avait sérieusement assiégée. On la savait maîtresse de Nicholas Greenwood, et peu d'hommes souhaitaient encourir le courroux de Nicholas, quand il existait tant d'autres femmes séduisantes à courtiser sans le moindre risque. Niki était riche, puissant, jaloux, emporté et sujet aux accès de rage violente. Alors même qu'on lui connaissait des aventures avec d'autres femmes et qu'on savait sa relation avec Diana sur le déclin, elle demeurait sa propriété personnelle aux yeux des hommes, et d'elle-même.

Foster ne s'en souciait apparemment pas, soit qu'il eût deviné la fin définitive de sa liaison avec Niki, soit qu'il n'eût tout simplement peur

de personne. Il était frappant d'observer, songea-t-elle en s'offrant le plaisir d'ôter la photographie de Niki de son cadre d'argent et de la déchirer, combien les deux hommes se ressemblaient physiquement. Niki était plus massif et plus grand ; il était bel homme et le savait. Foster, par contre, semblait inconscient de son charme, à moins qu'il n'y fût simplement indifférent. Quand il vous parlait, il avait l'inestimable talent de vous donner l'impression d'être unique au monde et, tout en reconnaissant qu'il s'agissait d'un truc ou d'une habitude, ou même d'une stratégie pour manipuler les gens, Diana ne pouvait s'empêcher d'être fascinée, ne fût-ce que parce que Niki avait depuis longtemps renoncé à essayer.

Elle consulta sa montre, fine hostie d'or qui portait son nom épelé en diamants à la place des chiffres, cadeau de Nicholas au cours du premier mois de leur passion, et vit qu'il était sept heures. C'était à un moment de ce genre, se dit-elle, que l'on comprenait pourquoi les gens se mettaient à boire. Elle était là, belle, intelligente, heureuse en affaires, et seule. Cela avait toujours constitué un handicap dans sa vie : elle ne pouvait être la femme que d'un seul homme ; les aventures d'une nuit ne l'avaient jamais intéressée. Nicholas s'en était fort bien rendu compte. En s'éloignant d'elle, il prétendait superbement donner à Diana sa liberté, sachant parfaitement qu'elle ne s'en servirait pas, ne *pourrait pas* s'en servir, tant qu'elle garderait dans sa vie une partie de lui. Elle restait fidèle même quand il ne restait plus rien à quoi être fidèle.

Dans les moments de dépression, Diana se réfugiait dans la salle de bains, comme si l'entretien de sa beauté avait constitué une sorte d'exercice spirituel. Elle s'intéressait à son corps comme à n'importe quel autre bien irremplaçable. S'en occuper lui procurait une certaine satisfaction paisible. Elle examina sa peau, éprouva du plaisir à n'y déceler aucune marque ou défaut inattendu, puis se doucha et se lava les cheveux. D'autres femmes de sa connaissance se donnaient infiniment plus de mal pour assurer leur beauté, mais elle avait de la chance — cela lui était inutile. Diana croyait aux bienfaits de l'exercice physique, des bains chauds et d'une vie simple. Cela semblait marcher dans son cas, comme ses amies l'observaient avec envie.

Plus Diana consacrait de temps à se préparer pour la soirée, et plus il lui était facile d'oublier qu'elle n'avait rien de spécial à faire. Sa table de travail et sa cheminée étaient jonchées de cartons d'invitation à des cocktails, des avant-premières, des générales, des vernissages, mais elle n'éprouvait aucun désir de sortir seule et se sentait incapable de rassembler suffisamment d'énergie pour convoquer un accompagnateur de dernière minute.

Pendant un bref moment, Diana se surprit à regretter Nicholas, puis ressentit un spasme de dégoût en constatant sa propre faiblesse. Iris

Star, la malheureuse épouse de David Star, avait un jour observé au sujet de Niki : « Mieux vaut un homme mal assorti que pas d'homme du tout », mais Diana avait exprimé son désaccord ce jour-là, et avait honte de devoir maintenant changer d'avis. Diana chérissait son indépendance — en faisait un véritable fétiche, d'après ses amis —, mais depuis des années l'essentiel de sa vie sociale tournait autour de Niki, ainsi que le plupart de ses émotions.

S'il avait été là, il aurait pris sa soirée en main, parcourant le paquet d'invitations avec des grognements impatients et sélectionnant celles qui l'intéressaient, puis l'entraînant pour aller acheter un tableau, assister à un cocktail, ou quitter une projection au milieu parce qu'il s'ennuyait et préférait aller au « 21 » boire un verre avec ses copains. Même s'il n'avait guère d'autre qualité, il savait prendre des décisions. Il aimait l'action — beaucoup trop aux yeux de bien des gens —, abordait la perspective d'une soirée tranquille à la maison dans l'état d'esprit d'un condamné à mort.

Il était facile de proclamer le plaisir d'échapper enfin à tout cela, de pouvoir consacrer quelques heures à regarder la télévision et lire les *New York Times* en retard, mais aucune femme, jamais, n'est vraiment heureuse seule, et Diana ne faisait pas exception. Elle prit place devant l'immense miroir de sa chambre et commença ses exercices, après avoir noué ses cheveux blonds derrière sa tête avec un mouchoir à Nicholas en soie. Elle s'étira, se pencha gracieusement jusqu'à terre, sauta, notant avec plaisir que ses seins demeuraient aussi fermes que naguère, et se demandant pourquoi Nicholas, après toutes ces années de bonheur et de souffrance, trouvait nécessaire d'aller chercher son plaisir ailleurs, auprès d'autres corps. Elle se demandait également combien de temps s'écoulerait avant qu'elle pût en faire autant.

Elle s'allongea par terre pour faire des tractions, prenant plaisir à l'effort de ses bras et des muscles de son ventre, et se força à en faire dix de plus que d'habitude. Malgré tous les odieux défauts de Nicholas et malgré ce qui s'était passé entre eux, Diana ne pouvait pas se voir dans le miroir sans penser à lui, à l'époque où ils s'étaient tous deux aimés passionnément et où il la saisissait soudain, la faisait tomber au sol, lui arrachait ses vêtements et se déshabillait en hâte, une telle hâte même qu'il lui laissait bien souvent ses bottes et son chemisier, ou gardait sa chemise.

Diana s'efforça de maîtriser le cours de ses pensées, de les détourner de cette image insistante, mais elle s'échauffait, d'une chaleur qui n'avait rien à voir avec ses exercices de gymnastique, de sorte qu'elle éprouva du soulagement plutôt que de la contrariété en entendant le téléphone sonner sur sa table de nuit.

Elle prit le combiné et, surprise, entendit une série de légers déclics suivis d'un fort grésillement, puis le silence. Une voix amplifiée et

déformée, tel un message venu de l'espace, annonça soudain avec une intonation traînante de West Virginia : « Restez en ligne, je vous prie. Un appel pour Mlle Diana Beaumont. Est-elle là ? »

Diana répondit que c'était elle. Il y eut un moment de silence puis la voix de Paul Foster, étonnamment claire après tous ces bruits préliminaires, lui parvint.

« Vous souvenez-vous que nous avions parlé d'aller à la campagne ? demanda-t-il.

— Bien sûr.

— Êtes-vous libre jeudi ? mon emploi du temps me laisse un répit. »

Elle avait des rendez-vous pour ce jour-là, mais répondit : « Ce serait merveilleux. Où se trouve votre maison ? »

La réponse de Foster se perdit dans des grésillements, mais Diana parvint à saisir les mots « une heure de voyage ». Il y eut un bruit comme l'écoulement d'un bain, puis la voix de Foster revint en ligne. « Si jeudi vous convient, je vous ferai prendre en voiture de bonne heure le matin. Disons huit heures ? Nous déjeunerons ensemble à la campagne. »

Une nouvelle explosion de bruits statiques interrompit leur conversation. « Êtes-vous encore là ? demanda Diana. D'où m'appelez-vous ? »

Les grésillements cessèrent. La voix de Foster revint, plus floue à présent. « Je suis en route vers la Suisse, dit-il. Je dois voir un homme au sujet d'une question que je ne veux pas traiter par téléphone. A la semaine prochaine, alors. »

Sur ces mots, la ligne sembla coupée pendant quelques secondes, puis une série de bips retentirent, mais Diana crut entendre résonner confusément le timbre d'une voix familière qui disait : « Allô, Paul, ici Meyer... »

A dix mille mètres d'altitude, les montagnes étaient invisibles, camouflées par une épaisse couche de nuages. Foster n'avait jamais aimé la Suisse. S'il y avait passé, comme Niki, les années de guerre, sans doute aurait-il jugé les Suisses moins arrogants et moins hostiles. Trente-cinq ans auparavant, la Suisse avait été la Terre promise, terriblement proche et hors d'atteinte. La sécurité se trouvait de l'autre côté des montagnes, mais il n'existait aucun moyen de les franchir. Quand les gens pensaient à la Suisse, ils pensaient au chocolat, à Heidi, aux montres. Quand Foster pensait à la Suisse, il pensait à Matthieu de Grünwald dans la banque voûtée de Bahnhofstrasse, tenant entre ses mains les titres au porteur de la fortune des Grünwald. Avait-il seulement songé à son neveu Paul, quand il avait pris sa décision ? Sans doute pas, réfléchit Foster. L'esprit de Matthieu avait dû alors faire

vite, pour soupeser les risques, les conséquences, les bénéfices. Tous les hommes n'ont pas à affronter leur conscience dans une cave de banque, enfermés dans un élégant salon privé avec un coffre devant soi et une sonnette pour appeler l'employé.

« Allô, Paul, tu m'entends ? » entendit-il Meyer crier, sa voix répercutée par le haut-parleur encastré dans le panneau situé au-dessus de la tête de Foster.

« Oui.

— Alors ? As-tu appris quelque chose par Kane ?

— Il est au courant du projet Wotan.

— Ce n'est pas terrible. En vérité, même, ce n'est rien du tout.

— Il connaît l'existence de Lorenberg. Il le recherche.

— C'est plus ennuyeux. Où *est* Lorenberg ?

— En France. Je ne sais pas où il vit exactement, mais je trouverai.

— *Scheiss !* Pourquoi n'est-il pas plutôt mort en 1945 ? Matthieu aurait dû s'en occuper.

— Il en savait bien trop sur Matthieu. Lorenberg a toujours su repérer les bons numéros. Matthieu a dû le payer, j'imagine. Nous n'avons qu'à en faire autant.

— Combien cela coûtera-t-il ?

— L'argent peut se révéler inutile. Il existe d'autres choses, pour un homme avec son... histoire...

— Tu as également parlé avec Diana, je suppose. »

Foster vérifia l'altimètre sur le tableau de bord. Ils descendaient. Il se sentit seul et glacé. Le besoin de compagnie constituait-il une faiblesse ? bien sûr.

« Elle est charmante, répondit-il, et très belle.

— Cela, je le sais ! T'a-t-elle parlé des intentions de Nicholas ?

— Non. Elle me rappelle cette fille à Londres...

— Paul, s'exclama Meyerman d'une voix alarmée, nous n'avons vraiment pas besoin de ça ! Les choses sont bien assez compliquées sans que tu viennes jouer une romance. D'ailleurs, c'est toujours une erreur de chercher la même femme inlassablement. Sais-tu ce que Bernie Baruch m'a dit, quand je lui ai demandé ce qu'il avait appris de la vie à l'âge de quatre-vingt-dix ans ?

— Non.

— Baruch a réfléchi un moment, et puis il m'a dit : “ Il existe des millions de belles femmes sur terre — baises-en le plus possible ! ” »

Paul contempla les nuages — ils devaient déjà approcher de la piste de Zurich, songea-t-il. « Je ferai de mon mieux », déclara-t-il à Meyerman, mais il gardait l'esprit tourné vers Diana.

Le jeudi matin, Diana se leva de bonne heure, ne sachant comment s'habiller, et se décida pour un blue-jean délavé, des bottes de cow-boy en daim souple, un chandail et une vieille veste d'équitation en tweed. Pour le cas où il lui proposerait de se promener à cheval, elle fourra dans son grand sac de toile un vieux pantalon de cuir ainsi qu'une brosse à cheveux, et noua sur sa tête un foulard Hermès, dans ce style cavalier rendu célèbre par la reine d'Angleterre. Diana se souvint que la seule fois où elle avait rencontré Sa Majesté, au cours de sa brève expérience de comtesse, son époux le comte s'était honteusement mal comporté en allumant un joint dans le Steward's Enclosure, lors du Derby, et il avait dû démissionner du Jockey Club par suite de cette indignité. Cela n'avait été que la première d'une longue série d'humiliantes disgrâces.

Elle se demanda pourquoi les hommes de sa vie semblaient posséder si peu de maîtrise d'eux-mêmes : Nicholas, avec ses accès de rage et de soudaine brutalité ; Robin Wynchcombe, douzième et presque certainement dernier, désormais, comte de Winchester, qui courait à la ruine à force de beuveries, de jeux de hasard, de drogue, avec une passion qu'il aurait mieux fait d'investir dans son mariage ou ses terres...

Tout en rinçant sa tasse à café, elle se demanda brièvement où pouvait bien se trouver la maison de campagne de Foster. Elle supposait que ce devait être dans le comté de Westchester ou de Dutchess, mais aucun des annuaires qu'elle avait consultés ne mentionnait de résidence au sujet de Foster. Comme toujours, il avait créé un mystère — mais c'étaient précisément ses mystères qui le rendaient fascinant, ainsi que cette visible détermination à agir comme bon lui semblait ce qui était toujours fort séduisant chez un homme.

Diana avait depuis longtemps appris que la plupart des hommes obsédés par la réussite (et quelle autre espèce pouvait-on rencontrer à New York ?) faisaient de mauvais compagnons et de piètres amants. Nicholas n'entrait évidemment pas dans cette catégorie : il était un prince play boy, si riche par sa naissance que les petits succès et le prestige social ne signifiaient pas grand-chose pour lui, mais la plupart des hommes qu'elle connaissait étaient tellement occupés à se tailler un chemin à coups de hache jusqu'au sommet de l'arbre qu'ils avaient choisi d'escalader, qu'il ne leur restait guère de temps ni d'énergie émotionnelle pour autre chose, et même leur vie sexuelle consistait à vaincre la femme d'un autre, à marquer un point, à s'attribuer le prestige d'une nouvelle conquête. En vérité, ils voulaient uniquement une femme qui rendît les autres hommes jaloux — quelqu'un à exhiber dans les réceptions, preuve vivante de leur dynamisme, de leur réussite au lit comme dans les affaires.

Foster ne semblait pas être ce type d'homme-là. Diana se surprit à tenter d'imaginer ce que devait être sa vie intime. Foster ne paraissait

guère appartenir à la catégorie des hommes chastes, mais il n'avait aucune liaison connue. Même Aaron Diamond, qui connaissait tous les derniers commérages sur tout le monde, de même que les années des bons crus, n'avait pas entendu dire grand-chose sur Foster. Depuis la rupture de son célèbre mariage avec Dawn Safire, il avait vécu à l'écart des projecteurs, à moins de compter la presse financière. Mais Aaron s'était quand même laissé dire que plusieurs personnes s'étaient enrichies en fournissant à Foster de jolies jeunes femmes bien payées pour se taire. « C'est un homme très occupé, disait Aaron. Il paie pour baiser, il n'y a pas de mal à cela. »

Elle se surprit à supputer comment Foster se comportait au lit et éloigna fermement ces pensées de son esprit. Depuis des années elle était la femme d'un seul homme. Même s'il ne lui avait rien apporté d'autre, Nicholas lui avait donné conscience de ses puissants besoins sexuels. Le sexe tenait une part importante dans la vie de Niki, et avait acquis un rôle important dans celle de Diana. Au cours des deux dernières années, il avait commencé à la priver dans ce domaine et il arrivait qu'elle le détestât d'avoir éveillé d'aussi profonds sentiments en elle pour ensuite s'éloigner. Dans les rares occasions où elle avait couché avec d'autres hommes, elle était restée insatisfaite. Ce n'était pas leur faute, elle le savait bien, mais la sienne propre. Elle était habituée à Nicholas. Ce devait être tellement plus simple, songeait-elle, d'être un homme. Mais ils avaient également leurs problèmes, comme elle le savait si bien.

Quels étaient les problèmes de Foster ? Pourquoi s'entourait-il de tels mystères ? Il semblait n'éprouver aucun désir d'être reconnu pour ce qu'il était, ni envié, ni même approuvé. Il poursuivait ses objectifs, quels qu'ils fussent, sous l'impulsion d'un profond besoin intérieur. Qu'était-ce donc, se demandait-elle, qui le poussait ainsi ? Et qu'était-il si anxieux de cacher ?

Devant chez elle était garée une Mercedes aux vitres arrière teintées. L'insigne du bouchon de radiateur avait été supprimé et les chromes peints en noir, ce qui donnait à la voiture un aspect sinistre.

Le chauffeur lui ouvrit la portière et l'aida à monter en voiture si rapidement qu'il avait déjà disparu quand elle se rendit compte qu'elle était seule. Diana regarda tout autour d'elle avec curiosité. Il y avait là un téléviseur équipé pour la couleur, un téléphone avec deux lignes et un bouton pour garder les interlocuteurs en ligne d'attente, un téléphone rouge séparé, sans doute réservé à certaines affaires urgentes de Foster, un bar bien rempli, un petit compartiment-coiffeuse avec un miroir grossissant, une lampe de forte intensité et un stock de parfums, ainsi qu'un casier à revues comprenant les derniers

numéros de *Time, Newsweek, Business Week, Barron's, The New York Times, The Financial Times, The Wall Street Journal, Die Welt, Die Neue Zurcher Zeitung, Le Figaro, Le Journal des bourses de Paris,* et aussi, probablement par égard pour elle, de *Vogue, Harper's Bazaar, L'Officiel, WWD, Glamour, Mademoiselle* et *People.* Diana comprit, aux titres des journaux financiers, que le prix de l'argent avait de nouveau grimpé. Un millionnaire texan, qui avait spéculé à la baisse, s'était suicidé dans sa résidence de Dallas.

Derrière elle se trouvaient deux petites lampes de lecture et un coffret contenant des Kleenex, des serviettes rafraîchissantes et des pastilles antiseptiques pour la gorge. Foster partageait-il avec Aaron Diamond cette passion de la propreté ? Sur le côté du compartiment de rangement réservé aux passagers, un petit vase de cristal tenu par un taquet s'ornait d'une rose.

Tandis que la voiture remontait West Side Drive, Diana chercha le bouton permettant d'abaisser la vitre qui la séparait du chauffeur. Ne pouvant le trouver, elle quitta son siège et se pencha en avant pour frapper au carreau, car l'arrière de la voiture était trop vaste pour qu'elle pût atteindre la vitre de séparation en restant assise. Une voix assourdie et teintée d'un fort accent lui parvint grâce à un haut-parleur placé au-dessus de sa tête : « Ce n'est pas la peine, madame. Si vous pressez le bouton blanc de la console, sur votre droite, vous pouvez me parler par l'interphone. Il y a du café dans le bar. »

Diana ouvrit le compartiment en acajou, et y trouva une bouteille Thermos, un pot de lait, un sucrier contenant du sucre et des sucrettes « basses calories », une magnifique tasse en porcelaine avec sa soucoupe, qui lui semblèrent être du Sèvres, et une cuillère ancienne en argent. Quand elle eut fini son café et brièvement parcouru le *Times,* elle leva les yeux et découvrit qu'ils roulaient sur une avenue commerciale. De chaque côté s'alignaient des stations-service, des snacks-bars, des magasins à prix cassés, des ateliers de réparations, des magasins de commerce en gros, des entrepôts de ferraille et tout le rebut industriel qui caractérise le nord-est du New Jersey.

Avant qu'elle pût s'enquérir de leur destination, la grosse limousine franchit un portail ouvert dans une clôture barbelée, passa entre ce qui semblait être deux grands entrepôts et arriva soudain sur le macadam de Teterboro Airport, pour s'arrêter sous l'aile d'un Grumman Gulfstream 2 blanc étincelant. Le chauffeur sauta à bas de son siège, courut lui ouvrir la portière et la confia à un homme de haute taille, massif, sanglé dans un trench-coat et coiffé d'un chapeau mou usagé : le même garde du corps qui avait accompagné Foster chez elle.

« M. Foster vous attend », annonça-t-il, et il la conduisit vers la passerelle qui se trouvait à l'avant de l'avion. Elle pénétra dans le ventre chaud et sombre de l'appareil, tandis que le garde du corps

rangeait le manteau et le sac de Diana dans un placard, redescendait et faisait un signal au pilote. La passerelle se rétracta dans le fuselage avec un bruit étouffé et la porte se referma et se verrouilla.

« Bonjour », entendit-elle Foster articuler tandis que les moteurs se mettaient en marche, à peine perceptibles dans la cabine insonorisée et faiblement éclairée.

Elle ouvrit le rideau, et le vit installé à une élégante table de petit déjeuner, à l'extrémité de la cabine. Foster se leva, parut hésiter entre un baiser sur la joue et le baise-main, opta pour la joue, puis l'invita à s'asseoir.

« Vous êtes resplendissante, dit-il.

— Je vous remercie pour cette profusion de fleurs. »

Il eut un sourire timide et haussa les épaules.

« Vous savez voyager avec grandeur. Qui vous prépare tout cela ?

— Le steward. Il voyage devant avec le pilote pour que je puisse être seul.

— Et le garde du corps ?

— Luther ? Oh ! je ne pensais pas que nous aurions besoin de lui.

— Où allons-nous exactement ?

— A la ferme. Elle se trouve à Middleburg, en Virginie.

— Je n'avais pas imaginé faire un aussi long voyage. J'ai l'impression d'être kidnappée.

— Rien ne me plairait davantage que vous kidnapper, ma chère amie, mais en vérité il y a moins d'une heure de vol jusqu'à Dulles. Vous verrez un peu les alentours, peut-être un petit tour à cheval, et puis nous déjeunerons.

— Vous semblez avoir tout organisé.

— C'est ma spécialité dans la vie. »

Diana remarqua que Foster arborait son habituel costume sombre. Il ne semblait pas posséder de vêtements pour la campagne. Elle sentit l'appareil prendre de la vitesse sur la piste et remarqua que Foster n'avait pas besoin d'attendre son tour pour décoller.

« Décollage, monsieur Foster, annonça la voix du pilote par le haut-parleur, avec un accent du Sud typique.

— Merci, répondit Foster.

— Prendrez-vous les appels ?

— Non. Si l'on m'appelle, dites que je ne veux pas être dérangé. »

Diana beurra un croissant, puis y étala de la confiture.

« Comment était Zurich ? demanda-t-elle.

— Un rendez-vous avec un avocat. Rien que le travail.

— Vos voyages sont-ils toujours aussi austères ? »

Foster acquiesça.

« Oui, presque tous.

— Ce doit être une existence bien terne. Sans surprises.

— Oh ! la vie réserve toujours des surprises, même aux gens riches.

— Cela ne vous ennuie-t-il pas, de toujours et uniquement gagner de l'argent ? »

Foster but une gorgée de café et réfléchit un moment.

« Non, dit-il. Mais l'argent n'est pas le but. Je n'aime pas être sous le contrôle d'autres gens. Pour être libre, il faut beaucoup d'argent — et de puissance. Bien sûr, on en paie le prix. On n'a pas le temps de faire les choses ordinaires que la plupart des gens ont plaisir à faire.

— De sorte que pour être libre, vous renoncez à la liberté ?

— Peut-être. Mais j'ai été privé de pouvoir. C'est une expérience fort déplaisante. »

Elle lui tendit un croissant, qu'il refusa.

« Vous n'êtes tout de même pas au régime ?

— Pas du tout. Mais je mange très peu. La nourriture est une distraction. Il n'existe pas de moyenne position, voyez-vous. Ou bien on mange simplement et l'on n'y pense pas, ou bien l'on y pense sans cesse et l'on mange royalement. J'apprécie la bonne nourriture, en vérité, mais je trouverais étrange de m'attabler seul devant un bon dîner, et les dîners mondains m'ennuient.

— Pour ma part, j'adore la bonne cuisine. Je ne sais pas la faire, mais j'aime la manger. »

Foster sourit.

« J'en suis ravi, dit-il. La plupart des femmes se flattent de bien cuisiner, mais c'est rarement vrai. D'ailleurs, pourquoi une belle femme devrait-elle faire la cuisine ? On peut *engager* d'excellents cuisiniers. Pour quelqu'un qui aime tant manger, vous avez une ligne superbe.

— Je me retiens avec une volonté de fer. Et je fais beaucoup de gymnastique.

— Moi aussi. J'ai un gymnase équipé de toutes les machines suédoises les plus modernes, un exercycle, une piste de course roulante, un sauna, et ainsi de suite. Quand je voyage, j'emporte un plan d'exercices à mettre en œuvre chaque matin.

— Quel homme discipliné !

— Mais non, pas du tout, vous le savez aussi bien que moi. Nous ne faisons pas toute cette gymnastique par discipline mais par *vanité.* Mais oui, dans d'autres domaines je suis discipliné. J'ai essayé de m'en libérer, mais en vain. La discipline m'a maintenu en vie pendant une période de ma vie, quand j'étais plus jeune. Peut-être cela a-t-il entretenu en moi un respect excessif pour la discipline.

— Avez-vous reçu une éducation très stricte ?

— Non, non. J'ai appris la discipline plus tard.

— Avez-vous grandi à la campagne ? Moi, oui, et même si longtemps après, cela me manque encore.

— En partie, oui », répondit Foster à contrecœur, en s'agitant sur son siège. Il détestait visiblement les questions. La plupart des gens avaient depuis longtemps appris à ne pas lui en poser. Il préférait les faire lui-même, en quête de nouveaux renseignements, de nouvelles idées, de points faibles, de tout ce qui pourrait se révéler utile.

« Mes grands-parents avaient une propriété, ajouta-t-il pour faire une concession à la curiosité de Diana.

— Y allez-vous encore ? »

Foster eut un rire dur et dénué de bonne humeur, le regard soudain lointain.

« Non, répondit-il brusquement, rien de tout cela n'existe plus. Après la guerre, en Angleterre, il m'arrivait d'aller à la campagne, mais ce n'était plus pareil.

— Que faisiez-vous en Angleterre ?

— J'étais réfugié. Ce qu'on appelait alors une " personne déplacée ". Et puis j'ai fini par trouver un emploi de garçon de courses au *Financial Times.* Je parlais l'anglais, comprenez-vous, alors c'était moins dur. J'ai appris des choses sur l'argent et j'ai fait une grande découverte : ceux qui *ont* de l'argent sont toujours en quête de quelqu'un qui leur dira qu'en faire. Personne ne vous donnera un centime pour vous empêcher de mourir de faim, mais tout le monde vous en donnera pour l'investir à leur place, si vous pouvez les convaincre qu'ils feront un bénéfice. Il suffit de leur promettre un meilleur rendement que les caisses d'épargne — ou des émotions.

— Cela paraît simple.

— Et ce l'est. Les affaires consistent uniquement à se servir de l'argent des autres. Le reste n'est qu'apparence.

— Avez-vous mis longtemps à l'apprendre ?

— Non, je l'ai appris en un seul jour. Ensuite, il ne s'agissait plus que de le mettre en œuvre. Votre ami Nicholas était très fort à ce jeu, mais je ne suis pas sûr qu'il n'ait pas un peu perdu la main.

— La plupart des gens le trouvent encore très fort.

— Sans doute, répondit Foster, en haussant les épaules pour indiquer que l'avis de la plupart des gens lui importait peu. Évidemment, son père était d'une toute autre classe. Vous l'avez déjà rencontré, non ?

— C'est une trop belle journée pour que nous en parlions, si cela ne vous ennuie pas », déclara Diana.

Foster lui prit la main. « Pardonnez-moi, dit-il avec une petite pression des doigts en signe d'excuse. Plus tard, nous aurons beaucoup de choses à nous dire. Pour le moment, contentons-nous de nous détendre agréablement. Écoutez : le pilote coupe les gaz. Nous commençons à descendre. »

Diana sentit ses oreilles bourdonner tandis que l'appareil perdait de

l'altitude. Elle regarda par le hublot la campagne de Virginie — tellement semblable au Gloucestershire par une journée ensoleillée d'automne — tandis que le pilote tournoyait lentement pour aborder la piste ; puis le signal de bouclage des ceintures s'alluma et un Oriental en veste blanche amidonnée et pantalon noir apparut à la porte de la cabine pour débarrasser la table du petit déjeuner.

« Merci beaucoup », déclara Diana, mais le steward se contenta de sourire en poursuivant son travail.

« Il ne parle pas l'anglais, expliqua Foster. Il est annamite. Il connaît un peu de français, et c'est tout.

— *Merci* », répéta Diana en français, cette fois.

Le steward émit un son qui pouvait tout aussi bien être du français, bien que ce fût difficile à discerner, salua profondément, et se retira rapidement dans la cuisine en refermant la porte sans bruit.

Diana entendit les roues sortir. Le bruit des moteurs s'accentua et l'appareil toucha terre en douceur. Le pilote inversa la poussée et, comme la vitesse diminuait rapidement, il bifurqua en direction de l'extrémité de l'aéroport, à l'opposé de l'aérogare principale. L'avion s'immobilisa. Foster aida Diana à se lever. Le steward apporta à Foster un pardessus foncé, un foulard de soie noire, et des gants en peau de porc. Il aida ensuite Diana à revêtir sa veste, puis pressa un bouton près de la porte, qui s'ouvrit en silence. Elle descendit les marches de la passerelle, suivie de Foster qui la guida par le bras jusqu'à un hélicoptère bleu sombre et blanc, dont l'hélice tournait déjà lentement au-dessus d'eux dans la campagne immaculée de Virginie.

Une fois installé, Foster tira de sa poche une paire de lunettes noires et les chaussa pour se protéger de la lumière éclatante. Son expression, songea Diana, était toujours ambiguë et difficile à déchiffrer, mais dans l'impossibilité de voir ses yeux bleu pâle, elle le trouvait à présent impénétrable.

« Est-ce loin ?

— Non, pas en hélicoptère, Une vingtaine de minutes. »

Peu de temps après, l'hélicoptère descendit en tournoyant au-dessus d'un domaine visiblement très vaste — des bâtiments de ferme, des champs labourés, des petites maisons, un lac, des bois. Les ondulations des collines s'atténuèrent, et soudain apparut un champ de courses, absolument complet à l'exception des tribunes. A proximité s'étendaient trois rangées d'écuries en pierre construites autour d'une cour centrale, au milieu de laquelle se dressait une fontaine. Diana distinguait plusieurs chevaux que l'on faisait trotter autour de la cour mais, avant qu'elle pût rien dire, l'hélicoptère remonta légèrement pour franchir une colline boisée, et elle vit devant elle une splendide demeure en brique rose du XVIIIe siècle, qui ressemblait aux photogra-

phies du Monticello de Jefferson, entourée de jardins à la française, nus en cette saison de l'année, ainsi que d'un labyrinthe en buis.

« Est-ce là votre maison ? s'enquit-elle.

— Voici Eglington, répondit Foster, évitant comme toujours de répondre directement.

— Quelle merveille !

— Oui, acquiesça-t-il. La maison d'origine était en fort mauvais état. Il a fallu la démonter entièrement, toutes les briques et toutes les poutres, puis la reconstruire. En vérité, un nouveau bâtiment moderne a été bâti sur l'emplacement de l'ancienne, tout en béton, avec l'air conditionné, et puis l'ancienne a été remontée par-dessus. Vue de l'extérieur, il s'agit bien d'Eglington, telle qu'elle était exactement au XVIIIe siècle, parfaitement restaurée. A l'intérieur se trouve une structure moderne et ignifugée, dans laquelle est déployé l'ancien intérieur, totalement restauré.

— Que de complications, observa Diana. Dans quel but ?

— Pour mes peintures. Je pensais que ce serait une bonne idée de les rassembler toutes en un seul lieu.

— Pour en faire un musée ?

— Non. Eglington n'est jamais ouvert au public. Un conservateur, un restaurateur d'œuvres d'art et une équipe d'employés travaillent ici. Ils établissent le catalogue de la collection, complètent la bibliothèque, achètent des pièces qui conviennent à l'intérieur de la maison. Ce sera peut-être un jour un musée, je n'en sais rien... J'ai une bonne collection de Stubbs — meilleure que celle de la reine à Windsor, je pense, peut-être même meilleure que celle de Paul Mellon. »

Le visage de Foster ne reflétait aucun plaisir particulier à l'évocation de sa collection. En vérité, il semblait si détaché de la merveilleuse maison qu'ils survolaient et de tous les trésors qu'elle recélait, que Diana lui caressa la main en souriant, et déclara : « Je ne savais pas que vous étiez collectionneur, Paul. »

Foster souleva ses lunettes de soleil et posa sur elle un regard surpris, bien qu'il fût difficile d'établir s'il était content ou non de s'entendre appeler par son prénom.

« C'est un investissement prudent, répondit-il comme pour en justifier le coût, puis il ajouta après une brève pause : ... Diana.

— Venez-vous souvent ?

— Très, très rarement. En vérité, personne ne sait que j'ai le moindre intérêt ici, voyez-vous. Tout est au nom de Louise de Rochefaucon. »

Avant que Diana pût demander qui était Louise, ou pourquoi Paul avait jugé bon de créer ce paradis pour elle, l'hélicoptère se posa délicatement sur la pelouse qui s'étendait devant la demeure. Une Land Rover les attendait, et un vieil homme noir très digne se tenait au

garde-à-vous, ses vêtements de travail fraîchement lavés et repassés dégageant un faible arôme d'écurie — odeur que Diana retrouva aussitôt, familière et enivrante. En montant en voiture, elle observa qu'un délicat monogramme ornait la porte, « LdR » en lettres gothiques et surmonté d'une couronne ducale.

Il vint à l'esprit de Diana que la détentrice de ces initiales pouvait fort bien être l'ancienne maîtresse de Foster. Peut-être même sa maîtresse *actuelle ;* il se pouvait que Diana eût mal interprété ses messages, et pris pour quelque chose d'intime une simple invitation de politesse. Elle manquait d'expérience, elle le savait, mais sûrement pas *à ce point ?* Quant à Paul, il ne révélait aucun signe d'anxiété tandis que la voiture tressautait sur une allée sableuse en direction des écuries ; il lui prit même la main, au contraire, et donnait l'impression d'apprécier vivement cette escapade en sa compagnie.

« Voici les écuries », annonça-t-il avec une certaine fierté. Il s'agissait en vérité des plus extraordinaires écuries que Diana eût jamais vues, d'une conception et d'une ampleur totalement étrangères à la campagne virginienne, et ne correspondant guère au XXe siècle. Les trois longs corps de bâtiments entouraient une cour sablée, à la manière d'une grand-place de ville européenne, avec au centre une fontaine monumentale en pierre sculptée, sur laquelle des chevaux de grandeur nature en bronze caracolaient parmi des dauphins et des sirènes de pierre.

« Mon Dieu ! s'exclama Diana, même les Winchester ne possédaient rien de tel ! »

Rayonnant, Paul l'aida à sortir de la voiture. « La fontaine n'est pas mal, vous trouvez ? » demanda-t-il en la désignant du geste, comme s'il venait de la faire jaillir du néant. « Pur XVIIe, destinée tout spécialement aux écuries papales. Si vous l'examinez de près, vous verrez qu'il s'agit en vérité d'un réservoir d'arrosage. En été, quand on le met en marche, des jets d'eau, des fontaines, des chutes d'eau se mettent à couler, les dauphins crachent de l'eau...

— Comment tout cela est-il arrivé jusqu'ici ?

— Ah ! c'est toute une histoire. William Randolph Hearst l'avait acheté. Comme tout ce qu'il apportait d'Europe, il l'avait fait entièrement démonter en numérotant chaque pierre, et transporter dans des caisses jusqu'à San Simeon. Puis il s'est mis à perdre de l'argent, ou bien cela n'a pas plu à Marion Davies, en tout cas les caisses sont restées dans des hangars à San Simeon. J'ai eu quelques entretiens avec la famille Hearst actuelle au sujet d'entreprises que j'envisageais d'acquérir et, au cours de ces entretiens, ils ont mentionné ces écuries. De sorte que je n'ai finalement pas acheté de chaîne de journaux, mais que je me suis retrouvé propriétaire d'écuries. »

L'intérieur de l'écurie se révéla aussi ornementé et caverneux que

celui d'une cathédrale, avec de hautes arches gothiques entremêlées et des fenêtres taillées dans la pierre. Le sol était d'argile rouge sombre, fraîche, propre et dénuée d'odeurs, et la surface soigneusement balayée suivant un motif de zigzag régulier évoquait confusément un jardin zen japonais. Les chevaux étaient revêtus de couvertures bleu sombre bordées de ganses dorées, où apparaissait une petite couronne dorée avec les initiales « LdR » brodées. Les bandes enroulées autour des jambes, les coussins des selles, et même les uniformes des palefreniers étaient de la même couleur, et marqués aux mêmes initiales surmontées de la couronne ducale.

« Paul, demanda Diana en lui pressant la main, pardonnez-moi de vous poser cette question, mais *qui* est Louise de Rochefaucon ? Avez-vous fait construire tout cela exprès pour elle ? »

Il ôta ses lunettes noires et la dévisagea. Il semblait las mais avec un soupçon d'amusement, comme s'il s'était demandé combien de temps Diana se retiendrait de poser la question, ou bien tout simplement sous l'effet du plaisir que lui procurait son secret.

Il redevint sérieux, posa ses mains sur les épaules de Diana, et la contempla un moment.

« Vous devez comprendre, commença-t-il, que vous êtes la première personne que j'aie jamais amenée ici. Offrir des fleurs, ou même des diamants, c'est facile, surtout quand on est riche. Révéler des secrets est beaucoup plus dur.

— Cela doit dépendre du secret, je suppose.

— Non, cela dépend de la *nature* des gens. Pour une personnalité secrète, chaque secret revêt une importance. Je dois avouer que je suis venu à votre réception par curiosité. Mais quand je vous ai vue, j'ai ressenti une vive attirance — est-ce le mot juste ? Et puis en parlant avec vous, j'ai compris que nous avions beaucoup en commun. Beaucoup plus que vous ne pouvez le supposer. Ainsi donc... »

Dans cette humeur de confession, à parler ainsi de ses sentiments, Paul semblait perdre sa maîtrise de l'anglais. Non seulement son accent, mais aussi sa grammaire, devenaient un peu étrangers — un peu comme ceux de Niki quand il se fâchait, songea Diana, en se demandant quelle bombe Foster lui préparait avec un tel soin.

« Personne ne le sait, poursuivit Paul en fixant sur elle un regard théâtral, mais je ne voudrais pas que vous vous mépreniez sur mes relations avec Louise de Rochefaucon...

— Je ne veux pas m'immiscer dans vos secrets, interrompit Diana.

— Non, non. Tout d'abord, c'est faux. Je vois sur votre visage que vous mourez d'envie de vous immiscer — vous ne seriez point femme ! Et ensuite, je ne veux pas de malentendus entre nous. Louise est... ma sœur. »

Il y eut une pause, pendant laquelle Diana digéra l'information. Elle

entendait autour d'eux le bruit confus des chevaux qui s'ébrouaient, jouaient avec leur fourrage ou changeaient de position avec de lourds soupirs presque humains. « Je ne vois pas pourquoi ce devrait être un secret », observa Diana.

Paul haussa les épaules.

« Il existe de vraies raisons, dit-il. Il vaut mieux que notre relation demeure ignorée. Mieux pour elle. Et *beaucoup mieux* pour moi. Mais, voyez-vous, j'ai confiance en vous. Je n'accorde ma confiance qu'à fort peu de gens, mais je possède un certain instinct pour ces choses. C'est pourquoi je vous ai amenée ici.

— J'en suis flattée, Paul. Mais qu'y a-t-il donc de si terrible à avoir une sœur duchesse ? Ou un frère millionnaire ?

— Louise et moi nous protégeons tous deux du passé. Il reste certaines personnes vivantes qui pourraient nous causer un mal considérable. Et la pauvre Louise a connu suffisamment de difficultés dans son existence...

— Quelles personnes ?

— Ah ! voici le palefrenier avec votre monture... Eh bien, ces mêmes personnes qui *vous* ont causé des problèmes. A tout à l'heure, ma chérie. »

Il y avait bien longtemps que Diana n'était montée à cheval, mais le plaisir d'être en selle — et sur une aussi belle bête — était tel qu'elle parvint à chasser de son esprit l'énigmatique déclaration, ou avertissement, de Paul. Elle avait les chevaux dans le sang, ils l'excitaient et l'apaisaient en même temps. Il lui était arrivé, à l'époque où Nicholas chassait encore et pratiquait le polo et le steeple-chase, de songer que leur existence entière était construite autour des chevaux. Il était vrai qu'après leur installation à New York, afin que Niki pût jouer à l'homme d'affaires, leur relation n'avait plus jamais été la même. Diana était née à la campagne — dans le comté de Dutchess, État de New York, où son père chassait, se tuait à force de boire, et ratait superbement sa carrière d'avocat — et, bien qu'elle n'eût guère d'illusions sur la vie de la ferme, quelque chose en elle tressaillait toujours à la vue des champs et à l'odeur des chevaux. Elle se sentait détendue comme elle ne l'avait plus été depuis bien longtemps. Elle éprouvait à chevaucher un plaisir presque sensuel, et regrettait confusément que Paul ne l'eût pas accompagnée.

Le palefrenier chevauchait à ses côtés, ayant manifestement reçu l'ordre de s'assurer qu'elle ne se ferait aucun mal, ni bien sûr au cheval non plus. Quoi que l'on pût avoir à dire sur Louise de Rochefaucon (et Paul avait laissé bien des choses dans l'ombre) elle savait choisir ses bêtes. Les montures de Diana et du palefrenier étaient deux superbes

hongres Thoroughbred, vifs et dociles, du genre que tout chasseur de renard aurait volontiers payé une fortune pour avoir, et les bêtes qu'elle aperçut au passage dans les paddocks étaient encore plus somptueuses, des pur-sang de haute volée, et des meilleurs lignages.

Au début, Diana se sentit raide et gauche, ce qui est inévitable quand on n'a pas monté depuis longtemps, mais elle eût été bien incapable de paraître maladroite ou malgracieuse en selle — jamais son père ne l'aurait toléré. Muet et silencieux, le palefrenier ouvrait le chemin d'un trot facile pour la mettre à son aise et d'un geste grave lui indiquait quand il allait sauter ou effectuer un petit galop. Il montait avec l'étrier court, à la façon d'un ancien jockey, ce qu'il était sans aucun doute, mais, de même que tous les serviteurs et employés de Foster, s'il travaillait pour Foster, il était taciturne comme un sourd-muet.

Le palefrenier tendit le bras à gauche, et elle le suivit au galop jusqu'au sommet de la colline, où ils débouchèrent dans une clairière. Diana s'arrêta et se retourna pour contempler la vue. Au loin, un éclair de lumière attira son attention sur la façade de la maison. Elle s'abrita les yeux et aperçut Paul qui avait braqué des jumelles sur elle.

Il l'attendait avec son pardessus sur les épaules quand elle revint et mit pied à terre.

« Très joli, approuva-t-il en l'aidant à monter en voiture. Si Louise était là, sans doute trouverait-elle quelque chose à critiquer, mais pour ma part je vous ai trouvée... très bien.

— Elle est très compétente ?

— Elle est *la* spécialiste. Haute école, dressage — elle ne vit que pour les chevaux. Les courses. L'élevage.

— Et vous ne montez pas ?

— Autrefois, si. Quand j'étais enfant, cela faisait partie de l'éducation, comme le tir, la danse, l'étude du français... ah ! nous voici arrivés. »

Paul tira une petite clé de sa poche, l'inséra dans la serrure, plaça la paume de sa main contre un panneau en matière plastique fixé près de la porte jusqu'à ce qu'une petite lumière verte s'allumât, puis tourna la clé et la sortit de la serrure. La porte s'ouvrit en silence et se referma derrière eux avec un bruit sourd de porte de cave, tandis qu'ils pénétraient dans un élégant vestibule du XVIIIe siècle, d'où s'élevaient deux escaliers identiques aux courbes gracieuses.

« C'est là une grande curiosité, expliqua-t-il en débarrassant Diana de sa veste. Cette maison fut construite pour un couple qui ne se parlait plus. Il y a donc deux ailes identiques, chacune avec son propre escalier, mais il n'existe qu'une seule porte d'entrée. Je suppose qu'ils

ne voulaient pas gâter la façade, à moins qu'ils n'aient simplement pas voulu donner à jaser aux voisins. Ils vécurent ici trente années sans s'adresser la parole. Trois fois par jour ils se retrouvaient pour prendre leurs repas en commun, puisqu'il n'y a qu'une seule cuisine et une seule salle à manger.

— Quelle en était la raison ?

— Personne n'en sait rien. Peut-être l'avaient-ils même oublié. Cela arrive souvent, n'est-ce pas ? Les gens qui vivent ensemble ont bien du mal à distinguer la haine de l'amour. En tout cas, ils sont enterrés côte à côte dans le jardin et ils ont emporté leur secret dans leur tombe… A leur manière, ils ont dû s'aimer vraiment, sans quoi ils n'auraient pu garder une rancœur pendant toute leur vie ! »

Diana frissonna. Cette histoire avait quelque chose de glaçant ; quant à la maison elle-même, avec ses boiseries et ses meubles de musée, elle semblait étrangement vide et privée de vie.

« Il fait froid ici, déclara-t-il, se méprenant sur son frisson. La température est maintenue en permanence à quatorze degrés à cause des peintures. » Il lui passa le bras autour des épaules et la conduisit dans la salle à manger, suivi par de petites caméras de télévision encastrées dans les murs, qui pivotaient silencieusement pour rester braquées sur eux.

« Vous ne manquez assurément pas de sécurité, ici.

— La compagnie d'assurances l'exige. Et puis j'avais envisagé de vivre ici, après mon divorce d'avec Dawn. Ce fut pour moi une période difficile. L'un de mes hommes de confiance s'est enfui au Costa Rica, où l'extradition n'existe pas, avec plusieurs cartons de papiers personnels m'appartenant…

— Que lui est-il arrivé ?

— Quelqu'un lui a tranché la gorge dans sa chambre d'hôtel. La criminalité est très forte, là-bas », répondit Paul avec un soupir de regret.

Une main invisible avait allumé un feu dans la cheminée, et l'on avait dressé une table recouverte de tous les alcools possibles et imaginables, chaque bouteille était encore scellée comme si le personnel de Paul avait pour habitude de jeter tout ce qui était entamé et de le remplacer par des produits neufs.

Sur une table pliante, se trouvaient une Thermos de café, une Thermos d'eau chaude et une théière, une coupe remplie de glaçons, et une bouteille de champagne dans un seau à glace. Le couvert était mis pour deux personnes, avec des plats chauffants en argent, une jatte de caviar glacé, des assiettes de saumon fumé et de poulet froid, et des coupes de fruits. Près des fruits et des fleurs, la petite lumière rouge d'un téléphone clignotait, signalant un message. Contre le mur, sur une table de marbre, un terminal d'ordinateur bourdonnait.

Paul offrit à Diana du champagne ; elle refusa, et il lui versa du café. Il se prépara ensuite une tasse de thé et jeta un coup d'œil vers le téléphone.

« Voulez-vous m'excuser un instant ? » demanda-t-il et, avant qu'elle eût fini d'acquiescer, il décrocha le combiné, composa un numéro, et ferma les yeux pour mieux se concentrer. Il ne s'annonça pas, ni même ne dit bonjour — visiblement, son appel était attendu. Il écouta pendant quelques instants en pianotant sur la table, puis interrompit son interlocuteur. « Contentez-vous de le *faire*, dit-il. Je ne veux pas connaître vos problèmes. Prévenez Archfang que notre homme de Washington a encore besoin d'argent. Il saura comment agir... Eh bien, accentuez les pressions sur lui ! Rappelez-lui que nous ne dirigeons pas une école de jeunes filles. Nous lui avons rendu quelques services, et maintenant il peut nous aider un peu pour le S.E.C... Bah, si nous en arrivons là, Luther a déterré de fort jolies choses à son sujet. S'il faut vous en servir, allez-y. Je ne peux pas en parler au téléphone... Rien d'autre ? »

Il paraissait dans son élément, avec ce receveur téléphonique calé entre l'oreille et l'épaule. Il fredonnait tout doucement en écoutant. « Évidemment, que je sais ce que je fais, s'exclama-t-il d'une voix impatiente. La consommation mondiale d'argent est de quinze millions de tonnes par an et elle croît sans cesse, alors que la production s'élève à moins de neuf millions. Comment les prix pourraient-ils *ne pas* monter ? Je suis au courant, pour Love Potter, je m'en occuperai... Alors répandez la nouvelle que nous mettons au point une nouvelle batterie qui fonctionne à l'oxyde d'argent. Et ensuite une voiture qui pourra parcourir trois cents kilomètres si on la branche quelques heures sur le circuit domestique pendant la nuit... Cela devrait donner une nouvelle impulsion au prix de l'argent, dans la bonne direction... Contentez-vous de faire ce que je vous dis. »

Paul raccrocha, effleura un bouton de l'ordinateur placé devant lui et contempla l'écran. Des rangées de chiffres clignotèrent en vert, puis se stabilisèrent sur une couleur unie et écœurante.

« Qu'est-ce que c'est donc ? » demanda Diana.

Il leva les yeux.

« Les transactions du jour pour l'argent. Mais je peux avoir ce que je veux — les prix de l'or, la Bourse, le marché des changes, nos propres valeurs boursières... Ils proviennent de notre ordinateur central, et sont ensuite réémis par un relais de micro-ondes. Un jour, il y aura de ces terminaux d'ordinateur dans la section de première classe des avions et même dans votre voiture si vous en avez envie. Je préfère investir dans ce genre de choses plutôt que dans les aventures à grande échelle du tout-ou-rien. Je laisse cela à Nicholas.

— Restez-vous toujours en contact avec vos affaires ? » s'enquit

Diana sans tenir compte de la référence à Niki. Elle n'éprouvait aucune envie d'entrer dans le jeu de la compétition que Foster et Nicholas entretenaient sur le plan professionnel et se demanda même un instant si Foster ne souhaitait pas tout simplement s'offir le plaisir de séduire la maîtresse de Niki. Mais non — elle n'était plus somme toute que l'*ancienne* maîtresse de Niki. Cela ne représenterait guère de victoire pour Paul Foster. Au contraire, Niki aurait sans aucun doute le sentiment d'avoir marqué un point quand il l'apprendrait. Il ferait des gorges chaudes à l'idée que Paul Foster ramassait ses restes, sans aucun doute.

« J'essaie de garder le contact, répondit Paul. Je ne veux pas qu'ils s'aperçoivent qu'ils n'ont en vérité aucun besoin de moi. D'ailleurs il existe certains niveaux de problèmes pour lesquels je suis seul à pouvoir prendre des décisions. Quand ils ignorent les choses, ils n'ont pas besoin de mentir.

— Y a-t-il donc tant de choses à cacher, Paul ? »

Il se tut un moment, pris de court. La question était visiblement personnelle, mais il choisit finalement d'y répondre en homme d'affaires.

« Il y a toujours des choses à dissimuler, dit-il. Si l'on réussit bien, il faut se cacher du fisc ; si les résultats sont mauvais, il faut le cacher aux actionnaires. Tout cela est absurde, bien sûr. Personne n'attend d'un homme d'affaires qu'il dise la vérité. S'il le faisait, l'économie s'effondrerait en moins de vingt-quatre heures... Venez vous asseoir. Pardonnez-moi de vous ennuyer avec toutes ces histoires de travail. C'est toujours rébarbatif pour quelqu'un du dehors.

— Mais pas du tout. J'y suis habituée.

— Bien sûr. C'est l'inconvénient de connaître des hommes riches. Nicholas devait souvent vous parler de ses affaires.

— Non, il ne partageait pas du tout votre passion pour les affaires. Il ressemblait à un écolier, toujours désireux d'échapper à ses devoirs. Je constituais l'une de ses évasions — mais pas la plus importante, finalement. » Diana se rendit compte, soudain, qu'elle parlait de Niki au passé. « Je préférerais ne pas parler de Nicholas, si vous n'y voyez pas d'inconvénient. »

Paul acquiesça d'un air compréhensif. « Prenez un œuf de caille. Personnellement, je préfère ceux de courlis, mais on ne les trouve qu'en Angleterre, pendant une saison fort brève... vous devez le savoir, bien sûr. »

Diana saupoudra son œuf de sel de céleri. Il était parfois difficile de discerner si Foster maniait l'ironie ou non. Il paraissait souvent plaisanter quand il était particulièrement sérieux. Il buvait son thé à petites gorgées tandis qu'elle mangeait, apparemment satisfait de cette fastueuse imitation de vie domestique, dont l'aspect artificiel ne

semblait guère le troubler. Comme tant de réfugiés, il savait s'adapter à tous les cadres, mais n'était jamais chez lui nulle part.

Diana termina son œuf de caille et le dévisagea. La dernière réflexion de Foster, bien que prononcée avec son habituelle intonation de charme ironique, impliquait confusément une sorte de défi. Cherchait-il à laisser entendre qu'elle avait vécu parmi les riches en tant que maîtresse de Niki, mais qu'elle n'appartenait pas à ce milieu ? C'était possible, songea-t-elle. La plupart des hommes *arrivés* à la force du poignet éprouvent un certain mépris, plus ou moins bien dissimulé, à l'égard de leurs invités, épouses, maîtresses et même enfants.

Même s'ils sont généreux, ils veulent vous rappeler qui paie la note. Ils sont fort capables de vous servir des œufs de caille et en même temps de vous mépriser parce que vous les mangez. Foster ne lui avait pas paru souffrir de ce puritanisme propre aux hommes riches, mais peut-être cela se développait-il automatiquement chez les gens après le premier milliard de dollars. Sans doute laissait-il plutôt paraître son déplaisir à l'idée qu'elle avait vécu avec Niki et qu'elle avait fait partie de cet univers mondain que Foster évitait et méprisait. Foster était déterminé à lui prouver qu'il était plus sérieux en affaires que Niki, mais Diana n'avait nulle intention d'accepter la démonstration.

« Si nous voulons nous entendre, Paul, il va falloir que vous cessiez vos petits jeux avec moi. J'ai vécu avec Niki pendant dix ans. J'ai dîné avec des hommes parmi les plus riches du monde. Certains d'entre eux étaient intéressants et amusants. Mais la plupart ne l'étaient guère. J'en suis arrivée à haïr l'odeur du cigare. Je la retrouvais dans mes vêtements, mes cheveux. Je mourais d'impatience de monter prendre un bain et me faire un shampooing. J'en sais beaucoup sur le monde des affaires. Et sur les œufs de courlis aussi.

— Touché. Je vous présente mes excuses.

— Non, c'est inutile. Que vous me parliez affaires ne me dérange pas. Au contraire, c'est votre vie. Au moins, vous le faites parce que cela vous *intéresse*. La plupart des hommes riches en parlent pour impressionner les femmes. Ils croient que c'est un aphrodisiaque. Mais cela ne marche pas avec moi. Les chiffres ne m'impressionnent pas.

— Moi non plus.

— Je vous crois volontiers. Mais si vous voulez vous mesurer à Nicholas, limitez-vous aux salles de conseils d'administration, et épargnez-moi. Je l'ai aimé. Je l'aime peut-être encore. Mais je ne suis pas l'une de ses possessions que vous puissiez lui prendre, et je n'ai pas l'intention de vous décerner une médaille parce que vous êtes plus intelligent que lui, ou meilleur en affaires. Si vous ne pouvez pas me parler sans toujours ramener le sujet sur Nicholas, reconduisez-moi chez moi. »

Foster parut embarrassé. Il plaça ses deux mains sur ses genoux, et

ferma un instant les yeux, comme quelqu'un assistant à un enterrement. Puis il rouvrit les yeux, et hocha la tête.

« Je suis un idiot, déclara-t-il posément. Voilà ce qui vous arrive, quand on vit tellement seul. J'ai dû vouloir vous impressionner. Je ne puis le nier. Eglinton, les écuries, les affaires... quel comportement vulgaire ! Je suis en vérité un homme fort simple. Ma vie est compliquée, mais je ne le suis pas. Vous m'avez plu dès le premier regard. Vous me plaisez encore davantage maintenant que vous m'avez remis à ma place. J'aurais dû *vous* poser des questions au lieu de chercher à vous épater comme un écolier. Pensez-vous pouvoir apprendre à me juger mieux, tout de même ? Je vous avertis qu'il s'agit là d'une question très sérieuse.

— Je vous aime beaucoup, Paul. Mais je ne suis pas sûre de vous comprendre. Et j'ai été suffisamment blessée ces derniers temps. Je n'ai pas besoin de recevoir encore des coups.

— Voilà une réponse sérieuse. Je vous promets de ne pas vous blesser. Je puis vous flatter peut-être un peu, mais c'est dans ma nature... »

Diana éclata de rire. Il y avait dans les excuses de Paul quelque chose de comique et pourtant implorant. On n'aurait pu dire s'il était sincère ou non, mais il semblait réellement regretter son attitude. Elle se pencha vers lui et lui toucha la main.

« La flatterie me fait plaisir, dit-elle. Ne vous inquiétez pas !

— Mais, ma chère, la flatterie fait plaisir à tout le monde. Je vais vous dire une chose. Depuis le premier instant où je vous ai rencontrée, je désire coucher avec vous. »

Diana le regarda et se mit à rire. « Voyons, Paul, je le sais bien ! »

Une expression de contrariété lui voila un instant le visage, bien qu'il continuât à sourire.

« J'avais espéré être moins transparent, observa-t-il.

— Vous n'êtes pas transparent du tout. Mais il est simplement impossible de cacher ce genre de secret à une femme. J'ai d'ailleurs quelque chose à vous dire aussi. Je n'aurais pas accepté votre invitation si je n'avais pas décidé de coucher avec vous. Si vous me le proposez, bien sûr. »

Paul l'embrassa doucement sur la bouche, puis lui prit la main en la guidant vers la porte, mais il s'arrêta, revint sur ses pas et prit le seau à glace avec la bouteille de champagne et deux verres. « On ne sait jamais, dit-il. Nous pouvons en avoir besoin tout à l'heure. »

Elle s'éveilla en sursaut et trouva Paul qui contemplait le plafond. Il n'avait apparemment pas dormi — il semblait même avoir l'esprit aussi clair et tendu que d'habitude, et Diana se demanda s'il avait déjà hâte

de retourner à ses téléphones. Si c'était le cas, il se maîtrisait bien, ce qu'on ne pouvait guère dire de Niki, qui lui avait même fait l'amour, une fois, tout en réglant une affaire par l'interphone.

Il y avait quelque chose d'étrange à se réveiller dans une pièce qui n'était pas seulement inconnue, mais qui semblait conçue comme une salle de musée. Diana s'attendait plus ou moins à voir l'immense lit à baldaquin entouré d'une cordelière grenat, derrière laquelle des visiteurs la dévisageraient, leur guide à la main.

La première relation sexuelle avec un homme était si souvent décevante, songea Diana — pas pour la raison qu'ils croient, bien que ce puisse aussi être parfois le cas, mais parce que l'attente est généralement plus excitante que la réalité. Paul était tout sauf décevant. Son implacable régime alimentaire et corporel l'avait maintenu en forme et, bien qu'il ne fût plus très jeune, il avait le corps ferme et musclé. Quant au reste, il révélait la même intensité et la même curiosité que dans les autres domaines. Il cherchait à connaître ses désirs, ses besoins, ses préférences, et puis au moment crucial imposait les siens propres. Quelque part en chemin, il avait appris que, dans l'acte d'amour, les femmes veulent que tout se déroule à leur propre rythme et à leur manière jusqu'à l'approche de l'orgasme, où elles veulent alors être dominées.

« Vous êtes bon amant, dit-elle. Amenez-vous souvent des gens ici ?

— Non. En vérité, je n'ai jamais utilisé cette chambre, même pour y dormir seul. »

Diana regarda autour d'elle et devina qu'il disait probablement la vérité. Elle ne décelait aucun signe révélateur d'occupation des lieux — pas de téléphone ni de téléviseur, aucun effet personnel. Le seul objet qui parût déplacé était une photographie posée sur la table de nuit, du côté de Diana, placée dans un cadre d'argent orné de l'inévitable emblème de Louise de Rochefaucon.

Cette photographie couleur sépia très pâlie et aux coins déchirés représentait un groupe familial : deux couples en vêtements tyroliens encadraient un vieil homme aux cheveux gris ; devant eux se tenaient trois enfants, deux garçons en culotte de peau et une fille en robe brodée, les cheveux nattés et portant un bouquet de fleurs. Dans le lointain on pouvait deviner un paysage de montagnes. Il sembla à Diana qu'un personnage placé sur la droite, un homme massif et musclé qui se tenait légèrement à l'écart du groupe, les pieds solidement plantés par terre, lui était vaguement connu, avec son nez en bec d'aigle, sa fine moustache et son cigare. Il ne paraissait guère s'amuser.

« Qui est-ce ? » demanda-t-elle en s'emparant de la photographie.

Paul jeta un coup d'œil, et soupira :

« Louise met ces souvenirs de famille absolument partout, déclara-t-il avec une intonation irritée, ou peut-être simplement ennuyée.

— C'est votre famille ? De quand date cette photo ? Lequel êtes-vous ? »

Paul l'examina de près, comme s'il en avait oublié l'existence.

« Ah ! dit-il. Elle a été prise à Königsee. Voici Berchtesgaden à l'arrière-plan... Quelles belles promenades ! Un jour, je marchais dans les bois avec mon père, et nous avons croisé Hitler en culotte de peau, qui se promenait bras dessus bras dessous avec Eva Braun. Il y avait évidemment deux gardes du corps derrière eux.

— Qu'a dit Hitler ?

— Il a dit “ *Grüss'Gott* ”, bien sûr. Il m'a caressé la joue, et Eva Braun m'a donné un morceau de chocolat. En vérité, le pauvre Führer paraissait bien mal à son aise, car personne n'était censé connaître l'existence d'Eva Braun, en ce temps-là. Évidemment, comme mon père le connaissait, Hitler était bien obligé de s'arrêter pour nous dire bonjour. Mon père disait qu'il avait l'air du conjoint coupable dans une affaire de divorce. »

Diana se mit à rire. Foster était un tout autre homme, quand il abandonnait son rôle de magnat mystérieux. Il était détendu, chaleureux, drôle, et n'avait plus rien du pisse-froid de la légende. Diana se sentait heureuse, là, au lit avec lui, avec la photographie encadrée posée en équilibre sur son ventre.

Paul se pencha pour l'embrasser, posant la main sur la photo, mais Diana s'en empara aussitôt pour mieux regarder.

« Quelle femme magnifique ! » s'exclama-t-elle.

Paul loucha sur la photo avec une expression soucieuse. Diana comprit soudain qu'il l'avait embrassée pour tenter de l'en détourner. Mais elle ne voyait rien de mal à être curieuse.

« Qui est-ce ? » demanda-t-elle en désignant la femme avec son ongle.

Foster garda le silence. Ou bien il se dominait pour répondre à la question ou bien il se hâtait de fabriquer un mensonge. Diana regrettait bien d'avoir regardé cette photo, mais il était trop tard désormais.

Paul haussa les épaules. D'une manière ou de l'autre, il avait manifestement pris sa décision.

« C'est ma mère, dit-il.

— Quel beau visage !

— Oui, répondit-il simplement. Elle vous ressemblait beaucoup. Cela ne se voit évidemment pas sur une vieille photo. Et puis elle se coiffait très différemment... »

Diana gardait les yeux sur la photo tandis que Foster tentait, très doucement mais avec insistance, de la lui prendre des mains. Elle ne distinguait guère de ressemblance entre cette femme, en robe d'été et

chapeau de paille, et elle-même, mais Foster en voyait manifestement une, et cela expliquait peut-être la manière dont il l'avait dévisagée lors de leur première rencontre.

Elle désigna les deux garçons, consciente du fait qu'ils lui étaient tous deux étrangement familiers. L'un d'eux était un peu plus grand que l'autre et arborait un sourire plein d'assurance, presque diabolique ; l'autre aurait pu être son jumeau, mais il avait une expression plus renfermée. « Est-ce vous ? » demanda-t-elle.

Paul acquiesça d'un air las.

« Oui, dit-il. Il y a très longtemps de cela.

— Et l'autre ? »

Il lui prit la photo des mains, et la posa sur la table de chevet.

« Vous l'auriez découvert tôt ou tard, répondit-il. C'est Nicholas, bien sûr. »

5

Diana se redressa dans le lit inconnu, les yeux fixés sur Paul. Elle éprouvait une certaine curiosité mêlée d'effarement et même de crainte. Elle venait de faire l'amour avec un homme presque inconnu — chose dangereuse s'il en est. Elle ne connaissait rien des motivations de Paul, de son passé, de ses intentions envers elle, et elle se sentait soudain dupée et exploitée. Elle n'était pas vraiment fâchée, pas encore en tout cas, mais elle attendait avec une impatience teintée de réticence les inévitables explications.

« L'homme au cigare, reprit-elle, c'est Matthew Greenwood, n'est-ce pas ? »

Paul paraissait sinistre. Il jeta un bref regard à la silhouette floue revêtue d'un costume tyrolien.

« Il ne s'appelait pas Greenwood, à cette époque-là.

— Peut-être, mais c'est quand même lui. Il était plus âgé quand je l'ai rencontré, et très en colère, mais c'est un visage que je ne risque pas d'oublier.

— Non, répondit Paul d'une voix neutre. C'était un homme impitoyable. Il l'est resté.

— Est-ce votre père ? Nicholas est-il votre…

— Frère ? Non. Mon père est cet homme plus mince, là… Nicholas et moi ne sommes que cousins. Qu'a donc écrit Tolstoï ? " Cousinage, dangereux voisinage. " Il envisageait un contexte fort différent, bien sûr, mais la discorde entre cousins est chose commune.

— Niki ne m'en a jamais parlé.

— Il n'existe aucune raison pour qu'il *imagine* même que je puisse être son cousin depuis si longtemps disparu. Au début de la guerre, il est parti faire ses études en Suisse. Et je suis resté. Pour autant que l'on sache, j'ai péri dans un camp avec mon père. Nicholas a eu plus de chance. On ne peut guère le lui reprocher.

— Mais vous le lui reprochez, cependant — cela, ou autre chose.

— Non, il est innocent, ce qui ne signifie pas que j'aie jamais eu grande sympathie pour lui. Lorsque nous étions enfants, nous nous détestions. Quoi qu'il en soit, c'est son *père* que je blâme.

— Qu'a-t-il fait ?

— Il a laissé mourir mon père. Ainsi que Louise, ma mère, et moi-même.

— Pourquoi cela ?

— Par convoitise, bien sûr. Que voulez-vous que ce soit ? Écoutez, vous m'en voulez... Si, si, je le vois bien. Et vous avez raison. Je suis allé à votre réception parce que je pensais que nous avions des choses en commun. Ce vieillard vous a fait quelque chose de terrible. Il a fait bien pire à mes parents et à moi-même. Mais quand je vous ai vue ce soir-là, j'ai ressenti quelque chose que je n'avais pas éprouvé depuis très longtemps. Pas seulement une curiosité sexuelle — cela ne serait rien —, mais un réel désir, un *besoin*... et je ne suis pas homme à admettre volontiers le besoin d'une autre personne. J'ai toujours considéré cela comme une faiblesse. Mais maintenant, nous avons fait l'amour et je dois vous dire la vérité, qui n'est pas très jolie et qui est dangereuse. M'aimez-vous ?

— Je ne sais pas. C'est une grande question, à laquelle il serait prématuré de répondre. Je croyais commencer à vous aimer. Mais je n'en suis plus si sûre.

— Je crois que je vous aime. Il y a si longtemps que je n'ai ressenti ou dit cela, que je n'en suis pas très sûr non plus. Mais il s'agit d'une possibilité réelle. Cela complique tout. A mon âge, l'amour est une affaire risquée.

— Vous n'êtes pas vieux.

— Suffisamment pour redouter de faire des bêtises. Et suffisamment jeune pour faire attention. Je suis resté très longtemps à couver tous mes secrets, à mettre la plus grande distance possible entre moi-même et le passé... Quelques personnes connaissent un peu de la vérité, mais peu de gens, et très peu de vérité.

— Meyerman ?

— Meyerman sait... beaucoup de choses. Pas tout, cependant. Il m'avait averti que vous étiez non seulement belle mais intelligente, figurez-vous. Il avait raison.

— Ce cher Meyer ! Mon ex-mari disait que Meyer avait élevé la flatterie au rang d'un art. Néanmoins, c'est fort gentil à lui de dire cela. Et je suis heureuse d'apprendre que vous ne lui donnez pas tort.

— C'est étrange. Je pense à votre ex-mari comme étant Nicholas, et j'avais complètement oublié Winchester. Avez-vous été heureux ensemble ?

— Allons-nous décider de ne pas nous questionner l'un l'autre sur

notre passé ? Pas encore. Mon mariage avec Robin fut un mouvement audacieux dans la mauvaise direction. Je n'étais pas faite pour devenir membre de l'aristocratie britannique. Et ce pauvre Robin non plus, finalement. Parlez-moi de Matthew Greenwood. Qu'a-t-il *fait ?* Collaborait-il ?

— C'était plus compliqué que cela. Oh ! il collaborait tout à fait, mais cela reste sans importance. La Hongrie et l'Allemagne étant alors alliées, je ne suis même pas certain que le mot collaborer puisse s'appliquer. Ses rapports avec les nazis se situaient au niveau le plus haut et, s'il n'avait pas été juif, il aurait été jugé à Nuremberg avec Horthy, les gens comme Krupp, Schwartz et les autres.

— Et pourquoi pas lui ?

— Il avait eu l'intelligence de changer de camp. Et il détenait des renseignements dont les Alliés avaient désespérément besoin... Avez-vous entendu parler du projet Wotan ? »

Diana secoua la tête.

Paul frotta ses mains sur son visage, comme pour tenter de ranimer un ancien souvenir.

« Wotan était le nom de code du programme de bombe atomique des Allemands, expliqua-t-il. Matthew Greenwood y était étroitement impliqué. Il portait même la responsabilité de l'initiative de ce projet — mais je dois cependant avouer que mon père en connaissait beaucoup mieux les détails que Matthew.

— Je ne vois pas en quoi cela vous menace. Vous ne deviez être alors qu'un enfant.

— En effet, et Nicholas aussi. On dirait que ce maudit atome est la malédiction de toute la famille. Le père a amassé une fortune colossale en vendant de l'uranium aux nazis. A présent Nicholas engloutit des milliards de dollars dans l'énergie atomique... Pour je ne sais quelle raison, ils ne peuvent pas — *nous* ne pouvons pas, bon Dieu ! — y renoncer. Quant à la menace, il faut que vous compreniez ceci : quelqu'un dans ma position marche sans cesse sur une corde raide. On ne tient guère à en tomber. Pour les gens comme moi, il n'existe pas de filet de sécurité. On a tant d'ennemis. « Foster éleva les deux mains, pour indiquer une multitude imaginaire.

« Les Greenwood me paraîtraient plus menacés que vous, d'après ce que vous me dites. »

Paul eut un sourire énigmatique. Visiblement, il avait révélé à Diana tout ce qu'il acceptait de lui révéler pour le moment — peut-être même davantage qu'il n'en avait eu l'intention. « Je ne veux pas qu'ils tombent, dit-il. C'est là le problème. Je veux les faire tomber moi-même quand le moment sera venu. Ce plaisir-là m'est dû, pour le moins. Et bien plus encore. »

Elle le regarda, mais il paraissait totalement dénué d'émotion,

comme si son projet n'avait contenu aucune passion ni sentiment et qu'il eût été simplement logique et normal. La rage qui avait pu l'embraser s'était éteinte depuis longtemps. Il aurait pu envisager l'achat d'un nouveau costume exactement sur le même ton.

« Mais Matthew Greenwood est déjà très âgé, observa Diana.

— Oui, et c'est pourquoi je suis pressé. Si j'attends encore, il m'échappera.

— Il sera mort.

— La mort est une évasion — face aux dettes, à la souffrance, à la responsabilité. Je ne suis pas croyant. Je n'ai aucune confiance que Dieu s'en charge. »

Paul versa à nouveau du champagne, et soupira.

« Il y a des moments où l'on fumerait bien une cigarette. Ce sont les petites faiblesses de l'existence auxquelles on a le plus de mal à résister... Comment était Greenwood quand vous l'avez rencontré ?

— Vous devez le connaître mieux que moi.

— Je ne l'ai pas revu depuis 1944.

— Il était fou furieux. Niki et moi vivions ensemble à Londres, et il est arrivé un soir sans prévenir, dans sa Rolls Royce. Tout d'abord, il ne voulait même pas m'adresser la parole. Il était trop occuper à hurler contre Niki. Je ne comprenais pas ce qu'ils disaient — ils parlaient en hongrois. Il a giflé Niki. »

Paul acquiesça.

« Et Niki vous a giflée. Tous deux sont portés à la violence. Mais le père est bien plus dangereux.

— Je ne comprenais pas l'objet de sa rage. »

Paul haussa les épaules pour marquer son désaccord.

« Il faut considérer la question de son point de vue. Il avait tout à redouter d'un scandale. Il était devenu respectable. Il avait beaucoup de choses à cacher. Il s'affairait à construire un nouvel empire, à emprunter des millions de dollars, à redevenir un homme public... Il ne pouvait pas se permettre de faire face à trop de questions, alors il a pris l'avion pour Londres afin de remettre Nicholas dans le droit chemin. Il croyait sûrement que, s'il hurlait assez fort, Nicholas renoncerait à vous. Franchement, je m'étonne qu'il ne l'ait pas fait. Son père l'a toujours terrorisé.

— Il a bien failli le faire. Mais il m'aimait, comprenez-vous. Et puis je suppose qu'il voulait aussi tenir tête à son père, pour une fois. Alors il a fini par conclure un marché.

— Le vieux est dur en affaires. Nicholas n'est pas de la même classe. Pas de mariage, pas de bébé, un rôle discret de maîtresse de Niki... Qu'est-ce qui vous a fait accepter cela ?

— J'aimais Niki, et c'était cela ou rien.

— Oui, cela se passe souvent ainsi. Les gens veulent conclure un

marché en discutant les chiffres, et puis ils se décident à cause de tout autre chose — la jalousie, la haine, l'amour... Si vous aviez demandé un million de dollars, le père de Nicholas vous l'aurait sûrement donné.

— Je ne voulais pas d'un million de dollars. Je voulais Niki.

— Exactement. L'élément impondérable ! Quelle surprise Matthew a dû éprouver ! Puisqu'il ne pouvait pas vous intimider, je suppose qu'il s'est attaqué à Nicholas au lieu de vous.

— Plus ou moins. Pas de divorce pour Niki, pas de mariage pour nous — et la clandestinité pour toutes les personnes concernées.

— Et l'enfant ?

— J'ai refusé de me faire avorter. Il était d'ailleurs bien trop tard, et Niki ne voulait pas en entendre parler non plus. Je suis allée accoucher dans une clinique privée très discrète, en Suisse.

— Évidemment. Greenwood devait s'inquiéter pour l'avenir. Et tout cet argent ! Il n'allait pas le laisser partir entre les mains d'un enfant illégitime. Il voulait une dynastie qu'il puisse tenir bien en main et il a donc confié les intérêts de la compagnie en Angleterre et en Amérique à Nicholas, en échange d'un peu de discrétion sur le front domestique. Une bonne affaire pour Nicholas, mais pas pour vous.

— Je ne marchandais pas. Je voulais juste le faire sortir de notre vie. » Diana se mit à pleurer au souvenir de l'humiliation infligée par Matthew Greenwood.

Paul lui caressa les cheveux et se pencha contre elle, un bras passé autour de ses épaules.

« Tout cela est bien douloureux, reprit-il, mais il est certaines choses que je dois vous dire. Tout d'abord, vous ne devez éprouver aucun sentiment de culpabilité. Vous aimiez Nicholas, vous l'avez pris suivant les seules conditions qui vous étaient offertes. Quant à ce qu'il est advenu de l'enfant, vous ne pouvez guère vous le reprocher non plus. Les enfants tombent malades en Suisse comme n'importe où ailleurs. *Même* Matthew ne peut en être tenu pour responsable.

— Vous êtes au courant ? »

Paul haussa les épaules. Il paraissait penaud.

« J'essaie de découvrir tout ce que je peux sur les Greenwood. Je ne fouinais pas dans vos affaires privées, comprenez-vous.

— C'étaient les affaires, en somme ?

— Oui. » Il ferma les yeux. Les commissures de ses lèvres s'affaissèrent, et il parut soudain beaucoup plus vieux, accablé par tout ce qu'il savait des secrets des autres. Les cicatrices de son visage se voyaient davantage quand il ne souriait pas.

« Comment avez-vous découvert tout cela ?

— J'ai entendu quelques rumeurs. Je les ai fait vérifier. C'est uniquement une question de patience et d'argent. Quand j'ai mis quelqu'un là-dessus, je ne pensais pas...

— Que nous nous retrouverions ainsi au lit, ensemble ? »

Il opina.

« Exactement. Cela ne faisait pas partie du plan.

— Je détesterais penser que tout cela était calculé.

— Oh non ! Le projet — en tout cas celui-là — est tombé à l'eau. Me croyez-vous ? C'est très important pour moi, que vous me croyiez. »

Diana réfléchit un moment. Elle lui caressa le visage du bout des doigts, effleurant la bosse de son nez brisé et se demandant pourquoi il n'avait pas pris la peine de le faire rectifier. Elle le croyait, ne fût-ce que parce que cela cadrait avec son personnage. Foster n'était pas homme à prendre des décisions sans s'être d'abord informé. Elle le soupçonnait d'en savoir bien plus long sur elle qu'il ne lui en disait, et elle ne lui en tenait pas rigueur. Tout de même, songea-t-elle, il restait à voir s'il décelait vraiment une différence entre les affaires et sa vie privée. Pris en étau, que ferait-il s'il devait choisir entre ses intérêts et ses émotions ? Diana le regarda et se prit à espérer qu'ils n'en arriveraient pas là, ni lui ni elle.

Paul ouvrit les yeux et se tourna vers elle. Dans la pénombre, ses cicatrices s'estompaient et son nez cassé se remarquait moins.

« Ce fut pour vous une terrible expérience, dit-il en lui touchant la main. Mais par-dessus tout, ne vous blâmez pas...

— Je l'ai fait pendant longtemps.

— C'est naturel. Mais vous étiez très jeune. A cet âge, nous commettons tous des erreurs. Même Nicholas et son père se disaient sans doute qu'ils agissaient pour le mieux, étant donné les circonstances. Bah ! peut-être avaient-ils raison... Personne n'aurait pu prévoir que l'enfant serait atteint de polio — et en Suisse ! Comment va-t-il, à présent ?

— Je ne l'ai pas vu depuis bien longtemps. Il aime ses parents adoptifs et il me semble injuste de compliquer son existence.

— Ce doit être tellement difficile pour vous de rester loin. Une décision courageuse. Il n'y a rien dont vous puissiez avoir honte. Mais, même si l'on ne peut pas reculer pour changer le passé, on peut tenter un nouveau commencement. Il n'est pas trop tard. »

Diana lui tenait la main. Il parlait d'une voix basse, apaisante, profondément grave. Peut-être le sujet des enfants lui tenait-il particulièrement à cœur — il semblait sincèrement bouleversé et préoccupé. Était-ce parce qu'il n'avait pas d'enfants ? Tout au moins, pas à la connaissance de Diana ni du reste du monde. Ou bien était-ce à cause de sa propre enfance, manifestement douloureuse et difficile ?

« Trop tard ? répéta-t-elle. Pour quoi faire ?

— Pour la justice. Il a des droits. Pourquoi n'aurait-il pas sa part de la fortune des Greenwood ? Non que l'argent résolve tout, comprenez-vous, mais il permet de faire des choix.

— Je ne vois guère Greenwood — ni d'ailleurs Niki — donnant quelque chose à mon fils.

— Non, moi non plus. Mais si je, ou plutôt *nous,* jouons bien nos cartes, ils n'auront pas le choix. Si Matthew doit payer pour ce qu'il m'a fait, pourquoi ne paierait-il pas un petit supplément pour ce qu'il *vous* a fait ? Comment s'appelle l'enfant ?

— Steven. Niki l'avait choisi pour le cas où l'enfant serait un garçon, avant que son père n'arrive et ne nous force à renoncer. »

Paul eut un sourire lugubre, spectral. « Steven, répéta-t-il, comme c'est approprié. »

Un long silence s'instaura. Paul semblait perdu dans ses pensées. Diana réfléchissait sans plaisir à la manière dont Paul Foster l'avait non seulement entraînée dans sa vie à lui, qui se révélait aussitôt secrète et ténébreuse, mais aussi forcée à se rappeler ces lambeaux de sa vie qu'elle avait tenté d'oublier. Pendant des années elle avait souffert les agonies de la honte à cause de l'enfant qu'elle avait abandonné, ou qu'on l'avait obligée à abandonner, pour parler plus charitablement. Cela avait progressivement usé sa relation avec Niki. Elle se reprochait de lui avoir cédé et lui tenait rancœur d'avoir lâchement cédé à Matthew. Finalement, elle avait reporté sur Niki l'amour qu'elle aurait dû donner à l'enfant — une double ration, en quelque sorte — et c'était là plus d'amour qu'il n'en pouvait supporter.

Diana n'avait pensé à l'enfant qu'à ces inévitables moments d'insomnie, à trois heures du matin, quand elle retournait toutes ses angoisses dans sa tête. C'était un fragment manquant d'elle-même, qu'elle n'avait pas su réparer, et Paul, avec son habituelle précision, avait aussitôt compris ses sentiments. Il était sans aucun doute manipulateur et impitoyable, mais il avait la compréhension instinctive d'un homme qui avait souffert et savait tout ce qu'on pouvait savoir de la souffrance et de la honte.

« Que cherchez-vous à obtenir ? » demanda-t-elle.

La question le prit par surprise. Quoi qu'il voulût obtenir, il y songeait depuis si longtemps que ce désir faisait désormais partie de lui, au même titre que ses ongles ou ses yeux.

« J'ai un compte à régler avec Matthew. Une dette, si vous voulez.

— Que vous doit-il ?

— Deux vies. Au moins. Et peut-être aussi quelques centaines de millions de dollars.

— Qu'allez-vous lui *faire ?*

— Vous verrez. J'y ai beaucoup réfléchi.

— Et Niki ? Je ne suis pas une femme vindicative, Paul. Niki s'est mal comporté envers moi, mais cela n'a pas toujours été le cas...

— Je crains qu'il vous manque un élément d'information, alors. Croyez-moi, je n'éprouve aucun plaisir à vous le révéler, mais peut-

être vaut-il mieux que vous l'appreniez par moi plutôt que par les journaux... Nicholas se marie. »

Diana émit un petit hoquet de surprise.

« Il se marie ? Avec qui ? Il ne m'en a jamais soufflé mot !

— Sans doute pas, en effet. Il semble que Nicholas envisage d'épouser la fille d'Augustus Biedermeyer — je crois qu'elle s'appelle Angelica —, celle qui était sur la couverture de *Vogue* le mois dernier. Cela se négocie depuis un bon moment. Un lien entre deux dynasties de cette ampleur ne se noue pas en un jour et, pour Nicholas, c'est évidemment une bouée de sauvetage. Biedermeyer possède des banques, des compagnies d'assurances, des brasseries et des rentrées substantielles. Et puis les femmes Biedermeyer ont la réputation de produire des fils à coup sûr, et cela compte beaucoup aux yeux du vieux Greenwood. Il ne s'agit pas précisément d'un mariage conclu au paradis — mais bien plutôt dans l'ombre calfeutrée de la banque Lazare Frères. Cet accord devrait faire monter les actions de Greenwood comme une injection de sang frais. »

Diana s'essuya les yeux avec un coin de drap.

« J'aurais dû le savoir, dit-elle. Tout le monde doit déjà le savoir.

— Non. C'est demeuré très secret. Beaucoup de choses en dépendent — financièrement, je veux dire.

— A une époque de ma vie, j'ai éperdument souhaité épouser Niki, mais il refusait de divorcer.

— Cette question-là est réglée. Le vieux cardinal Montenuovo a tiré quelques ficelles au Vatican. Il y aura une belle annulation sans histoires. Pourquoi pas ? L'Église doit quelques faveurs au vieux Greenwood pour d'anciens services. Il a attendu longtemps avant de se faire rembourser sa dette, mais tant que Montenuovo vit encore, il sait qu'il ne risque rien. Ils ont la mémoire longue, à Rome.

— Niki devait mijoter tout cela quand il dormait encore chez moi.

— Bah ! il ne voulait sûrement pas rompre avant d'avoir tout mis bien en place. Il n'est pas le fils de son père pour rien. Cessez de pleurer, je vous en prie. Vous êtes de l'autre côté, maintenant.

— Quel autre côté ?

— Le mien. »

Diana demeura longtemps dans les bras de Paul en s'efforçant de ne pas pleurer. Elle aurait voulu être furieuse, mais n'éprouvait qu'une immense tristesse à constater que toute une partie de sa vie et de ses sentiments avait été jetée aux ordures, comme si elle n'avait eu aucune valeur, simplement sacrifiée aux besoins plus vastes de Niki et de son père. Paul ne disait rien, sachant sans doute que le silence était le meilleur réconfort mais, après qu'elle eut somnolé un moment, il la réveilla doucement, l'embrassa, et s'apprêta à sauter hors du lit.

« Il faut manger, décréta-t-il.

— Je n'ai pas faim.

— Mais si. Les mauvaises nouvelles donnent toujours faim. Quand on annonça au Kaiser qu'il était détrôné, il déclara : " Prenons le thé, tout paraîtra mieux ensuite. " Il avait parfaitement raison. Venez, rhabillez-vous. Nous irons ensuite quelque part où nous ferons un bon repas et nous nous consolerons l'un l'autre. »

Diana se rendit aux arguments de Paul avec un sentiment de soulagement.

« D'accord, dit-elle. Où ?

— A Paris, répondit-il d'une voix ferme. J'ai quelque chose à faire en France. Quelque chose où vous pourrez m'aider.

— Je ne puis pas aller à Paris, Paul. C'est ridicule. J'ai des rendez-vous, du travail...

— Nous sommes presque vendredi, et le week-end arrive. Nous pourrions arriver à Paris demain pour le déjeuner. Vous serez de retour à votre bureau lundi. Le changement vous fera du bien. Vous dormirez dans l'avion.

— Vous êtes impossible. De toute façon, je n'ai pas de passeport sur moi, sans parler de tout le reste.

— Aucun problème. Vous avez un permis de conduire ? »

Diana acquiesça, fascinée malgré elle par l'aisance avec laquelle Paul organisait l'affaire.

« Je vais télégraphier à mon délégué de Paris de faire arranger par la D.S.T. votre entrée en France en qualité d'assistante. Il tiendra un permis de séjour prêt pour notre arrivée. Il vous faudra un passeport pour regagner le territoire américain, mais Luther ira le chercher chez vous et l'enverra par la valise diplomatique.

« Comment pourra-t-il entrer, sans la clé ?

— Il trouvera un moyen. Il est bien dans le tiroir de votre bureau, n'est-ce pas ?

— Oui, mais comment le savez-vous ?

— C'est là que tout le monde range son passeport.

— Et mon travail ? Vous ne parlez pas sérieusement de partir ce soir à Paris ?

— Je suis toujours sérieux quand je fais des projets, Diana. Téléphonez de l'avion à votre secrétaire.

— Non, je vais plutôt l'appeler maintenant. Elle va avoir énormément de choses à réorganiser.

— Parfait. Il faut que je me lève et que j'aille aussi passer quelques coups de téléphone. Le pilote va devoir enregistrer un plan de vol... Toujours des détails. »

Paul se leva pour prendre sa chemise et, comme elle se retournait pour le regarder, Diana poussa une exclamation. Des épaules jusqu'aux fesses, son dos n'était qu'une masse de longues et profondes

cicatrices. Les zébrures dures, livides, raides, semblaient former une carte routière de la douleur, contrastant hideusement avec le corps élancé et bien soigné de Foster.

« Mon Dieu, d'où viennent ces cicatrices? souffla Diana. Une blessure de guerre?

— D'une certaine manière, oui. Mais pas la guerre ordinaire. Elles proviennent d'un fouet.

— Un fouet? Mais quel fouet peut laisser des traces pareilles?

— Un fouet à bœufs, répondit-il. Vous en avez sûrement vu dans des fermes. Une lanière de deux ou trois mètres, taillée dans du cuir de vache. On peut tuer un homme, avec ce genre de fouet. Je l'ai vu faire. La lanière déchire le muscle et dénude l'os. J'ai eu de la chance. J'en ai reçu vingt coups. Trente, c'était la condamnation à mort.

— Mon amour, murmura Diana en le caressant. Comment cela a-t-il pu vous arriver? Qui vous a fait cela? Pourquoi? »

Paul se pencha et l'embrassa.

« C'était un cadeau de Matthew, dit-il. Ma part d'héritage... »

Quatrième Partie

Messe pour un non-croyant
1936-1938

« La Hongrie est le théâtre du plus singulier mélange de races, mais l'élément allemand est plus ou moins présent dans toutes les villes hongroises, et s'assimile désormais rapidement. »

Baedeker's
Autriche-Hongrie 1930

6

Les trois hommes étaient assis dans le bureau sombre de la résidence à Budapest de Matthieu de Grünwald. Un grand tableau lugubre du défunt empereur François-Joseph les dominait, avec son pied élégamment botté posé bien proprement sur le cou d'un cerf mort, et l'expression de l'animal et de l'empereur reflétaient un identique *Weltschmerz*[1], typiquement autrichien. A l'arrière-plan, la famille Grünwald de l'époque avait été représentée avec une laborieuse profusion de détails, comme s'ils avaient été tués aussi, et soigneusement alignés par les gardes-chasse. Les murs s'ornaient d'autres toiles de plus grande valeur, mais l'empereur en personne avait offert celle-ci au vieux Hirsch de Grünwald, et elle gardait donc la place d'honneur au-dessus de la cheminée.

Matthieu était assis à la droite de son visiteur et Steven à sa gauche. Le visiteur lui-même était un jeune homme grand et mince, revêtu d'un élégant smoking, avec un visage d'avocat spécialisé dans les divorces coûteux, à la fois discret et cupide. Tous trois buvaient du whisky-soda. Matthieu fumait un cigare et Steven, comme toujours, une cigarette dans un fume-cigarette en ambre. Le baron Günther Freytag von Lorenberg avait refusé les deux. Il se trouvait là pour affaires.

« Vous plaisez-vous à Budapest, *Herr Baron ?* » s'enquit Matthieu.

Lorenberg eut un haussement d'épaules poli.

« Je n'en ai guère eu l'occasion.

— Permettez-nous alors de vous montrer les sites, la vie nocturne. Ce serait un plaisir pour nous.

— Malheureusement, je dois regagner Berlin dès demain. Si nous avons conclu notre affaire, bien sûr.

— Quel dommage. Une autre fois. Il y a un cabaret tzigane… Des

1. *Weltschmerz :* mal du siècle. (*N.d.T.*)

danses incroyables et des femmes superbes. Si vous aimez ce type-là, évidemment. »

Lorenberg haussa un sourcil. Il préféra décliner l'invitation plutôt que révéler quel type de femmes il aimait.

Matthieu lui adressa un sourire entre hommes.

« Je crois que pour notre affaire, tout est en ordre. Le prix par chargement, les conditions de paiement, le rythme de livraison... Avons-nous oublié quelque chose ? » Il ferma les yeux, attendant l'inévitable.

Lorenberg gardait le silence, laissant la question flotter dans l'air. Il lança à Matthieu un sourire éblouissant — l'expression de « charme adolescent » aurait pu être inventée pour lui, s'il n'avait eu ces yeux. « Il reste encore une petite question, déclara-t-il très doucement. La commission. »

Matthieu feignit l'étonnement, bien qu'il n'en éprouvât aucun. « Quelle commission ? Vous êtes l'acheteur, et nous les vendeurs. »

Lorenberg eut un rire de connivence. « C'est vrai, dit-il, mais comme il n'existe aucun besoin immédiat de ce produit — à la vérité, même, soyons francs, si vous n'aviez pas *vous-mêmes* éveillé l'intérêt du général pour l'uranium, vous seriez bien en peine de vous en défaire —, il me semble que nous devrions recevoir une petite partie de vos bénéfices. Après tout, vous n'auriez pas de marché sans nous. »

Matthieu lança un coup d'œil à Steven et hocha imperceptiblement la tête. Ses yeux sombres exprimaient l'affliction. « Mon cher Baron, dit-il, je n'aurais jamais cru une chose pareille. Si nous traitions avec les Français, bien sûr, ou avec les Turcs — je ne dis pas... Une commission est chose normale, avec eux, mais pas en Allemagne ? Je ne peux pas croire que le général veuille un pot de vin ? »

Il secoua soigneusement un peu de cendre, examina son cigare et aspira une bouffée pour raviver le rougeoiement. Dans les affaires de ce genre, les pots-de-vin n'étonnaient personne. Il s'agissait uniquement d'en déterminer le montant. On gonflait un peu le prix afin de couvrir ce type d'éventualités, de sorte qu'en fin de compte Lorenberg et son maître paieraient eux-mêmes leur « commission ». Se sentant d'excellente humeur, il souffla un rond de fumée.

« Pot de vin n'est pas le mot que j'aurais choisi, déclara Lorenberg. Après tout, nous voulons simplement partager votre bonne fortune. Croyez-moi, une commission constitue un gage de bonne volonté à venir. D'ailleurs, que pouvez-vous en faire d'autre ?

— Nous avons reçu des offres de Tchécoslovaquie.

— Je suis au courant. Les Petschek ont voulu créer un dentifrice intitulé Urania. Ils avaient même un slogan : " Pour un sourire radioactif ! " Ridicule. Combien de gens voudront acheter un dentifrice qui luit dans l'obscurité ? Non, non, nous connaissons les faits aussi bien

que vous. Nous achèterons votre uranium, car notre général nous l'a ordonné. Qui sait, cela deviendra peut-être même une arme secrète, bien que personnellement j'en doute. Mais en attendant, vous nous versez dix pour cent de vos bénéfices ou bien l'affaire ne se conclut pas.

— Cinq pour cent », riposta Matthieu mécaniquement. Il avait calculé ses prix sur la base de dix.

« Dix. Jamais Göring n'accepterait moins.

— Il est au courant ?

— Il le sera si c'est moins de dix. »

Matthieu consulta son frère, qui lui adressa un bref signe de tête. « C'est entendu », dit-il.

Lorenberg leva son verre avec un sourire ironique, aigu. « Vous ne le regretterez pas », dit-il.

Mais tout en levant son verre, Steven pensait le contraire.

Un grand dîner chez les Grünwald constituait toujours une affaire impressionnante. Même Lorenberg, qui était manifestement bien décidé à ne pas se laisser impressionner, ne pouvait dissimuler son admiration pour le service en or, la porcelaine ancienne et le décolleté plongeant de Betsy de Grünwald — une admiration que partageait visiblement son beau-frère, Matthieu de Grünwald, car Lorenberg remarqua qu'il ne quittait pas des yeux la poitrine de Betsy pendant tout le repas.

Matthieu avait annoncé que l'on dînerait en famille, mais un autre invité était arrivé à la dernière minute, son long corps maigre flottant dans sa soutane, et il avait entraîné Lorenberg dans une discussion passionnante et bien informée sur la politique allemande pendant toute la première partie du dîner. Impérieux, rusé, séduisant et bien introduit, Mgr de Montenuovo était, comme Lorenberg l'apprit grâce à une conversation chuchotée avec Betsy, secrétaire particulier du cardinal primat de Hongrie, prince du sang des Habsbourg et frère de l'un des plus grands propriétaires terriens de Hongrie. Il parlait couramment toutes les langues européennes, connaissait tous les gens qui comptaient et jouissait d'une admirable réputation au Vatican, où le cardinal Pacelli l'avait décrit comme « le subtil homme d'affaires de Dieu », après que Montenuovo avait accompli une mission particulièrement délicate concernant certaines lettres que Son Éminence avait eu l'imprudence de laisser derrière lui à Berlin, lorsqu'il y était nonce apostolique.

« Bien entendu, l'antisémitisme en tant que tel n'est pas une mauvaise chose, déclara Montenuovo en maniant délicatement ses couverts, mais comme me le disait Sa Sainteté, " il n'est pas pour autant nécessaire d'en faire tout un spectacle ". Mangez votre nourri-

ture, mon enfant, ajouta-t-il à l'intention de Louise, qui contemplait fixement son assiette, des millions de gens souffrent de la faim.

— Malheureusement, répondit Lorenberg, il n'est pas dans la nature du Führer de faire les choses en silence.

— Cela se comprend. Cependant, la soupe ne se mange jamais aussi chaude que dans la marmite qui cuit sur le feu, comme je le faisais observer à Sa Sainteté. Prenez la Hongrie. Nous connaissons le bonheur d'un gouvernement stable en la personne de notre cher régent, l'amiral Horthy. Nous avons près de quatre cent mille Juifs — disons, six pour cent de notre population nationale. Pour contenter les nationalistes, nous promulguons des lois antisémites. Et pour contenter les Juifs, nous ne les appliquons pas.

— La fonction d'officier leur est interdite », intervint Steven malgré le regard d'avertissement que lui lança Betsy.

Montenuovo acquiesça. « C'est vrai, dit-il. Mais combien d'entre eux *veulent* être officiers ? Quel mal fait-on aux gens en leur interdisant ce que, de toute façon, ils ne veulent pas faire ? Et puis quels officiers feraient-ils, n'est-ce pas ? Une fois convertis, ils peuvent devenir prêtres, fonctionnaires et même officiers, je suppose. La vérité, c'est que *notre* antisémitisme est religieux, et non point racial. Voilà la grande différence entre nous-mêmes et les Allemands, avec tout le respect dû à notre honoré invité. »

Lorenberg s'inclina légèrement à cette mention de lui-même. « Chez nous, répondit-il, les choses sont un peu différentes. L'aspect religieux revêt une moindre importance, du fait que notre Führer est athée. Mais, en fin de compte, c'est une question d'affaires, n'est-ce pas ? Là où les Juifs sont nécessaires, ils resteront. »

Steven allait se lancer dans une discussion, mais Betsy le foudroya d'un regard menaçant, renforcé par un froncement de sourcils de Matthieu à son intention. Comme la plupart des femmes de son milieu, Betsy ne s'intéressait pas à la politique, et en Hongrie toutes les discussions politiques finissaient par revenir à la question juive. Elle considérait la politique comme un passe-temps pour les hommes comme son père ou son mari, et ne présentant pas plus d'intérêt ni d'importance que les courses de chevaux, les réunions dans les clubs ou les cafés. Elle avait la foi innée de l'aristocrate dans l'ordre établi des choses. Les hommes lisaient les journaux, se mêlaient de politique, fumaient des cigares, et finalement rien ne changeait. Il s'agissait d'un jeu, comme la plupart des choses que les hommes prenaient au sérieux.

« Ce sont *là* des sujets de conversation bien déprimants pour la table, dit-elle. Et puis les enfants s'agitent. Montez tous jouer, et ne vous battez pas. Dites bonsoir à Monseigneur. »

Louise, Paul et Nicholas s'alignèrent pour baiser la main de Mgr de Montenuovo. Il distribua à chacun un chocolat à la menthe qu'il prit

dans la jatte d'argent posée sur la table, suivant un cérémonial précis qui aurait pu être celui de la communion.

« Des enfants adorables, déclara-t-il machinalement en saluant Betsy et Cosima tandis que les enfants quittaient la pièce. Vous devez en être très fières. »

Cosima acquiesça.

« Mais savez-vous, dit-elle, que Niki n'est pas d'un maniement facile ? Ni mon neveu Pali non plus. Et puis les garçons s'affrontent sans cesse.

— C'est naturel dans une famille de grande réussite, observa Montenuovo. Leur arrière-grand-père Hirsch était un homme à l'intelligence et à l'ambition remarquables, bien que regrettablement obstiné dans les questions de la foi. Saviez-vous que *mon* grand-père, le vieux prince de Montenuovo, menaça un jour de combattre le baron en duel ? Le prince s'était querellé avec Hirsch de Grünwald en découvrant qu'ils partageaient la même maîtresse. Il estimait insultant pour un noble Hongrois de coucher avec une femme après qu'elle avait couché avec un Juif et il lança donc un défi à Hirsch sur les marches de l'Opéra. »

Betsy renversa la tête en arrière et éclata d'un long rire profond qui joua sur les nerfs de Matthieu comme le grincement d'une craie sur un tableau noir. Cosima riait rarement et le rire de Betsy résonnait d'une sensualité riche et prometteuse. Il contempla à nouveau son décolleté et but son verre de vin d'un trait, puis heurta le verre de sa bague pour signaler au domestique d'avoir à le lui remplir.

« Comment savait-il que Hirsch avait couché avec elle en premier ? interrogea Betsy en ouvrant de grands yeux d'enfant.

— Eh bien, la chose était organisée ainsi. Hirsch lui rendait visite à l'heure du déjeuner et mon grand-père à l'heure du thé, et chacun ignorait l'existence de l'autre, bien que toute la ville de Vienne fût au courant de l'histoire. Hirsch dévisagea mon grand-père, ôta son chapeau, et déclara : " Je n'ai nul besoin de combattre Votre Excellence ; je me contenterai de vous ruiner. " Mon grand-père recula aussitôt.

— Qu'advint-il de la femme ?

— Oh ! ils continuèrent à la partager. Ils étaient hommes du monde, après tout. Par la suite, elle épousa un Fekete et transforma sa vie en un enfer. Les bonnes maîtresses font de mauvaises épouses. Elles deviennent des moralistes très strictes dès l'instant où elles se marient, pour compenser le passé. »

Au dessert, servi avec du champagne, Montenuovo porta un toast fort gracieux aux deux dames, puis ramena adroitement la conversation aux affaires. A la vive surprise de Lorenberg, Monseigneur se révéla extrêmement bien informé sur les entreprises Hermann Göring Werke

— si bien informé même que Lorenberg prit mentalement note d'avoir un petit entretien confidentiel avec le *Sturmbamführer* Becker, l'homme de la Gestapo responsable de la sécurité à HGW (les usines Göring), pour étudier la question d'éventuelles fuites au niveau de l'administration.

« Les mines de charbon de Bohême, je puis le comprendre, disait Montenuovo. Excellente acquisition, même s'il vous a fallu interner ce pauvre vieux Julius Petschek dans un camp jusqu'à ce qu'il signe.

— Il y a bénéficié d'un traitement de première classe, protesta Lorenberg avec quelque embarras. Et nous n'avons pas touché à Mme Petschek.

— Bien entendu. On dit que les Petschek se trouvent maintenant à Lisbonne, avant de se rendre à New York. Ils ne feront pas de très bonne propagande pour le Reich, vous savez.

— Ils ont été indemnisés.

— En *reichsmarks !* Vous savez aussi bien que moi que le reichsmark ne vaut pas le papier sur lequel on l'imprime ! Vous avez indemnisé les Bechstein en francs suisses, pour l'österreichische Pulverfabrik.

— Ils ont commencé par des transferts de titres pour en faire une possession britannique. Remarquable tactique... Quoi qu'il en soit, une usine de munitions nous intéresse bien davantage qu'une mine de charbon.

— Oui, je le conçois bien, répondit Montenuovo. La poudre à fusils, le charbon, les produits chimiques, je comprends tout cela. Mais qu'est-ce que cette histoire de terre rare ?

— C'est une affaire sans grande importance, se hâta d'intervenir Matthieu. Une question mineure d'import-export.

— Mon père ne parlait jamais d'affaires à table, intervint Cosima avec raideur.

— Non, ni de rien d'autre non plus. Votre mère et lui-même ne se sont pas adressé une seule parole pendant quarante ans...

— Cet uranium, poursuivit Montenuovo en séparant soigneusement chaque syllabe, je crois comprendre qu'il représente une certaine importance stratégique ?

— Pas encore, répondit Steven, mais c'est possible. J'ai eu à ce sujet certaines conversations fort instructives en Angleterre. Ils espèrent parvenir à déclencher la puissance de l'atome même, à mettre en œuvre les forces de création...

— *È vero ?* » Montenuovo but pensivement une gorgée de champagne. « J'en ai un peu entendu parler, bien sûr. Y a-t-il de l'argent à y gagner ?

— Nous ne devrions pas parler d'argent devant les dames », observa Matthieu en faisant vivement signe à Cosima de se retirer avec Betsy, pendant que les messieurs fumeraient leurs cigares.

Mgr de Montenuovo accompagna Betsy et Cosima jusqu'à la porte, et leur baisa galamment la main. Certains prêtres préféraient se retirer avec les dames afin de laisser les messieurs échanger des plaisanteries graveleuses et parler de leurs maîtresses, mais Montenuovo n'était pas de ceux-là. Il était d'abord gentilhomme et, ensuite, homme d'Église. Il prit un cigare dans l'humidificateur, choisit un cognac et s'assit près de Matthieu tandis que Steven faisait le tour de la pièce avec Lorenberg pour lui montrer les tableaux.

« Vous devriez vous méfier, chuchota Montenuovo confidentiellement, penché vers Matthieu comme au confessionnal.

— De quoi ?

— Tout d'abord, des Allemands. Mais aussi de notre régent bien-aimé. Des temps difficiles approchent. Vous ne pouvez pas vous permettre de ne pas traiter avec les Allemands, je le comprends bien, et ils sont nos alliés — en quelque sorte. Mais s'il se produisait une rupture entre la Hongrie et l'Allemagne ? Vous serez pris au milieu. Mauvaise position s'il en est, surtout pour une famille comme la vôtre. »

Matthieu dévisagea attentivement Mgr de Montenuovo à travers la fumée de son cigare.

« Qu'entendez-vous par là, exactement ?

— Les gens se souviennent encore de Hirsch de Grünwald.

— Hirsch n'était pas un Juif pratiquant. Sans doute avait-il un peu de sang juif — bon, *beaucoup* de sang juif —, mais il n'a jamais de sa vie mis les pieds dans une synagogue, et l'empereur l'a anobli.

— C'est vrai, mais il a commencé comme maquignon à Szeged, et son propre père s'appelait Isaac Grünzspan. Aux yeux de gens comme Putzi de Fekete, une seule goutte de sang juif fait de vous un Juif. Rappelez-vous ce qu'il a dit l'autre jour au Parlement : " Peu importe qui les Juifs prient, la pourriture est dans la race ! "

— Nous ne sommes plus au Moyen Age mais en 1936 ! Et puis Putzi est un antisémite professionnel.

— Malheureusement, il n'est pas le seul. Son Eminence est extrêmement préoccupée, je vous l'avoue sans détour. L'Église de Hongrie a toujours eu pour principe que le Juif ne devrait pas participer à la vie nationale hongroise — mais, une fois converti, il n'est plus juif à nos yeux. Les extrémistes n'admettent pas cela. Le cardinal Serédy subit actuellement des pressions considérables visant à lui faire changer de politique.

— Les extrémistes constituent une minorité — totalement discréditée.

— Ils ne seront plus une minorité en cas de guerre, cher ami. Et vos nouveaux partenaires allemands les financent en secret. Vous voyez comment cela se passe. Les extrémistes de gauche reçoivent l'or de

Moscou, et les extrémistes de droite reçoivent celui de Berlin... Seule l'Église ne reçoit rien. L'Église a besoin de votre aide, mon fils.

— Quel genre d'aide ?

— Peut-être une modeste part de votre nouvelle entreprise ? suggéra paisiblement Montenuovo en contemplant la cendre de son cigare. l'Église est une partenaire discrète, qui a beaucoup à donner.

— Comme ?

— Le silence, par exemple. J'ai entendu dire que vous organisiez le financement de cette affaire par le truchement de votre succursale suisse, n'est-ce pas ? »

Matthieu posa un doigt sur ses lèvres pour avertir Montenuovo de parler très bas. Il paraissait aussi calme qu'à l'accoutumée, mais des gouttes de sueur se distinguaient nettement sur son front et son sourire avait maintenant cette expression figée des mannequins de cire.

« Exactement, reprit Montenuovo. Si Son Altesse Sérénissime savait que non seulement vous vendez du matériel stratégique aux Allemands sans consulter le gouvernement, mais que vous le faites par l'intermédiaire d'une compagnie suisse pour échapper aux impôts et au contrôle des devises...

— Peut-on vous demander où vous avez entendu ces rumeurs, Monseigneur ? Car je puis vous assurer qu'elles ne sont nullement fondées.

— Ne vous inquiétez pas. Nous avons un ami commun à Zurich — le docteur Zengli, à Bahnhofstrasse. Il y dirige votre société — Corvina Ores, non ? Il s'occupe également de certains investissements particuliers du Vatican. Avez-vous vu sa collection de primitifs flamands, à propos ? Tout à fait remarquable... »

Matthieu agita son cigare avec impatience pour chasser le sujet des primitifs flamands du docteur Zengli.

« Zengli vous a parlé ?

— *J'ai* parlé à Zengli. Il y a là une différence. Vous découvrirez qu'avec le Vatican pour partenaire — disons pour un quart des bénéfices — vous ne rencontrerez plus aucun problème avec le gouvernement hongrois. Et puis il y a une prime, mon cher ami. »

Matthieu haussa un sourcil.

« Quoi donc ?

— Notre protection, le moment venu, répondit Montenuovo. Vous ne pouvez pas demander de meilleures conditions ! »

7

1938 fut l'année du soixante-dixième anniversaire du baron Anton von Schiller, occasion bien naturelle de réunion familiale, malgré la haine des Grünwald à l'égard du vieillard. Matthieu détestait tellement son beau-père qu'il ne parvenait pas à s'en cacher et le reste de la famille l'aimait moins encore, à l'exception de Cosima qui adorait son père à un degré presque religieux.

Ce n'était assurément pas le meilleur moment pour un voyage en Autriche. L'inventeur de la théorie d'Œdipe, le docteur Sigmund Freud, venait lui-même de quitter le pays ainsi que plusieurs milliers d'autres Juifs — ceux qui avaient de la *chance,* comme le faisait observer Mgr de Montenuovo.

Le cardinal Innitzer de Vienne avait béni l'*Anschluss* (un peu prématurément, de l'avis de Montenuovo) entre l'Autriche et l'Allemagne, et les petits pays situés à l'est se hâtaient de rendre hommage au Führer victorieux. En Hongrie, de nouvelles lois antisémites plus dures étaient votées; en Pologne, les quotas de Juifs admis dans les professions libérales et les universités étaient réduits de moitié; en Roumanie, où les gens allaient toujours trop loin, une effroyable vague de pogromes envahit le pays. Seuls les Tchèques tenaient bon, comptant avec optimisme sur le soutien de la France et de l'Angleterre. Cette attitude d'angélique sainteté irrita tellement leurs voisins que le régent Horthy provoqua en duel le ministre des Affaires étrangères de Tchécoslovaquie, qui en demeura stupéfait.

Malgré tout, on ne pouvait pas se plaindre pour les affaires, songeait Matthieu de Grünwald en cheminant aux côtés de son beau-père sur le chemin qui longeait le lac. Les Allemands achetaient tout ce qu'ils voyaient, tout le monde réarmait et jamais les bénéfices n'avaient atteint ces sommets. Il regarda son beau-père et soupira. Le vieux baron, comme tant d'Autrichiens, arborait un accoutrement alpestre comme si

cela eût constitué un symbole patriotique. Avec ses jambes maigres, sa petite panse rondouillarde et son visage furtif, il était parfaitement ridicule en culotte de peau, avec son chapeau vert, ses grosses chaussures de montagne, et ses chaussettes de laine blanche tirées jusqu'aux genoux. Il portait un bâton ferré à la place de son habituelle canne à pommeau d'or, et des lunettes noires de ski à la place de son monocle.

« La force par la joie », déclara Schiller de sa voix nasale, en prenant une profonde inspiration. « L'homme fait partie de la nature. Nous ne découvrons notre être véritable qu'en communion avec les montagnes, les forêts. L'âme germanique a pris naissance dans ces forêts. Sur ce point, le Führer a mille fois raison. Quand allez-vous à Berchtesgaden ?

— Demain. Le maréchal Göring m'a invité à déjeuner.

— Ah ! ils l'ont nommé *Generalfeldmarschall,* n'est-ce pas ? Les généraux doivent avoir horreur de cela ! Il faudra bien qu'ils avalent la potion en gardant le sourire, comme nous tous. Il faut savoir accepter les compromis...

— C'est bien vrai », répondit Matthieu en s'arrêtant pour s'essuyer le visage avec un mouchoir de soie. Il regarda derrière lui, et vit le reste de la famille qui gravissait le sentier, les enfants devant, et Cosima, Betsy et Steven en arrière. « Pensez-vous que ce soit sage, d'avoir adhéré au parti ? » demanda-t-il.

Schiller s'appuya sur son bâton, essoufflé par l'exercice.

« Sage ? *Bien sûr.* C'est bon pour les affaires. Tout le monde adhère. Depuis que les Allemands ont conquis l'Autriche, les demandes d'adhésion au parti nazi sont tellement nombreuses que les secrétaires ne parviennent pas à y faire face. Le docteur Weberein s'est inscrit et ils n'ont découvert son appartenance juive qu'après lui avoir remis sa carte et son badge de membre.

— Qu'ont-ils fait ?

— Ils l'ont déclaré aryen à titre honorifique. Bien sûr. C'était moins embarrassant que de reconnaître leur erreur. Au moins, j'ai adhéré avant ce porc de Gadarene. J'ai même été nommé colonel honoraire des *Allgemeine SS.* J'oublie comment ils appellent ce rang-là — *Standartenführer* ou je ne sais plus quoi du même acabit. Vous devriez voir l'uniforme ! Poignard d'argent, culotte de cheval noire, badge à tête de mort sur la casquette comme les hussards de naguère — une tenue d'opéra-comique !

— L'avez-vous déjà porté ?

— Une seule fois, pour être présenté à Hitler, à l'Opéra. Il m'a signalé que ma boucle de ceinturon était à l'envers. Je vais vous dire une chose : les tailleurs de Vienne font fortune, en ce moment. Tout le monde commande des culottes de cheval, de longues capotes, des vestes militaires — il n'y a pas de fin. Les bottiers ne peuvent plus

promettre aucune livraison avant un délai de six mois. C'est bien ironique en vérité, si l'on songe que tous les tailleurs sont juifs. Mon propre tailleur, Gustav Cohn, m'a dit que les affaires n'avaient jamais mieux marché. Mais cela ne pourra pas durer.

— Les affaires ?

— Non, les Juifs. Les premiers jours ont été brutaux, vous savez. Tous les antisémites amateurs se sont précipités dans les rues pour fracasser les vitrines et tailler les barbes des rabbins. La racaille du caniveau. Et la police se contentait de regarder et de rire — quand même ils ne s'y mettaient pas aussi. A présent, les choses sont rentrées dans l'ordre. Les " experts raciaux " ont pris la situation en main. »

Cosima et Betsy avançaient le long du lac, les enfants courant devant elles et les chiens du baron aboyant tout autour d'elles avec une grande excitation. Les deux femmes portaient des robes blanches d'été et des chapeaux à large bord ornés de fleurs et de rubans. Louise était vêtue d'une robe tyrolienne à corsage brodé, et les garçons de culottes de peau, avec des chaussettes montantes et une chemise blanche.

« En ces temps troublés, déclara Schiller en agitant sa canne, seule compte la félicité domestique. » Il lança à Matthieu un regard perçant à travers ses lunettes noires, comme pour indiquer que la situation domestique de son gendre était un fait de notoriété publique.

« Ce qui compte à l'heure actuelle serait plutôt la politique, repartit Matthieu.

— Point du tout, mon cher. La politique a cessé de présenter le moindre intérêt. La racaille a pris le pouvoir. Il ne reste plus rien à faire qu'attendre la fin de tout cela, en s'efforçant de survivre. La guerre va éclater, n'importe quel imbécile peut s'en rendre compte, et l'unique espoir réside dans une rapide défaite de Hitler. La dernière fois, nous avons mis près de cinq ans à perdre, et voyez ce qui s'est produit — tout s'est désagrégé. Les gens ont perdu des fortunes ! Cosima me dit que vous envisagez d'envoyer Niki dans une pension suisse ?

— Je l'envisage, oui.

— Je vous le dirai franchement : c'est une décision raisonnable.

— Cosima ne le pense pas. »

Schiller ricana. Son opinion quant aux capacités mentales de sa fille étaient bien connues. Non point que la pauvre fille fût fautive, dans l'esprit de Schiller. Il s'agissait uniquement d'une question génétique. La fille tenait de sa mère, qui provenait d'une famille aristocratique très stricte, au taux de consanguinité si fort que la moitié de ses membres étaient fous ou bien constituaient des objets de curiosité médicale.

Étant donné l'historique génétique de la baronne, nul ne s'était étonné de voir le cardinal Innitzer examiner les mains et les pieds de Cosima avec un soin particulier avant de la baptiser, puis proclamer ses

remerciements à Dieu parce qu'elle semblait née avec toutes ses facultés et le nombre normal de doigts et d'orteils. Dans ces circonstances, il eût été abusif d'espérer en plus que l'enfant serait intelligente.

« Je lui parlerai, dit Schiller. Il faut envoyer tous les enfants en Suisse.

— Je ne pense pas que Steven laissera partir Paul et Louise. Betsy aurait le cœur brisé.

— Dans ce cas, il est encore plus sot que cette pauvre Cosima », répliqua Schiller avec une grimace d'impatience, puis il reprit sa marche vers le haut de la montagne. Au sommet, ils se regroupèrent pour prendre une photo de famille.

Et ils conserveraient précieusement cette photo pendant toute leur vie, songeait Schiller.

Matthieu contempla le voilier de Schiller que Steven repoussait du quai. Il distinguait Betsy vêtue de blanc, avec sa longue chevelure blonde et brillante, et il éprouva un spasme de désir qui le contraria, à cette heure de la matinée, alors qu'il avait, ou aurait dû avoir, d'autres choses plus importantes en tête...

Il regarda l'étendue lisse et bleue du lac, immaculée sous le soleil resplendissant. Rien n'y bougeait à l'exception du bateau, qui semblait peint sur un miroir où les reflets des montagnes environnantes se découpaient sombrement.

Cette vue l'irrita davantage encore. Matthieu aimait le prestige de sa position de chef de la famille Grünwald, mais il enviait cependant à Steven ses responsabilités plus réduites et sa vie de famille heureuse — sans parler de sa femme.

Il congédia brusquement le chauffeur et prit le volant de la Hotchkiss de Schiller — on ne pouvait guère compter sur la discrétion des domestiques des autres, il était déjà bien assez regrettable d'avoir à se fier aux siens propres. Après une brève empoignade avec le changement de vitesses électromagnétique — ces foutus Français ne pouvaient-ils donc rien fabriquer comme les autres ? —, il contourna le lac et s'éloigna en direction de Berchtesgaden pour son rendez-vous.

Matthieu était habitué à commander — il reconnaissait les mêmes signes chez Niki, et n'en éprouvait aucun déplaisir, quoi que les gens pussent en penser. Il s'irritait de plus en plus de ne rien désirer autant que Betsy. Un homme comme Matthieu de Grünwald ne manquait jamais de femmes, et Cosima avait depuis longtemps cessé de protester contre ses aventures et ses liaisons, ou bien elle n'y attachait plus guère d'importance, mais la personne qu'il convoitait le plus demeurait hors d'atteinte. De plus en plus, Matthieu se surprenait à chercher des défauts chez Steven, qui donnait des signes de libéralisme inopportun.

Steven avait toujours été le plus intellectuel des deux frères. Il s'intéressait aux livres (il avait même acquis une petite maison d'édition), se tenait au courant de l'art et de la littérature et ses amis en Allemagne comprenaient des gens comme Ullstein, Rowohlt, Salomon — des noms qui figuraient certainement sur les listes d'indésirables de la Gestapo. Tôt ou tard, des ennuis surgiraient. Ce genre de choses risquait fort de nuire à la bonne marche des affaires. Il se promit d'en parler à Steven.

Matthieu quitta la route principale de Berchtesgaden, suivit un panneau qui indiquait « Forêt du Reich et réserve de gibier », et s'arrêta deux minutes plus tard près de deux gardes en uniforme vert des gardiens de la forêt du Reich, devant une barrière qui barrait la route.

« Grünwald », annonça Matthieu de cette voix autoritaire, tonnante, qui constituait pour ces gens-là le seul langage compréhensible, comme il le savait.

Le sous-officier responsable défit le second bouton de sa veste et tira de sa poche intérieure une feuille de papier. Il compara la photo qui y était collée avec le visage de Matthieu, recula d'un pas, releva la barrière et salua.

Dans les bois, Matthieu vit des signes d'une recherche de sécurité plus sérieuse — il apercut une voiture blindée, deux ou trois tanks et plusieurs armes de tir antiaérien, calibre 88, abondamment recouvertes de filets de camouflage. Des éclats de soleil reflétés dans des jumelles lui révélaient clairement qu'on l'observait.

La route montait au milieu de la forêt dense, traversait une vaste prairie presque plate sur laquelle paissaient deux bisons européens, puis bifurquait abruptement entre des chicanes de ciment destinées à arrêter des tanks avant de mener le visiteur devant la porte d'un étrange chalet, construction compliquée où se mêlaient le bois sculpté, de minuscules fenêtres à vitraux plombés, des balcons ornementés et des fresques, comme une pendule suisse à coucou agrandie à la dimension d'un château. Les murs étaient couverts d'andouillers — en fait, toute la véranda était construite en andouillers entremêlés — et, bien que les fenêtres fussent ornées de fleurs, elles avaient cet aspect bleu huileux du verre pare-balles.

Sur la pelouse qui s'étendait devant la maison, à quelque distance, un joyeux groupe de personnes regardaient le *Generalfeldmarschall* Göring pratiquer le tir avec un arc de proportions véritablement héroïques, et pour tout dire wagnériennes. Il portait une grande culotte de cuir vert, un chapeau à rubans d'allure fort théâtrale, comme celui de Guillaume Tell, et une courte veste en loden qui exposait assez malencontreusement l'énorme derrière moulé dans le daim. Posté à côté des cibles, un forestier en costume de page de la Renaissance

soufflait dans une trompette en argent chaque fois que le maréchal touchait le centre.

Grünwald sortit de sa voiture et fut aussitôt accueilli par le majordome. Derrière lui, arborant un sourire ironique, se tenait Lorenberg, vêtu cette fois de l'uniforme gris tourterelle d'un colonel de la Luftwaffe.

« Entrez, déclara-t-il en saluant d'un geste vaguement militaire. Le maréchal ne va pas tarder à nous rejoindre.

— D'après ce que j'entends, il est très bon archer.

— Admirable ! Bien entendu, le centre de sa cible est deux fois plus grand que la taille normale, mais personne ne le lui a révélé, et il jouit donc d'un bonheur sans mélange... Que dites-vous de cet uniforme ?

— Franchement, je vous préférais en civil.

— Moi aussi, mais actuellement en Allemagne, un homme sans uniforme n'est plus rien. J'espérais être nommé général, mais le patron m'a dit que les seuls grades importants étaient ceux de sergent et de colonel. Asseyez-vous. »

Le salon était gigantesque, et tellement rempli d'objets que l'on aurait pu se croire dans un magasin d'armes et d'antiquités. A une extrémité de la pièce, une énorme cheminée de pierre occupait presque tout le mur, des lustres faits d'andouillers pendaient aux poutres sculptées, les murs étaient couverts de lances, de défenses, de casques, de boucliers, de peaux d'ours et de têtes grimaçantes de tous les gibiers existant en Europe ; par terre s'étalaient des tapis de fourrures, des peaux de bêtes, des dépouilles. Au-dessus de la cheminée trônait un portrait du Führer grandeur nature, revêtu d'une armure et portant une lance, les yeux figés dans une expression de prière tandis qu'il contemplait l'avenir de l'Allemagne.

« Ce n'est bien sûr qu'un pied à terre, expliqua Lorenberg. Nous construisons un chalet beaucoup plus vaste près de celui du Führer, plus haut sur la montagne. Karinhall donne à celui-ci l'air d'une villa de banlieue — mais vous y êtes déjà allé, non ?

— Oui. Mais tout change sans cesse.

— Vous devriez le voir maintenant — une pièce spéciale pour des modèles réduits de trains, avec des kilomètres de circuit, où des avions descendent, au bout de fils invisibles, pour lâcher des bombes miniatures quand on appuie sur un bouton.

— Ingénieux », apprécia Matthieu en buvant une gorgée de café.

Lorenberg sourit, révélant de parfaites petites dents blanches. « C'est le genre de choses qui vous rend fier d'être allemand », dit-il.

Matthieu réfléchit soigneusement à cette remarque. On rencontrait des antinazis dissimulés partout, même dans les endroits les plus surprenants, mais bien sûr bon nombre d'entre eux étaient des agents

provocateurs ou des informateurs de la Gestapo. Il paraissait peu probable que Lorenberg fût l'un ou l'autre, mais on ne savait jamais.

« Avez-vous renoncé à votre carrière dans les affaires ? s'enquit Matthieu, en s'asseyant dans un fauteuil absurde fabriqué avec des andouillers.

— Pas du tout. Je demeure extrêmement lié aux entreprises d'affaires du maréchal. Ce qui constitue d'ailleurs l'une des raisons de ce déjeuner. Jouons cartes sur table : vous réussissez si bien que nous souhaiterions établir avec vous une répartition plus équitable.

— Permettez-moi de vous rappeler que vous recevez déjà dix pour cent. »

Lorenberg eut un sourire aigu. « Inutile de me le rappeler. Nous envisageons à présent de devenir de *véritables* partenaires. Disons à cinquante pour cent. »

Matthieu le dévisagea.

« Vous plaisantez.

— Pas du tout. Vos échanges avec l'Allemagne se sont considérablement développés. Pourquoi ? Grâce à nous... Voici le patron. Faites preuve de tact quand il abordera le sujet. Croyez-moi, il s'agit là de votre intérêt. Etant donné les origines de votre famille, vous comprenez... »

Avant que Lorenberg pût s'étendre sur cette remarque, on entendit Göring claquer violemment la porte, puis il se laissa tomber lourdement dans un fauteuil gigantesque. Grünwald et Lorenberg se levèrent pour le saluer.

« Repos, tonna le maréchal. Ou plutôt, asseyez-vous.

— Vous paraissez en bonne forme, maréchal.

— Oui, je suis en grande forme. Nous vivons une époque où tout citoyen allemand doit à sa patrie d'être prêt à se battre. » Göring bougea un peu pour permettre à son énorme ventre de mieux reposer sur ses cuisses et prit un loukoum sur le plateau d'argent qui se trouvait près de lui. « Vous connaissez Lorenberg bien sûr ? » demanda-t-il en s'essuyant les doigts sur un mouchoir et en faisant des bruits de succion pour nettoyer les espaces entre ses dents.

« Mais oui, bien sûr, nous bavardions à l'instant même.

— Il représente le nouveau nazi. La première génération se composait de combattants, de soldats du front comme moi. La nouvelle génération est intelligente. Vous êtes bien professeur, n'est-ce pas, Lorenberg ?

— Docteur en droit, plus précisément. J'ai même étudié à Harvard.

— Docteur, professeur, pour moi c'est du pareil au même. Ce qui compte, Grünwald, c'est que Lorenberg ici présent comprend les affaires. Il est malin comme un Juif.

— Merci, maréchal », déclara Lorenberg d'une voix qui exprimait à la fois le sarcasme et une ironie froide, détachée.

Göring ignora sa réponse. A côté de lui se trouvait une jatte remplie de pierres précieuses brutes avec lesquelles il jouait tout en parlant, les faisant couler entre ses doigts comme pour se calmer les nerfs.

« Lorenberg vous a parlé ? demanda-t-il, les yeux fixés sur le portrait du Führer comme s'il ne l'avait jamais vu.

— Oui, Excellence, mais avec tout le respect que...

— Non, non, je sais déjà ce que vous allez dire. Mais considérez la question de *notre* point de vue. Nous vous avons procuré une affaire importante, et nous ne recevons rien en échange. Ce n'est pas le pire. *Certaines* personnes veulent savoir pourquoi nous traitons avec une société juive. Cela me place dans une situation embarrassante.

— La famille Grünwald n'est pas juive.

— *Na,* et ce vieux grand-père — comment s'appelle-t-il, Hirsch ? Écoutez, mon vieux, je suis réaliste. Quand on est venu me dire que le général Milch, le commandant en second de la Luftwaffe, était à moitié juif, j'ai dit à la Gestapo d'aller se faire foutre. S'il travaille pour moi, il est aryen, voilà ce que j'ai dit à Himmler, et un point c'est tout ! J'en ferais autant pour vous, Grünwald, mais il reste un petit...

— Donnant donnant, suggéra Lorenberg.

— Exactement ! Et encore une chose. Ces maudits chargements d'uranium doivent cesser. Nous en avons déjà des tonnes — et à quel prix ! Je ne peux pas me permettre un scandale.

— On m'a dit que la recherche avançait bien, Excellence », déclara Matthieu dans l'espoir de changer le sujet.

Göring secoua la tête.

« Non, non, c'est ridicule, comme je le prévoyais. Nous avons une équipe qui s'en occupe — comment cela s'appelle-t-il, Lorenberg ?

— Le projet Wotan.

— Tout porte un nom de code, en Allemagne, marmonna Göring. On ne peut plus chier sans avoir à chercher un nom dans le *Niebelungen Lied.* Quoi qu'il en soit, le projet Wotan est une perte de temps et d'argent. L'armée a un type qui fabrique des roquettes et tout ce que nous arrivons à produire, c'est une bon Dieu d'éprouvette qui brille dans le noir ! Il faut mettre un terme à ce désastre.

— Nous avons considérablement investi en matériel minier.

— Ce sont des détails. Je m'en moque. Annulez, bon Dieu, et c'est tout. Et puis ce professeur, cet expert en physique nucléaire que vous nous avez envoyé — comment s'appelle-t-il ?

— Meyerman.

— Ah oui ! Je ne peux pas avoir un type de ce nom-là qui travaille pour nous. »

Lorenberg adressa à Göring l'un de ses sourires les plus charmeurs.

« Maréchal, dit-il, le baron de Grünwald s'est donné beaucoup de mal pour nous le fournir. Presque tous nos meilleurs physiciens nucléaires ont quitté l'Allemagne...

— C'est hors de question. Ma décision est sans appel. »

L'humeur autoritaire de Göring semblait soudain avoir passé, comme s'il s'était brusquement dégonflé, tel un ballon. Sa capacité d'attention était remarquablement brève et, bien qu'il eût cessé de se droguer à la morphine, il continuait à manifester ces brusques changements d'humeur et ces accès dépressifs du morphinomane, qu'il combattait en mangeant et en admirant ses propres possessions. Il quitta son fauteuil en faisant grincer le cuir, renifla et se mit à arpenter nerveusement la pièce en parcourant de ses doigts boudinés les tapisseries et les sculptures en bronze comme pour s'assurer qu'elles étaient toujours là. Il s'arrêta devant une table chargée de bouteilles et de carafes, se versa un verre de vermouth doux et regagna son fauteuil avec le verre de cristal à la main.

« Servez-vous, déclara-t-il en désignant le bar. Nous allons bientôt déjeuner. » Il fronça le nez en signe d'impatience, comme s'il avait déjà pu sentir les fumets, alors que les cuisines se trouvaient bien trop loin pour que ce fût possible. A l'idée de la nourriture, cependant, son visage s'empourpra et s'anima, et il retrouva un peu de sa bonne humeur. « Messieurs, commença-t-il avec un gloussement colossal, un bon déjeuner nous attend. Foie gras frais aux truffes blanches, truites du lac au bleu, veau Hohenzollern et une tarte aux fraises de nos jardins. Un repas simple, mais à la campagne nous vivons à la dure. Et puis le Führer a ordonné que le repas allemand se limite à trois plats, et que le haut de la hiérarchie donne l'exemple d'une simplicité spartiate. »

Lorenberg haussa un sourcil.

« En voici pourtant quatre, maréchal ?

— Je ne compte pas le dessert comme un plat ! répliqua Göring d'une voix cinglante. Nous ne prenons pas de soupe. Ce sera bien assez spartiate, non ? Nous ne sommes pas encore en guerre.

— Vous pensez donc que la guerre aura lieu ? » interrogea Grünwald.

Göring soupira. « Seul le Führer le sait. Il fait la pluie et le beau temps, vous savez. Un triomphe diplomatique pourrait le satisfaire, mais avec Ribbentrop aux Affaires étrangères, ce n'est guère probable. Par ailleurs, si les Tchèques nous donnent la Bohême et que la Pologne nous rend Dantzig et la Silésie, je ne vois plus guère ce qui pourrait motiver une guerre. Le principal, c'est de garder des nerfs d'acier. »

Lorenberg lança un coup d'œil au maréchal, dont la nervosité

apparaissait clairement tandis qu'il manipulait son verre et battait du pied une mesure imaginaire, et adressa à Grünwald un bref clin d'œil complice que ce dernier prit la peine d'ignorer.

La porte s'ouvrit et le maître d'hôtel entra, vêtu en domestique médiéval avec des chaussures pointues, une chaîne d'or de sommelier autour du cou et un pourpoint multicolore qui lui montait jusqu'au menton. Göring quitta son siège, impatient de déjeuner, mais le maître d'hôtel dont le visage trahissait une vive panique se tordit les mains en articulant à prand-peine :

« *Herr Generalfeldmarschall!* Une chose incroyable ! Le Führer en personne arrive !

— Oh ! Mon Dieu ! » Les joues de Göring pâlirent sous l'épaisse couche de rouge. « Annulez le déjeuner ! Non, préparez plutôt des légumes, vite ! Et des desserts ! Avons-nous des gâteaux ? Il restera peut-être... »

Froid comme un concombre, Lorenberg écrasa sa cigarette et fit signe au domestique de faire disparaître tous les cendriers de la pièce. Dehors, ils entendaient les domestiques se rassembler sur le perron. Göring lui-même se mit au garde-à-vous tandis que Matthieu et Lorenberg se tenaient derrière lui, presque entièrement dissimulés par sa silhouette massive.

Il y eut un moment d'immobilité, un silence de mort, puis on entendit quelqu'un se moucher. « Mein Führer ! » hurla Göring en brandissant le bras droit en signe de salut, cependant que la silhouette familière, incongrûment vêtue d'une culotte de peau informe et d'une chemise brune, pénétrait dans la pièce, avec sa casquette pressée contre son bas-ventre dans un geste d'instinctive protection.

Les célèbres yeux, réputés avoir un effet hypnotique, étaient ternes, bordés de rouge et humides. Apparemment, le Führer souffrait d'un accès de rhume des foins, et sa voix se révéla en effet très nasale quand il salua Göring.

Derrière lui, un grand aide de camp SS portait un bouquet de fleurs sauvages, que le Führer avait vraisemblablement cueillies sur son chemin pour les offrir à Göring. Il posa sa casquette, prit le bouquet, éternua et se hâta de tendre les fleurs à Göring, qui s'en empara avec une expression de gratitude extatique.

« Pardonnez-moi de passer ainsi sans prévenir, mon cher Göring », déclara le Führer d'une voix onctueuse en reprenant sa casquette comme par crainte de ne pas savoir que faire de ses mains. Il entreprit d'expliquer interminablement sa promenade quotidienne, l'importance de l'air frais pour la santé, le besoin d'accélérer la circulation et l'effet bénéfique de cet exercice sur sa digestion, qu'il décrivit alors avec force détails inopportuns — description rendue plus vivante encore par une

soudaine et forte odeur suggérant que le Fürher venait précisément de passer un vent.

« Les flatulences, dit-il, ne peuvent être supprimées que par l'exercice régulier et l'application d'un régime alimentaire raisonnable. J'en souffrais beaucoup naguère, poursuivit-il. Mais c'est fini ! »

Une nouvelle vague d'odeur, qui amena Lorenberg à porter son mouchoir à ses lèvres, parut indiquer que l'optimisme du Führer était sans doute prématuré.

« Magnifique ! s'exclama Göring avec enthousiasme, apparemment sans se rendre compte de l'odeur pestilentielle. Voici un nouvel exemple de la célèbre discipline du Führer. Un exemple pour nous tous ! Resterez-vous déjeuner, *mein Führer ?* »

Mais non — le Führer présenta d'interminables excuses. Il était arrivé à l'improviste, à une heure inopportune, pour sa part il déjeunait rarement mais ne voulait pas interrompre le repas du maréchal ni sa discussion, sans nul doute importante, d'affaires sérieuses avec ses distingués invités...

Toujours cramponné à ses fleurs, Göring se hâta d'accomplir ses devoirs d'hôte. Il présenta — sèchement — Lorenberg comme officier de la Luftwaffe, ce qui lança le Führer dans un long monologue sur la guerre aérienne, sujet sur lequel Lorenberg n'en savait guère plus qu'un civil, cependant que Göring se trémoussait d'un pied sur l'autre en attendant que le Führer prenne le temps de respirer.

« ... Et nous voyons donc que la fonction de l'air est toujours d'assurer le soutien des forces terrestres », ânonna Hitler, puis il s'interrompit un moment pour renifler et Göring en profita pour présenter le baron Matthieu de Grünwald.

« Nous nous sommes déjà rencontrés, observa Hitler. Je n'oublie jamais une tête. Le banquier hongrois, n'est-ce pas ?

— Exactement, *mein Führer.* »

Matthieu s'inclina pour saluer le Führer, qui répondit par une petite courbette brusque et lâcha un nouveau vent, plus bruyant cette fois.

« Je suis un grand admirateur de votre régent, déclara Hitler, un instant trop tard pour couvrir le bruit. Je dois cependant dire que je ne suis pas très satisfait de la Hongrie en ce moment... J'ai demandé au régent son appui contre les Tchèques, et il m'a envoyé une longue liste des besoins de son armée. De l'artillerie, des fusils, des mitraillettes, même des *bottes,* vous imaginez ? Les Hongrois pourraient tout de même bien fabriquer leurs propres bottes ?

— S'ils marchent sur Prague, ils auront toutes les bottes qu'ils voudront, gloussa Göring d'une voix aiguë. Ils n'auront qu'à les prendre à ces maudits Tchèques !

— Exactement ce que je disais à Son Altesse Sérénissime. Lui, il veut marcher sur Prague, je l'ai bien senti, c'est un vieux cheval de

bataille, mais le pays est dirigé par une clique de lâches réactionnaires et d'aristocrates décadents. Là-bas, les Juifs sont mêlés à tout. » Il se rappela soudain la présence de Matthieu et agita sa casquette en signe d'excuse. « Je ne vous offense pas, j'espère, dit-il. Des alliés devraient toujours se manifester de la franchise. Vous faites des affaires avec l'Allemagne, *Herr* Grünwald ? »

Matthieu acquiesça. « Nous exportons des machines industrielles, des produits chimiques, du charbon, des minerais, de la terre rare, et ainsi de suite, *Herr Reichskanzler.* Par l'intermédiaire de mon beau-père le baron von Schiller, nous sommes en relation avec les plus grandes banques allemandes. »

Les yeux du Führer se fixèrent sur ceux de Matthieu, retrouvant un peu de leur brillant légendaire.

« Des terres rares ? demanda-t-il en reniflant légèrement.

— Du manganèse, du wolfram, de l'uranium...

— De l'uranium ! » Le visage de Hitler prit une expression extatique et ses joues s'empourprèrent, formant un frappant contraste avec la pâleur habituelle de sa peau. Il posa sa casquette et noua ses deux mains ensemble. « Quelle coïncidence ! Ce matin encore, Speer — il faut que vous le rencontriez, c'est un homme charmant, avec une tête étonnante — me parlait de l'uranium. Il existe apparemment un procédé pour le transformer en bombe.

— Pas encore, *mein Führer,* intervint Lorenberg, mais nous y travaillons.

— Speer dit qu'avec un morceau d'uranium de la taille d'un melon, on pourrait faire sauter une ville comme Londres. Complètement dévastée, détruite, annihilée, réduite en gravats si brûlants qu'on ne pourrait plus y vivre pour au moins mille ans ! » Le Führer reprit son souffle, haletant un instant sous l'effet de l'excitation que lui procurait cette perspective. « Un verre d'eau, s'il vous plaît », dit-il. Il en but quelques gorgées, puis se tourna à nouveau vers Lorenberg. « Est-ce donc vrai ?

— C'est possible, en effet.

— Et nous y travaillons ?

— Absolument, *mein Führer !* explosa Göring. Il y a plusieurs années que j'ai pris l'initiative d'acheter des quantités d'uranium. Le baron de Grünwald nous en a fourni des chargements.

— Nous pouvons en fournir davantage, ajouta Matthieu, rayonnant.

— *Bien sûr,* davantage, acquiesça Hitler. Tout ce que vous pouvez ! Ce projet porte-t-il déjà un nom ?

— Wotan », répondit Göring.

Les yeux de Hitler étincelèrent. Il émit un petit gloussement de plaisir. « Le dieu de la destruction, apprécia-t-il en souriant, avec un petit hochement de tête. Je resterai peut-être déjeuner. »

« J'avais oublié comme ses manières sont efféminées à table, raconta Matthieu à Steven. Et, Dieu, que sa vision du monde est simpliste, comme celle d'un journaliste — rien que des clichés et des préjugés. Il m'a dit que le roi Carol de Roumanie est un maquereau et que tous les Roumains sont des maquereaux.

— Bah ! c'est assez vrai.

— Oui, mais tu n'attends pas d'un chef d'État qu'il s'exprime ainsi. Je crois qu'il sous-estime également les Anglais. Apparemment, quand le duc de Windsor est venu lui rendre visite, il lui a offert un coussin brodé au petit point qu'il avait fait lui-même. Cela a profondément marqué Hitler — il est convaincu que les Anglais sont faibles et dégénérés...

— Il s'agit là d'une opinion largement répandue.

— Mais guère d'un *fait*. Les enfants se sont-ils bien amusés ? » Matthieu et Steven étaient assis sur la pelouse dans l'obscurité, dominant le lac et les montagnes qui se devinaient confusément au clair de lune, et leurs cigares rougeoyaient dans la nuit.

— Merveilleusement, répondit Steven. Mais Cosima a eu le mal de mer.

— Forcément. Elle est allergique au plaisir — tous les plaisirs.

— Niki était un peu triste de ton absence, Mati. Il s'est égayé par la suite, quand ils sont allés nager. Nous avons pique-niqué sur l'île, mais ton fils t'est extrêmement attaché. Je me demande si c'est une bonne idée, de l'envoyer en pension au loin.

— C'est pour son bien. Et aussi pour sa sécurité, je pourrais dire. Quand il sera plus vieux, il comprendra et m'en sera reconnaissant.

— Je n'en suis pas certain.

— Il a besoin d'être endurci, éduqué, préparé pour la vie. Tu es trop faible avec Pali, je l'ai toujours dit. Je reconnais que Pali est intelligent et peut-être s'en tirera-t-il, mais Niki a besoin d'être pris en main.

— C'est ton fils, Mati, mais je ne suis pas de ton avis. Bon, sa mère le gâte, mais tu ne peux pas compenser cela en le traitant comme une recrue ou en le chassant au loin. Le problème, c'est qu'il veut être comme toi, mais que ce n'est pas sa nature.

— Il sera comme moi. Il est mon fils. »

Steven soupira et changea de sujet.

« La discussion avec Göring s'est bien passée ?

— Oui et non. Les Allemands vont nous serrer à la gorge.

— Il fallait s'y attendre.

— Bien sûr. Les affaires resteront bonnes, mais si nous devons renoncer à une part des bénéfices...

— Bonnes, mais dangereuses.

— Tout est dangereux. Nous vivons à une époque dangereuse. C'était pareil pendant la Grande Guerre, mais Père s'en est très bien tiré. Et c'était déjà la même chose pendant la guerre entre la France et la Prusse, mais c'est grâce à la guerre que Hirsch a pu gagner ses premiers millions. De toute façon, quel choix avons-nous ? Faut-il nous réfugier à New York en laissant nos biens derrière nous, pour que les loups viennent tout rafler à des prix dérisoires ? Nous ne parlons pas d'une boutique de tailleur mais de centaines de millions. Si nous cherchons à vendre nos biens, qui voudra les acheter ? Et à quel prix ? Et Horty nous laisserait-il sortir cet argent du pays ? Non, tu le sais très bien ! Regarde ce qui est arrivé aux Gebhardt ! Ils ont pris peur et ont voulu vendre leurs biens, et ils ont fini par liquider une affaire qui valait peut-être trois cent cinquante millions de dollars, pour moins de cent millions — et ils ne pourront pratiquement rien sortir d'Europe, ces idiots !

— Cela se passait en Autriche.

— Précisément. Nous sommes en bien meilleure posture. La Hongrie est un pays indépendant, nous pouvons faire de fort jolies affaires avec les Allemands, tant que nous sommes en sécurité chez nous.

— Pour combien de temps ?

— Je ne vois aucune raison de nous inquiéter. Si la guerre éclate...

— *Quand* elle éclatera.

— Je répète, *si* elle éclate, le régent adoptera une position prudente. Et si les Allemands gagnent, il se joindra à eux à la dernière minute, juste à temps pour avoir un siège à la conférence de paix du côté des vainqueurs.

— Et s'ils perdent ?

— S'ils perdent, il choisira le moment opportun pour changer de camp — comme nous. Nous ne pouvons pas protéger les intérêts de nos actionnaires — ni les nôtres — en nous sauvant comme des lapins, surtout en ce moment où les affaires n'ont jamais mieux marché. Tu as vu les chiffres ! Les Allemands achètent tout ce qu'ils voient. Je me reproche uniquement de n'avoir pas augmenté notre capacité de production il y a cinq ans. Et puis, tôt ou tard, Horthy va devoir réarmer ; il aura besoin d'acier, de produits chimiques, d'étoffes, de ciment, de prêts, exactement comme tout le monde. Non, non, il y a de bonnes affaires à traiter. Il s'agit uniquement de savoir déterminer quand jouer sa main, voilà tout.

— Et aussi quand renoncer.

— Oui. Mais pour des gens dans notre position, la sécurité réside dans l'activité sur le marché. Tu te rappelles ce qui est arrivé à ces aciéries que Grand-Père avait achetées en Belgique avant la guerre, avec les Rothschild ? Finalement, la ligne du front passait juste à côté,

mais pendant quatre ans, jamais ils n'ont été bombardés par un camp ni par l'autre. Grand-Père est allé demander au Kaiser de protéger les aciéries, Rothschild en a fait autant du côté français, et tout le monde a reconnu qu'une aciérie était trop importante pour qu'on la détruise — encore qu'ils ont bombardé la cathédrale de Reims, pas très loin de là ! Et maintenant, nous devrions peut-être rejoindre ces dames ?

— Oui. Mais pour être tout à fait franc, Mati, je trouve bien agréable de passer un moment à l'écart de ton beau-père. »

Matthieu tira sur son cigare, le visage momentanément illuminé par le rougeoiement. Les yeux clos, il hocha la tête pour marquer son accord. « Pour un antisémite autrichien, il possède toutes les pires caractéristiques du Juif, dit-il. Je l'avoue, je te suis reconnaissant d'être venu. Réfléchis un peu : c'est bien moi le plus mal en point. Non seulement j'ai la fille de Schiller pour épouse à la place d'une vraie femme de chair et de sang comme ta Betsy, mais en plus j'ai Schiller pour beau-père. Il est fourbe et soupçonneux et, en plus, il me méprise. Je ne peux pas divorcer de Cosima parce que nous sommes catholiques et je ne peux pas me débarrasser de son père à cause de nos intérêts bancaires en Allemagne. J'espérais que ce vieil idiot serait arrêté par les nazis, après tout ce qu'il a dit sur eux avant l'Anschluss, mais il a adhéré au parti nazi juste à temps pour sauver sa maudite peau. Quel renard rusé ! Avec un peu de chance, il serait à Dachau, maintenant, mais il a couru porter à Himmler une liste de juifs autrichiens qui avaient laissé leurs biens derrière eux, dans sa banque, et le *Reichsführer* l'a félicité de manifester un sens du devoir authentiquement allemand. On ne peut plus faire confiance à personne, conclut amèrement Matthieu.

— Ses relations avec Himmler pourraient nous servir...

— Peut-être. Mais comme Göring est le numéro deux en Allemagne, nous ne devrions guère avoir lieu de nous inquiéter. Cependant, tu as raison. Tout odieux qu'il est, nous devons maintenir le vieux Schiller de bonne humeur, maintenant qu'il est l'ami de Himmler. Mais je ne pense pas qu'il voudrait nuire à son gendre...

— Tant que tu es l'époux de Cosima, non. Et tant qu'il n'y aura pas de scandale... »

Matthieu ricana.

« C'est une épouse loyale, je ne m'inquiète pas pour cela. Et elle adore Niki. Mais tu as quand même raison. Un mariage de convenance devient à présent un mariage de nécessité, je le crains.

— Prends garde qu'elle ne se retourne pas contre toi, Mati. Un peu plus de discrétion pourrait être de circonstance.

— Oh ! je suis extrêmement discret, ne t'inquiète pas. J'accomplis même mon devoir conjugal une fois par semaine. Elle n'en tire aucun

plaisir, mais elle y tient. C'est étrange : la paix domestique est devenue un trésor caché, après tant d'années.

— Qui sait ? Tu finiras peut-être même par y prendre goût.

— Ton sens de l'ironie est la moins plaisante de tes qualités, mon cher frère. Rentrons avant que Schiller ou Cosima envoie un domestique à notre recherche. Nous avons une soirée de cartes et d'alcool de fruits devant nous, que Dieu nous vienne en aide… Essaie de laisser gagner quelques parties à Schiller pour préserver l'harmonie familiale.

« Et puis, Steven — prends garde à Lorenberg ! Il n'est plus garçon de course. Il devient ambitieux. »

Cinquième Partie

Actes de foi

8

Diana dormit pendant presque toute la traversée de l'Atlantique, tandis que Paul procédait à ses appels téléphoniques en diverses langues et, comme il l'avait promis, tout fut pris en main avec une efficacité sans faille dès leur arrivée. Un officier de la D.S.T. les retrouva à la descente de l'avion, leur fit franchir la douane et personne ne leur demanda leurs papiers, les policiers se contentant de saluer au garde-à-vous. « Que c'est bon d'être en France, observa-t-il en s'installant dans la limousine. Ici n'existe aucun système de classe compliqué — il y règne simplement un sain respect de l'argent ! » La limousine était plus petite que celle qu'il utilisait à New York, mais les vitres de l'arrière étaient également teintées. Un homme basané aux épaules massives prit place devant à côté du chauffeur, manifestement un garde du corps.

« Êtes-vous toujours gardé ainsi ? Même en vacances ? »

Paul parut embarrassé, peut-être parce qu'il était tellement habitué à la présence quotidienne d'un garde armé qu'il n'y prêtait plus attention. Cela faisait partie de sa routine au même titre que la voiture garée pour l'attendre devant la sortie des services de douane, afin de lui éviter tout contact avec les foules de passagers ordinaires dans l'aéroport, au même titre que la serviette de cuir posée sur le siège arrière avec les messages urgents et que les journaux en trois langues proprement disposés sur la tablette pliante.

« C'est plus important ici qu'à New York, expliqua-t-il. En Europe, on kidnappe les hommes d'affaires. En Amérique, jusqu'à présent, on se contente de les insulter dans la presse et de les persécuter par le biais du service de contrôle des changes. Je n'ai aucune intention de me laisser ficeler sur une chaise pendant un mois ou davantage, par les Brigades rouges ou ce qui reste de la Bande à Baader. J'ai eu plus qu'assez de tout cela pendant la guerre. »

Le moment ne parut pas approprié à Diana pour demander à Paul ce qui s'était exactement passé pendant la guerre. Elle éprouvait pour l'instant bien assez de bonheur à suivre le sillage de Paul, surtout maintenant que sa bonne humeur semblait irrépressible. Il s'amusait bien et le montrait. A peine le directeur du Ritz les avait-il personnellement conduits à leur suite, que Paul s'affairait à échafauder des plans. Diana n'avait pas de vêtements ? Ils en achèteraient avant le déjeuner ! En dix minutes ils avaient regagné la voiture, le garde du corps toujours assis à côté du chauffeur, tandis que Paul, fredonnant de plaisir, tenait la main de Diana sur le siège arrière, comme un écolier à son premier rendez-vous.

« La plupart des hommes ont horreur des magasins, lui dit-elle.

— Pas moi. J'adore dépenser de l'argent. Pour un homme, bien sûr, cela n'a rien de folichon. Que peut-on acheter ? Une nouvelle chemise ? Une paire de boutons de manchettes, sauf que je n'en porte pas... C'est précisément ce qu'il y a de merveilleux à accompagner une jolie femme. Le choix est tellement plus vaste. Arrêtez ici », ajouta-t-il à l'intention du chauffeur, et il entraîna Diana dans la rue du Faubourg-Saint-Honoré, apparemment heureux d'attendre quand elle s'arrêtait dans un magasin. Il payait tout en espèces qu'il tirait d'une enveloppe portée par le garde du corps et il expliqua en riant à Diana qu'il était trop riche pour se compliquer l'existence avec des chèques et des cartes de crédit. Quand elle eut fini, il arrêta la voiture devant chez Cartier et lui acheta un collier en or avec des perles en lapis-lazuli et un fermoir en diamants.

« Ce n'est pas une chose bien importante, dit-il sur un ton d'excuse. Mais une aussi belle femme que vous ne devrait pas paraître à déjeuner sans bijoux à Paris. »

A une heure, la voiture les déposa devant chez Taillevent, dans la rue Lamennais, où Paul fut traité avec ce respect discret que les restaurateurs réservent aux gens vraiment riches.

Diana félicita Paul pour son choix. Elle aimait l'élégance et le luxe sans tapage de Taillevent, bien que ce ne fût point l'un des restaurant préféré de Niki.

« Je peux le comprendre, répondit Paul. En fin de compte, et malgré tout son argent, Niki veut toujours aller dans le genre d'endroits qui plaît aux riches Sud-Américains. Ou plutôt aux Arabes, maintenant. Il ne peut pas s'en empêcher. Voilà ce qui arrive quand on va au Rosey pendant cinq ans avec le Chah, l'Aga Khan, et la seconde génération des nouveaux riches du monde entier...

— N'est-ce pas là une réflexion bien snob pour Paul Foster ?

— Sans doute. Mais il n'y a rien de mal à être snob. Chacun l'est pour quelque chose, vous savez. Niki était déjà vulgaire dans sa prime jeunesse.

— Et vous ?

— J'étais simplement prétentieux et supérieur. La vérité, c'est que nous étions destinés par la tradition familiale à devenir ennemis. Une seule personne pouvait contrôler la fortune de la famille, et ce devait être Niki plutôt que moi parce qu'il était le fils du frère aîné. Mais je suppose qu'il ne doit pas être entièrement mauvais, puisque vous l'avez aimé.

— Personne n'est *entièrement* mauvais, Paul. »

Il secoua la tête. « On voit que vous êtes américaine, dit-il. En tant qu'Européen ayant grandi pendant la Seconde Guerre mondiale, je me verrai dans l'obligation de vous contredire... Parlez-moi de vous. Je me lasse de toujours évoquer ma famille. »

Paul semblait l'écouter avec plaisir. Il l'interrogea sur son enfance et l'écouta calmement raconter comme son père se tuait à boire, sous le poids de quelque secrète peine si bien enterrée dans son âme réticente d'Anglo-Saxon protestant, que jamais elle ne s'était révélée.

Il paraissait fasciné par la famille de Diana, peut-être parce que la sienne propre demeurait un mystère. Il hurla de rire quand Diana lui raconta comment elle avait fait connaissance du jeune comte de Winchester, un jour qu'il était entré par erreur dans les toilettes réservées aux femmes, chez Wheeler's, à Compton Street. Avec l'aisance d'un véritable aristocrate, il s'était aussitôt présenté, la braguette déboutonnée et le pénis à la main, tandis qu'elle était assise sur le siège, sa jupe relevée jusqu'aux hanches et sa culotte aux chevilles. Le comte avait par la suite pris l'habitude de dire qu'il avait épousé Diana parce qu'il ne risquait aucune déception — avec la plupart des blondes, on découvrait trop tard si elles étaient vraies ou fausses, tandis que chez Diana il avait vu les poils de son pubis en premier, et savait donc qu'elle était une vraie blonde. « Et puis, lui raconta-t-il par la suite, tu ne portais pas ces horribles collants, et cela m'a enchanté — ils ont mis fin au flirt poussé dans les taxis. »

Paul riait de bon cœur tout en mangeant. Il lui parla un peu de ses premières années à New York, quand il avait travaillé comme garçon de courses pour une société de courtage de Wall Street et que, simplement en ouvrant bien les oreilles, il avait transformé son « enjeu » de vingt mille dollars en deux cent mille dollars qui lui avaient permis, par une série de coups judicieux et grâce à de gros investisseurs, d'acquérir en son propre nom une usine d'armes en faillite, dans le Connecticut, juste au moment où la guerre de Corée en avait fait une affaire juteuse. C'était là qu'il avait trouvé Savage, alors trésorier adjoint de la société, qu'il avait invité à un dîner bien arrosé à Harford, et convaincu de rester avec lui.

« Vous devez avoir en lui une confiance totale, dit Diana.

— Pas du tout, répondit Paul en buvant une gorgée de vin. J'ai fait

de lui un homme riche, et naturellement, il m'en tient rigueur. » Elle observa que Paul demeurait réticent sur la question des vingt mille premiers dollars, ou du rôle de Meyerman dans sa bonne fortune. Il retenait toujours quelque chose.

Après le déjeuner ils regagnèrent le Ritz — auquel Niki avait toujours préféré le George-V. Ils passèrent le reste de l'après-midi à faire l'amour, avec une passion lente, retenue, croissante. « C'est le Ritz qui fait cela », expliqua Paul tandis qu'ils reposaient ensemble sur le lit dans l'élégante chambre grise, en regardant les ombres s'allonger. « Je crois que la colonne de la place Vendôme sert en quelque sorte d'inspiration phallique. Quand Sacha Guitry vivait au Meurice, il gardait une suite ici pour ses rendez-vous avec des femmes. Il prétendait que son ardeur sexuelle était bien moindre dans d'autres hôtels. »

Ils descendirent ensuite prendre un verre au bar de l'hôtel, où Georges, le vieux barman, semblait savoir exactement ce que Paul voulait et fit en sorte de les placer à une table tranquille. Puis ils allèrent dîner sur la rive gauche. Quand ils revinrent à l'hôtel, la suite était pleine de paquets — de la lingerie, des parfums, des produits de beauté, des pantalons de soie blanche et des bustiers, et même une douzaine de bikinis de diverses couleurs. « Pourquoi des bikinis ? » demanda Diana, bien qu'elle fût en vérité surprise par l'ensemble, ainsi que par la préméditation du geste, le choix précis des tailles — Paul avait dû faire courir le personnel de son bureau parisien.

« Ah ! dit Paul avec un sourire coupable, c'est une petite surprise. Je dois voir quelqu'un dans le Midi. J'ai pensé que nous pourrions prendre l'avion pour Nice demain matin et nous installer à l'Hôtel du Cap, à Antibes. »

Pendant un instant, Diana éprouva un violent mélange de colère et de déception. Il lui semblait se trouver une nouvelle fois avec Nicholas, qui ne lui parlait jamais de ses projets et escomptait qu'elle s'y soumettrait, même à la dernière minute. A la vérité, Niki tirait une certaine fierté de ces surprises, qui visaient moins à plaire qu'à faire la preuve de sa puissance et à faire fléchir Diana.

Au début, elle avait presque toujours cédé, sacrifiant même son propre enfant, et cela avait été une erreur, car Niki avait cru voir dans sa détermination croissante à ne pas céder le signe qu'elle ne l'aimait plus. Il était incapable de comprendre qu'on pouvait l'aimer, et pourtant contester son choix d'un restaurant ou sa décision d'aller skier à Saint-Moritz sans même donner le temps à Diana de faire quelques emplettes, de préparer ses bagages, et d'annuler ses rendez-vous. Il semblait à présent que Foster fît exactement la même chose.

« Ne parlez-vous jamais de vos projets à l'avance, Paul ? » demanda-t-elle.

Il la regarda, puis soupira. Contrairement à Niki, songea-t-elle, il avait assez de sensibilité pour comprendre aussitôt où se nichait le problème. Ce n'était pas un homme que l'on pût duper aisément. Il garderait toujours une longueur d'avance sur vous. Malgré sa colère, Diana appréciait cette qualité.

« Erreur de jugement, admit Paul. Voilà ce qui arrive, quand on joue son rôle public en privé, je suppose. J'aurais dû m'en douter. D'ailleurs, Dawn s'en plaignait aussi. J'ai l'habitude de prendre mes décisions très vite, de tout garder pour moi jusqu'à la dernière minute, et puis de prendre les gens par surprise.

— C'est offensant, vous savez. Je suis une femme adulte et habituée à l'argent, et non pas de ces aspirantes à l'état de starlettes qui vont tomber dans votre lit pour un voyage à Nice et quelques bikinis. Je vaux plus que cela. »

Paul leva les mains comme un boxeur cherchant à esquiver les coups.

« Vous avez gagné, dit-il. Je ne supporte pas les querelles, et de toute façon vous avez cent pour cent raison. Disons, quatre-vingt-dix pour cent. Je ne cherchais pas à vous acheter.

— N'essayez pas, je vous en prie. Niki cherchait à m'acheter. Vêtements, bijoux, manteaux de fourrure, il était prêt à me donner tout sauf ce que je voulais. Il croyait toujours qu'un sac Hermès en crocodile ferait l'affaire, ou même un diamant s'il le fallait. C'était sa façon de résoudre les problèmes, voyez-vous...

« Il se comportait mal, nous nous disputions, il m'achetait un cadeau très luxueux en guise d'excuses, et puis il voulait que je saute aussitôt dans le lit avec lui pour prouver que je lui avais pardonné. Si j'acceptais le cadeau et que je me laissais faire, l'incident était clos en ce qui le concernait, il pouvait repartir et recommencer à mal se conduire. Si je n'acceptais pas, alors bien sûr il se conduisait encore plus mal. Je ne veux plus de ce genre de relation et, si c'est ce que vous avez en tête, rompons tout de suite.

— Curieusement, je comprends très bien. Je n'aime pas tellement les surprises non plus. Vous êtes une femme aux convictions fermes, ma chère. J'aime beaucoup cela. »

Diana réfléchit un moment. Elle n'était pas du tout certaine d'avoir des convictions tellement fermes.

« Non, dit-elle, mais c'est simplement que je n'aime pas être exploitée ni tenue en servitude. Je préfère être respectée plutôt que choyée. Niki m'aurait donné tout ce que je voulais, mais je ne voulais vraiment que de la tendresse, de la compréhension. Nous avions tout cela, mais il l'a repris et le reste n'avait plus guère d'importance. Sans doute étais-je idiote de croire que nous pourrions repartir de zéro, et d'attendre aussi longtemps.

— Non, pas idiote. Optimiste, peut-être. Et loyale. Ce ne sont pas

de mauvais traits de caractère, je dois dire. La vérité, c'est que je n'ai connaissance de cette affaire que depuis quelques heures. J'aurais dû vous en parler plus tôt. Je ne commettrai plus ce genre d'erreur. Voyez-vous, il est difficile de s'habituer au bonheur. Il faut se défaire des anciennes habitudes.

— Vous êtes pardonné », déclara Diana en l'embrassant, car il paraissait réellement navré et, l'espace d'un instant, elle craignit de s'être laissé emporter trop loin. Il y avait un certain plaisir, elle se l'avoua, à s'abandonner aux projets de Paul. Au cours de ces deux dernières années, comme Niki avait passé plus de temps loin d'elle, elle avait acquis l'habitude de prendre ses propres décisions, le plus souvent en dépit des violentes objections de Niki. Elle éprouvait quelque soulagement à laisser Paul reprendre la direction des choses ; comme pour un départ en croisière où l'on aurait béatement baigné dans le luxe tandis que le capitaine aurait déterminé le parcours sans consulter les passagers. Et puis la curiosité n'y était pas étrangère, elle ne pouvait le nier... Peu à peu, Paul l'entraînait dans son univers, lui révélant comme par jeu, mais peut-être pas délibérément, des fragments de la vérité et déployant une séduction qui n'avait rien à voir avec la sexualité mais impliquait ses secrets et sa vie intime.

« S'agit-il d'une affaire importante ? demanda-t-elle tout en l'embrassant.

— Une simple question subsidiaire à classer. Je ne crois pas que nous en tirions grand profit, mais ce pourrait être intéressant. Je pense que nous déjeunerons demain à La Colombe d'or. Mais vous aurez le temps de vous baigner avant, si nous décollons suffisamment tôt.

— Et vous ?

— Non », soupira-t-il en détachant délicatement le soutien-gorge de Diana pour lui embrasser les seins, mais je vous regarderai... »

Diana réfléchit seulement plus tard que les cicatrices de son dos avaient peut-être quelque chose à voir dans la réticence de Paul à se montrer en public autrement que vêtu de son habituel costume. « Je suis sûr que La Colombe d'or vous plaira », déclara-t-il en se déshabillant.

« Je n'ai jamais été aussi heureuse », confia Diana à Paul tandis qu'il lui tenait le bras pour entrer dans le restaurant de La Colombe d'or à Saint-Paul-de-Vence.

Et c'était bien vrai, songeait-elle. Il était de ces rares hommes qui semblent aimer sincèrement les femmes.

Avec les autres hommes, il apparaissait sur la défensive, soupçonneux, renfermé et l'on comprenait aisément pourquoi fort peu d'entre eux avaient de la confiance ou de la sympathie pour lui. Les femmes ne

le menaçaient pas — en partie, supposa Diana, parce qu'il avait une étrange innocence démodée à leur égard. Une part importante du monde moderne semblait lui être inconnue. Le mouvement de libération des femmes n'avait eu aucun impact sur lui — des secrétaires dévouées l'entouraient, dont les aspirations, si même elles en avaient, ne lui étaient pas communiquées. Isolé par l'argent, le pouvoir et son propre besoin de solitude, Paul demeurait ignorant des exigences des femmes et des changements de leur existence. Quelque part, au-dessous de Savage, son organisation comprenait des gens qui s'occupaient des questions générales, de politique sociale, des problèmes de minorités. Foster ne s'en préoccupait pas ; il ne s'intéressait qu'aux « questions sérieuses ».

Paul se montrait réticent pour parler des femmes de sa vie, bien que Diana eût immédiatement perçu en lui une grande expérience. Il gardait le silence sur ce sujet. Contrairement à la plupart des hommes qui ont divorcé, il n'avait rien de mal à dire sur le compte de son ex-femme. Dans les rares occasions où le nom de Dawn Safire venait dans la conversation, il parlait de son mariage avec le calme détachement d'un homme relatant un investissement infructueux. Quand Diana lui demanda s'il la voyait encore, Paul dut réfléchir un moment.

« Quelquefois, dit-il. J'ai financé ses deux derniers films.

— Vous avez donc dû rester très proches ? »

Paul parut surpris et secoua la tête. « Pas du tout, expliqua-t-il. Mais elle représente une valeur sûre. »

Elle devina que pour un homme aussi actif et secret que Paul, un grand amour devait poser des problèmes. Cela supposait d'abord d'y consacrer beaucoup de temps. Et puis il devait trouver l'intimité difficile à supporter — à moins que la femme entrât dans ses plans. Diana se demanda si elle s'était trop facilement laissé entraîner dans ses projets, mais chassa cette pensée.

Elle avait déjà constaté que la réputation d'ascétisme de Paul était fort exagérée. Il était habitué à avoir le meilleur de tout et, de même que bien des hommes riches, nourrissait simplement l'illusion que son confort et même ses plaisirs étaient nécessaires à la marche de ses affaires. Un homme qui pensait en milliards ne pouvait quand même pas se préoccuper de détails. Les gerbes de fleurs, l'avion personnel, les limousines, tout cela constituait des dépenses déductibles, et donc pas des luxes. Il pouvait acheter tout ce qu'il voulait, mais il n'avait besoin de rien acheter. Mobiliers anciens, vêtements, repas, ordinateurs, téléphones, avions, tout était payé par la compagnie et astucieusement déguisé en frais généraux par une armée de comptables. Il avait certainement trouvé un moyen de faire passer ses petites amies sur ses notes de frais. Paul ne prenait certainement pas la peine d'y réfléchir :

ce devait être fait pour lui. Son bien-être et celui de la compagnie étaient inséparables.

A deux reprises il était sorti de son rôle — en épousant Dawn, et en constituant sa collection d'art. Ces deux initiatives l'avaient apparemment exposé à plus de tapage qu'il n'en désirait, et il avait reculé. Dawn avait obtenu le divorce et les tableaux avaient disparu hors de sa vue. Diana se demandait jusqu'où il supporterait cette expérience-ci et s'il s'écarterait d'elle au premier indice de curiosité extérieure.

Elle espérait que non. Paul Foster était un homme compliqué, mais il était apparu dans sa vie au bon moment. Elle voulait le garder, même si cela devait l'amener à jouer un rôle dans le jeu qu'il jouait contre Matthew Greenwood. Et puis il y avait quelque chose d'excitant à *faire partie* de quelque chose plutôt que de rester la spectatrice tenue à l'écart que Niki avait fait d'elle, en soumission aux exigences de son père. Quoi qu'il en fût, elle trouvait bien difficile d'éprouver la moindre inquiétude dans le midi de la France, où Paul semblait parfaitement chez lui et à son aise. Ici, il n'était pas étranger — l'argent faisait de vous un membre à part entière.

On pouvait deviner que Paul parvenait à faire entrer au moins *certains* des plaisirs réservés aux riches dans son emploi du temps, lorsqu'ils pénétrèrent dans le restaurant. On l'accueillit avec déférence, en client de grande valeur. A sa manière courtoise et grave, il salua le personnel dans un français impeccable, s'enquérant de la santé des épouses, des enfants, des parents âgés. Diana provoqua des expressions d'admiration quand Paul la présenta comme sa « chère amie ». La vieille Mme Roux elle-même quitta sa cuisine d'une démarche dandinante pour serrer Paul sur son cœur et examiner Diana, puis elle hocha la tête d'un air approbateur en les menant à une table isolée au fond du jardin et dissimulée à la vue par un pan de mur et un olivier.

« Ici, vous êtes bien tranquille », déclara Mme Roux en claquant des doigts à l'intention du personnel.

« Venez-vous souvent ? interrogea Diana tandis qu'il acceptait un verre de champagne et le levait en silencieux hommage à Diana.

— On peut déjeuner ici sans trop attirer l'attention — on n'y rencontre ni touristes ni journalistes en quête de ragots. Onassis y venait souvent avec la Callas — il occupait cette table même — et personne ne faisait attention à lui. Même quand il venait avec Jackie, par la suite, ils pouvaient déjeuner tranquillement... Mais Mme Roux préférait la Callas.

— Pourquoi ?

— La Callas mangeait davantage. Et puis elle traitait mieux Onassis que ne le faisait Jackie. Elle lui découpait ses radis, les salait et les lui mettait dans la bouche. Mon père était un habitué, ici, avant la guerre. Il adorait la France et ma mère adorait la bonne cuisine... En ce temps-

là, ce n'était qu'un bistrot de village. Saint-Paul-de-Vence était alors une bourgade d'artistes qui, quand ils ne pouvaient pas payer, donnaient des toiles au vieux Roux. Heureusement pour lui, il y avait parmi eux Picasso, Derain, Matisse, Braque... Évidemment, c'est devenu très élégant, mais cela m'est égal.

— M. Roux vit encore ?

— Non, non. Mme Roux porte son deuil depuis de très nombreuses années — en fait, je crois qu'elle a commencé à porter du noir avant sa mort, pour s'habituer.

— Vous ne veniez pas seul, Paul, n'est-ce pas ? »

Il sourit et fit signe au serveur de remplir leurs deux verres.

« Vous commencez déjà à m'interroger sur mon passé — vous devez donc être amoureuse ! Les femmes amoureuses veulent toujours savoir qui les a précédées. Les hommes, au contraire, ne veulent pas en entendre parler. Ils veulent se croire premiers !

— Aucune femme ne souhaite répéter les erreurs de celles qui l'ont précédée. »

Il posa doucement une main sur celle de Diana.

« Cela ne risque pas de se produire.

— Quel merveilleux endroit où venir avec quelqu'un qu'on aime. Pas seulement le restaurant, mais tout ce midi de la France.

— Oui... C'est aussi un merveilleux endroit où venir quand on n'est pas épris. Je venais souvent ici avec Dawn.

— Vous n'étiez pas épris de Dawn ? »

Paul contempla fixement la mer pendant un moment.

« Lapsus freudien, dit-il. En considérant les choses avec du recul, Dawn coïncida avec une période où j'aspirais à mener une existence moins... *sévère,* peut-être. J'avais acheté un studio de cinéma et il semblait donc parfaitement naturel d'épouser une vedette.

— Vous n'avez tout de même pas décidé cela froidement !

— Non, non, je ne l'ai pas décidé froidement du tout ! Je parle avec le recul, comprenez-vous. Je suis venu ici avec quantité de femmes, c'est vrai, mais jamais avec une femme que j'aimais. Jusqu'à maintenant. En vérité, si l'on excepte Dawn envers qui j'éprouve une certaine affection teintée de respect, pour vous exprimer très précisément mes sentiments, vous êtes la seconde femme que j'aie vraiment aimée dans ma vie. »

Diana le contempla, et haussa un sourcil.

« Quelle franchise rafraîchissante ! La plupart des hommes prétendent n'avoir jamais aimé d'autre femme que vous. Je ne suis pas certaine de tellement aimer venir en second.

— Deux en cinquante ans, ce n'est pas tellement.

— Qui était la première, Paul ? »

Il hésita un moment. Il n'avait pas l'habitude de parler de lui-même,

et sans doute était-ce la raison pour laquelle Diana le croyait. Il lui offrait un aperçu de vérité, pas beaucoup, mais c'était probablement ce qu'il avait de plus précieux à lui donner. Tout le reste n'était jamais qu'une question d'argent et l'argent, pour un homme comme Paul, ne représentait rien.

Diana sentait qu'il n'en avait jamais parlé à personne. La plupart des hommes parlent de leurs anciennes amours, de leurs ex-épouses avec une aisance due à l'habitude, elle le savait bien. Tant de femmes leur avaient posé les mêmes questions que leurs réponses étaient réglées à la perfection. Ils savaient suggérer qu'aucun amour encore n'avait été aussi délicieux, aussi sincère, aussi réel que celui-ci — les femmes voulaient toujours entendre le même refrain — et ils avaient depuis longtemps transformé leurs mariages et liaisons passés en petits répertoires d'anecdotes soigneusement répétées et mises au point.

Après tout, pourquoi pas ? Les femmes avouaient rarement aux hommes que leurs amants précédents avaient été plus beaux, plus riches, ou plus agréables au lit. Tout le monde retaillait son passé selon les exigences du présent, à l'exception peut-être de Foster, pour qui le fait même d'en parler semblait constituer une expérience nouvelle.

« Il y a très longtemps de cela.

— Pendant la guerre ?

— Non, non, j'étais trop jeune. Cela date d'après la guerre, à Londres. J'étais très pauvre, et extrêmement amoureux. Meyer se moquait sans cesse de moi. Il disait : “ Les femmes font moins d'histoires pour coucher avec un homme qu'elles n'aiment pas, Pali, parce que pour elles cela ne compte pas. ” » Paul se mit à rire. « Déjà à cette époque-là, Meyer était réaliste. Je dois dire qu'il avait raison. Meyer n'avait jamais le moindre mal à trouver des filles.

— Je ne puis croire que vous ayez rencontré des difficultés.

— Oh ! j'étais très timide. En tout cas, j'étais amoureux.

— Qui était-elle ?

— Une Anglaise, répondit Paul avec un soupir. Extrêmement jeune. Ses parents voyaient cela d'un très mauvais œil. J'étais un réfugié, un étranger sans aucun avenir... Curieusement, vous lui ressemblez beaucoup. Cela m'a frappé, la première fois que j'ai vu votre photo, et plus encore quand je vous ai rencontrée. Mais à présent j'observe bien les différences.

— Je l'espère. Personne ne souhaite être aimé pour sa ressemblance avec quelqu'un d'autre.

— Ne vous inquiétez pas. Ce n'était qu'une impression. Vous avez ravivé quelques anciens souvenirs, mais peut-être était-ce une bonne chose. Sans cela, nous ne nous serions jamais connus.

— Que lui est-il arrivé, Paul ? »

Foster haussa les épaules, comme si la fin de l'histoire ne revêtait aucune importance particulière.

« Elle est morte, répondit-il d'une voix soigneusement neutre. En accouchant.

— Et le bébé ?

— Le bébé aussi. »

Il frappa dans ses mains pour écarter le sujet.

« Voilà qui suffit ! dit-il. J'en suis longtemps resté hanté, mais c'est terminé, à présent. Je n'ai plus de cauchemars...

— Je l'espère. Vous m'avez. »

Il acquiesça.

« Je sais. Levons nos verres à ce nouveau bonheur. Embrassons-nous même. Mais vite, s'il vous plaît, car nous avons un invité à déjeuner.

— Un invité ? Qui ?

— Disons simplement qu'il s'agit d'une voix du passé. Je pense que vous le trouverez fascinant... Je ne l'ai pas revu depuis des années, en ce qui me concerne. »

Avant qu'elle pût demander qui était ce mystérieux personnage, Mme Roux arriva à la tête d'une armée de serveurs chargés de plateaux de crudités, de pâtés, de pain et d'olives et se lança avec Paul dans une description minutieuse du mode de préparation des langoustes qu'elle était déterminée à lui servir, ce qu'il accepta avec un geste des mains pour indiquer qu'il s'en remettait entièrement à elle.

« Pourquoi les restaurateurs vous aiment-ils tant, alors que vous sortez si peu ? demanda Diana.

— C'est très simple. D'abord, je suis riche. Ensuite, je suis fidèle. Et enfin, je viens avec de très belles femmes. Les deux choses qu'un restaurateur déteste le plus, ce sont les hommes pauvres et les femmes laides. S'il n'y a pas de belles femmes dans un restaurant, il paraît *miteux.* » Paul ponctua ce dernier mot d'un sourire triomphant, ravi d'avoir trouvé le mot juste. « Quand Meyerman n'était encore rien du tout — quand il n'était même pas encore Sir Meyer — il fréquentait les meilleurs restaurants sans avoir un sou pour payer. Il signait la note, et les restaurateurs savaient qu'il ne pourrait pas les payer avant des années, mais ce n'était pas grave car il était toujours accompagné de femmes superbes. S'il était venu seul, on l'aurait chassé ou poursuivi en justice. Évidemment, les gens voyaient bien que Meyer monterait très vite — ah ! voici notre invité. »

Diana releva la tête et aperçut un homme de haute stature et exceptionnellement beau, apparemment âgé d'une bonne soixantaine d'années, qui traversait le jardin dans leur direction. Il était très bronzé et ses épais cheveux blancs brillaient ; il portait des espadrilles immaculées, un pantalon blanc à pont et une chemise de soie ouverte

sur une poitrine musclée et tannée au soleil. Même de loin, il semblait fort satisfait de lui-même, et se tenait très droit comme un officier, avec un sourire figé sur ses lèvres révélant d'éblouissantes dents blanches. Il portait autour du cou plusieurs fines chaînes d'or et, au poignet, une lourde gourmette en or où scintillaient plusieurs diamants.

Il salua en heurtant ses talons, mais sans bruit à cause des semelles de corde, et s'inclina en approchant de la table, « *Herr* Foster ? » demanda-t-il.

Paul se leva, et ils échangèrent une poignée de main.

« *Bitte, setzen Sie sich, Herr Oberst* », dit-il. Tandis qu'ils s'asseyaient, Paul inclina la tête vers Diana en annonçant : « Mademoiselle Diana Beaumont. »

Son invité se remit aussitôt debout, prit la main de Diana et la baisa, puis déclara en français : « *Enchanté !* » d'une voix suggérant que cette présence ne l'enchantait nullement. Du regard il comptabilisa les avantages de Diana, mais manifestement sans éprouver la moindre admiration ni le moindre intérêt. Ses yeux semblaient au contraire exprimer un troublant mélange de crainte et d'hostilité, qui contredisait son sourire.

« Permettez-moi de me présenter », reprit-il dans un anglais très acceptable — mais avec un accent curieusement difficile à situer, un mélange d'allemand et des voyelles amples que l'on prononce à Harvard. « Colonel Günther Freytag von Lorenberg, pour vous servir. »

« Vous savez, déclara aimablement Lorenberg en étalant du pâté sur du pain, la France est le seul endroit où l'on puisse vivre décemment. En Allemagne, quand on veut décrire le bonheur parfait, on dit " Heureux comme le roi de France ". Je porte un grand amour à ce pays.

— Y vivez-vous depuis longtemps ? » demanda Diana.

Nouveau sourire éblouissant — le colonel avait un très bon dentiste.

« Depuis des années, dit-il. J'en avais toujours rêvé. J'ai déjeuné ici pour la première fois en 1942.

— Pendant l'Occupation ?

— *Aber natürlich.* Mes fonctions me conduisaient fréquemment en France. Le Ritz à Paris, l'Hôtel du Cap... C'était évidemment moins cher, à l'époque. On payait alors en monnaie d'occupation, en tickets de rationnement alimentaire. Dix litres d'essence vous procuraient un repas trois étoiles. Un litre, une femme, ajouta-t-il avec un sourire mauvais en direction de Diana.

— Vous semblez vivre encore fort bien, colonel, observa Paul.

N'avez-vous pas eu trop de mal à obtenir un permis de séjour ici, après les procès de Nuremberg ? »

Lorenberg haussa les épaules, et but une gorgée de champagne. « Pas du tout. Les Français sont réalistes. J'avais une liste des biens français détournés par l'entreprise de Hermann Göring pendant l'Occupation. Cet arrangement suffisait à satisfaire mes besoins très simples : du soleil, un peu de vin, de bons repas, de la compagnie — encore qu'à mon âge je n'en aie plus guère besoin », ajouta-t-il d'un air ambigu en jetant un regard à Diana comme si elle lui avait offert ses services.

« Vous ne vivez donc pas seul ?

— Si, la plupart du temps. Mais on se fait si vite des amis, sur la Côte d'Azur — surtout en été, avec toute cette jeunesse sur les plages... Ah ! voici les langoustes ! »

Le colonel glissa soigneusement le coin de sa serviette dans le col de sa chemise, plaçant ses chaînes d'or par-dessus, et goûta sa langouste.

« Ah ! dit-il en inhalant l'arôme, en Allemagne nous disons toujours que les meilleurs *Hummer* — comment dit-on ?

— Langoustes, dit Paul.

— Bien sûr. Il y a si longtemps que je n'ai parlé l'anglais. J'oublie certains mots. Les meilleures langoustes sont les plus difficiles à ouvrir.

— Mais il existe toujours un moyen de les ouvrir. »

Lorenberg haussa les épaules. « Cela dépend. »

Diana comprenait bien que Lorenberg se trouvait là contre son gré, en dépit de ses transparentes démonstrations de bonne humeur, et elle se demandait quelles pressions Paul était parvenu à exercer sur lui pour l'amener à ce déjeuner. Peut-être avait-il simplement laissé traîner un appât intéressant, car Lorenberg avait cet air impatient de l'homme qui attend de se voir offrir un marché.

« Je suppose qu'Irving Kane a tenté de vous joindre ? demanda Paul.

— Qui est-ce ?

— Allons, allons, *Herr Oberst.* Ne perdons pas notre temps. Kane a très longtemps suivi votre piste. Moi aussi. Je présume que je suis arrivé avant lui ? »

Lorenberg acquiesça après un moment d'hésitation.

« Deux jours avant, oui.

— Sans doute veut-il vous interviewer pour son livre ?

— Puis-je vous demander en quoi cela vous concerne ?

— Disons simplement que je m'intéresse particulièrement à cette période de la guerre. Un dada d'homme riche, comme une collection de timbres.

— Et alors ? » Lorenberg retourna tout cela dans sa cervelle, puis secoua la tête. « Je n'ai rien à vous dire, déclara-t-il. Ni à ce Kane non plus.

— Je suppose que Kane vous dédommagerait appréciablement, colonel. Et à la vérité, moi aussi, pour des raisons qui me sont propres. Et je puis vous faire une meilleure proposition que Kane. »

Lorenberg examinait sa langouste avec une attention de chirurgien. Il ne paraissait pas impressionné.

« Je ne connais pas vos raisons, dit-il. Je ne *veux* pas les connaître. J'ai mes motifs personnels pour garder le silence. De toute façon, il est préférable d'enterrer le passé.

— Matthew Greenwood approuverait certainement ce point de vue. Sans doute vous a-t-il ordonné de vous taire si Kane venait vous voir, n'est-ce pas ? »

Le colonel but pensivement une gorgée de champagne. Ses yeux s'étaient rétrécis, et n'exprimaient rien de sympathique.

« Qu'est-ce qui vous le donne à croire ?

— Vous avez dû bien le connaître, autrefois, non ? »

Lorenberg disséquait sa langouste délicatement, prenant chaque patte l'une après l'autre et la suçant, et puis rinçait soigneusement ses doigts manucurés.

« Pas bien du tout, répondit-il d'un ton ferme.

— Mais c'est lui qui vous a acheté une villa, n'est-ce pas ? »

Lorenberg sourit à Diana en agitant sa fourchette à langouste. « Les pattes sont ce qu'il y a de meilleur, mademoiselle. Il faut les sucer, mais cela en vaut la peine. Les œufs sont également délicieux, quand on a la chance d'avoir une femelle. Chez moi, j'aime beaucoup retirer les œufs et les faire revenir dans un peu de beurre et de cognac, et ensuite je lie la sauce à la crème fraîche. » Il reporta son attention sur Paul. « Qu'est-ce qui vous le fait penser ?

— J'ai fait étudier tous les actes de transferts du cap d'Antibes depuis la guerre. Greenwood a acheté la maison du boulevard de la Garoupe en 1949, et vous l'a cédée en 1950 pour une somme non révélée. »

Diana trouva à Lorenberg l'air bien peu préoccupé par cette affirmation. Il porta à sa langouste le coup final, puis ôta sa serviette de son col.

« C'était un don généreux, dit-il, envers un camarade européen en détresse.

— Avec tout le respect qui vous est dû, colonel, vous étiez un nazi et un criminel de guerre. Si vous n'aviez pas collaboré avec la justice, vous auriez été pendu. Que saviez-vous donc sur Greenwood, pour qu'il vous offre une villa ? »

Avec un soupir, Lorenberg tourna son attention vers le grand plateau de fromages que le serveur avait apporté. Il prit la main de Diana et la pressa doucement en lui décrivant chaque spécialité en connaisseur ; il marqua son approbation en la voyant choisir un

fromage de chèvre d'un blanc crayeux. Quant à lui, il n'en prit aucun, et demanda un café filtre, un cigare, et un cognac.

« La ligne, expliqua-t-il tristement. Comment dites-vous, en anglais ? La silhouette, n'est-ce pas ? A mon âge, il faut manger modérément sans quoi l'on grossit... Dites-moi, *Herr* Foster, que savez-vous donc sur moi qui vous fasse penser que je parlerai ?

— Le projet Wotan. »

Lorenberg attendit poliment que Diana eût terminé son fromage, puis alluma son cigare avec soin.

« Wotan est une vieille histoire, dit-il en tirant béatement une bouffée. Les Alliés avaient examiné la pile, puis ils ont emmené tous les papiers et les savants. Ils étaient en avance sur nous, de toute façon. Dans le domaine des roquettes, nous avions de l'avance, mais pour la bombe, nous avions des années de retard... Tout cela moisit dans vos Archives nationales.

— Pas tout, Lorenberg. Il y avait les prisonniers qui travaillaient à l'usine. Le *Kommando* Wotan. Ils travaillaient dans la périphérie de Magdebourg, n'est-ce pas, pendant l'hiver 1945 ? »

Pour la première fois, Lorenberg parut se méfier. Il sentit l'arôme de son cognac d'un geste de connaisseur mais le but ensuite d'un seul trait, ce qui lui fit monter les larmes aux yeux et provoqua l'apparition d'une expression de dégoût méprisant sur le visage du sommelier, qui observait la scène de loin.

« C'est difficile à se rappeler, répondit Lorenberg en s'efforçant de ne pas tousser. Il y a si longtemps de cela. » Il sourit à Diana. « Vous comprenez, mademoiselle, beaucoup de choses regrettables se sont produites vers la fin de la guerre. Les gens mouraient de faim et ainsi de suite. Il y avait des épidémies. Personne n'a compté les morts.

— Ce n'est pas vrai, répliqua Paul implacablement. Les morts ont été comptés. Mais il y a eu une erreur, voilà tout.

— Personne n'a survécu, du *Kommando* Wotan, Foster. Personne ! *Das war der Befehl !* C'étaient les ordres.

— Ah ! mais les ordres ne sont pas toujours accomplis, même sous le Troisième Reich. Il y a eu des survivants, mon ami. Je le sais. » Paul goûta son cognac, adressa un signe d'approbation au sommelier, passa son verre à Diana pour le lui faire goûter aussi et adressa à Lorenberg un sourire froid, ses yeux bleu pâle durement fixés sur le visage du colonel. « Voyez-vous, *mein lieber Herr Standartenführer,* j'étais l'un d'eux ! »

Lorenberg fit signe au sommelier de lui apporter un second cognac et contempla le bout de son cigare. « Je vois, déclara-t-il d'un air morose. Y en a-t-il eu d'autres ? »

Paul acquiesça.

« Vers la gauche de la clairière, à une centaine de mètres de l'endroit

où vous vous teniez. Stumpff n'a pas achevé tout le monde. Il buvait beaucoup.

— Stumpff était un imbécile. Il n'aurait pas dû être nommé *Sturmscharführer,* pour commencer. J'aurais dû le faire fusiller ou l'expédier sur le front russe, l'immonde ivrogne.

— Je suppose qu'il avait quelque chose sur vous, sans quoi vous l'auriez fait. Quoi qu'il en soit, je ne suis pas l'unique survivant. Je détiens des dépositions signées, certaines provenant de citoyens allemands résidant actuellement en Allemagne, et d'autres venant d'Israël. Il ne devrait pas être bien difficile de retrouver l'emplacement du charnier et de creuser. Je pense qu'il y a largement de quoi vous faire extrader vers la mère patrie, même pour le tribunal le plus réticent. Bien entendu, la peine de mort n'existe plus et, comme vous le disiez si justement, il y a maintenant bien longtemps de tout cela. Avec de la chance, vous ne ferez pas plus de cinq ans. Plus de soleil ni de langouste. C'est encore bien peu pour plusieurs centaines de morts.

— Six cent vingt-trois, si cet idiot de Stumpff avait compté proprement. » Il paraissait très satisfait de sa mémoire précise, bureaucratique. Il ferma un instant les yeux, puis se décida. « Bon, dit-il. J'avais un exemplaire du contrat signé par Greenwood avec la société Hermann Göring Werke et les SS pour le partage de ses bénéfices — et tous les dossiers sur Wotan.

— Qu'en avez-vous fait ?

— Que croyez-vous ? Je les ai portés à Greenwood, et il me les a rachetés.

— Ne craigniez-vous pas qu'il vous tue ?

— Après ce que j'avais vécu ? Ne soyez pas idiot, Foster. J'avais déposé des copies notariées chez un avocat, à Zurich. Le docteur Zengli. Il a pour instructions de n'ouvrir ces documents que si je meurs de causes non naturelles, auquel cas il doit les adresser au ministère de la Justice des États-Unis. Tant que je vis, il ne peut pas les ouvrir, même si je le lui demande. Et si je meurs de mort naturelle ou de vieillesse, il les brûle. Excellent arrangement pour le vieux Grünwald — pardon, *Greenwood* — comme pour moi. Je vous assure qu'il manifeste une touchante préoccupation pour ma sécurité.

— Fort ingénieux.

— Oui, reconnut Lorenberg avec satisfaction. C'est un système fondé sur la méfiance mutuelle. Que pourrait-on trouver de plus sûr ? »

Diana contemplait les deux hommes en buvant son café. A présent qu'il avait joué sa carte, Paul se détendait.

« J'espère que nous ne vous ennuyons pas, Diana, dit-il.

— Pas du tout. Mais que diable faisiez-vous dans un camp de travail en 1945 ?

— Oh ! il s'agissait d'une expérience fort commune, croyez-moi. Cela faisait partie d'une éducation européenne.

— Pas aussi commune que vous le prétendez, intervint Lorenberg d'un ton professionnel. Les responsables d'Auschwitz avaient pour ordre péremptoire de ne nous envoyer que des hommes aptes au travail. Nous avions priorité absolue auprès du commandant Höss — marchandises de première classe, pas de squelettes ambulants ni d'enfants ! Évidemment, votre cas était particulier.

— Un cas particulier ! Mon père est mort là-bas et j'aurais été enterré dans votre charnier si Stumpff n'avait pas si mal tiré.

— Il était excellent tireur à jeun, le pauvre. Je me souviens très bien de vous — le petit Grünwald ! Mais votre visage a beaucoup changé. On ne vous reconnaîtrait pas aisément... Bah ! j'ai tenté tout ce que j'ai pu pour vous, mais à la fin je ne pouvais plus rien faire. Nous avions reçu l'ordre impératif de faire disparaître tout le monde — *Nacht und Nebel.* Vous deviez tous vous perdre dans la nuit et le brouillard, comme on disait alors. A cette époque, bien sûr, nous avions pris beaucoup de retard dans nos recherches...

— Vous étiez également à Budapest, à la fin.

— La fin de quoi ?

— Quand Matthieu est parti. »

Lorenberg acquiesça.

« Je l'ai ramené de Vienne dans ma voiture après la rencontre avec Schiller. Nous nous sommes arrêtés à Raab pour boire quelque chose. Il me parlait de Darwin pendant le voyage, et je l'entends encore me dire qu'il s'agissait simplement de la survie des plus solides — il fallait considérer la vie d'un point de vue scientifique.

— Vous étiez présent quand mon père et lui partagèrent entre eux les possessions de la famille de Grünwald ?

— Pourquoi supposez-vous cela, Foster ?

— Mon père me l'a dit juste avant de mourir. »

Lorenberg soupira.

« Il s'est passé tant de choses regrettables... Oui, j'étais présent. Votre père s'inquiétait de devoir rester en arrière tandis que Matthieu partait pour la Suisse, et Matthieu a donc accepté de procéder au partage des biens en geste de bonne foi. A un moment, votre mère apporta du café, il était très tard dans la nuit. Mon Dieu, quelle belle femme elle était ! Ce qui est arrivé est bien dommage...

— S'agissait-il d'un document compliqué ?

— Non, le temps pressait. C'était une simple lettre. Matthieu la rédigea à la main, votre père et lui-même la signèrent, ainsi que moi-même en qualité de témoin, puis les deux frères tombèrent dans les bras l'un de l'autre et s'embrassèrent. Ce fut une scène très émouvante. Bien sûr, vous deviez dormir à poings fermés dans votre chambre.

— Qu'a fait mon père de la lettre ? Il m'a dit qu'il l'avait cachée en un lieu sûr, en votre présence.

— La réponse à cette question a une grande valeur, n'est-ce pas ? Vous n'espérez quand même pas que je vous la dirai pour rien.

— Vous avez parfaitement raison, répondit Paul en tirant de sa poche une épaisse enveloppe qu'il posa sur la table. Voici les originaux des dépositions faites contre vous. Elles vous appartiennent. Vous pouvez les brûler, les faire disparaître dans le *Nacht und Nebel* et les oublier.

— J'espérais quelque chose de plus généreux.

— Que pourrait-il exister de plus généreux, Lorenberg ? Je vous offre la paix de l'esprit.

— Il pourrait y avoir des copies, suggéra prudemment Lorenberg.

— Les copies se trouvent également dans l'enveloppe. Vous savez aussi bien que moi qu'un tribunal allemand, dans une affaire de crime de guerre impliquant un citoyen allemand, exigerait de voir les originaux signés. Pensez au soleil, au vin, aux repas fins — et à tous ces beaux jeunes gens sur les plages... Vous achetez la sécurité et le confort, *Herr Standartenführer.* Vous ne pourriez pas faire une meilleure affaire. »

Lorenberg prit l'enveloppe, l'ouvrit avec un couteau, et parcourut rapidement les papiers. « Très bien, dit-il. Votre père a placé la lettre dans le buste. »

Paul se pencha en avant, surpris.

« Le buste ?

— L'ai-je mal dit ? *Die Büste.* Le buste ? Lorsque votre oncle Matthieu s'absenta, votre père jeta un coup d'œil autour de la pièce et décida de dissimuler cette lettre en un lieu sûr. Il ne voulait pas l'emporter partout avec lui, mais voulait pouvoir la reprendre facilement. Vous vous souvenez de l'énorme buste en bronze de Göring que possédait votre oncle ? Votre père l'inclina et glissa la lettre à l'intérieur, puis le replaça soigneusement sur son socle de marbre.

— Et il l'y a laissée ?

— Je l'imagine. Quand les choses ont tourné si mal, ce ne devait plus lui sembler tellement important. Il n'aurait pas davantage survécu à Auschwitz.

— Une dernière question, Lorenberg. Qu'est-il advenu du buste ? »

Lorenberg se mit à rire. « Un buste de Hermann Göring ! Pauvre gros Göring. Il croyait garder à jamais un buste dans chaque ville d'Allemagne ! »

Il se leva, baisa la main de Diana, et se tourna vers Paul avec un hochement de tête, regagnant progressivement la maîtrise de lui-même. « Après être allé aussi loin, dit-il, sans doute n'ai-je plus guère

de raison de m'arrêter. Je vous remercie pour ce délicieux déjeuner et cette charmante occasion de remâcher l'ancien temps — le bon vieux temps, hein ? Quant au buste, il n'est pas bien difficile à trouver. La dernière fois que je l'ai vu, il était sur le yacht de Matthew Greenwood, avec le reste de ses souvenirs. Vous n'avez qu'à vous rendre au port de Cannes, monter à bord et faire basculer le socle ! Et comme votre oncle sera heureux de découvrir que son cher neveu a survécu ! Au revoir, mademoiselle. *Auf wiedersehen, Herr Grünwald !* »

Il ponctua ses adieux d'un regard chargé de sous-entendus et disparut derrière les oliviers d'une démarche athlétique et souple d'ancien officier.

9

« C'est vraiment spectaculaire », déclara Diana comme ils étaient attablés à la terrasse de La Voile au vent, sur le quai Saint-Pierre, face au port de Cannes. Paul acquiesça d'un air sombre sans détourner les yeux du yacht de Matthew Greenwood, amarré au quai comme un géant parmi les Pygmées. Cet ancien vaisseau garde-côte de la Seconde Guerre mondiale était de loin le plus gros yacht de tout le port, avec son élégante cheminée verte surmontée d'un haut mât hérissé d'antennes. Un hélicoptère était posé sur la plate-forme arrière. Il y avait même une piscine sur le pont arrière, pour ceux que ne tentait pas un plongeon dans la mer.

En haut de la passerelle se trouvait un portillon d'acier fermé et, derrière, un vigile et un membre d'équipage montaient la garde. La nuit, cette passerelle était gardée et éclairée par des projecteurs. Une pancarte fixée au portillon d'acier indiquait :

STRICTEMENT DÉFENDU D'APPROCHER SANS PERMISSION
SURVEILLANCE 24 HEURES SUR 24

Le message était soigneusement répété en anglais, en allemand, en italien, en arabe et en espagnol, et renforcé par l'image d'un chien de garde montrant les crocs, sans doute pour le bénéfice des éventuels maraudeurs ne sachant pas lire.

Paul hocha la tête. Tendant le bras en arrière, il prit les jumelles des mains du garde du corps qui était assis derrière eux et examina le navire.

« Impressionnant, apprécia-t-il en reposant les jumelles. Il y a même des barbelés autour des aussières. Êtes-vous déjà montée à bord ?

— Jamais. Je ne comptais pas précisément parmi les chouchoutes du vieux. Il ne voulait pas me voir et j'avais peur de lui. Pendant des

années, Niki n'est pas allé chez son père parce que celui-ci ne m'acceptait pas, de sorte que nous n'avons pas souvent été invités à venir nous détendre sur le *Cosima*. Envisagez-vous de vous mettre au cambriolage ?

— Non. J'avais en effet envisagé une petite intrusion, mais ce navire n'offre guère de possibilités dans le domaine de l'effraction. Greenwood a su se faire conseiller admirablement pour son système de sécurité. Je connais des gens qui pourraient s'introduire à bord, mais il faudrait qu'ils sachent exactement où chercher le buste et le facteur temps est essentiel — ils ne pourraient pas fouiller partout. C'est en vérité une opération de commando qu'il faudrait organiser, plutôt qu'un cambriolage. Mais ce genre de choses attire trop l'attention. J'ai quelques autres idées... Venez, je crois que nous en avons assez vu. »

Paul entoura Diana de son bras et la ramena à la voiture, suivi du garde du corps. Il garda le silence tandis qu'ils parcouraient lentement le boulevard de la Croisette dans une intense circulation, traversaient à même allure Juan-les-Pins, puis empruntaient l'étroit et sinueux boulevard du Littoral vers l'Hôtel du Cap. Comme la voiture négociait le dernier virage, il désigna le toit d'une immense villa blanche en contrebas, séparée de la route par un rideau de pins et un haut mur de pierre.

« Voilà sa maison, annonça Paul. A portée d'Eden Roc par vedette. Je ne pense pas qu'il le fasse encore, mais parfois on fait contourner le cap au *Cosima*, quand le temps est calme, et on l'ancre devant Eden Roc pour qu'il puisse regarder les filles de son fauteuil roulant. Évidemment, de la route on n'aperçoit pas grand-chose de la villa Azur. On ne peut avoir une idée de sa dimension qu'en la voyant de la mer. D'immenses terrasses s'étagent jusqu'à la mer et un ascenseur vous porte au bas de la falaise pour pouvoir prendre un bain. On appuie sur un bouton, on descend cent mètres dans une cabine de verre et l'on entre directement dans la Méditerranée ! Cette villa appartenait à l'ancien Aga Khan — il avait fait construire l'ascenseur quand il était devenu trop gros pour emprunter l'escalier. »

Paul se pencha en avant et demanda au chauffeur d'entrer à Eden Roc.

« La fin d'après-midi, dit-il à Diana, c'est la meilleure heure pour un bain. Je vais passer quelques coups de fil et ensuite nous prendrons un verre en bavardant.

— Vous êtes sûr de ne pas vouloir vous baigner aussi ? »

Paul parut presque tenté lorsque le portier d'Eden Roc ouvrit la portière et qu'ils sortirent dans la chaleur douce du soir, mais il secoua la tête. « Je préfère vous regarder, dit-il. Je me contente fort agréablement d'être voyeur, avec vous. »

Il existe fort peu d'endroits, songea Diana, où l'on pourrait aussi facilement avoir honte de son propre corps que dans les vestiaires pour femmes d'Eden Roc. Sur certaines plages monokini de Saint-Tropez, où Niki Greenwood aimait à passer un moment pendant l'été loin de ce qu'il considérait comme l'atmosphère pesante d'Antibes, et aussi hors d'atteinte de son père, on pouvait aisément se sentir de l'autre côté de la barrière à l'âge de trente ans, allongée là, sur le sable, au milieu de ces adolescentes aux seins fermes comme des bourgeons, à la taille fine et au petit derrière musclé vêtu d'à peine plus qu'une ficelle entre les fesses ; mais, à Eden Roc, on se trouvait nue devant des miroirs, cuisse à cuisse avec des femmes parmi les plus belles du monde qui se tortillaient pour entrer dans leurs minuscules slips de bikini, scrutant leur bronzage ou, dans le cas d'une célèbre actrice française qui se trouvait à côté de Diana, peignant ses poils pubiens qui avaient été épilés, taillés de manière à former un cœur et teints en blond platine invraisemblable.

Diana n'éprouvait aucune angoisse à l'idée d'être nue — elle savait que son corps était beau — bien qu'ici les beaux corps et même les corps somptueux fussent monnaie courante. On racontait que le vieux marquis de Montauban avait offert deux cent cinquante mille dollars à la direction pour faire poser des miroirs sans tain dans les vestiaires d'Eden Roc et pouvoir profiter du spectacle. La rumeur circulait même que l'ambition de sa vie avait été réalisée.

Elle émergea du vestiaire dans l'un des bikinis que lui avait procurés Paul, descendit les marches et s'avança sur les rochers les plus chers d'Europe, mille mètres carrés de pierre et de béton couverts de corps d'hommes et de femmes qui bronzaient au soleil de cette fin d'après-midi.

Ce n'était point tant la chair qui attirait l'œil ici — on en voyait davantage sur les plages de Saint-Tropez —, mais l'éclat aveuglant de l'or sur la peau bronzée. Tout le monde semblait couvert de bijoux. Montres en or, bracelets en or, bagues en or, lunettes de soleil cerclées d'or pour les hommes ; les femmes arboraient des chaînes d'or autour du cou, de la taille, de la cheville, ou des trois à la fois, des bracelets, des boucles d'oreilles et même des bagues aux doigts de pied. Dans les rayons du soleil couchant, Eden Roc baignait dans une lueur d'or.

Diana rejeta ses cheveux en arrière, consciente du fait que plusieurs hommes se retournaient discrètement pour lui lancer des regards appréciateurs pendant qu'elle levait les bras avant de plonger, et nagea vigoureusement en direction du ponton flottant. Au loin, sur sa droite, elle apercevait une partie de la propriété de Greenwood, mais aucun signe de vie n'apparaissait dans la villa Azur, à l'exception d'un drapeau français flottant au sommet d'un mât, sur les rochers. Devant

elle, sur la terrasse supérieure d'Eden Roc, elle distinguait la silhouette incongrue de Paul Foster, debout, en costume sombre parmi les corps bronzés et les yeux tournés vers la villa de Greenwood. Elle éprouva envers lui un frémissement d'émotion, sans pouvoir déterminer s'il s'agissait de compassion et d'amour, et agita la main. Il se détourna et leva le bras en réponse, presque comme un gamin, et elle plongea du ponton pour regagner la rive, gravit l'échelle, escalada les rochers, accepta une serviette d'un maître-nageur et rejoignit Paul sur la terrasse.

Il l'embrassa, ses lèvres chaudes et sèches posées sur la joue humide et fraîche de Diana.

« Vous nagez aussi magnifiquement que je l'avais imaginé, dit-il.

— Vous auriez dû m'accompagner.

— Oui, mais j'avais quelques communications à passer.

— A New York ? On oublie si facilement que tout cela existe, ici.

— Vous avez raison, on oublie facilement le monde réel, ici — c'est toute l'idée, précisément. Pourquoi ne resterions-nous pas pour le week-end ? Nous pourrions rentrer à New York dimanche soir, et vous seriez à votre bureau lundi matin. Deux jours de soleil ne vous feront pas de mal, je pense.

— J'en serais ravie — si *vous* le voulez, Paul.

— Bien. Voilà qui est réglé. Je le désire extrêmement. Ce soir, nous dînerons tranquillement ensemble. »

Une voix rocailleuse interrompit Paul. C'était Aaron Diamond qui criait : « Salut, les potes ! quelle joie de vous voir ! » Diamond s'apprêtait à prendre un bain, stupéfiant dans le peignoir de soie aux fleurs multicolores qui lui descendait aux chevilles, une serviette autour du cou et une autre drapée autour de son crâne chauve pour le protéger du soleil. Il portait à la main un bonnet de bain en caoutchouc, des lunettes de natation, un sac en bandoulière et un exemplaire du *Hollywood Reporter* qu'il tendit généreusement à Paul — lequel déclina poliment l'offre.

« Le gars qui ne veut pas lire les nouvelles du métier doit drôlement bien s'amuser, déclara Diamond, tandis que Diana se voyait dans ses lunettes de soleil en miroir. Tu es superbe, mon petit.

— Tu n'as pas l'air en trop mauvaise forme non plus, Aaron.

— Je me sens beau comme un million de dollars. Écoutez, Kane est là, nous sommes tous deux au Carlton. Dînons ensemble ce soir. »

Avant que Paul eût pu répondre non, Diamond embrassa Diana et déclara : « Parfait, c'est décidé. A huit heures dans ma suite, nous prendrons un verre et partirons de là... » Il déroula ses serviettes et chaussa ses grosses lunettes ainsi que son bonnet. Il tira de ses poches des bouchons de protection pour ses oreilles et une petite pince à nez en caoutchouc, puis quitta son peignoir pour révéler un slip bikini

violet en étoffe soyeuse, à peine plus grand qu'un simple cache-sexe, et entreprit de descendre les marches en faisant claquer ses sandales de plage en caoutchouc.

De partout, sur les rochers, des femmes et des hommes agitaient les bras vers lui, s'efforçant d'attirer son attention. Après tout, la moitié de ces gens au moins avaient été, étaient, ou seraient un jour ses clients. A mi-chemin, il s'arrêta et se retourna, les yeux fixés sur Paul au travers de ses grosses lunettes aquatiques. « Eh, cria-t-il, j'oubliais de vous demander, Foster. J'achète de l'argent comme un dingue, en ce moment. Jusqu'à maintenant, j'ai gagné une véritable fortune. Quand faut-il tout lâcher ? »

Paul se pencha par-dessus la balustrade — il aimait bien Diamond. Approchant autant qu'il le pouvait ses lèvres de l'oreille du petit bonhomme, Paul chuchota : « Tenez encore un mois, et puis empochez vos bénéfices et filez. »

Diamond hocha la tête. Il mit en place son pince-nez, de sorte que sa voix prit une curieuse intonation nasale, assez semblable à celle d'un Chinois parlant anglais. « On tit que Nick Greenwood ajète. Tes chiffres édorbes. »

Paul parut un instant décontenancé.

« Ah ! des chiffres énormes. Oui, c'est ce qu'on dit. Il aime prendre des gros risques sur les marchés. Il a eu de la chance, jusqu'à présent. Plus d'une fois, la compagnie aurait eu des problèmes s'il n'avait pas deviné juste pour le blé ou le sucre.

— Le brix de l'argent grimbe cobbe une fusée.

— Oui, et il *retombera* un jour comme une fusée, Aaron. Très vite, et puis bang ! fini en un mois. C'est très bien de paître avec les taureaux, mais ne les suivez pas quand ils commencent à piétiner.

— Jouer à la paisse, alors ? »

Le visage de Paul demeura inexpressif — il avait apparemment donné à Diamond tout l'avertissement qu'il pouvait lui donner.

« A long terme », observa-t-il d'une voix lointaine, comme parlant de quelque processus historique, par exemple des courbes de Toynbee, « la baisse l'emporte toujours.

— Je suis navrée pour notre petit dîner intime », déclara Diana en regardant Aaron Diamond entrer dans la mer puis se diriger d'une brasse solennelle vers le ponton. « Mais je l'aime beaucoup. Meyer et lui ont été très gentils avec moi quand j'ai divorcé.

— Oh ! je n'y vois pas d'inconvénient. Je l'aime beaucoup aussi. D'ailleurs, cela me fera sans doute du bien. Par principe, je ne vois guère de gens. Et puis je dois vous avouer que je suis ravi d'être vu avec vous. Je suis las des amours secrètes. »

Diana se mit à rire.

« Je croyais que vous adoriez les mystères !

— Non, non, c'est parfois nécessaire, mais les amours secrètes réussissent rarement. Là où il y a quelque chose à cacher, se niche presque toujours un problème. Croyez-moi, je le sais.

— Niki est dans de mauvais draps ? »

Paul redevint sérieux.

« Pas encore, dit-il. Retournons à l'hôtel pour faire l'amour.

— Ah ! s'exclama Diana en se penchant pour l'embrasser. Je craignais que vous vous entêtiez à ne pas le proposer ! »

Diana jeta un coup d'œil dans le miroir du hall du Carlton, à Cannes. Malgré sa garde-robe de fortune, elle était suffisamment élégante pour n'importe quelle situation. Avec Aaron Diamond, on ne pouvait jamais savoir. Il pouvait les emmener dans un bar-café enfumé et mal éclairé, ou bien dans un restaurant élégant, suivant son humeur ou la dernière découverte de ses amis célèbres.

Ils empruntèrent jusqu'à son étage un ascenseur très ornementé, en compagnie du garde du corps de Foster, et frappèrent à la porte de l'appartement de Diamond. Nul ne répondit. Paul frappa encore, fronça le sourcil et tourna la poignée. La porte s'ouvrit et le garde du corps entra le premier en s'excusant.

« Personne » annonça-t-il et, en effet, ils pénétrèrent dans une grande pièce vide.

« Aaron ! appela Diana. Croyez-vous qu'il lui soit arrivé quelque chose ? demanda-t-elle à Paul. Une attaque ? Il n'est plus tout jeune...

— J'en doute. Peut-être a-t-il oublié. Mais cela m'étonne de lui... »

La porte de la chambre s'ouvrit, provoquant aussitôt un geste du garde du corps vers sa poche, et Aaron Diamond parut, tenant devant lui une serviette à deux mains, telle Vénus émergeant des eaux. « Mon Dieu, bredouilla-t-il, il est déjà huit heures ? J'ai dû m'endormir ! »

Paul le dévisagea.

« Faites-vous toujours la sieste avec une seule chaussette au pied, Aaron ?

— Je n'avais pas fait attention. Écoutez, Kane attend en bas dans le hall. Je prends une douche et je m'habille. Je suis vraiment navré. J'ai dû mal remonter mon réveil. Nous dînons à La Bonne Auberge, emmenez Kane, partez devant et je vous rejoins là-bas.

— Est-il à jeun ? » demanda Paul.

Diamond s'indigna. Il brandit les deux mains en l'air, oubliant la serviette, puis lança un juron et la remit en place. « Bien sûr, qu'il est à jeun. Pour l'amour du ciel ! Il a fait une cure, il y a deux semaines, pour se préparer à ce voyage. Ce salaud a bu de l'eau Perrier pendant toute la traversée de l'Atlantique, et il s'est tellement levé pour aller pisser

que j'ai dû lui céder ma place en bordure d'allée... Écoutez, ne m'attendez pas. La table est à mon nom. »

Il rouvrit la porte de la chambre et disparut.

« Il n'est pas en mauvaise forme, pour un homme de son âge, observa Diana. Pensez-vous qu'il avait une fille avec lui ? »

Paul acquiesça. Il se retenait de rire, chose extraordinaire, et il finit par céder bruyamment à son envie en pénétrant dans l'ascenseur, au grand scandale du liftier.

Il était encore d'excellente humeur quand ils entreprirent de chercher Irving Kane dans le hall, mais il était introuvable. Personne ne répondait dans sa chambre, un chasseur envoyé à sa recherche sur la terrasse revint bredouille et le concierge affirma ne l'avoir pas vu.

« Cherchons-le une dernière fois, et puis tant pis », déclara Paul, et ils entrèrent dans le bar au moment où une voix familière et passablement pâteuse criait : « Ne me dites pas que j'ai assez bu, espèce de petit con. »

Dans le coin le plus reculé du bar, affaissé sur une banquette, avec un bras passé autour des épaules d'une jeune fille au visage vide et vêtue d'un blue-jean et d'un T-shirt jaune du *Herald Tribune,* Irving Kane s'efforçait d'agripper le poignet d'un serveur indigné.

« Vous n'avez aucun respect pour les arts, hurla-t-il. Je suis écrivain ! Écrivain comme Balzac, Hugo, Hemingway ! Servez-moi un double Dewar's sans glace. »

Devant Kane, la table était jonchée de verres vides et de cendriers trop pleins. Il portait un costume dans lequel il semblait avoir dormi et une chemise déboutonnée jusqu'au nombril. Il avait le visage écarlate.

« Servez encore un verre à M. Kane », ordonna Paul au serveur, de son habituelle voix calme et autoritaire.

Kane lâcha le poignet du serveur et salua Paul et Diana, qui prirent place à sa table.

« Je vous croyais en cure de désintoxication, Irving, lança Paul.

— C'est vrai. Je suis juste sorti me dégourdir un peu les jambes. Où est Aaron ? Je l'attends depuis six heures.

— Nous devions nous retrouver à huit heures.

— Merde. J'ai mal déchiffré son petit mot. J'ai perdu mes lunettes quelque part. Dis bonjour à Paul et Diana, mon chou », ordonna Kane à sa compagne en pressant le sein le plus proche pour la ramener à la vie.

Elle poussa un petit cri, ouvrit les yeux, et ânonna : « Je m'appelle Sherri. »

« Elle baise bien, déclara Kane en posant sur elle un regard chargé de fierté.

— Comment allez-vous, Sherri ? » s'enquit Paul, mais elle avait

refermé les yeux. Kane lui lança une bourrade sans gentillesse dans les côtes, et elle se réveilla à nouveau.

« J'ai de l'herbe géniale », annonça-t-elle en commençant à fouiller dans le grand sac de toile jaune posé à côté d'elle, et qui contenait plusieurs dizaines d'exemplaires invendus de l'*International Herald Tribune.*

« Pas ici, je pense », suggéra doucement Diana. Sherri acquiesça d'un air accablé et prit une cigarette d'un des paquets étalés sur la table.

« Les jeunes adorent mon œuvre, expliqua Kane. Sherri a lu tous mes livres.

— Je pense que nous devrions partir pour le restaurant, observa Diana. Aaron doit nous y retrouver. »

Kane leva son verre pour faire signe au serveur consterné de le resservir. « Je n'ai pas faim. Tu as faim, Sherri ? »

Elle haussa les épaules.

« Vous voyez ? Inutile de manger avant d'avoir faim. Détendez-vous, soyez relax, buvez quelque chose. Vous savez ce qui cloche chez vous, Foster ? Vous vivez suivant un programme, comme une putain de machine. C'est pour ça que je m'entends si bien avec les jeunes, ils ne sont pas coincés au sujet de l'heure, du programme et de toutes ces conneries. Quelqu'un a écrit que le premier acte de la révolution anarchiste devrait être d'abolir toutes les pendules... Prudhomme, je crois. »

Foster corrigea Kane avec impatience :

« C'était Viscasz, dans la préface de *La Signification du néant.* C'est un livre qui a profondément influencé Sartre.

— D'où sortez-vous cela ?

— C'est Sartre qui me l'a dit », répondit simplement Foster.

Kane grogna.

« Ce qui cloche chez vous, reprit-il en fixant sur Foster un regard de franche hostilité, c'est que vous êtes foutrement trop calé pour être riche. S'il y a bien une chose que je ne supporte pas, c'est le milliardaire qui se prend pour un as.

— Comment marche votre livre ? » s'enquit Paul, ignorant poliment les grossièretés de Kane. Comme Diana l'observa, il était toujours prêt à réprimer ses sentiments quand il s'agissait de glaner un renseignement, et elle se rendit compte que le geste de Paul ordonnant au serveur de remplir le verre de Kane n'était absolument pas désintéressé. Kane parlerait plus ouvertement ivre qu'en possession de tous ses moyens.

« Très bien. Je suis venu ici pour voir un Boche qui a des documents fantastiques.

— Vous m'en aviez parlé, à la réception de Diana. L'avez-vous vu ?

— Il joue les compliqués, ce con-là. Heureusement, j'ai déniché des trucs sur lui qui n'ont même pas été révélés à Nuremberg, alors ce salaud va dîner avec moi demain soir. Il parlera.

— Qu'avez-vous sur lui ?

— Des histoires de camps de travaux forcés. La bombe atomique allemande. J'ai ce qu'il faut. Mais je vais vous dire qui ne veut pas me voir — le vieux Greenwood. Impossible de le joindre. J'ai parlé cent fois à une espèce de secrétaire pédé, mais pas moyen. Alors je lui ai dit : Dites à ce Môssieu Greenwood que je n'ai pas besoin de lui. Je saurai tout par le *colonel* Lorenberg. »

Paul ferma un instant les yeux d'un air songeur.

« Je vois, dit-il. J'espère que vous savez ce que vous faites.

— Évidemment, que je sais ce que je fais, rugit Kane, puis il se figea. Bon Dieu, hurla-t-il, je me suis pissé dessus ! »

Sherri tendit la main et lui palpa l'entrejambe.

« Ça va, dit-elle, en exhibant un glaçon. Tu as simplement renversé ton verre, mon chou. »

« Irving, reprit Paul. Écoutez-moi. Un conseil. Laissez tomber. Vous cherchez des ennuis. »

Kane fixa avec quelque difficulté son regard sur Foster.

« Pour qui ?

— Pour vous. Pour beaucoup de gens.

— Je m'en fous. Meyerman et vous, vous avez quelque chose sur Greenwood. Qu'est-ce que c'est ? Et qu'allez-vous en *faire ?*

— Vous imaginez des choses, Irving.

— Foutaises ! Voilà des années que vous êtes après la compagnie de Nick, Foster, mais vous ne me dupez pas. C'est personnel — cela dépasse le cadre des affaires. Est-ce pourquoi vous lui avez pris sa petite amie ? »

Diana craignit un instant que Paul ne frappe Kane. Les muscles de sa mâchoire se contractèrent et son cou s'enfla de fureur. Cependant, il parvint à se maîtriser.

« J'ai besoin de boire quelque chose », déclara Kane. Il agita son verre en l'air, projetant ses cubes de glace dans toutes les directions.

Le serveur et le barman échangèrent de sombres regards méditerranéens, hochèrent la tête d'un air lugubre, tels deux médecins en consultation au chevet d'un malade agonisant. Lentement, et avec une profonde réticence, le serveur approcha de la table en s'abritant derrière son plateau.

« Monsieur ?

— Encore un double. Et sans glace. Vous en avez mis, la dernière fois. Pas de glace, vous comprenez ?

— Je regrette, mais Monsieur a assez bu. Je ne peux plus rien lui servir.

— Qu'a-t-il dit ? » Kane ressemblait à un buffle furieux, prêt à défendre son droit de boire dans une mare.

« Il dit que vous avez assez bu », traduisit Foster en anglais.

Kane ricana. « J'ai été jeté à la porte de bars mieux que celui-ci, déclara-t-il fièrement. Écoutez, Foster. Je vais arracher son histoire à ce Lorenberg, et quand ce sera fait, je saurai où vous cadrer dans toute cette affaire. Vous ne pourrez plus me rouler. »

Paul prit Diana par le bras, se leva de la table, et lança à Kane un sourire chaleureux. « Bonne chance », dit-il.

Dehors, tandis qu'ils attendaient la voiture, l'amie de Kane apparut au haut des marches et alluma un joint avec un soulagement visible.

« Je crois qu'il va se bagarrer avec le serveur, annonça-t-elle à travers une brume de fumée odorante. Je me suis dit que c'était le moment de filer.

— Excellente idée, en effet, apprécia Paul. Avez-vous un endroit où aller ?

— Seulement la chambre de M. Kane.

— Je vous suggère vivement de trouver autre chose. Avez-vous de l'argent ?

— Non. »

Foster claqua des doigts, prit la liasse de billets que lui tendit le garde du corps et en tira quelques-uns. Il les donna à Sherri.

« Allez vous chercher une chambre. Avez-vous votre billet de retour ?

— Non.

— Souhaiteriez-vous réellement rentrer là-bas ?

— Je crois, oui...

— Vous trouverez demain matin un billet de retour à votre nom au bureau de l'American Express. Et maintenant, sauvez-vous avant que la police arrive.

— Êtes-vous toujours aussi généreux avec les inconnus ? » demanda Diana.

Paul hocha la tête, mais il avait manifestement l'esprit ailleurs.

« Oh oui ! C'est l'un des quelques plaisirs qu'offre la richesse. Les œuvres de charité organisée m'ennuient. Je préfère les gestes spontanés. » Il scrutait la longue file de voitures rangées devant l'hôtel. Son chauffeur fit un appel de phares pour indiquer qu'il avait repéré Foster.

« Il est regrettable que cet imbécile de Kane ait tenté de parler à Greenwood, dit-il. Il n'aurait pas dû mentionner qu'il essayait de voir Lorenberg.

— Quel type abominable, ce Lorenberg ! Insaisissable et visqueux comme un serpent. Je n'avais jamais rencontré de nazi, quand j'y pense.

— Vous n'avez pas l'âge, ma chérie, heureusement pour vous. Il y

en avait beaucoup, naguère, croyez-moi. Et Lorenberg était loin de compter parmi les pires. Si vous aviez connu Becker, par exemple... Bon, n'y pensons plus, voici la voiture. Allons manger quelque chose au casino. Je me sens en veine, ce soir, alors peut-être jouerons-nous un peu à la roulette.

— J'aurais cru que le baccara était davantage dans votre style. »

Paul se détendit contre le dossier de la limousine.

« Non, dit-il. C'est trop compliqué, comme mes affaires. Quand je joue, j'aime me détendre. La roulette présente l'immense avantage de ne nécessiter aucune réflexion.

— Paul, déclara Diana en lui prenant la main, quelque chose vous préoccupe. Vous semblez un peu... distant. Craignez-vous que Lorenberg révèle à Kane tout ce qu'il sait ? »

Paul secoua la tête, puis se pencha et l'embrassa. « Non, non, répondit-il fermement, Lorenberg ne parlera pas à Kane. Cela, j'en suis sûr. Mais maintenant que Kane a ouvert sa grande bouche, la question est de savoir s'il *me* parlera, désormais... Je réfléchissais à autre chose... Ah ! nous y voici. »

Il l'aida à sortir de la voiture. Ils pénétrèrent dans le casino en se tenant par le bras et Diana s'éloigna un instant pour se rendre aux toilettes. En ouvrant la porte, elle aperçut du coin de l'œil que Paul parlait à quelqu'un qui l'attendait là. Penché en avant, le visage sombre, il tenait l'autre homme par le revers. Il semblait lui donner des ordres. L'autre homme lui parut vaguement familier mais, comme Paul se tenait devant lui, Diana n'était pas certaine de le reconnaître. C'était sûrement quelqu'un qu'elle avait vu à New York, songea-t-elle... Puis la porte se referma.

Quand elle rejoignit Paul, il était seul. Il lui baisa la main et la conduisit dans le salon, où le maître d'hôtel et ses assistants attendaient en ligne, avec ce sourire profondément sincère que l'on réserve aux gens très riches. « Qui était cet homme avec qui vous parliez ? s'enquit Diana. Il m'a semblé le connaître. »

Paul s'assit auprès d'elle sur la banquette et examina son couteau à beurre comme pour y déceler des taches.

« Une relation d'affaires, répondit-il d'un air détendu. Commençons par du caviar, voulez-vous ? C'est à ma connaissance l'unique aliment comparable au sexe. On en reveut toujours... »

Il paraissait encore plus distrait qu'avant. Et Diana voyait bien qu'à sa charmante manière, il allait éluder toutes les questions qu'elle pourrait lui poser sur cette « relation d'affaires ».

Après le dîner, Diana observa que Paul jouait, comme il faisait tout le reste, avec une froide précision, mais elle constata également qu'il n'avait pas l'esprit au jeu. Il plaça quelques jetons sur le double zéro, perdit, et se leva. « Perdre est trop ennuyeux, dit-il. C'est encore pire

que de gagner. Sortons un moment sur la terrasse. J'avais tort en ce qui concerne ma chance. »

Un bras passé autour de l'épaule de Diana, Paul l'entraîna vers l'extrémité de la longue terrasse. Au-dessous d'eux, dans le port, ils voyaient le yacht de Matthew Greenwood. Paul le contempla pendant un long moment, puis se tourna vers Diana. Il avait le visage grave.
« M'aimez-vous ? » demanda-t-il.

Elle acquiesça.

Il soupira et resta un moment silencieux. « Alors je voudrais que vous fassiez quelque chose pour moi », dit-il.

« Allô, villa Azur ? Je voudrais parler à M. Greenwood.

— Un moment, Madame, s'il vous plaît. »

Il y eut un bref silence sur la ligne, puis une nouvelle voix, qui n'était manifestement pas celle d'un domestique, lui parvint.

« *Bitte ?* »

Diana répondit en anglais.

« Je voudrais parler à M. Greenwood.

— Ce n'est pas possible, répondit la voix, en anglais teinté d'un fort accent suisse-allemand.

— Pourriez-vous lui transmettre un message ?

— Il est absent. Je ne peux pas.

— Laissez-moi vous confier le message quand même. Mlle Diana Beaumont souhaite le voir pour des questions personnelles. C'est au sujet de son petit-fils. Il peut me joindre à l'Hôtel du Cap.

— *So ?* » répliqua la voix en allemand, puis la ligne fut coupée.
« Cela ne paraît guère prometteur », lança Diana à Foster, qui avait suivi la conversation avec l'écouteur.

Foster haussa les épaules. « Nous verrons. Je crois que le résultat ne devrait pas tarder. »

Un moment plus tard, le téléphone sonna. Diana décrocha.

« Mademoiselle Beaumont ? » Cette fois l'accent était anglais, et la voix avait cette intonation riche, un peu méprisante, de quelqu'un habitué à donner des ordres.

« C'est moi-même.

— Vous vouliez parler à M. Greenwood ?

— Oui.

— Peut-être pourriez-vous m'indiquer de quoi il s'agit ? Je suis le secrétaire particulier de M. Greenwood.

— C'est au sujet de son petit-fils. Je souhaiterais vivement rencontrer M. Greenwood, si c'est possible.

— Je vois. Veuillez attendre un instant, je vous prie. »

Elle entendit un murmure à l'arrière-plan, puis l'Anglais reprit la communication.

« M. Greenwood vous verra demain matin. Veuillez vous trouver sur les marches d'Eden Roc à onze heures, un bateau passera vous prendre. Que personne ne vous accompagne.

— Merci.

— Je vous en prie, répondit son interlocuteur très poliment. M. Greenwood sera extrêmement intéressé d'entendre ce que vous avez à lui dire. » Il y eut un déclic, et la communication fut coupée.

« J'ai peur, avoua Diana à Paul.

— Il n'y a aucun danger. Je ne vous y enverrais pas s'il y en avait le moins du monde. Écoutez, vous n'êtes pas obligée d'y aller.

— Non, j'irai. Je vous l'ai promis.

— Je tiens à vous dire que je vous en serai toujours reconnaissant. Toujours. C'est la seule manière de découvrir ce que j'ai besoin de savoir. Je ne voulais pas vous impliquer, mais je ne parviens pas à trouver un autre moyen.

— Oh ! dit Diana, je suis déjà impliquée. Il est trop tard désormais pour s'en préoccuper, n'est-ce pas ? »

Il acquiesça.

« Mais je ne vois vraiment pas comment je vais découvrir ce que vous cherchez.

— L'instinct. La chance. Le fait que vous êtes si belle. A un certain point, même les plans les mieux préparés dépendent du hasard. Exprimez de la curiosité. Les hommes riches adorent faire visiter leurs yachts aux femmes — c'est dans ce but-là qu'ils les achètent. Et puis ils adorent parler d'eux-mêmes. »

Paul paraissait extrêmement optimiste mais, tout en se dévêtant pour se mettre au lit, Diana ne pouvait s'empêcher de se demander si Paul n'avait pas préparé son coup depuis le début. Improvisait-il ou s'agissait-il simplement d'un nouvel élément d'un plan soigneusement mis au point ? Elle dormit mal, en redoutant l'approche du matin.

Debout auprès des marches qui menaient à l'eau, le matin suivant, elle éprouvait une appréhension écrasante. Entourée de baigneurs matinaux — onze heures équivalaient à l'aube, à Eden Roc — elle se sentait légèrement déplacée en maillot noir et pantalon blanc, à attendre l'embarcation comme on attend un autobus.

A environ huit cents mètres de la rive, le *Cosima* était à l'ancre. On n'apercevait aucun signe d'activité à bord, à l'exception de deux matelots occupés à mettre un canot à la mer. De temps à autre une bouffée de vent redressait le drapeau, révélant une immatriculation panaméenne.

Naguère le yacht aurait attiré l'attention, entouré d'une escouade de vedettes allant et venant. Les déjeuners de Greenwood avaient été réputés ; ses invités avaient souvent compté Onassis et la Callas, Aaron Diamond, Brigitte Bardot, le roi Hussein, le Chah d'Iran, Darryl F. Zanuck, Carlo Ponti et Sophia Loren, de célèbres marchands d'art comme Rudi von Seydlitz, et d'innombrables millionnaires, stars et starlettes, mannequins.

Les reporters de presse populaire risquaient leur vie pour prendre des photos, suspendus aux falaises par des cordes et armés de leurs téléobjectifs, nageant autour du yacht en brandissant leurs appareils au-dessus de leurs têtes, tournoyant en hors-bord de location où crépitaient les Nikon et les Leica.

Dawn Saphire y avait été photographiée nue, se dorant au soleil ; Onassis avait été surpris au milieu d'une vive querelle avec la Callas, Irving Kane avait été saisi à l'instant d'une chute mémorable dans la mer, la comtesse Grefühl avait révélé au monde qu'elle ne portait pas de culotte, lorsqu'on l'avait photographiée d'en bas, gravissant la passerelle sous une forte brise. Tant de réceptions, tant de filles, tant de scandales, et tout cela gisait à présent dans les dossiers d'archives de photographes free-lance et de magazines, tandis que le yacht silencieux reposait sur l'eau, apparemment désert.

Le vrombissement d'un moteur puissant s'éleva, et l'un des canots du *Cosima* apparut de derrière la poupe, la proue redressée cependant qu'il fendait l'eau et laissait derrière lui un sillage d'écume blanche sur l'eau plate et bleue.

L'embarcation ralentit et la proue s'affaissa à l'approche des rochers, mais le pilote amena adroitement le bateau jusqu'aux marches dans un virage très mesuré, calculant exactement sa vitesse de manière à s'arrêter aux pieds de Diana. Un jeune marin, à l'arrière, agrippa les marches pour stabiliser le bateau et aida Diana à monter à bord, puis lui désigna l'avant. Elle s'assit auprès de l'homme qui tenait la barre, un officier trapu d'une cinquantaine d'années, qui portait un uniforme blanc et amidonné d'officier de marine et une casquette ornée d'une simple rangée de feuilles de chêne dorées.

« *Setzen Sie sich, bitte* », déclara-t-il en poussant les commandes dès l'espace réservé à la baignade, afin d'accélérer, comme un avion au décollage. Diana s'assit docilement — il aurait de toute façon été impossible de rester debout — et dit bonjour. Aucune réponse. L'officier regardait droit devant lui et il rangea adroitement l'embarcation le long du yacht. Le marin sauta sur la plate-forme de la passerelle et maintint le bateau, faisant signe à Diana de le suivre. L'officier lui fit un signe de tête tandis qu'elle prenait pied sur la plate-forme. « Herr Greenwood est là-haut, déclara-t-il, *Im Salon.* »

Au haut de la passerelle se trouvait une sorte de portillon ; en le

franchissant, Diana se rendit compte qu'il s'agissait d'un détecteur de métal comme dans les aéroports. En passant elle entendit un déclic et une petite lumière verte s'alluma. Herr Greenwood ne prenait aucun risque, quelle que pût être l'imminence de sa mort.

Sur sa droite, une porte était ouverte. Dans l'encadrement se tenait un homme chauve et de stature massive, revêtu de l'uniforme blanc des infirmiers dans les hôpitaux.

« Mademoiselle Beaumont ? » interrogea-t-il, et elle reconnut l'accent suisse-allemand qu'elle avait entendu au téléphone. « Par ici, je vous prie. Il vous attend. Veuillez ne pas fumer. »

Elle pénétra dans le salon, fort sombre à cause des vitres teintées qui donnaient à la pièce une lueur verte translucide d'aquarium — et attendit un moment que ses yeux s'habituent à la pénombre. Au centre de ce salon admirablement meublé, elle distingua un fauteuil roulant dans lequel se tenait une silhouette imposante, les jambes recouvertes d'un plaid écossais. Il était difficile de reconnaître en ce vieillard paralysé le père énergique et puissant qui était venu jusqu'en Angleterre pour faire à Nicholas une scène orageuse.

Elle avait oublié quel homme gigantesque était ce Greenwood. Même en fauteuil roulant, c'était un géant, bien qu'il eût désormais perdu presque toute sa graisse et ses muscles. Ses énormes mains devenues pâles et maigres tremblaient ; la peau de son visage s'était resserrée sur l'ossature, renforçant la proéminence impérieuse du nez et des pommettes ; sa moustache blanche formait une bande irrégulière et ses yeux se dissimulaient derrière des lunettes noires fermées sur les côtés. Peut-être par vanité, pour cacher sa calvitie, il était coiffé d'un panama au rebord enfoncé jusqu'à ses lunettes. Malgré la chaleur, il portait plusieurs cardigans et un foulard en cachemire, et la teinte légèrement bleutée de ses joues et de ses lèvres révélait clairement son état.

« Vous n'avez pas encore perdu votre beauté, articula-t-il lentement, l'appréciant de derrière ses lunettes noires.

— Merci. »

Greenwood agita une main lasse, pour indiquer qu'elle n'avait pas à le remercier, ou bien qu'il n'avait pas de temps à perdre en politesses.

« Le pire de la vieillesse, voyez-vous, déclara-t-il avec un fort accent, c'est qu'on ne perd pas le désir. C'est comme le supplice de Tantale. Mais vous n'êtes pas venue pour m'entendre parler de mes problèmes. Que voulez-vous ? » Greenwood prononçait encore ses *v* comme des *f*. Il avait naguère tenté d'améliorer son accent, mais cela n'en valait plus la peine. Il parlait couramment l'anglais, le français, l'espagnol, le portugais et l'italien, mais avec un indéniable accent étranger.

« Que puis-je pour vous ? demanda-t-il en s'efforçant d'imposer aux muscles de son visage une grimace de connivence.

— J'ai appris que Niki se mariait.

— Oui. Avec la petite Biedermeyer. Jolie. Riche. Il a de la chance.

— Je m'étonne qu'il ait obtenu une annulation.

— Ces choses-là s'arrangent toujours. Vous êtes une femme au courant des choses. Vous le savez bien.

— Pas pour moi. Elles n'ont pas pu s'arranger.

— Vous étiez une divorcée. Et protestante. Même au Vatican, ils trouveraient la pilule difficile à avaler. Mais les Biedermeyer sont catholiques. Augustus Biedermeyer est chevalier de Malte et Dieu sait quoi encore... Chaque fois qu'il va à la messe, il donne un chèque pour une œuvre ou une autre. Pour lui, ils annuleraient même le mariage de sa propre mère s'il le leur demandait. Et puis, bien sûr, j'ai également quelque influence là-bas, en souvenir des jours anciens...

— Vous devez être très heureux.

— Oui. Je le serai encore plus s'il y a un fils.

— Mais il y a *déjà* un fils. »

Greenwood hocha la tête, comme s'il avait prévu que la conversation prendrait ce tour.

« Ah oui ? s'étonna-t-il avec une expression de parfaite innocence.

— Vous le savez très bien. Steven.

— Il est illégitime. Cela ne compte pas.

— C'est une question d'opinion.

— Ridicule ! Les enfants illégitimes n'héritent pas. D'ailleurs, ajouta Greenwood, l'enfant est infirme. » Il baissa les yeux sur ses propres jambes privées de vie, cachées sous la couverture. Il portait des pantoufles en feutre très ordinaires.

Diana éprouva un spasme de colère, mais le réprima.

« Il est encore le fils de Niki.

— *Und ?* Ces choses-là arrivent, même dans les meilleures familles.

— Non, pas dans la famille Biedermeyer. En bon catholique, Augustus Biedermeyer prendrait fort mal un procès en paternité, avec tout le scandale... Ses amis de South Salem n'apprécieraient guère cette histoire.

— Biedermeyer est un âne. Son grand-père vendait de faux billets de traversée à des nigauds sur les quais de Dantzig. Lui-même dut émigrer en Amérique — ses clients menaçaient de le lyncher. Maintenant, Biedermeyer se comporte comme si tous ses ancêtres avaient été chevaliers de la papauté, et il passe tout son temps avec des cardinaux. Néanmoins, c'est un homme d'affaires avisé. Hoeffler ! Donne-moi un verre de thé. Voulez-vous quelque chose, chère amie ? »

L'infirmier suisse apparut et Diana lui demanda un Campari soda. Hoeffler fit des signaux en désignant sa montre, mais Greenwood secoua la tête.

« Mon idiot de médecin ne m'autorise que dix minutes de conversation avec les gens, expliqua-t-il, mais il y a bien longtemps que je n'ai pas conversé avec une jolie femme, et il y a pire façon de mourir. Meilleure aussi, ajouta-t-il.

— Je ne vais pas laisser Niki — ni vous — s'en tirer ainsi, déclara Diana.

— Ma chère, la jalousie est une perte de temps. Quant au chantage, c'est un jeu dangereux. Croyez-moi, je le sais.

— Ce n'est pas une question de chantage mais de justice.

— C'est ce qu'affirment toujours les maîtres-chanteurs. Ne vous offensez pas, je vous en prie. Je suis vieux, je n'ai pas le temps de tourner des jolies phrases. Le chantage ne choque pas un homme comme moi. Je l'ai souvent trouvé — comment dit-on ? — pratique, n'est-ce pas ? *So :* pratique d'enterrer certaines choses. Si le prix est honnête et que l'affaire mérite d'être enterrée, je suis prêt à parler affaires. Je suis un homme de bon sens. Je n'ai pas le temps de considérer les choses sous un angle moral élevé. En fin de compte, cela ne paie jamais. »

Hoeffler revint avec un plateau d'argent, suivi d'un homme grand et mince, âgé d'une quarantaine d'années, qui avait la silhouette et la démarche d'une cigogne bien élevée. Ses cheveux clairsemés formaient deux petites vagues soigneusement symétriques au-dessus de ses oreilles, il avait le nez aigu, osseux et aristocratique, et il portait un complet bien coupé en toile beige, une chemise blanche et une cravate d'ancien élève d'Eton.

« Il ne faut pas trop vous fatiguer, M. Greenwood », déclara-t-il, et Diana reconnut la voix anglaise de la veille au soir. « Les médecins, n'est-ce pas, les ordres...

— Au diable les médecins, Boyce. Voici Mlle Beaumont, l'ancienne maîtresse de mon fils. Le diable a toujours eu bon goût ! » Greenwood émit un rire fêlé, toussa un peu, et but une gorgée de thé.

« N'avez-vous pas été l'épouse de Robin Winchester ? » s'enquit Boyce.

Diana acquiesça.

Boyce s'illumina hypocritement et revêtit une expression chaleureuse fort peu convaincante.

« J'étais avec lui à Eton, dit-il. Nous suivions tous deux les mêmes cours. Quel dommage qu'il, euh...

— Certaines personnes — Greenwood prononçait avec une lourdeur appliquée — pensent qu'il vit en Australie sous un nom d'emprunt. J'en doute. Je pense plutôt que ses compères l'ont assassiné. Cela m'aurait paru la seule solution raisonnable. »

Boyce arbora un sourire resplendissant. « Très juste, dit-il. A l'école, c'était un as du cricket. »

Diana parcourut la pièce du regard et fut déçue de constater qu'il ne s'y trouvait rien d'exceptionnel — certainement rien du genre de souvenirs personnels ou historiques. Les meubles étaient drapés d'étoffe blanche gansée de bleu pâle, de nombreux cadeaux d'invités s'y trouvaient rassemblés, et aux murs trônait l'habituelle collection impressionniste des gens riches.

Greenwood se pencha et tapota le genou de Diana en lui adressant un sourire oblique. Il avait une sorte de charme féroce et l'on comprenait aisément pourquoi il avait remporté un tel succès auprès des femmes jusque fort récemment encore.

« Mademoiselle Beaumont et moi-même parlions de chantage quand vous êtes entré, expliqua Greenwood à Boyce, qui haussa un sourcil raffiné.

— Oh ! voyons, c'est absurde. Personne ne voudrait croire que vous pourriez encore, euh... »

Greenwood s'empara de la canne accrochée à son fauteuil et la pointa agilement sur Boyce. « *Dummkopf !* » s'exclama-t-il en enfonçant aussi fort qu'il le pouvait la pointe de la canne sur le ventre de Boyce. « Mais vous avez malheureusement raison. J'ai passé l'âge des scandales sexuels, hélas. S'il existait quelque chose pour quoi une jolie femme pût me faire chanter, ce serait comme un miracle à Lourdes. Non, il s'agit en vérité d'un problème concernant Niki... Dites-moi, mademoiselle Beaumont, ou plutôt, *Diana,* fumez-vous le cigare ? »

Diana secoua la tête.

« Ce n'est pas dans mes habitudes, non.

— *So ?* Quel dommage. Dans ma jeunesse, c'était là une chose tout à fait respectable pour une femme. L'impératrice Elisabeth d'Autriche fumait toujours un cigare après le dîner. Je ne puis plus en fumer pour ma part, mais je vous serais extrêmement reconnaissant de bien vouloir le faire, pour m'être agréable. Je puis au moins jouir de l'odeur. Voyez-vous, j'ai atteint l'âge du plaisir par intermédiaire, de l'ersatz des sens... »

Malgré les objections gutturales de Hoeffler, un steward fut appelé et apporta un humidificateur à Diana. Greenwood hocha la tête d'un air approbateur tandis qu'elle choisissait un petit Davidoff, le perçait adroitement et l'allumait en tenant la flamme au-dessous du cigare jusqu'à ce qu'il rougeoie sous l'effet de la chaleur, et non au contact direct de la flamme.

Elle souffla une bouffée dans la direction de Greenwood, et il hocha la tête d'un air béat.

« Excellent, dit-il. J'en ai encore des boîtes et des boîtes à bord. Je devrais sans doute les léguer à quelqu'un par testament.

— J'adorerais voir le reste du yacht, lança Diana, pleine d'espoir.

— *So ?* Je ne vois pas pourquoi vous ne pourriez pas visiter, après

tout. Mais vous n'êtes probablement pas venue pour visiter ce yacht. De quoi me menacez-vous exactement ?

— De poursuites en paternité contre Niki, un procès contre lui au nom de son propre enfant... Tout est entre les mains de Marvin Blumenthal. Vous savez comme il aime les affaires voyantes.

— Oui, je connais Marvin. Je suppose qu'il lancera toute l'affaire quelques jours avant le mariage de Niki, *nicht wahr ?*

— C'est évidemment ce qu'a proposé Marvin. Il pensait que les Biedermeyer réagiraient très vivement en apprenant que leur fille épousait un homme qui avait eu un enfant de sa maîtresse pendant que sa femme se trouvait en institution psychiatrique — et qu'il négligeait d'en parler. Marvin estimait que cela risquait d'influer également sur les négociations en vue d'une association entre Niki et les Biedermeyer. »

Greenwood haussa les épaules. « Il n'a pas tort sur ce point, dit-il. Biedermeyer est comme une vieille femme. »

Boyce fit une moue de désapprobation, ou de réflexion.

« Cela ne passera pas, dit-il à Diana. Je pense que vous n'avez aucune chance de gagner en justice.

— Elle n'a pas besoin de gagner en justice pour nous atteindre, Boyce. Ce sera un scandale en première page de toute la presse. Papa Biedermeyer va chier dans son froc en voyant ça. Peu importe ce foutu mariage, mais nous pouvons dire adieu au financement de Biedermeyer ! La chasse d'eau sur deux années de négociations ! Non, non, cette charmante dame nous tient par les couilles, je regrette d'avoir à le dire. Niki aurait dû s'occuper de tout cela depuis bien longtemps. Mais à quoi sert un père, si ce n'est à régler ce genre de problèmes ? Combien ?

— Cent mille dollars par an jusqu'à la fin de sa vie. »

Greenwood se mit à rire.

« Ridicule ! Même un infirme n'a pas besoin d'autant ! Vingt-cinq mille par an, ou un forfait de cinq cent mille que vous investirez en son nom comme bon vous plaira.

— Je veux bien descendre jusqu'à cinquante mille par an, avec une augmentation annuelle indexée sur le coût de la vie. Sinon, je demande à Marvin d'entamer les poursuites et de téléphoner au chroniqueur Rupert Murdoch. »

Greenwood hocha la tête d'un air ravi.

« On vous a très bien préparée, ma chère. Si vous aviez demandé deux millions de dollars, il aurait sans doute valu la peine de trouver une solution — un accident, un suicide... » Il lui adressa un sourire de loup. « Franchement, cela s'est fait. D'un autre côté, si vous aviez demandé moins, je ne vous aurais pas prise au sérieux. Vous êtes non seulement belle, mais intelligente. L'affaire est conclue. Dites à Marvin

d'appeler mon avocat, le docteur Zengli, Bahnhofstrasse, à Zurich. Un homme charmant. Il possède une admirable collection de primitifs flamands. Vous comprenez évidemment que vous devrez me garantir au nom de votre fils qu'il n'y aura plus de poursuites contre Niki ni contre moi, ni aucun contact. *Fertig !* Terminé ! Oui ? Pas de poursuites ni de procès, et surtout pas d'articles dans la presse ni de publication de mémoires, ni rien du tout. *Nacht und Nebel,* voilà ce que je vous achète. Vous êtes d'accord ?

— Oui, je suis d'accord. C'est drôle, quelqu'un parlait de *Nacht und Nebel* il y a quelques jours à peine...

— C'était chose fort courante, dit Greenwood. Mais il y a bien longtemps de cela. Qui vous a lancée dans cette affaire ?

— Personne. Quand j'ai appris que Niki épousait la fille Biedermeyer, j'ai compris que je devais obtenir quelque chose pour notre fils. C'était maintenant ou jamais.

— J'ai du mal à vous croire, figurez-vous. Boyce me dit que vous séjournez à l'Hôtel du Cap avec Paul Foster ?

— Oui.

— Dites-lui de ne pas se mêler de mes affaires, voulez-vous ? Vous le trouvez séduisant ?

— Sinon je ne serais pas à l'hôtel avec lui. C'est évident.

— Ah ? Ce n'est pas évident du tout. Les femmes sont capables de bien des choses, pour l'argent. Ah ! ma chère, Foster ferait à peu près n'importe quoi pour m'atteindre, moi. Il est élégant, charmant, persuasif, *nicht wahr ?* Attendez un peu. C'est un tueur.

— Franchement, il en dit autant de vous. »

Greenwood rit, s'étrangla, toussa, cracha un peu dans son mouchoir, puis respira profondément.

« Ah ! il a bien raison, le porc, déclara-t-il avec un rire rocailleux. Nous sommes bien assortis. Écoutez mon conseil : ne croyez pas un mot de ce qu'il dit. Il vous a parlé de sa famille ?

— Un peu.

— Complètement absurde, bien sûr. Mon pauvre frère et son fils ont péri à Auschwitz. Ce Foster les y a peut-être rencontrés. Après la guerre, il est venu me trouver en se faisant passer pour mon neveu, mais la fraude était transparente. Je dois dire qu'il s'est bien débrouillé depuis, mais c'est un menteur psychopathe. Quel cas affligeant... Vous étiez très attachée à Niki, non ? »

L'expression de Greenwood évoquait la tristesse, mais Diana décela dans la fixité de son attention que le vieillard connaissait la vérité sur l'identité de Paul.

« Oui, en effet. »

Il soupira. « C'est un bon garçon, vous savez. Un peu mou. Quand il était petit, je lui ai fait la vie trop dure. Et puis après la guerre, lorsqu'il

est devenu adulte, je lui ai trop facilité l'existence. Avec les enfants, c'est comme en affaires — ce qui compte est la régularité... Croyez-vous en Dieu, Diana ? »

Diana le dévisagea, stupéfaite. « Non, je ne pense pas. »

Greenwood hocha la tête. « Non, répéta-t-il comme s'il s'était attendu à cette réponse, quand on est jeune on n'y croit pas, mais en vieillissant c'est une question à laquelle on commence à réfléchir. Je pense beaucoup à Dieu, ces derniers temps. Je découvrirai bientôt s'Il existe ou non, finalement. On espère recevoir sa pitié, sa compassion... C'est naturel.

— Et la justice aussi ? »

Greenwood serra un instant les poings, comme sous l'effet d'un spasme de douleur. « J'espère que non », articula-t-il.

Hoeffler revint dans la chambre et toussota.

« L'heure de la sieste, annonça Boyce d'une voix enjouée.

— *Verdammt !* La vieillesse est une époque d'humiliation constante. Hoeffler, montez-moi sur le pont et je m'installerai sous la marquise pour ma sieste. Il y a un téléscope, là-haut, je peux regarder les filles d'Eden Roc quand elles descendent se baigner... Je ne vous reverrai plus, Diana. Adieu. Vous avez eu de la chance. Ne vous y essayez pas une seconde fois. »

Diana se leva.

« J'aimerais quand même visiter votre yacht. Niki m'en avait tellement parlé. Et puis je voudrais aller aux...

— Bien sûr, interrompit Boyce. En bas à gauche, à côté du bureau. »

Diana descendit un escalier en spirale, jeta un coup d'œil dans la salle de bains, entièrement tapissée de miroirs, même le sol et le plafond, ouvrit deux portes qui donnaient sur une grande chambre et un cabinet de toilette, puis alla un peu plus loin et essaya une nouvelle porte qui s'ouvrit sur la bibliothèque de Greenwood — une pièce sombre et lambrissée, avec deux hublots et de grands fauteuils en cuir du genre qu'on trouve dans les clubs anglais.

Dans une vitrine placée entre les hublots se trouvaient une lance de chasse, une épée et un bouclier en or ciselé, visiblement de très grande valeur. Les rayons étaient recouverts de volumes reliés qui semblaient n'avoir été touchés ni lus depuis des années. Sur une énorme table de travail en or moulu et rivée au plancher, se dressait le buste d'un homme à la mâchoire lourde et arborant une décoration en lieu et place de l'habituelle cravate. Il s'agissait d'un buste de taille imposante mais il disparaissait en partie derrière le bric-à-brac du bureau — un vase de fleurs, des photographies encadrées, un bronze de Maillol, une sculpture érotique indienne provenant d'un temple, une garniture de bureau de Fabergé et un buvard immaculé.

Diana examina le buste, conclut d'après les yeux et le menton qu'il représentait bien Göring, le bascula sur son socle et enfonça vivement la main à l'intérieur. Rien ne s'y trouvait. Elle le secoua pour vérifier puis le replaça sur son socle et quitta la pièce en refermant soigneusement la porte derrière elle. Elle entra ensuite dans la salle de bains et tira la chasse d'eau, fit couler les robinets.

Là-haut, Greenwood et son fauteuil avaient disparu, mais Boyce se tenait dans le salon, avec une expression mêlée d'indolence patricienne et de servilité que seul un Anglais de grande famille sans fortune peut avoir.

« Trouvé ce que vous cherchiez ? s'enquit-il avec un clin d'œil, à moins que ce fût simplement un tic nerveux et involontaire.

— Merci. Puis-je visiter le reste du yacht ?

— Il n'y a pas grand-chose à voir, mais je vais vous faire faire la visite rapide à un shilling. Après tout, vous avez obtenu ce que vous veniez chercher », déclara Boyce avec un petit ricanement. Il pressa un bouton et le mur s'effaça, révélant une salle à manger somptueuse, avec une table pouvant accueillir vingt-six couverts, et à l'extrémité de laquelle des projecteurs illuminaient un bronze de Picasso. Ils traversèrent la salle à manger, Boyce ouvrit une nouvelle porte, effleura un bouton et attendit que les lumières s'estompent, puis qu'un écran descende du plafond.

« Au-dessous, se trouve l'appartement du vieux, poursuivit-il, et à l'arrière les suites réservées aux invités, avec les salles de bains, etc. Au-dessous encore, il y a un gymnase, un sauna, ce genre d'installations. Tout le confort. Non pas qu'il en profite, le pauvre vieux. Nous avons démonté le miroir qui se trouvait au-dessus de son lit parce qu'il ne pouvait plus supporter de se voir tous les matins au réveil. C'est bien triste, vraiment. Voilà, êtes-vous satisfaite ?

— Oui, je vous remercie. J'étais juste un peu curieuse. Niki parlait beaucoup de ce yacht. Je le croyais plus grand.

— Oh ! il l'est bien assez. C'est même l'un des plus grands, en vérité. Mais sans les invités, l'animation et le luxe, ce n'est plus qu'un bateau comme les autres. Vous avez bien de la chance, mademoiselle, euh, Beaumont.

— Ah oui ?

— Oh ! oui. Il adore Niki. Il paierait à peu près n'importe quoi pour lui épargner un, euh, embarras. Ou une difficulté. Jusqu'à un certain point, bien sûr... Il veut laisser une succession en ordre, comprenez-vous. De manière que l'empire Greenwood continue à passer de père en fils, au fil des générations, etc. Il ne voudrait pas que la race s'éteigne, comme dans le cas du titre de Robin, ni que tout passe dans, euh, d'autres mains. »

Une sonnerie discrète retentit, et Boyce la conduisit sur le pont.

« Le canot est prêt pour vous ramener à terre. » Il la prit par le bras et l'accompagna jusqu'à la passerelle. Elle sentit sur sa peau la moiteur déplaisante de sa main, et se dégagea de ce geste intime qu'elle ne souhaitait pas.

« Dites à Blumenthal d'appeler le vieux Zengli pour signer les papiers. Et ne revenez plus. Rappelez-vous ce qui est arrivé à ce pauvre Robin. La cupidité ne paie pas.

— Je ne pense pas que ce soit la cupidité, Boyce, qui a coûté la vie à mon mari. Il nourrissait l'illusion que les aristocrates peuvent vivre au-dessus des lois.

— Seuls les riches sont au-dessus des lois. La naissance et l'éducation n'ont rien à y voir. Ah ! voici le fringant Helmuth qui attend, pour vous reconduire à Eden Roc, tel Siegfried... Il est sexy, vous savez ! »

Boyce salua de la main Helmuth, qui l'ignora.

« Le Germanique glacial dans toute sa splendeur, soupira Boyce tristement. Exactement ce à quoi l'on aspire, malheureusement... »

Tandis qu'elle s'engageait sur la passerelle, Boyce lui décocha un regard dur et entendu. « Faites bien attention », déclara-t-il avec un sourire aigu qui fit comprendre à Diana qu'il ne parlait pas des marches. « Et transmettez mes bons vœux à Paul Foster. Prenez garde à vous — bien souvent, ses amis paient *chèrement* l'expérience de le connaître ! »

Diana méditait cette phrase tandis qu'elle attendait avec Paul sous l'aile de l'avion. Il paraissait tendu, bien qu'il n'eût laissé paraître qu'une déception modeste en apprenant qu'elle n'avait pas pu retrouver la lettre lorsqu'elle était venue le rejoindre à La Bouée pour le déjeuner. Il avait apprécié que le vieux Greenwood fût disposé à payer le silence de Diana.

« Ils sont sur la corde raide », avait-il dit en levant vers elle son verre de Château-de-Selle — il tenait à boire le vin des gens qu'il connaissait chaque fois que c'était possible. « Ils doivent avoir un besoin désespéré du secours de Biedermeyer. Il ne nous manque plus qu'un petit mouvement de levier — et de la chance, bien sûr. On en a toujours besoin.

— Où pensez-vous que la lettre ait disparu ?

— Je l'ignore. Elle aurait été bien utile.

— Croyez-vous que Lorenberg ait menti ?

— Non. Mais je pense qu'il a pu me doubler. Peu importe. Ces choses-là arrivent, en affaires. Mais ce pauvre Lorenberg aurait dû se méfier. » Foster eut un petit sourire, comme pour chasser le souvenir même de Lorenberg.

« Greenwood a prononcé des paroles assez dures, au sujet du

chantage. Il n'a pas mentionné le nom de Lorenberg, mais j'ai pensé qu'il existait sans doute un rapport.

— Sans aucun doute. Greenwood est un expert dans le domaine du chantage. C'est une profession à haut risque », ajouta Paul avec l'air d'en savoir lui-même fort long sur la question.

Maintenant qu'ils se trouvaient sur la piste d'envol, Foster paraissait réticent à l'idée de monter en avion. Il était préoccupé, silencieux, et Diana songea qu'il avait peut-être hâte de retourner à ses téléphones et à ses ordinateurs. Le pilote avait pour lui une liasse de messages et de télégrammes et Paul les parcourut, debout près de l'aile de l'appareil, avec une sombre détermination. Il relevait de temps à autre la tête et s'abritait les yeux de la main, manifestement dans l'attente de quelque chose ou de quelqu'un, jusqu'au moment où une Mercedes grise apparut. Il s'en approcha alors et Diana reconnut à l'arrière son garde du corps de New York, Luther. Soudain, Diana se rendit compte que c'était lui, la « relation d'affaires » qu'elle avait aperçue en compagnie de Paul au casino, et à qui ce dernier parlait avec véhémence.

Diana attendait au bas de la passerelle, et regarda Luther s'avancer pour parler à Foster. Le soleil couchant se reflétait dans les lunettes en miroir de Luther et des éclats rouge sang s'y allumèrent tandis qu'il chuchotait, penché vers Paul. Ils demeurèrent un moment ensemble, puis Paul acquiesça, répondit quelques mots à Luther et rejoignit Diana.

« Luther revient avec nous ? » demanda-t-elle.

Paul secoua la tête. « Je l'envoie d'abord à Zurich. Il peut s'y rendre par ligne régulière, et puis je l'enverrai chercher de New York par le pilote. » Il prit le bras de Diana et la conduisit jusqu'à l'intérieur de l'avion, puis la porte se referma lentement derrière eux et les moteurs se mirent en marche.

« Un problème ? » interrogea-t-elle.

Foster haussa les épaules. Son visage paraissait un peu plus pâle qu'à l'accoutumée, comme s'il était soudain fatigué. « Il y a toujours des problèmes. »

Il prit place auprès d'elle sur le gros canapé de cuir, pressa un bouton pour signaler qu'il était prêt pour le décollage, et releva ses pieds.

« Voyons quelles cassettes ils ont apportées, dit-il. Nous pourrions regarder un film en rentrant. A propos, il semble que Kane ne doive plus rencontrer Lorenberg ce soir.

— Quelqu'un a fait changer d'avis à Lorenberg ?

— D'une certaine façon, oui. Il a été abattu cet après-midi, dans le jardin de sa villa. »

Sixième Partie

Erreurs de jugement
1943-1944

« Il vit plus de Juifs en Hongrie que dans toute l'Europe Occidentale... Cela explique que nous devions tenter de résoudre ce problème, mais où vont-ils aller ? »

Premier ministre MIKLÖS
Kallay, 1943

10

« A la victoire, déclara le colonel von Lorenberg en élevant son verre.

— A la paix », répondit Steven de Grünwald délibérément.

Matthieu de Grünwald vida son verre (j'ai l'impression de boire davantage ces derniers temps, songea-t-il) et lança à Steven un regard d'avertissement.

« En Suisse, observa Matthieu, on parle d'une paix négociée.

— Peu probable, dit Lorenberg. Le Führer croit encore à la victoire.

— Plus personne n'y croit, à Budapest, observa Steven.

— C'est parce que vous, les Hongrois, constituez une race pessimiste. Regardez ce qui s'est passé après Kuřsk. Vos soldats ont jeté leurs armes et se sont enfuis devant les Russes ! »

Steven acquiesça — c'était indéniablement vrai.

« Oui, admit-il, mais les vôtres l'ont également fait, à Moscou. Et ils avaient des tanks, *eux !*

— Vous avez raison, reconnut Lorenberg. En fait, certains de nos officiers d'état-major se sont enfuis si vite qu'ils ont laissé derrière eux non seulement leurs armes, mais leur butin. Voilà où en est la situation là-bas. Ce qu'il nous faut, c'est un miracle. Ou en tout cas une arme miracle.

— Et Wotan ?

— Je crains que nous n'ayons trop tardé. Nous progressons, mais lentement. Le professeur Meyerman et ses collègues aryens ne semblent guère plus avancés que l'an dernier... C'est fort décourageant.

— Il s'agit d'un savant de premier ordre.

— Ah oui ? Je l'espère. Les Américains ont Einstein. Je crains bien que nous n'ayons gardé le mauvais Juif. Comment était la Suisse ?

— Extrêmement agréable. L'hôtel Dolder est toujours aussi parfait.

— C'est ce qu'on me dit. C'est fou le nombre de gens qui font un saut à Zurich, en ce moment — ceux qui *peuvent,* bien sûr. »

Pendant cet hiver de la quatrième année de guerre, jamais les hôtels et les banques suisses n'avaient été plus actifs. Les Allemands étaient battus en Afrique du Nord, où les panzers de Rommel étaient immobilisés en plein désert, faute de carburant ; ils perdaient en Russie, où un demi-million d'hommes avaient été encerclés à Stalingrad — ils n'étaient victorieux que contre les Juifs, et même dans ce domaine, bien des Allemands se demandaient si l'on aurait le temps de les liquider complètement...

Les Hongrois, entrés tard dans la guerre et à contrecœur, avaient été contraints d'envoyer une armée en Russie sous le prétexte qu'elle servirait à garder les voies de communication, afin de libérer le maximum de divisions allemandes pour le front. Au lieu de cela, le Haut Commandement allemand avait envoyé les troupes hongroises mal équipées au cœur des combats, pour ensuite omettre de leur fournir des rations alimentaires, des munitions, des vêtements d'hiver, et même des bottes.

A Budapest, les membres du Club anglais n'étaient plus tellement optimistes non plus. Une atmosphère sombre s'était abattue sur les salons élégants de cette auguste institution. On ne trouvait plus de marmelade anglaise, de nombreux domestiques avaient été mobilisés et périssaient sans aucun doute de froid sur le front russe, on ne pouvait plus se procurer de scotch convenable, même si le chargé d'affaires argentin amassait une fort jolie fortune en l'important de Buenos Aires par la valise diplomatique. Le prince Bardossy se trouvait à la gare lorsqu'un porteur maladroit avait laissé tomber sur le quai la valise de la légation, provoquant un fracas de bouteilles brisées et des émanations fortement alcoolisées. Le chargé d'affaires avait sangloté à chaudes larmes en voyant le précieux liquide couler et former une mare boueuse sur la voie, mais en ce temps-là beaucoup de gens pleuraient.

Le cousin de Putzi de Fekete était revenu de Washington après avoir accompli l'inévitable tâche de déclarer la guerre aux États-Unis. Il lui avait fallu une semaine pour obtenir un rendez-vous avec Cordell Hull, le secrétaire d'État, qui avait entamé l'entretien en demandant si la Hongrie avait à se plaindre de l'Amérique.

« Nullement », répondit Fekete.

Hull haussa un sourcil. De qui, alors, la Hongrie avait-elle à se plaindre ?

« Uniquement de la Roumanie.

— Et la Hongrie déclare-t-elle également la guerre à la Roumanie ? »

Fekete sourit tristement. « Non, dit-il. Les Roumains sont nos alliés, malheureusement. »

Au moins, on pouvait encore manger bien en Hongrie — si l'on y mettait le prix. Il semblait même à Matthieu de Grünwald que, depuis son arrivée à Budapest, Lorenberg avait pris un peu de poids. Il était également devenu un visiteur assidu, bien que peu désiré. Il se considérait comme un ami de la famille, sentiment que Matthieu hésitait à décourager, en dépit des objections de Steven. Un jour, se disait Matthieu, peut-être aurons-nous besoin de ce foutu raseur.

Il n'était certes point cupide au point de causer des problèmes, mais il réclamait constamment des petites faveurs — un piano à queue Bechstein pour son appartement à l'hôtel, une limousine Mercedes pour remplacer sa Volkswagen fournie par la Wehrmacht, la libre disposition d'un compte dans une banque suisse, des devises fortes...

Ce n'étaient pas seulement les requêtes personnelles de Lorenberg qui empoisonnaient Matthieu de Grünwald — après tout, cela s'acceptait aisément dans le commerce —, mais surtout sa détermination à être dur en affaires et difficile à satisfaire. Les seules concessions qu'il consentît se présentaient sous forme de propositions de main-d'œuvre détenue, que les Grünwald ne pouvaient pas accepter car le gouvernement hongrois estimait qu'il y avait déjà bien assez de Juifs en Hongrie sans en importer encore. « Il n'en est pas question, s'était exclamé le régent quand on lui avait fait part de cette proposition. Dites-leur d'employer d'abord nos Juifs à nous — Dieu sait que nous en avons suffisamment ! »

Bien entendu, dans une Hongrie indépendante et alliée de l'Allemagne (bien qu'à contrecœur), Lorenberg ne pouvait pas encore se permettre d'appliquer les méthodes qui s'étaient révélées si fructueuses en Autriche ou en France. Ici, il fallait encore négocier — et aussi venir à bout des irritantes objections du gouvernement hongrois, qui voulait bien voir les Juifs dépouillés de leurs richesses, mais éprouvait un vif déplaisir à voir ces richesses passer entre des mains allemandes.

Lorenberg discutait de ses problèmes et de ses réussites, des « joies et des peines de son existence », comme il disait, à la table des Grünwald, ce qui déplaisait extrêmement à Betsy — elle le jugeait « aussi sympathique qu'un poisson pourri » — et ennuyait souverainement Cosima, qui réprouvait les conversations d'affaires à table. Lorenberg exerçait son immense charme auprès de ces deux dames sans le moindre effet, mais il ne paraissait pas s'en rendre compte. Il *aimait* la Hongrie, leur expliquait-il inlassablement. Dans les territoires occupés, il lui fallait rivaliser avec les SS et même avec la Wehrmacht pour obtenir sa part de butin, mais ici le problème était moindre. Avec

son charme sardonique et sa malle Vuitton remplie d'uniformes bien coupés, il avait encore le champ libre. Il se faisait même conseiller par un expert en œuvres d'art, l'*Oberleutnant* Graf Rudolph von Seydlitz, dont la mission consistait à acquérir des chefs-d'œuvre pour la collection grandissante du *Reichsmarschall* Göring, en échange de visas de transit pour les Juifs dont les tableaux correspondaient à ses critères élevés.

Maintenant, lorsque les deux frères de Grünwald rejoignirent Lorenberg au salon — Lorenberg ayant choisi de rester auprès des dames pour une liqueur d'après souper —, il décrivait le dernier « triomphe » de son subalterne.

« Imaginez », disait-il à Betsy, assis auprès d'elle sur le canapé, devant le feu, tenant de sa main manucurée un verre de kümmel, « un retable, sans doute un Cranach ! » Il joignit son index et son pouce de manière à former un o, comme il avait appris à le faire en France. « Superbe ! poursuivit-il. Ce vieux Juif — Fülöp Rosenwald, je crois — est venu trouver Seydlitz à l'hôtel avec un joli bronze Renaissance de Kayser, et Seydlitz lui a dit, " *Mein lieber Herr* ", ce bronze vous conduit de Sopron à Vienne, mais pour le reste du parcours jusqu'en Suisse, il me faut quelque chose de mieux. »

« Rosenwald l'emmène donc chez lui, et voilà cette merveille. Seydlitz n'en revenait pas ! " Vous rendez-vous compte, m'a-t-il dit, un retable chez un Juif ! C'est vraiment déplacé ! "

« Bien entendu, poursuivit Lorenberg sur un ton d'excuse, je comprends bien qu'en Hongrie cela se passe différemment. Mais il est tout de même remarquable de voir tout ce que ces gens ont pu amasser ! »

Ses yeux parcoururent les murs du salon de Matthieu de Grünwald, s'arrêtèrent sur un *Garçon mordu par un lézard* du Caravage et reprit son inspection de toutes les autres toiles accumulées par Max et le grand-père Hirsch.

« C'est une peinture sensuelle, apprécia-t-il en désignant le jeune éphèbe couronné de fleurs de la toile du Caravage.

— Le Caravage était connu pour sa sensibilité dans ce domaine, lança Steven avec une nuance ironique dans la voix.

— C'est ce qu'on dit. *La bella Italia...* soupira Loringhoven. " *Kennst du das Land, wo die Zitronen blühn* ", cita-t-il songeusement. Goethe aussi aspirait au soleil ! C'est dans le sang allemand. Un jour, j'aimerais vivre au bord de la mer, entouré d'oliveraies. Le soleil, la chaleur, le bon vin, la senteur des citrons... En attendant, comment vont vos familles ? J'ai cru comprendre que Nicholas est installé en Suisse ?

— Au Rosey », répondit Matthieu, le regard fixé sur la poitrine de

Betsy qui se penchait pour remplir le verre de Lorenberg avec une carafe en cristal taillé.

« Excellent choix ! Il n'y a plus guère que la Suisse où il fasse bon être !

— Il nous manque ! soupira sombrement Cosima, comme s'il avait été perdu en mer.

— C'est là l'instinct naturel d'une mère », approuva Lorenberg d'une voix pontifiante, en se penchant pour lui presser la main dans un geste de compassion que ses yeux ne reflétaient nullement. « Croyez-moi, baronne, c'est ce qu'il y avait de mieux à faire. » Il se tourna vers Steven. « Vos enfants sont restés ici, n'est-ce pas ? »

Steven acquiesça.

« *So.* Bien sûr, une famille souhaite rester unie. Je le comprends bien. Mais tout de même, le lieu et l'époque sont bien dangereux.

— Je n'éprouve pas de réelle crainte, intervint Matthieu. Si le front russe s'effondre complètement, ce sera une autre histoire... »

Lorenberg se mit à rire. « Les Russes ? Je ne pensais pas à *eux !* Ce sont les SS, dont il faut vous méfier, mon cher ami ! »

« Avons-nous vraiment quelque chose à redouter des Allemands ? » demanda Betsy.

Steven haussa les épaules. Ils étaient assis ensemble sur le siège arrière de la Packard et rentraient chez eux.

« Cela m'étonnerait, dit-il. Tu es une aristocrate magyar, descendant en droite ligne du Hun Attila. Quant à moi, je suis né catholique. Même suivant la ridicule définition des Allemands, je n'aurais qu'un quart de sang juif. Il y a bien des gens à l'État-Major qui en ont davantage ! Et puis regarde Heydrich — il était *Mischling,* comme on dit. On dit que la mère du maréchal Kesselring était fille d'un rabbin — même la mère de Göring, qui a eu un amant juif, et la rumeur veut que son mari n'ait pas été le vrai père de Hermann, auquel cas...

— Je vois. Mati est-il inquiet ? Il m'a dévisagée très étrangement, ce soir. Et puis il semble fatigué, nerveux...

— Les pressions ne manquent pas, comme tu peux l'imaginer. Les Allemands menacent d'envahir et d'occuper la Hongrie, surtout si le régent ne se décide pas à prendre des mesures énergiques contre les Juifs. Mais tant que le régent garde la situation en main, je ne pense pas qu'il puisse arriver quoi que ce soit de grave. Et puis nos relations avec les Allemands ont toujours été excellentes, pour le meilleur ou pour le pire. Nous avons parmi eux des amis — particulièrement puissants ! Quoi qu'il en soit...

— Quoi qu'il en soit ?

— Quoi qu'il en soit, je ne pense pas que le régent ni les Allemands

nous *laisseraient* partir. Le régent ne peut guère tolérer un exode des riches ; cela saperait toute confiance dans le régime. Quant aux Allemands, nos services leur sont utiles, surtout dans cette affaire de projet Wotan. Je pourrais te faire partir avec les enfants, et vous rejoindre par la suite. En vérité, ce serait la meilleure solution. »

Betsy prit la main de son époux et se pencha pour l'embrasser. « Je ne veux pas en entendre parler, dit-elle. Jamais !

— Sois sérieuse, chérie. Ce serait plus sûr. Montenuovo pourrait vous faire sortir — il dispose d'un passeport diplomatique du Vatican. Schiller s'occupera des visas allemands de transit.

— Je suis tout à fait sérieuse. S'il n'existe aucun danger, je n'ai aucune raison de partir. Et s'il existe du danger, je veux rester avec toi. Un point, c'est tout. »

La voiture s'arrêta devant chez eux. Steven hocha la tête. « Quand tu dis : " Un point c'est tout " sur ce ton... Bon, j'accepte, mais au premier signe de problèmes, tu pars — sans discussion ! En attendant, espérons que les Allemands craqueront vite. Ils se replient sur le front russe, les villes allemandes sont bombardées chaque nuit, dès l'instant où les Alliés débarqueront en France — et ce ne peut plus être dans bien longtemps —, tout sera terminé. Pourvu que l'Allemagne s'effondre avant l'arrivée des Russes chez nous, tout devrait bien se passer pour nous. »

Mais les Allemands s'obstinaient à ne pas lâcher pied. Quand les Alliés se décidèrent enfin à quitter l'Afrique du Nord, le second front tant attendu se fixa en Sicile et non en France, à la consternation de Steven, et dès la fin de l'année les Américains semblaient avoir perdu tout espoir d'arriver à Rome, sans parler de Budapest.

Le régent Horthy était allé rendre visite au Führer, à son quartier général de Rastenburg, et s'était vu offrir un déjeuner composé de soupe d'orge, de légumes et de compote, ainsi qu'un ahurissant tour d'horizon de la situation mondiale, mais observa avec contrariété que le *Gauleiter* Arthur Seyss-Inquart n'était pas venu le saluer à la gare lors de son passage à Vienne — petite insulte calculée, et visant à exprimer le mécontentement des Allemands. Comme tout le monde le prévoyait, il allait se produire bien pire.

Inévitablement, cela se produisit. Dans les premiers jours de 1944, une patrouille allemande chargée de la surveillance des télégraphes voulut poser des fils sur un poteau situé juste en deçà de la frontière hongroise, près de Wiener-Neustadt. Lorsque les gardes-frontières hongrois s'y opposèrent, l'*Unteroffizier* allemand responsable de l'opération hurla par-dessus la barrière de frontière : « Bande de porcs,

vous faites les fiers-à-bras pour le moment, mais bientôt vous chierez dans vos frocs ! »

Au milieu des rumeurs de concentration de troupes allemandes le long de la frontière, le gouvernement hongrois s'affairait à préparer une soirée de gala à l'Opéra pour célébrer la fête nationale — événement qui fut interrompu par un message urgent convoquant le régent à une nouvelle conférence en Allemagne, avec Hitler.

Contre toute sagesse, mais avec un certain courage ténébreux, le régent se rendit à nouveau dans l'antre du lion, y fut insulté et retenu prisonnier et se trouva donc absent quand le *Generalfeldmarschall* Maximilian von Weichs conduisit l'Armée balkanique allemande au-delà de la frontière pour occuper la Hongrie et défila dans les rues de Budapest en faisant jouer la « Marche de Radetzky » par sa fanfare, cependant que les Hongrois demeuraient pétrifiés dans le froid glacial, sous un ciel envahi par la fumée des cheminées de tous les ministères, qui se hâtaient de brûler leurs dossiers.

Dans la confusion, la présence de deux officiers de la Gestapo, le maigre et morne *Obersturmbannführer* Adolf Eichmann, et son élégant compagnon *Standartenführer* le docteur Kurt Becker, passait inaperçus, d'autant plus qu'ils faisaient partie du nombreux entourage du docteur Edmund Veesenmayer, le nouveau ministre plénipotentiaire du Reich.

Dans sa luxueuse serviette de cuir toute neuve, Eichmann apportait un modèle en carton de l'étoile jaune à six branches que les Juifs hongrois devraient désormais porter, solidement cousue sur le côté droit de leurs vêtements extérieurs.

« Ils défilent mieux que nos soldats à nous.

— Ils sont bien mieux chaussés.

— Sois sérieux. Ils me font peur.

— C'est précisément leur objectif. »

Louise et Paul de Grünwald se trouvaient dans la foule tandis que l'armée allemande défilait au pas de l'oie dans la rue Kiraly, faisant résonner leurs bottes sur les pavés en direction de la tribune hâtivement dressée en face du Parlement. Les spectateurs n'applaudissaient pas, personne n'agitait de mouchoir ou de drapeau, bien que pendant la nuit des fanatiques pro-Allemands eussent apposé des affiches annonçant simplement : « Et maintenant, les Juifs vont avoir ce qu'ils méritent. »

Louise était une jeune femme d'une beauté saisissante. Elle n'était pas jolie comme sa mère, mais avait les traits élégants de son père : de hautes pommettes et le nez fort. Un visage de caractère.

Paul de Grünwald lui ressemblait assez pour qu'on les reconnût

aussitôt pour frère et sœur, quand bien même on ne les prenait pas pour des jumeaux.

« C'est inquiétant, reprit Louise. Tous ces changements...

— D'après Meyer Meyerman, ce n'est que le début... »

Louise hocha la tête d'un air contrarié.

« Le jeune Meyerman est précisément l'un de ces changements. Oh ! je sais que tu le trouves sympathique, mais il me dévisage sans cesse.

— Il t'admire. Et puis...

— M'admirer ! Tu es encore bien jeune, Pali, par certains côtés. Reconnais quand même que ce n'est pas du tout le genre de personne que Papa ou l'Oncle Mati engageraient normalement comme assistant. Ou recevraient à la maison.

— Tu sais parfaitement bien qu'il l'a fait pour rendre service au vieux professeur Meyerman. S'il n'avait pas trouvé un emploi chez nous, on l'aurait envoyé sur le front russe creuser des tranchées antichars dans un commando de travail forcé pour les Juifs. Ce n'est quand même pas ce que tu souhaites ?

— Non, non, que Dieu m'en préserve. Mais pourquoi devrais-je me soucier de tout cela, je me le demande. Je ne m'intéresse pas à la politique. Ni aux soldats allemands. Ni même aux Juifs. Allons-nous-en. J'ai par-dessus la tête de cette maudite guerre. »

Paul entraîna Louise vers une rue latérale, loin de la foule et du bruit, en étouffant un soupir. L'aristocratique dédain que manifestait Louise à l'égard des réalités — un héritage de son grand-père, le prince Bardossy — lui était familier, mais lui semblait difficile à accepter.

De deux ans plus jeune que Louise, Paul prenait tout au sérieux, comme son père. Bien que fréquentant encore l'école, il lisait tous les journaux, se passionnait pour la politique et préférait la ville à la campagne.

« Pour nous, déclara-t-il à Louise, la guerre n'a pas encore commencé.

— C'est absurde. Tout le monde dit que ce sera terminé d'ici la fin de l'année. Tu es un alarmiste.

— Non, un réaliste. Tu es tellement occupée avec tes chevaux que tu ne vois rien de ce qui se passe autour de toi. Même à l'école, les garçons juifs sont persécutés, frappés ou simplement tenus en quarantaine. Hier encore, Tibor de Fekete m'a traité de " Youpin ".

— C'est un voyou. Son père n'est qu'un déclassé, un antisémite professionnel. Qu'as-tu fait ?

— Je l'ai frappé. »

Louise lança à son frère un regard d'admirative surprise. « Bien », dit-elle.

Paul haussa les épaules.

« Pas vraiment. Frapper les gens ne résout rien. Et puis dans quel

camp sommes-nous ? Pourquoi devrais-je m'offenser si l'on me traite de Juif ? Il n'y a rien là qui doive nous faire honte. Notre arrière-grand-père Hirsch était juif.

— Voyons, Pali, il y a des générations de cela ! Tu te fais trop de souci.

— Papa s'inquiète aussi. Tu dois bien t'en rendre compte, non ?

— Papa trouve toujours à s'inquiéter de quelque chose. Lui as-tu raconté ce qui s'était passé à l'école ?

— Bien sûr.

— Et alors ?

— Il a éludé la question.

— Quelle question ? Tu as frappé Tibor. Ce n'est pas une question, mais un coup pour enfoncer les bonnes manières.

— La question du camp auquel nous appartenons. Tu ne sembles pas voir qu'il s'agit d'un dilemme moral. Ai-je frappé Tibor parce que j'étais furieux de m'entendre traiter de Juif, ou parce que je prenais parti pour les Juifs. Dans le premier cas, je devrais avoir honte ; dans le second, je dois être fier. Le problème, c'est que j'ignore ce que j'ai éprouvé en le faisant.

— Qu'en a dit Papa ?

— Qu'il regrettait que nous ne soyons pas tous partis en Suisse.

— N'est-ce pas ce que nous déplorons tous ?

— Meyer me dit qu'il se passe des choses inimaginables. Les gens paient des fortunes pour faire établir leurs arbres généalogiques. Apparemment, si l'on y met le prix, on peut acheter de faux certificats de baptême — on les trempe dans du thé pour leur donner l'air ancien. Dans toute la Hongrie, des chercheurs examinent les pierres tombales et les registres d'état civil jusque dans les plus petits villages. C'est une véritable industrie nouvelle !

— Cela ne servira pas à grand-chose pour ce pauvre Meyerman — il suffit de regarder son visage ! Mais je suis sûre que l'on exagère beaucoup ces histoires.

— On ne parle plus que des nouvelles lois... des ghettos, des rafles, de l'étoile jaune. On dit que les Allemands ont installé des camps de la mort en Pologne.

— Ce sont des rumeurs. Comme si tout n'était pas déjà bien assez déprimant.

— Je n'en suis pas si sûr. Papa racontait à Montenuovo qu'en Allemagne les gens en parlent ouvertement. Pendant son séjour à Berlin, il y a eu une panne de gaz à l'hôtel Adlon et il a fallu fermer les cuisines pendant quelques heures. Un chasseur lui a dit : " Je suis navré, baron, mais voyez ce que nous autres, pauvres Allemands, devons subir, pendant que nous gaspillons tout ce bon gaz pour les Juifs. " »

Louise hocha la tête. « Même si c'est vrai, ce dont je doute, rien de tel ne se produira ici. Le régent ne le permettrait pas, ni le cardinal non plus. Mais que se passe-t-il donc là-bas ? »

Ils contournèrent l'angle et approchèrent de la Banque Grünwald, immeuble massif qu'avait fait construire Hirsch de Grünwald sur le modèle de celui des Rothschild à Paris, qu'il avait beaucoup admiré et que Matthieu avait fait modifier, avec des glaces de vitrage et un intérieur conçu différemment, de sorte qu'il présentait un mélange maladroit de Beaux-Arts et de Bauhaus. Devant l'entrée de la banque, un petit groupe de gens semblait déchaîné dans une activité violente.

Paul approcha en compagnie de Louise, puis hurla : « Merde ! » Il lâcha le bras de sa sœur et se précipita. De loin, on distinguait la silhouette ronde de Meyer Meyerman à genoux, qui agitait sa serviette en tous sens pour tenter de se protéger tandis que quatre ou cinq jeunes brutes le frappaient à coups de poings et de pieds. Les policiers qui se trouvaient postés à intervalles réguliers sur le trottoir ignoraient la scène avec application et gardaient les yeux fixés dans le vide.

Paul s'élança vers eux, empoigna par-derrière le plus proche des agresseurs et d'un seul coup de poing l'envoya à terre. Les derniers mots qu'il entendit en se lançant dans la bagarre furent : « Complice des Juifs ! »

De l'autre côté de la rue, dans une Opel, un officier allemand en uniforme gris des Waffen SS, avec sa casquette ornée d'une tête de mort penchée de manière désinvolte sur le côté et l'insigne brodé d'argent des *Sicherheitsdienst* cousu sur la manchette gauche, contemplait la scène en fumant une cigarette Reetsma avec un fume-cigarette en or.

A côté de lui était assis un commandant de la gendarmerie hongroise, très droit et empestant l'eau de Cologne, sa moustache teinte soigneusement cirée pour former deux pointes raides, à la manière de feu le Kaiser Guillaume II. Son nez était parcouru de tout un réseau de capillaires éclatés et ses yeux ressemblaient étonnamment à des œufs pochés.

Bien contre son gré et contre ses opinions, le commandant Voster avait été désigné pour servir de liaison avec la Gestapo et, bien que les Allemands ne pussent rien faire susceptible de le choquer ou d'offenser ses préceptes moraux, il éprouvait une indignation patriotique à l'idée de devoir prendre ses ordres d'un étranger. Bon, il n'aimait guère les Juifs. Mais il n'aimait pas non plus les Allemands et, bien qu'il n'eût jamais rencontré de Français, il était tout prêt à en détester un si l'occasion s'en présentait. Il était pour sa part de pure souche magyar, et il s'était préparé à ses fonctions en buvant une demi-bouteille d'eau-de-vie de pêche Baracs. Néanmoins, il était policier. Le désordre l'offensait presque autant que la présence à ses côtés de ce grand Allemand dédaigneux.

« Désordre sur la voie publique », déclara-t-il en allemand, avec cet accent hongrois que les Allemands jugeaient si comique.

Le *Standartenführer* docteur Becker sourit, et tapota aimablement le genou du commandant. « Pas du tout, mon brave homme. Quel désordre ? Ces sympathiques jeunes gens tabassent un Juif. Cela se produit dans la ville entière. Pourquoi pensez-vous que nous ayons distribué des tracts cette nuit ? Pourquoi pensez-vous que nous préparions un gala pour la première représentation du *Juif Süss ?* Ce que nous voulons, ce sont des actes de violence spontanés, sous l'effet de l'indignation. Tout d'abord, cela montre quels profonds sentiments de haine les Hongrois nourrissent à l'égard des Juifs ; deuxièmement, cela effraie les Juifs, de sorte qu'ils viendront solliciter notre protection. *Alles in Ordnung!* Tout cela est normal, dans le cadre d'un plan. »

Le commandant Voster concentra son regard humide sur la scène que tous ses instincts de policier l'incitaient à interrompre. « Il ne s'agit pas seulement d'un Juif, observa-t-il. Ils frappent aussi un second jeune homme, un grand type blond. Il se bat comme un beau diable aussi. »

Becker se pencha en avant. Il y avait en effet un grand jeune homme blond, que l'on maintenait apparemment à genoux.

« Ce n'est pas normal, admit-il.

— La demoiselle, ce n'est pas normal non plus », remarqua Voster tandis que Louise s'élançait vers la voiture en réclamant de l'aide à grands cris. Voster, avec l'instinctive galanterie d'un Hongrois face à une femme en détresse, ouvrit la portière de la voiture, sortit et fit claquer ses talons en portant à sa visière une main gantée de blanc. « A votre service », déclara-t-il en reconnaissant chez Louise les traits et l'arrogance naturelle d'une aristocrate.

« Faites quelque chose ! cria-t-elle de cette voix autoritaire que son grand-père Bardossy employait à l'égard de ses gardes-chasse. C'est mon frère qu'ils assomment !

— J'ai l'honneur de... » Voster s'interrompit, tandis que Becker le rejoignait, fixant un regard implacable sur Louise. Il reprit :

« Quel est votre nom ? anxieux de prouver son autorité aux yeux de l'Allemand.

— Louise de Grünwald. Je suis la fille du baron Steven de Grünwald, le banquier. Mon oncle, le baron Matthieu de Grünwald, est un ami de Son Altesse Sérénissime. Mon grand-père est le prince Béla Bardossy. Et faites quelque chose, à présent ! »

L'énumération de tous ces noms fit mettre le commandant au garde-à-vous, la moustache frémissante.

Becker, cependant, ne paraissait nullement impressionné.

« Grünwald, répéta-t-il, le banquier ? *Sehr interessant.* Et que fait donc votre honorable frère, à défendre un Juif, *Fräulein ?*

— Il défend l'un de nos employés ! Et maintenant, arrêtez-les vite, sans quoi ils vont le tuer !

— D'abord quelques questions », reprit Becker, mais Voster le fit pivoter, tira un sifflet de sa poche et souffla de toutes ses forces en faisant signe à ses hommes d'approcher ; ils s'élancèrent des portes cochères où ils se tenaient jusqu'alors sans intervenir, et se mêlèrent à la bagarre. Il fit taire Becker qui protestait d'un coup de sifflet plus impérieux encore. « Là, c'est une autre affaire, déclara le commandant, entêté. Nous ne pouvons pas les laisser démolir un petit-fils de prince. »

Brandissant leurs bâtons, les policiers eurent vite fait d'arrêter les tourmenteurs de Meyerman et ils se penchèrent ensuite courtoisement pour aider Paul et Meyer à se relever.

« Regrettable incident », déclara le commandant à Louise.

Becker approuva avec un sourire désarmant.

« Tout à fait regrettable, dit-il, mais puis-je vous demander pourquoi votre frère s'est ainsi cru obligé de voler au secours d'un Juif ?

— Il s'agit d'un ami, répliqua sèchement Louise.

— Ah ! l'amitié ! Quel noble instinct ! C'est une chose que nous, les Allemands, comprenons fort bien. Mais, un ami *juif ?*

— Oui. Pourquoi pas ?

— Insolite. En Allemagne, je ne pense pas que cela pourrait arriver. Votre frère compte-t-il faire une habitude d'intervenir, lors de ces petites manifestations de l'opinion publique concernant les questions raciales ?

— Je n'en ai pas la moindre idée. Pourquoi ?

— Parce que, si c'est le cas, il va avoir fort à faire. Ah ! voici notre jeune héros. Ils nous l'apportent avec son ami hébraïque. Ils ne paraissent pas trop sérieusement atteints. »

Les policiers déposèrent Paul sur le trottoir, tandis que Louise et le commandant se penchaient pour voir s'il était blessé. Il ouvrit un œil ensanglanté, ébaucha un sourire bravache et geignit. Becker adressa à Meyerman un sourire glaçant et se tourna vers Louise pour proposer : « Puis-je avoir l'honneur de vous reconduire tous en voiture ? »

Louise hésita un instant. Les manières de l'officier allemand étaient à la fois courtoises et impudentes et ses yeux semblaient fixés sur un point situé juste au-delà de l'épaule de Louise, comme s'il avait évité de devoir la regarder en face. Néanmoins, une voiture était une voiture. Ce qu'elle voulait le plus au monde, c'était quitter cette rue. « Merci », répondit-elle d'une voix brève, et elle prit place dans la voiture tandis que Meyer et le commandant soulevaient Paul pour l'asseoir sur le siège arrière.

« Il faudra m'en dire plus sur les Grünwald, chuchota Becker au

commandant tout en se serrant avec lui sur le siège avant. C'est exactement le genre de famille qui m'intéresse ! »

« Tu devrais te plaindre en haut lieu ! » hurla Betsy de Grünwald d'une voix presque hystérique tandis que le médecin achevait de panser les blessures de Paul. Éperdu de honte et de gratitude, Meyer Meyerman avait déjà été transporté dans une chambre du premier étage, en quelque sorte soulagé de sa douleur par le plaisir d'être accueilli dans la maison des Grünwald.

Steven de Grünwald raccompagna le médecin jusqu'à la porte, et se demanda soudain ce qu'ils deviendraient si ces idiots d'Allemands emmenaient ce malheureux Weissberger. Personne n'allait envoyer un médecin de famille âgé de soixante-dix ans dans un camp ou un commando de travaux forcés ? Le gouvernement devait bien se rendre compte que, sans les juifs, la Hongrie n'aurait plus ni médecins, ni avocats, ni commerçants, ni commerce. Même Mgr de Montenuovo avait déclaré qu'au premier ennui de la prostate, le régent se hâterait d'annuler les nouveaux décrets antisémites.

« A qui veux-tu aller te plaindre ? » demanda-t-il en s'asseyant au chevet de Paul, cependant que Betsy les foudroyait tous deux du regard. « Et pour quoi faire ? Ce genre de chose se déroule dans toute la Hongrie. Après tout, si Paul n'avait pas joué au bon Samaritain, cela ne serait pas arrivé.

— Tu lui mets des idées dans la tête ! D'abord il frappe Tibor de Fekete. Maintenant il se bagarre dans les rues !

— Ce n'est pas sa faute. Ce pauvre Meyerman a été agressé, et Paul a couru le défendre.

— Pour revenir dans la voiture d'un officier de la Gestapo, à moitié mort !

— N'exagérons pas. Il est parfaitement vivant.

— Il aurait pu se faire tuer. Tu es son père. A toi de le lui faire comprendre : plus d'héroïsme !

— Betsy, je t'en prie. D'accord, plus d'héroïsme — mais plus d'hystérie non plus. Va nous chercher une tasse de café.

— Tous les deux, vous êtes bien pareils, répliqua Betsy. Vous courez après les ennuis. Et l'idée d'avoir impliqué Louise... »

Betsy foudroya son mari du regard, constata à son expression qu'il serait vain de poursuivre la discussion et sortit en claquant la porte.

Steven soupira.

« Est-il vraiment nécessaire d'effrayer ainsi ta mère ?

— Je ne l'ai pas fait pour l'effrayer.

— Non, je m'en doute. Mais *pourquoi* l'as-tu fait ?

— J'aime bien Meyerman. Personne d'autre n'allait l'aider. La police restait là sans rien faire — ils regardaient même ailleurs.

— Oui, c'est un garçon sympathique. Il faut d'ailleurs que je téléphone à Berlin pour avertir le professeur... Bon, cela dit, ta mère n'a pas entièrement tort — c'était stupide. »

Pour la première fois, Paul parut soudain sur le point de fondre en larmes.

« Stupide... Oui, mais il faut bien choisir son camp !

— Pas du tout. Nous sommes hongrois. Ce n'est pas parce que Tibor de Fekete t'a insulté que tu dois faire le martyr.

— Ce n'est pas une question de martyr. Pourquoi faut-il que je sois insulté quand on me traite de Juif ? Cela revient à dire que Tibor avait raison, que c'est une insulte. Tu ne le penses pas vraiment, n'est-ce pas ? »

Steven alluma une cigarette, et scruta la fumée comme pour y trouver une réponse.

« Non, répondit-il après un moment de silence. Non, je ne le pense pas. On peut être fier d'être juif. On *devrait* même l'être. Mais nous ne sommes pas juifs.

— Ah non ? Mais toi-même, tu as toujours reconnu...

— Que nous étions *en partie* juifs ? Il serait absurde de le nier. Et plus absurde encore de nous en vanter. Sans doute aurions-nous dû en parler plus franchement avant, mais qui pouvait imaginer... Écoute, des choses terribles vont se produire. Ta mère n'a pas la moindre idée de ce qui se prépare. Nous n'en serons pas affectés, comprends-tu, là n'est pas la question, mais il est essentiel de garder notre calme. Tu as un peu de sang juif. Et alors ? Ce n'est pas une raison pour aller te faire tuer. Ne crée pas un problème là où il n'y en a pas.

— Il y *a* un problème, Papa. Nous allons être forcés de prendre parti.

— Dans la cour de l'école, c'est possible, mais pas dans la vraie vie. Nous allons à la messe — pourquoi pas ? Nous sommes catholiques. Nous faisons des affaires avec les Allemands — bon, je n'en suis pas particulièrement heureux, mais c'est nécessaire. S'il survient des difficultés, et je ne vois franchement pas pourquoi il en surviendrait, nous avons des amis, des contrats, des influences, et même de l'argent. L'important, c'est de conserver notre tête jusqu'à la fin de cette fichue guerre, quand les Allemands rentreront chez eux. »

Steven se pencha en avant, posa les mains sur le visage de son fils et l'embrassa. « Tu verras, ajouta-t-il, les choses s'arrangeront. Fais-moi confiance. »

Mais en regardant Paul dans les yeux, il constata, avec une douloureuse lucidité, que son fils avait perdu toute confiance en lui.

« Fais-moi confiance, dit Matthieu.

— Je te fais confiance. Mais la situation ne me plaît pas du tout.

— Qu'elle te plaise ou non n'est pas la question. »

Steven et Matthieu se trouvaient dans le bureau de la demeure familiale et en avaient soigneusement tiré les lourds rideaux par précaution à cause des raids aériens, même si tous deux se rendaient fort bien compte que les raids aériens constituaient le moindre des dangers pour eux.

« Pouvons-nous nous fier à Lorenberg ? »

Matthieu ferma les yeux et réfléchit un moment.

« Seulement jusqu'à un certain point, dit-il. Franchement, nous pourrions être obligés de traiter avec les Allemands. Le problème, c'est que Göring n'est plus l'ange bien-aimé. Il se trouve désormais en disgrâce auprès du Führer, à cause de l'échec de la Luftwaffe.

— Le problème, c'est de nous en sortir vivants !

— Non, non, la situation n'est pas aussi mauvaise que cela. Lorenberg m'a fait une proposition — les Allemands prennent la moitié de nos biens. Absolument incroyable !

— Je n'en suis pas si sûr. Combien nous donneraient-ils ?

— Voyons, Steven, ils paieraient en reichsmarks ! Non, merci ! Nous avons encore plusieurs cartes à jouer, tu sais. Ils ont encore besoin d'uranium pour Wotan et nous demeurons citoyens d'un pays allié. L'essentiel, c'est de ne pas céder à la panique.

— La panique ? Mais regarde ce qui se passe ! Une tempête de nouvelles lois ! Les Juifs doivent porter l'étoile jaune. Les entreprises juives sont confisquées. Les Juifs n'ont plus le droit de posséder de voitures ni d'utiliser le téléphone. Friediger m'a dit qu'il a été convoqué à l'hôtel Majestic avec une demi-douzaine d'autres notables juifs et qu'on les a fait attendre pendant plusieurs heures. Comme ils s'attendaient à être arrêtés, ils avaient tous apporté une valise. Au lieu de cela, un certain colonel Eichmann leur a ordonné de créer un comité, et de lancer un journal juif.

— Cela ne me paraît pas bien grave. Et puis je ne vois guère en quoi cela nous touche.

— Il s'agit d'un premier pas dans la mauvaise direction, Mati. Quant à nous, la presse de droite a publié des articles extrêmement déplaisants sur la famille Grünwald. Des questions ont été soulevées au Parlement, demandant pourquoi le gouvernement a permis qu'une famille juive puisse contrôler le plus grand consortium de banque et d'affaires de tout le pays. La nuit dernière, quelqu'un a peint une étoile juive sur le mur de la banque et, crois-moi, ce n'était pas du travail d'amateurs — elle mesure deux mètres de diamètre !

— Enfantillage ! Ce genre de chose ne m'inquiète pas du tout. Pour

le moment, Horthy est virtuellement prisonnier, mais dès qu'il pourra à nouveau s'exprimer librement, qui sait comment les choses tourneront ? Quant aux Allemands, inutile de s'adresser à eux tant que la situation restera entre les mains de jeunes officiers inexpérimentés comme ce — comment s'appelle-t-il ? — Eichmann. J'ai rencontré Rochefaucon, de l'ambassade de France, à la gare de Vienne, et il m'a dit que quand les Allemands avaient occupé la France, cela s'était passé de la même façon. Un tas de riens-du-tout qui faisaient de l'agitation, et puis les gens sérieux ont repris les choses en main et tout est rentré dans l'ordre. Il a beaucoup de bon sens, ce Rochefaucon.

— Il en aura bien besoin quand les Alliés envahiront la France et que les gaullistes formeront le gouvernement.

— Crois-moi, il en a conscience. Il a déjà pose quelques jalons discrets à Londres et pris quelques contacts utiles avec la Résistance. Je crois que nous devrions suivre l'exemple de Rochefaucon. Il est temps que nous entrions en rapport avec l'autre camp, comme un genre d'assurance pour l'avenir. Voyons si Montenuovo peut s'entretenir avec l'ambassadeur américain au Vatican, la prochaine fois qu'il ira à Rome... Et puis il se trouve à Zurich un homme fort utile aux côtés d'Allen Dulles, il se nomme Tyler, je crois. Il appartenait à la Légation américaine de Budapest avant la guerre. Ce serait un excellent contact.

— Mati, je crains que tu ne saisisses pas la gravité de la situation. Il n'est plus question d'obtenir un visa de sortie. La Hongrie est hermétiquement close, désormais. Personne ne sort plus. »

Matthieu se mit à rire. « Nous verrons cela après le dîner, déclara-t-il. Je passerai quelques coups de téléphone. »

Mais une fois installé dans son bureau pour passer ses coups de téléphone, après le dîner, Matthieu ne tarda pas à reconnaître que Steven n'exagérait nullement. Le nouveau Premier ministre, Döme Sztójay, qui avait également pris en main les Affaires étrangères, se montra effusivement poli, et même jusqu'à la nausée, mais parfaitement évasif sur toutes les questions pratiques. Il était honoré qu'un homme aussi occupé que Matthieu de Grünwald eût pris le temps de l'appeler pour le féliciter. Par ailleurs, l'obtention d'un visa de sortie posait quelques difficultés, poursuivit le Premier ministre avec un certain embarras, dont il était difficile d'établir s'il était réel ou feint. *Provisoirement* (Sztójay insista sur ce mot), le ministre des Affaires étrangères hongroises ne pouvait pas délivrer un visa de sortie pour un personnage aussi important que Matthieu de Grünwald sans l'approbation préalable du ministre plénipotentiaire du Reich allemand. Peut-être le très honorable baron de Grünwald aurait-il donc la bonté d'appeler Son Excellence le docteur Veesenmayer, qui prendrait sans

aucun doute en considération les relations bien connues des Grünwald avec les sphères dirigeantes du Reich.

Le docteur Veesenmayer, malheureusement, était en conférence malgré l'heure tardive, et son assistant suggéra qu'il serait peut-être utile d'obtenir d'abord l'autorisation de l'*Obergruppenführer* docteur Winkelmann, le nouveau chef des SS et de la police en Hongrie, ou de son adjoint, le *Befehlshaber der Sicherheitsdienst* Geschke — simple formalité qui ne devrait présenter aucun problème sérieux pour un homme de l'importance du baron.

Le secrétaire de l'*Obergruppenführer* docteur Winkelmann regrettait que le chef des SS et de la police ne fût point disponible en ce moment — il était l'invité d'honneur du gala d'inauguration du spectacle *Le Juif Süss.* L'*Oberführer* Geschke, qui paraissait ivre, exprima son regret sincère, quoique légèrement incohérent, de ne rien pouvoir faire pour un visa de sortie sans en référer d'abord au secrétaire d'État de la gendarmerie hongroise, Baky, formalité dont un mot du Premier ministre Sztójay le dispenserait certainement... En bref, conclut Matthieu, un cercle vicieux !

Un appel à la résidence du cardinal Serédy se révéla tout aussi vain. Mgr de Montenuovo expliqua que Son Éminence était plongée dans ses prières et ne pouvait donc pas se déranger pour venir au téléphone. Le prélat suggéra qu'une tentative auprès de Nicolas Horthy pourrait vraisemblablement produire des résultats, mais quand Matthieu parvint à lui parler, Nicolas parut préoccupé et profondément déprimé. Son père, le régent, se sentait mal et souffrait d'insomnie. Peut-être pourrait-il voir Matthieu dans quelques jours, mais pour le moment, en l'état actuel des choses, il lui paraissait extrêmement difficile d'accorder une audience.

Matthieu reposa le combiné, se versa un verre de cognac, et s'assit pour réfléchir. Il n'était pas homme à céder à la panique ; il se flattait d'être réaliste. Sans doute serait-il nécessaire de concéder quelques sacrifices, décida-t-il.

On frappa à la porte et Cosima passa la tête par l'entrebâillement. Elle arborait un négligé parisien sous son peignoir.

« Viendras-tu bientôt te coucher, Mati ? demanda-t-elle.

— Dans un moment, *mein Schatz* », répondit Matthieu en terminant son cognac avec un soupir. Il avait espéré se glisser au lit après qu'elle se serait endormie, mais l'idée lui vint soudain qu'il aurait peut-être besoin de son beau-père dans l'avenir proche, maintenant que le *Hofrat* Schiller était si proche de Himmler, et il se leva lentement de son fauteuil pour suivre son épouse dans l'escalier. Il était prudent, songea-t-il sans joie, d'accomplir maintenant son devoir conjugal — dans les moments de danger, un homme peut aller jusqu'à coucher avec sa propre femme pour sauver sa peau !

Non loin de la demeure des Grünwald, dans une luxueuse suite de l'hôtel Majestic, le *Standartenführer* Becker, encore vêtu de son uniforme malgré l'heure tardive, était assis à son bureau et écoutait au téléphone l'*Oberführer* Geschke, qu'il méprisait. Il hochait la tête avec impatience cependant que l'*Oberführer*, poursuivant longuement son récit, déclara : « Je transmettrai » et raccrocha avec un soupir de soulagement.

« Il est ivre, ce porc, déclara Becker.

— Naturellement. Mais que disait-il ? » Eichmann était assis près de la cheminée, et parcourait méthodiquement les fiches des notables juifs, qu'il avait prises au ministère de l'Intérieur hongrois. Eichmann avait chaussé ses lunettes de lecture, ce qui lui donnait un air d'instituteur de mauvaise humeur.

« Grünwald essaie d'obtenir un visa de sortie.

— Il fallait s'en douter », observa Eichmann avec un hochement de tête satisfait. C'était un professionnel ; il savait à quoi s'attendre. Il avait obtenu ce poste grâce à la manière dont il avait réglé le problème des Juifs de Vienne en 1938, et aucune étape du processus ne pouvait le surprendre.

Sa suite était déjà encombrée de butin, parmi lequel figurait un piano à queue. Lors de la première visite du nouveau Conseil juif, Eichmann avait rêveusement mentionné combien le piano lui manquait et, dans l'heure suivante, huit pianos avaient été livrés à l'hôtel. Il n'en avait gardé qu'un — un somptueux Steinway provenant de la demeure des Friediger — et, lors de la visite suivante du Conseil, il avait observé sur un ton badin : « Chers messieurs, je voulais simplement jouer du piano, je n'ai pas dit que je voulais ouvrir un magasin de pianos ! »

Ses requêtes de lingerie féminine, d'alcools, de parfums, d'argenterie, de meubles anciens et de porcelaines étaient chaque fois exaucées avec la même générosité et à la même vitesse.

Becker avait demandé au président du Conseil juif, le docteur Samuel Stern, un paysage original de Watteau pour égayer sa suite d'hôtel et le tableau lui avait été livré le jour même, avec un petit mot charmant du docteur Stern, exprimant l'espoir que le *Standartenführer* en tirerait autant de plaisir que jusqu'alors le docteur Stern et sa famille...

Tout cela n'était que routine. La cupidité et la corruption n'avaient rien à voir dans ce processus. L'ardeur des Juifs à cracher leurs trésors révélait simplement leur esprit de coopération. Il fallait les mater par petites étapes, les entraîner à se plier aux plus petites suggestions, les bercer de l'illusion qu'ils pourraient acheter leur sécurité... Il ne fallait

pas qu'ils cèdent à la panique et au désordre. Les choses devaient se dérouler de manière raisonnable et organisée.

Après tout, songeait Eichmann, les Juifs constituaient une marchandise comme les autres. Il y avait l'offre et la demande, pour les camps de concentration, pour les travaux forcés, comme autant de moyens de pousser le commerce extérieur. Eichmann s'occupait des gens, et Becker de leurs affaires.

« Geschke fera en sorte qu'aucun d'eux ne sorte, n'est-ce pas? demanda Eichmann en rassemblant ses fiches, sentant déjà monter le début d'une migraine.

— Naturellement.

— Puis-je les inscrire sur la liste ?

— Pas encore. Ils forment un cas à part.

— Un Juif est un Juif. »

Becker fixa ses yeux sur un point situé au-delà de l'épaule d'Eichmann. « Là, l'enjeu est tout autre, dit-il. Ce sont des amis de Göring. »

Eichmann contempla son paquet de fiches et but une gorgée de cognac. « Je ne veux pas le savoir », répondit-il. Il ferma les yeux, comme pour chasser les feux d'artifice qui l'assaillaient à mesure que sa migraine devenait plus forte. Il souffrait en permanence de maux de tête depuis 1938. Il rouvrit les yeux et prit une nouvelle fiche.

« Et les Friediger ? demanda-t-il.

— Vous pouvez les prendre. »

Eichmann les inscrivit sur sa liste. Il se sentait déjà mieux.

11

« Cela suffit à vous donner la migraine », gémit Betsy de Grünwald. Elle se tenait sur la terrasse du palais Bardossy avec Cosima, Paul et Louise, cependant que Matthieu, Steven, Montenuovo et le prince Bardossy fumaient leurs cigares sous la marquise, en poursuivant la conversation qui avait fait du déjeuner un enfer. Au loin, les terres du prince s'étendaient jusqu'à l'horizon — champs de céréales, vergers, herbages pour le bétail et les chevaux, villages entiers pour lesquels le prince représentait une autorité beaucoup plus contraignante et absolue que celle du régent lui-même.

Comme si souvent en Hongrie, il existait un fossé considérable entre la forme et la substance. Les paysans n'aimaient guère le prince Bardossy — en vérité, ils le détestaient et aspiraient à devenir propriétaires de leurs terres. Mais, d'un autre côté, et contrairement au gouvernement, il ne leur volait pas leurs fils pour les envoyer à l'armée, n'alourdissait pas leurs impôts, ne confisquait pas leur bétail. Il leur convenait donc, de même qu'il convenait au prince de maintenir les apparences d'un féodalisme qui n'existait plus. Quand le gouvernement envoyait des inspecteurs, les paysans pouvaient, d'un haussement d'épaules, les adresser au prince, leur magnat féodal. Le prince, en retour, pouvait mettre au compte du gouvernement tout ce qui n'allait pas. Comment pouvait-on espérer qu'il gouvernerait « ses » gens d'une main de fer, quand les gouvernements successifs avaient systématiquement réduit le pouvoir et les privilèges de l'aristocratie féodale ? Cependant, le prince et les paysans, malgré toute la haine qu'ils se vouaient, avaient mis au point un système qui décourageait efficacement toute tentative d'interférence dans leurs affaires de la part des ministères de l'Agriculture et des Finances, en conséquence de quoi les paysans soulevaient fort volontiers leurs chapeaux en présence du prince Bardossy, cela faisant partie du marché.

Le « palais » Bardossy n'était en rien spectaculaire, comme tendrait à le faire croire ce terme. Jusqu'au milieu du XIXe siècle, ce n'avait guère été qu'une vaste et confortable maison de campagne dans le style de la région, à peine distincte des écuries qui lui faisaient face, de l'autre côté d'une cour fangeuse pleine de fumier, de chiens et d'enfants. Une brève période de prospérité avait permis au grand-père de Bardossy de reconstruire le berceau de la famille dans le style des châteaux français, avec des tours, des arcs gothiques, des remparts et un pont-levis fonctionnant réellement, choix que lui avaient inspiré son amour de la France ainsi que la crainte naturelle de l'aristocrate à l'idée des révoltes paysannes.

La tradition familiale voulait qu'on souhaitât son anniversaire au prince et la présence d'un corps d'armée allemand n'allait assurément pas bouleverser une tradition Bardossy. En d'autres années, il y aurait eu des danses et des chants, un bal pour la noblesse de la région, un bœuf entier rôti sur une broche faite d'un tronc d'arbre, avec des feuilles d'or pour décorer les cornes et les sabots, et des centaines de coutelas plantés comme des flèches dans ses flancs noircis afin que chacun pût y tailler un morceau et conserver le couteau en souvenir.

Dans les circonstances présentes, il semblait prudent de célébrer l'événement par des festivités plus discrètes — un paisible déjeuner en famille, avec quelques vieux amis comme Mgr de Montenuovo, un peu de musique tzigane au début du repas et un verre de champagne. Dès l'instant où les Tziganes eurent fini de jouer et où la famille eut porté un toast à Bardossy, la discussion s'orienta vers la « situation » à Budapest (comme l'exprimait délicatement Montenuovo) et, malgré la présence des jeunes gens (car ils n'étaient plus des enfants, bien qu'on les traitât encore comme tels), Matthieu et Steven s'enflammèrent violemment. Sous la pression des événements, ils avaient échangé leurs rôles — habituellement optimiste, Matthieu était devenu déprimé et pessimiste, cependant que Steven considérait à présent les choses de façon moins extrême.

« Tu ne te rends pas compte de ce que c'est », déclara Matthieu d'une voix exaspérée en buvant une gorgée d'un grand verre de whisky qu'il allait continuer à boire pendant tout le repas, à la vive contrariété du prince Bardossy qui avait prévu pour chaque plat un vin différent provenant de ses propres vignes.

« Il y a des problèmes, d'accord. Mais tu ne peux pas juger une situation d'après les premières quarante-huit heures. Il faut d'abord patienter, non ?

— Patienter ? C'est toi-même qui m'as dit que je ne pourrais pas obtenir de visa de sortie, et tu avais raison ! Je suis allé voir le régent et lui-même ne pouvait rien faire. Il a vieilli de dix ans en une semaine. " Vous verrez, m'a-t-il dit, quand tout sera terminé, les Alliés me

reprocheront toute cette *Schweinerei* — si nous vivons jusque-là. " Et les décrets ! Les entreprises sont confisquées, les gens chassés de leurs maisons. On parle même de créer un ghetto. Ils ont licencié dix-sept membres de l'orchestre de l'Opéra royal !

— C'est de la folie, renchérit Montenuovo. Plus de la moitié des médecins de Budapest sont juifs ! Que se passera-t-il quand on va leur interdire d'exercer ?

— Tout cela était prévisible, intervint Bardossy, se résignant à l'idée que les événements avaient assombri son anniversaire. Les Juifs ont acquis bien trop de puissance en Hongrie. Maintenant vient la réaction.

— Père, protesta Steven, comment pouvez-vous dire qu'ils étaient trop puissants ? Dans le commerce, la médecine, le droit, et même l'orchestre de l'Opéra royal, oui, on compte beaucoup de Juifs, mais au gouvernement ? Aucun ! Dans l'administration ? Très peu.

— Et dans les banques ? » riposta Bardossy avec colère. La question fut suivie d'un silence embarrassé, auquel Bardossy lui-même mit fin en précisant : « Bien sûr, je parle d'un certain *genre* de Juifs, vous comprenez... »

Cosima émit un petit reniflement sec. Elle avait toujours détesté se faire traîner à ces fêtes — elle trouvait déjà bien assez déplorable d'avoir à rendre visite au prince Hatványi sans avoir en plus à aller présenter ses hommages au prince Bardossy. En petite-fille d'aristocrate autrichien, elle éprouvait un certain mépris pour la noblesse hongroise.

« Je ne vois pas en quoi cela nous concerne, Mati, ni pourquoi tu es aussi bouleversé, dit-elle. Si les Juifs ont ce qu'ils méritent, ce ne sont pas nos affaires, me semble-t-il ? »

Matthieu et Steven échangèrent des regards. Cosima connaissait aussi bien les origines du vieux Hirsch de Grünwald que n'importe quel autre membre de la famille mais, comme tant d'autres gens, considérait tout cela comme de l'histoire ancienne, sans aucune portée sur la vie présente. Toutes les familles — même les Habsbourg ! — avaient quelque chose à cacher : des ancêtres fous, difformes, devenus pédérastes ou, pis encore, protestants — Dieu seul savait quels terribles manquements aux bonnes manières ! Elle considérait simplement Hirsch de Grünwald comme l'un de ces regrettables incidents dans l'histoire d'une famille, comme s'il s'était converti au judaïsme dans le même esprit que le grand-père Alois de Cosima était devenu franc-maçon et disciple des idées de Voltaire. Le fait que Hirsch eût été un Juif marié à une Juive, issu d'une longue lignée exclusivement juive, Cosima n'y avait jamais réfléchi ; et elle n'était pas la seule, puisque les propres petits-fils de Hirsch, Matthieu et Steven, avaient toute leur vie négligé cette encombrante donnée.

« Hirsch de Grünwald va-t-il nous poser un problème ? » demanda

Betsy. Comme toujours, elle avait saisi le fond de la question et l'exprimait ouvertement, de sorte que la famille pouvait désormais y réfléchir en silence, tandis que le domestique du prince apportait joyeusement l'oie rôtie.

Steven haussa les épaules, et regarda sans le moindre appétit le prince Bardossy procéder au découpage de la volaille.

« Je ne le pense pas, répondit-il. Les lois sont évidemment très compliquées. Je crois qu'une famille résidant en Hongrie depuis 1849 et convertie au catholicisme avant 1900 n'est absolument pas considérée comme juive...

— Non, non, protesta Matthieu avec mauvaise humeur, tu parles de l'ancien décret. Le nouveau stipule simplement : " trois grands-parents juifs ou davantage ".

— Je croyais que c'était deux, hasarda Montenuovo.

— Pas si la personne a été baptisée avant l'âge de sept ans.

— Tout cela est parfaitement ridicule, observa Cosima d'un ton pincé. Vous n'êtes absolument pas juifs, un point c'est tout. Cette seule idée est impensable, et en tout cas ne devrait point être discutée devant les enfants. Dieu merci, Niki est en Suisse !

— Quelle est la position de l'Église ? » voulut savoir Bardossy.

Montenuovo soupira.

« C'est difficile. Certains membres du clergé, et même des évêques, répondent désormais à la nouvelle définition des Juifs. Son Éminence a dû intercéder avec véhémence en leur faveur auprès des autorités.

— Et alors ?

— Le gouvernement a suggéré que, dans ces cas particuliers, les personnes affectées par les décrets soient autorisées à arborer une croix blanche sur leurs vêtements, en regard de l'étoile jaune. Ce n'est évidemment guère acceptable.

— Ne peut-on rien faire pour les Juifs ? s'enquit Paul. Qu'arrive-t-il à quelqu'un comme Meyerman, par exemple ?

— D'une manière ou d'une autre, nous protégerons Meyerman », répliqua son père d'une voix impatiente.

Matthieu parut peu convaincu. « Tout dépend de la façon dont évoluera la situation, déclara-t-il, les yeux fixés sur son assiette. L'essentiel est de nous sauver nous-mêmes. Quand on parvient à ce stade, c'est le sauve-qui-peut — chacun pour soi. » Il y réfléchit un instant, but une gorgée de whisky et parcourut la table du regard. « Chaque famille pour soi, devrais-je dire », ajouta-t-il précipitamment.

Betsy n'avait guère l'impression que l'atmosphère se fût améliorée pour le reste du repas : elle s'était, au contraire, dégradée au point que

le prince Bardossy lui-même avait laissé son assiette intacte. Tandis qu'on servait l'oie, les frères de Grünwald avaient discuté de la sagesse qu'il y avait eu à travailler avec les Allemands (« L'eau sous le pont », déclara le prince hargneusement), cependant que Montenuovo faisait l'inventaire de leurs ancêtres, s'efforçant secourablement d'y dénicher un chrétien.

A la salade, Montenuovo suggéra qu'il serait peut-être sage de placer une partie des biens des Grünwald entre les mains de l'Église, pour leur « conservation provisoire », ce que Matthieu refusa catégoriquement en rappelant au prélat que l'Église avait déjà amassé une fortune grâce à sa part de Corvina Ores et que, si le projet Wotan aboutissait, l'Église devrait répondre des conséquences pour avoir investi dans l'effort de guerre allemand.

Au dessert — un superbe gâteau glacé auquel personne ne toucha, au grand désespoir du cuisinier — Betsy relata ce qui était arrivé à Paul dans les rues de Budapest, mettant Paul dans l'embarras et Bardossy en rage à l'idée que la racaille s'était permis d'attaquer son petit-fils. Et tandis qu'on apportait des fruits confits et des chocolats à la menthe de chez Grabner, à Vienne, ainsi qu'une bouteille du meilleur tokay du prince, Cosima éclata en sanglots. Louise avait arboré un visage blême pendant tout le repas et, en se levant pour laisser les messieurs prendre leur café sur la terrasse, Betsy entendit son père déclarer : « Bon, l'essentiel est qu'il n'arrive rien aux enfants... »

« Pourquoi arriverait-il quelque chose aux enfants ? demanda Cosima à Betsy en foudroyant les hommes du regard. C'est absurde. Mon père affirme qu'il n'y a pas lieu de s'inquiéter. Après tout, les Allemands sont encore un peuple respectueux de la loi.

— Oui, mais quelle loi !

— Une malheureuse goutte de sang juif n'est quand même pas une chose si terrible. Je puis comprendre qu'un rabbin Goldstein ou un M. Cohen ait quelque chose à redouter, mais les Grünwald sont l'une des plus riches familles d'Europe. Ils ne sont pas plus juifs que le maréchal Milch — ils le sont même moins. » Cosima renifla dans son mouchoir de dentelle. « Là où il y a de l'argent, il existe toujours une solution. Les Allemands respectent la richesse ; ce sont les Hongrois qui créent des problèmes. »

Betsy étouffa un soupir. Étant hongroise, elle s'exaspérait toujours du dédain que Cosima — comme la plupart des Autrichiens et des Allemands — manifestait à l'égard de son pays, mais il était inutile d'entamer une nouvelle querelle. Et les nerfs de Cosima semblaient de toute façon tendus au maximum — elle se mit à sangloter en maudissant le destin qui l'avait entraînée dans ce pays barbare pour y vivre parmi des étrangers, chez qui l'on ignorait tout de l'éducation et des bonnes manières.

Betsy et Louise tentèrent de la consoler, mais elle était véritablement en état d'hystérie. La vue de Matthieu, venu se renseigner sur ce qui se passait, ne fit rien pour la réconforter. Elle l'accusa d'être un mauvais père et un époux pire encore, et repoussa sa main. Il sembla même un instant qu'elle allait le gifler. Le visage empourpré de fureur contenue et d'embarras, les mains tremblant sous l'effet de tout le whisky qu'il avait bu, il parvint cependant à la transporter au premier étage où elle prit deux cachets sédatifs et consentit finalement à s'allonger.

Steven et le prince jugèrent préférable d'emmener les enfants en promenade, tandis que Mgr de Montenuovo, le visage figé dans un masque d'attention professionnelle, s'apprêtait à offrir à Cosima tous les réconforts spirituels qui se révéleraient nécessaires. Matthieu et Betsy s'arrêtèrent un instant derrière la porte que Montenuovo refermait sur eux.

« Cette scène est parfaitement regrettable, déclara Matthieu. Elle va devoir aller se reposer quelque temps chez son père à Vienne.

— A quoi cela servira-t-il ? La malheureuse est bouleversée. Vous n'avez guère été un époux idéal, vous savez.

— C'est possible. Notre mariage n'a pas été parfait.

— Vous n'avez pas essayé. Cette pauvre Cosima...

— N'a certes pas essayé d'être parfaite au lit. » Matthieu se rapprocha de Betsy et lui prit la main.

« Je ne veux pas connaître les détails, Mati. C'est dégradant. »

Matthieu haussa les épaules.

« Un bon mariage se construit au lit, déclara-t-il en jetant un regard vers la poitrine de Betsy. Malheureusement, le mien s'est construit dans les conseils d'administration. A franchement parler, Cosima souffre de... d'un certain manque de réponse.

— Ce n'est pas une excuse pour coucher avec d'autres femmes, Mati, ni pour procéder de manière aussi voyante.

— Marié différemment, j'aurais fort bien pu être fidèle. Aucun homme n'aime à sortir le soir pour chercher ce qu'il peut avoir chez lui. Steven, par exemple, est un homme heureux dans ce domaine !

— Ce n'est guère la question.

— Oh ! mais *si*. Je n'ai point besoin de vous dire que vous êtes une femme extrêmement attirante. Si Steven n'était pas mon frère...

— Mais il l'est. Et veuillez ôter votre main de mon bras.

— Vous savez sans doute, ma chère Betsy, que les frères ne se ressemblent pas nécessairement. Avec tout le respect dû à mon frère bien-aimé, je pense être — comment dire ? — davantage un homme. Il a toujours été un peu *gamin*, charmant, je vous l'accorde, mais le charme ne va pas toujours bien loin, au lit... Tandis que, vous et moi, nous nous comprenons admirablement. Nous sommes le genre de gens

qui n'affichons pas de fausse honte quant à notre plaisir. Je l'ai bien vu sur votre visage. Il n'est point nécessaire de blesser qui que ce soit, pas plus Steven que Cosima. Il suffit d'un peu de discrétion, mais nous pourrions certainement trouver un arrangement... »

Matthieu se rapprocha encore dans l'obscurité du couloir, l'œil étincelant, les dents dénudées dans ce qu'il devait prendre pour un sourire conquérant. Elle sentait l'eau de Cologne dont il se parfumait, subtil arôme d'amertume qui donna soudain la nausée à Betsy tandis qu'il se penchait pour l'enlacer. Il semblait que les contraintes de ces derniers jours eussent finalement révélé ses sentiments au grand jour, comme s'il n'avait plus désormais la patience de les dissimuler. Elle recula d'un pas et le frappa au visage de toutes ses forces.

Matthieu poussa un rugissement de fureur, mais décida apparemment de considérer la gifle comme un geste de pudeur, plutôt que de refus, de la part de Betsy. Il l'entoura de son bras, l'embrassa durement, l'haleine empuantie par l'alcool et la moustache toute rêche sur la joue de Betsy, et tenta de lui introduire sa langue dans la bouche. « Enfin, enfin, enfin », haletait-il en la maintenant d'une main solide par le cou et de l'autre par la taille, enfonçant les doigts dans sa chair.

En un instant elle comprit que la peur et la surcharqe de travail avaient rendu Matthieu fou. Elle avait l'expérience des choses de la vie — quelle femme hongroise ne l'avait pas ? — et il ne lui avait pas échappé que Matthieu l'admirait, pour employer un terme aussi poli que possible, mais elle n'avait pas envisagé l'éventualité de cette scène de passion biblique entre beau-frère et belle-sœur et s'était donc laissé surprendre.

Ne l'enserrant plus que d'un seul bras, Matthieu s'efforçait de défaire les boutons de sa braguette et elle saisit l'occasion pour lui lancer un violent coup de pied à l'entrejambe, qui fit tomber Matthieu à genoux avec un cri.

Même à genoux, même souffrant, il continuait à la maintenir, lui serrant à présent les hanches et pressant sa tête contre son bas-ventre. Elle sentait les larmes et la salive de Matthieu à travers l'étoffe tandis qu'il s'efforçait de lui introduire son visage entre les cuisses, gémissant de désir ou de souffrance — elle n'aurait su dire. D'une main il saisit le haut de sa jupe et tira de toutes ses forces, mais Betsy persistait à n'appeler ni crier, consciente du fait qu'un scandale ne servirait à rien, qu'il existait trop de façons dont on eût pu déformer ou mal interpréter la situation, et que l'affection de Steven à l'égard de son frère l'empêcherait peut-être d'accepter la vérité. Désespérément, elle s'étira pour atteindre une lourde lampe posée sur la table du palier et, d'un mouvement rapide où elle rassembla toute sa force, elle l'assena sur la nuque de Matthieu.

Il leva des yeux étonnés, ses paupières vacillèrent, ne révélant plus

que les blancs exorbités, puis il gémit et s'affaissa à terre, ses pieds chaussés d'élégants souliers anglais frémissant involontairement sur le tapis.

Elle crut un instant l'avoir tué, mais il rouvrit les yeux, vitreux comme des coquetiers de porcelaine, injectés de sang sur les côtés. Ressentant la nécessité de mettre un terme courtois à cette scène, Betsy trempa la pochette de soie de Matthieu dans un vase de fleurs et lui en humecta le visage.

« Ce doit être l'effet d'un peu trop de whisky au déjeuner, je pense, suggéra-t-elle. Et sur un estomac vide... »

Matthieu acquiesça faiblement. Il semblait lui être reconnaissant pour cette voie d'excuse. « Sûrement, oui, murmura-t-il cependant que ses forces lui revenaient. L'alcool, le travail... Profondément navré. » Il se releva lentement en s'appuyant au mur. Il s'épousseta, rajusta sa cravate, redressa les extrémités de sa moustache. Il paraissait inquiet plutôt que honteux et Betsy se demanda ce qui se serait passé si elle ne s'était pas débattue. Il la contemplait d'un air hagard.

Elle rajusta sa jupe — il manquait des boutons et elle allait devoir trouver des épingles de sûreté.

« Il faut oublier ce que s'est passé », déclara-t-elle. Puis elle ajouta : « Et que plus jamais cele ne se reproduise !

— C'est entendu. Tout doit redevenir normal. »

Mais Betsy doutait que la situation pût jamais redevenir normale et, subissant le contrecoup du choc, elle éprouva soudain de véritables craintes pour l'avenir.

Dans la voiture qui les ramenait chez eux, Cosima dormit, apparemment réconfortée par les prières de Montenuovo, ou bien peut-être simplement épuisée. Quant à Matthieu, il lui était reconnaissant pour son silence. Il n'éprouvait nulle culpabilité. Il s'agissait d'une bêtise, d'une stupidité. Le whisky l'avait entraîné dans une dangereuse erreur de jugement.

Après avoir convoité Betsy pendant tant d'années, il aurait dû choisir un autre moment, un autre endroit, et procéder plus progressivement. Avec les femmes, on ne pouvait jamais savoir. Souvent elles se débattaient particulièrement quand elles souhaitaient plus que tout céder, et bon nombre respectaient un homme qui savait réclamer ce qu'il voulait, même si elles n'écartaient pas les jambes dès la première tentative. Une approche forte se révélait souvent payante à long terme. En attendant, décida-t-il, Cosima et ses crises d'hystérie prendraient le premier train pour Vienne, dès demain. S'il y avait bien une chose dont il n'avait pas besoin en ce moment délicat, c'était une crise de nerfs de cette foutue bonne femme !

La voiture franchit un poste de contrôle et Matthieu se força à penser à autre chose. Cette scène avec Betsy était significative, songea-t-il. Il

perdait le contrôle, se laissait transformer en esclave des événements au lieu de les dominer. Rien ne servirait de céder à la panique et il y avait au contraire beaucoup à y perdre — tout, en fait.

Il fallait regarder les faits en face, même si pour y parvenir il avait failli aller jusqu'au viol. Les Allemands avaient perdu la guerre, tel était le premier fait. Bon, c'était évidemment leur problème à eux, mais le moment était venu de passer à l'Ouest avant que les Russes n'arrivent à Budapest et à Vienne.

Le fait que les Allemands *savaient* qu'ils avaient perdu, les rendait plus déterminés encore à tuer le plus de Juifs possible avant d'être battus. Les Juifs hongrois avaient survécu plus ou moins à l'abri des événements jusqu'en 1944, bien après que les Juifs polonais, allemands et tchèques avaient été chassés de partout et de chez eux, mais désormais ils allaient subir le même sort, dépouillés de tous leurs biens afin que des Winkelmann et des Geschke pussent s'acheter des faux papiers et des diamants pour filer au dernier moment se mettre à l'abri en Amérique latine, et que le Führer eût la satisfaction d'avoir tué le maximum de Juifs avant de mourir lui-même.

Voici l'avant-dernier acte de *die Götterdämmerung*, songea Matthieu avec un frisson. Il était vital de partir — et de s'en sortir avec le plus de capitaux possible. Il était encore temps de se présenter en victime des circonstances, mais plus tard il y aurait certainement des enquêtes sur ceux qui avaient profitablement collaboré avec les Allemands. Le projet Wotan serait sans aucun doute révélé au grand jour — en partant trop tard, le risque serait grand de se voir traiter en criminel de guerre par les Alliés. Il y aurait des enquêtes, des inculpations, des procès, probablement même des exécutions pour ceux qui auraient la sottise d'attendre l'arrivée des Alliés. Le moment de changer de camp se manifestait maintenant, pendant qu'il restait encore quelque chose à leur offrir et que l'on pouvait prétendre fuir les persécutions nazies.

Mais, pour partir, il fallait désormais négocier avec les Allemands. Il n'était pas question de s'enfuir — ils étaient bien trop malins pour le permettre et, de toute façon, Matthieu n'avait nullement l'intention de traverser clandestinement les Alpes, de nuit. C'était là une absurdité romantique d'adolescent et tous les guides devaient être des indicateurs de la Gestapo qui gagnaient leur vie en trahissant leurs clients. Il n'existait qu'une seule façon de partir : en première classe, avec son argent déjà placé à l'abri en Suisse.

Il faudrait sûrement négocier pied à pied pour y parvenir, mais Matthieu était un homme d'affaires expérimenté et un négociateur habile. Sans doute ne pouvait-on pas tout emporter. Ce n'était plus le moment de s'obstiner. Si l'on parvenait à s'en tirer avec la moitié de ses biens, parfait. Sans doute même ne pouvait-on pas emmener *tout le monde* non plus. Il fallait être réaliste. L'essentiel consistait à sauver sa peau.

Matthieu confia Cosima à la femme de chambre, et s'enferma dans son bureau. La première urgence, décida-t-il, était de sortir, et il n'existait qu'une seule personne capable de garantir cela.

Il ôta un tableau du mur, révélant un coffre encastré, tourna les poignées, et l'ouvrit. Au-dessous de plusieurs petits sacs en daim contenant des diamants — toujours utiles en dernier ressort dans les situations d'urgence —, il trouva un carnet d'adresses. Il retourna à sa table, se servit un grand verre de whisky, réfléchit un moment, puis le reversa dans la carafe. L'alcool lui avait causé suffisamment de problèmes pour aujourd'hui.

Il vérifia un numéro, le demanda à l'opérateur de Budapest et entendit deux légers déclics lorsque les deux tables d'écoute concurrentes de la Gestapo et de la gendarmerie hongroise se mirent en marche. Puis un son creux comme un souffle lui parvint et enfin une sonnerie assourdie.

« *OKL Zentral* », annonça une voix revêche.

Matthieu soupira. Göring ne voudrait rien de moins que la moitié des biens de la famille Grünwald. Ce seul coup de téléphone coûterait des centaines de millions ! Puis il pensa à l'avenir et combien plus agréable ce serait de passer toute la fin de la guerre à Lisbonne plutôt que dans un camp de concentration.

« Appel personnel pour le *Reichsmarschall,* dit-il. De la part d'un vieux compagnon de chasse. »

« Le porc ! s'exclama Eichmann en ôtant son casque d'écoute tandis que son subordonné rembobinait la bande sur le magnétophone. Alors Grünwald se vend à Göring. Il suffit de payer le prix pour que la pureté raciale passe par la fenêtre ! Même au plus haut niveau du Reich... Dégoûtant !

— Ne devrions-nous quand même pas transmettre cela à quelqu'un ?

— Si, bien sûr. Il est révoltant de voir qu'on ne peut pas accomplir son travail à l'abri de toutes ces interférences, mais c'est ainsi, mon ami. Tout le monde veut faire des exceptions, des marchés, des arrangements, et ensuite ils viennent nous demander comment il se fait que l'Europe ne soit pas encore libérée des Juifs. Appelez Becker, qu'il s'en occupe lui-même. Je me lave les mains de toute cette répugnante affaire. »

Le lendemain à huit heures du matin, à Berlin, l'*Obergruppenführer* Oswald Pohl frappa doucement à la porte d'un bureau situé au quatrième étage du quartier général de la Gestapo, dans un immeuble

de Prinz Albrecht Strasse, et attendit qu'une voix calme lui ordonnât d'entrer.

Pohl était un homme d'affaires et un administrateur. Il avait créé un empire SS qui comprenait des industries lourdes, des compagnies de textiles, d'assurances, de chaussures, de construction, de vêtements et même des brasseries et des entreprises de construction de monuments, sans parler des camps de concentration mêmes, dont Pohl tirait des bénéfices — car le travail des Juifs, leurs dents en or et leurs possessions personnelles finançaient leur mort.

De derrière son grand bureau recouvert d'une plaque de verre, Heinrich Himmler, *Reichsführer* des SS, ministre de l'Intérieur, chef des forces de police allemandes, leva les yeux et récompensa Pohl d'une expression farouchement déterminée et vouée au devoir, la bouche crispée comme s'il avait tout juste mordu dans un citron.

Brièvement, car le *Reichsführer* était un homme fort occupé qui appréciait la brièveté chez ses subordonnés, Pohl lui rendit compte du rapport que Becker lui avait transmis pendant la nuit. Himmler ne manifesta aucune réaction, l'œil fixé dans le vide derrière son pince-nez étincelant, les mains posées devant lui sur son buvard, révélant de petits ongles soigneusement vernis.

Lorsque Pohl eut terminé, le *Reichsführer* ne marqua aucune réaction particulière, comme s'il avait été en transe ou en communion avec quelque lointain esprit aryen. Au fil des ans, Pohl avait fini par comprendre que cette apparence de méditation ou de profonde réflexion chez Himmler n'était en réalité qu'une extrême prudence. La capacité mentale du *Reichsführer* était modeste, et il le savait. Confronté à un problème, il préférait attendre en silence que quelqu'un proposât une solution et pouvoir ensuite l'adopter comme étant sienne. Il attendait donc, à présent, les yeux fixés sur le mur.

Pohl s'éclaircit la gorge, observant attentivement le mouvement de la pomme d'Adam de Himmler, puisque c'était là le seul signe indiquant que son chef, à la vérité, était un être vivant. « Si vous permettez, avança-t-il, c'est là un butin trop riche pour qu'on le laisse aller entre les pattes du *Reichsmarschall.* Quiconque aura le contrôle des biens de Grünwald détiendra la part du lion de l'industrie hongroise. Il s'agit là d'une acquisition de valeur exceptionnelle. »

Himmler acquiesça à contrecœur.

« Le fait que la famille Grünwald soit juive nous donne également un intérêt particulier, à mon avis. »

Himmler cilla, ce qui signifiait habituellement qu'il était d'accord.

« Avec la permission du *Reichsführer,* je suggère que nous arrêtions Matthieu de Grünwald, que nous expédions le reste de la famille au camp de concentration de Theresienstadt et que nous l'épuisions jusqu'à ce qu'il signe. Dès l'instant où il se trouvera entre nos mains,

Göring ne pourra plus rien faire. Après tout, Grünwald est juif — enfin, plus ou moins. »

Himmler ôta ses lunettes et les essuya avec son mouchoir, geste qu'il renouvelait plusieurs fois par heure. C'était là le signe infaillible qu'il hésitait, que Pohl n'avait pas énoncé la solution qui lui convenait.

« Non », déclara-t-il. Il chaussa à nouveau ses lunettes, et reposa ses mains devant lui. « Hors de question. Vous connaissez mon opinion sur le *Reichsmarschall* — il est coupable des faiblesses les plus sybaritiques et d'une négligence criminelle, mais le Führer lui conserve une certaine affection, à cause de l'ancien temps... Bah ! vous savez comment est le Führer — trop doux, trop gentil, et les gens comme Göring en profitent honteusement.

— Alors nous devrions laisser faire, *Herr Reichsführer ?*

— Je n'ai pas dit *cela.* Trouvons une solution de compromis. Qui négocie au nom de Göring ?

— Le baron Gunther Freytag von Lorenberg, *Herr Reichsführer.*

— Qu'avons-nous sur lui ? »

Pohl parcourut rapidement son dossier. « Il semble passer beaucoup de temps en France dans des lieux de villégiature fort coûteux. Il possède un compte bancaire en Suisse... »

Himmler hocha la tête.

« On peut en dire autant de presque tous les membres de l'État-Major. Rien d'autre ?

— Si, encore une chose. Il semblerait qu'il soit, euh... homosexuel.

— Répugnant ! » déclara Himmler d'une voix pincée. Il ôta à nouveau ses lunettes pour les essuyer. « Je croyais que nous avions éliminé tous ces gens-là du Reich. »

Pohl haussa un sourcil surpris. Le *Reichsführer* ne manquait jamais de l'étonner, même après tant d'années. Croyait-il sincèrement que la Gestapo eût éliminé toute homosexualité de la vie allemande ? Certains des collaborateurs personnels de Himmler comptaient parmi les contrevenants les plus voyants, paradant dans leurs uniformes noirs moulants et leurs bottes étincelantes, et lançant à chaque soldat qui les saluait un regard de froide évaluation sexuelle. Le département II-C (Culture) de SD-Inland, que dirigeait le *Sturmbannführer* docteur Spengler, était connu de tous les SS comme le « royaume des fées », et certains considéraient même avec un certain scepticisme les hanches rondes et féminines, les épaules étroites et les mains délicates du *Reichsführer* lui-même.

« Nous pourrions sûrement arrêter Lorenberg, suggéra Pohl. Nous avons ici de quoi l'envoyer à Dachau avec un triangle rose cousu à son uniforme et peut-être même de quoi le pendre. Encore que bien des gens préfèrent se tuer eux-mêmes d'une balle, surtout s'ils sont officiers. »

Himmler parut peiné.

« Ce n'est pas du tout cela qu'il faut faire, mon cher Pohl. C'est là le genre de suggestion que je m'attends à recevoir d'un homme comme ce pauvre Geschke. Non, non, parlez à Becker, à Budapest. Dites-lui de montrer à Lorenberg le dossier que vous tenez sur lui. Puisque Lorenberg aime danser, eh bien, qu'il danse à notre musique. D'ailleurs, l'homosexualité est une maladie. Nous ne tuons pas les gens parce qu'ils ont le cœur fragile, ou la tuberculose. Nous tentons de les *soigner.* Surtout quand ils sont utiles.

— *Jawohl, Herr Reichsführer.*

— Oh ! et puis, Pohl — ces rumeurs selon lesquelles nous fabriquons du savon avec les détenus... J'ai ici une plainte du docteur Goebbels. Apparemment, les gens font les réflexions les plus affreuses dans les magasins... Ce genre de chose donne une réputation exécrable aux SS. Est-ce vrai ? »

Pohl haussa les épaules. « Pas vraiment. Le docteur Becker m'a dit que le *Brigadeführer* avait essayé à Lublin, à très petite échelle, mais que cela n'a pas bien marché. Il n'existe aucun potentiel commercial sérieux. »

Le *Reichsführer* indiqua d'un signe de tête que l'entretien était terminé. Il prit un document sur sa table et y concentra son attention jusqu'à ce que Pohl eût disparu derrière la porte, puis il ferma un moment les yeux et essaya d'effectuer les exercices de respiration profonde que lui avait enseignés le docteur Kersten. Mais malgré tous ses efforts, il ne parvenait pas à maîtriser la douleur de sa tête et de sa nuque, les taches douloureuses qui flottaient dans son champ de vision, la souffrance atroce de ses reins et de son bas-ventre.

Il ne parvenait parfois à se retenir de geindre ou de hurler qu'au prix d'efforts héroïques, mais il fallait savoir se montrer dur comme l'acier, froid comme la glace, il n'existait pas d'autre moyen... Il y avait tant à faire, tant de rapports à lire, un tel besoin constant de nettoyer toute la pourriture et la corruption. On pouvait envoyer autant d'homosexuels qu'on voulait dans les camps pour y mourir dans les commandos de travaux forcés, il en restait toujours davantage, comme ce Lorenberg. Et, alors qu'on avait déjà tué cinq millions de Juifs, ce porc de Grünwald continuait à manigancer ses sales marchés de Juif — et avec qui ? Le *Reichsführer* en personne, ni plus ni moins !

Il fallait nettoyer le monde entier, à la manière dont les fermiers préparent leurs champs en mettant le feu au chaume ! Mais d'où allait venir le feu ? se demanda Himmler, et il se promit de vérifier si le projet Wotan avançait bien.

Septième Partie

Les péchés des pères
1944

« L'arrivée de tant de millionnaires juifs à Lisbonne, venant de Hongrie, attire ici une attention considérable sur nos mesures anti-juives. »

Rapport d'un diplomate allemand
en poste à Lisbonne, 1944.

12

Le service ferroviaire entre Budapest et Vienne était effrayant. L'express même fut retardé de plusieurs heures, tout d'abord par un raid aérien sur Vienne, puis par des convois de transport militaire, et enfin par plusieurs trains à bestiaux massivement surveillés par les SS, et que tout le monde fit soigneusement mine de ne pas voir. Il n'y avait même pas de wagon-restaurant, mais Matthieu de Grünwald ne prit pas la peine de protester. C'était là le dernier de ses problèmes.

Göring avait assez rapidement accepté le marché — la moitié de tous les biens des Grünwald contre le droit de partir —, mais le détail des négociations se révélait long et difficile. Jour après jour, Matthieu, son avocat suisse le docteur Zengli et plusieurs assistants étudiaient pendant des heures les ramifications compliquées des possessions des Grünwald, jusqu'à ce que Matthieu lui-même fût complètement épuisé par la tâche. Il se forçait de temps à autre à expliquer certaines transactions particulièrement complexes — par exemple, les Grünwald possédaient cent pour cent de la Bruxer Kohlen-Bergbau Gesellschaft, qui à son tour détenait vingt-cinq pour cent de la Nierderlausitzer Kohlenwerke A.G., qui à son tour leur donnait une « position » dans le Consortium des minéraux de Bohême par le biais d'une lettre-contrat entre la Banque Grünwald, le Syndicat des lignites allemands, I.G. Farben, et la Banque Dresdner. Interminablement, ils étudiaient chaque étape de ces transactions compliquées, tels des touristes s'efforçant de trouver la sortie d'un labyrinthe.

Ils discutaient sans fin de la valeur des actions, du taux du reichsmark, du pourcentage de compensation que cela représenterait en devises étrangères, et pourtant Matthieu de Grünwald paraissait indifférent quant à l'issue des négociations.

« Il a perdu sa morgue », confia Lorenberg à Schiller, comme ils faisaient une pause au milieu des discussions.

Schiller parut sceptique.

« Il est pris au piège, insista Lorenberg. Il ne pourra pas partir avant d'avoir signé. Il n'a pas le choix, mon vieux. »

Schiller hocha la tête. Il connaissait son gendre bien mieux que cela. « Il a un atout dans sa manche, dit-il. Vous verrez. »

Quelle que dût être la surprise, elle fut retardée par l'arrivée d'un nouveau négociateur. Lorsqu'ils se rassemblèrent, le cinquième jour après le petit déjeuner, Lorenberg manquait. Pendant près d'une demi-heure, tout le monde l'attendit autour de la grande table recouverte d'un tapis vert, les yeux fixés sur le vase de fleurs qui trônait au centre. Devant chaque homme se trouvaient un verre, un bloc de papier et un crayon fraîchement taillé. La place de Lorenberg, en face de Matthieu, demeurait vide.

On entendit un bruit dans le corridor, la porte s'ouvrit et Lorenberg entra. Il semblait fatigué, presque hagard ; des rides de peur s'étaient marquées sur son visage anormalement pâle.

Derrière lui, grand et élégamment vêtu de l'uniforme noir, entra un *Standartenführer,* son képi à tête de mort enfoncé jusqu'aux yeux. « *Heil Hitler !* » s'écria le colonel SS en dressant le bras droit pour faire le salut nazi. Puis le *Standartenführer* ôta son képi, révélant des cheveux gris argent coupés très court et deux yeux profonds qui semblaient ne pas voir, comme s'ils avaient été placés trop près l'un de l'autre, de la même manière que Hess ou le défunt Reinhard Heydrich, puis posa son képi et ses gants de cuir noir sur la table avant de s'asseoir avec raideur sur le siège de Lorenberg, laissant ce dernier chercher une autre chaise pour lui-même.

« Permettez-moi de me présentez, commença-t-il. *Standartenführer* docteur Becker. C'est moi désormais qui conduirai les négociations. »

Matthieu se pencha en avant, comme pour essayer d'examiner Becker de plus près. « J'avais compris que c'était Lorenberg — en tant que collaborateur délégué par le *Reichsmarschall* Göring. »

Becker dénuda ses dents dans ce que l'on aurait pu définir comme un sourire — et peut-être même croyait-il sourire.

« A partir de ce matin, répondit-il, les SS entrent dans le jeu. Cela s'est décidé au *plus haut niveau.* Étant donné l'importance de l'enjeu...

— Peut-être devrions-nous exposer au *Standartenführer* quel a été le déroulement de ces négociations ? suggéra Lorenberg avec une soudaine timidité dans la voix.

— Pourquoi faire ? rétorqua Becker, pour moi c'est très simple. Le Juif Grünwald et sa famille quittent le Reich et en échange nous prenons la moitié de leurs biens, y compris ceux qui se trouvent à l'étranger. Il pourra partir dès l'instant où il aura signé le document. Jusque-là, il reste. Cela ne devrait pas prendre plus de cinq minutes. »

Matthieu de Grünwald alluma un nouveau cigare et dévisagea

Becker. Le moment était venu de jouer sa carte maîtresse. « Il reste un petit problème », commença-t-il lentement. Et lorsqu'il eut fini, la réaction de Becker n'eut rien de bien surprenant. « En Suisse ! hurla-t-il. Nous ne pouvons pas vous laisser partir en Suisse ! »

Matthieu tira paisiblement sur son cigare.

« Vous n'avez guère le choix, répondit-il. Laissez-moi vous expliquez une nouvelle fois la situation. Toutes nos possessions étrangères sont entre les mains d'une société suisse. Suivant le règlement particulier de la compagnie, aucun transfert de propriété ne peut avoir lieu sans la réunion du conseil d'administration, ce qui signifie que je dois apparaître à Zurich — en personne.

— Nous ne pouvons pas le permettre, déclara Becker. Écoutez-moi. Je peux vous envoyer à Theresienstadt pour y réfléchir. Quelques jours dans un *Kommando* de travail, à porter des pierres de vos propres mains nues et au pas gymnastique, et vous serez un autre homme !

— C'est possible, mais vous n'aurez toujours pas accès à nos possessions étrangères. Si vous voulez conclure, il faut que j'aille en Suisse. C'est aussi simple que cela.

— Quelle garantie avons-nous que vous reviendrez ? »

Lorenberg examina le plafond. « S'il ne revient pas, nous saisirons tous ses biens en Allemagne. »

Becker hocha la tête d'un air renfrogné.

« C'est évident, dit-il, mais il nous faut autre chose. Si *Herr* Grünwald doit quitter le Reich, il faudra que le reste de sa famille soit placé sous bonne garde. Ils seront traités avec tous les égards dus, comprenez-vous, il s'agit d'une simple formalité ; mais si le moindre problème surgit, ils iront à Auschwitz — *Nacht und Nebel.*

— Il va être difficile de faire accepter cela à mon frère, observa Matthieu.

— C'est un problème qui vous concerne exclusivement. » Becker se leva et remit sa casquette. Il ouvrit la porte, laissa passer Matthieu et ils s'éloignèrent tous deux dans le corridor pour s'arrêter un instant devant une porte où un panneau annonçait « *Herren* ». Ayant apparemment tous deux la même préoccupation, ils entrèrent et se tinrent un moment côte à côte devant deux urinoirs voisins, en silence.

« Combien de temps vous faudra-t-il en Suisse ? demanda Becker en se lavant les mains.

— Vingt-quatre heures suffiront, une fois les papiers prêts. Zengli peut accélérer les choses. »

Becker acquiesça en s'essuyant les mains. Il prit un morceau de savon entre son pouce et son index et l'approcha du visage de Matthieu. « Ne faites rien d'irréfléchi, dit-il, lorsque vous serez en Suisse. Vous voyez ce morceau de savon ? Eh bien, je vous promets

que nous nous laverons les mains avec le reste de votre famille si vous essayez de nous baiser ! Bon voyage. »

« C'est une formalité. Un contrat d'honneur, rien de plus », expliqua Matthieu en s'asseyant dans un grand fauteuil de cuir. Son voyage à Vienne apparaissait sur son visage et ses vêtements : il n'était pas rasé, son pantalon était froissé, il y avait des taches de boue et de la poussière sur ses chaussures et il semblait n'avoir pas changé de chemise. Par contraste, Steven apparaissait plus élégant que jamais, ce qui affaiblissait considérablement sa position, car quoi qu'eût dû subir Matthieu, il ne l'avait pas partagé. On ne pouvait pas nier que Matthieu eût vécu une expérience difficile ; Steven le voyait aux joues hérissées de son frère, aux cernes qu'il avait aux yeux, au tremblement de ses mains — bien que les deux cognacs bus depuis son retour n'y fussent pas complètement étrangers.

« Un contrat d'honneur ? Avec Becker et Lorenberg ?

— Bon, ce ne sont pas des gens d'honneur. Et alors ? Il faut savoir prendre quelques risques ici et là.

— Oui, oui, c'est facile à dire, mais ce n'est pas *ta* famille qui va rester ici à attendre sous bonne garde. Et s'il arrive quelque chose ?

— Que peut-il arriver ? Le wagon privé du *Reichsmarschall* m'attend pour me conduire à la frontière suisse. Je resterai absent un jour ou deux et nous prendrons ensuite tous l'avion pour Lisbonne. Je ne vois vraiment aucun problème.

— Mon cher Mati, tu me demandes de mettre la vie de ma famille en danger. Niki est déjà en Suisse. Cosima est de nationalité autrichienne et, de toute façon, son père est nazi. En ce qui me concerne personnellement, je n'y vois évidemment pas d'obstacle par principe, mais tu ne peux pas sérieusement me demander de placer Betsy et mes enfants sous la garde de ce Becker.

— Steven, répondit Matthieu d'une voix où vibrait l'émotion, en posant la main sur le genou de son frère, l'idée n'est pas de moi. Je te supplie de le croire. Si je pensais qu'il y ait le moindre risque, je ne te le demanderais pas. Mais nous n'avons pas le *choix*. C'est cela ou rien. Si nous essayions de tout vendre au gouvernement hongrois, nous serions payés en monnaie inutilisable. Ils nationaliseraient notre entreprise, de sorte que nous ne pourrions plus la récupérer après la guerre, et nous n'aurions toujours aucune garantie de pouvoir partir, car les Allemands ne le permettraient jamais. Notre seul espoir de sécurité est entre les mains des Allemands, et nous allons devoir agir comme ils l'exigent. Fais-moi confiance.

— Sur la vie de mes enfants ?

— Même sur la vie de tes enfants. Il faut que tu me donnes ta

confiance. Écoute, je vais faire quelque chose pour toi qui ne s'est jamais imaginé dans l'histoire entière des Grünwald. Nous allons partager tous nos biens avant mon départ. En deux parts égales. »

Steven dévisagea Matthieu avec stupéfaction. Depuis le temps de Hirsch, depuis *avant* le temps de Hirsch, de génération en génération, les biens de la famille de Grünwald demeuraient entiers par tradition. Le contrôle se transmettait de fils aîné en fils aîné, mais il était entendu qu'il détenait les biens au nom de la famille même.

Ces possessions constituaient un objet en soi, doué d'une existence propre qui transcendait la vie et les intérêts de quelque personne ou génération que ce fût. Hirsch de Grünwald en avait décidé ainsi par testament, tel était son monument funéraire ; et cet accroissement de richesse lui donnait une sorte d'immortalité.

Steven se leva de son siège et se mit à arpenter le bureau. Il tapota nerveusement le buste de Göring, alluma une cigarette puis la jeta au feu après la première bouffée et soupira profondément. L'idée de partager les biens des Grünwald (les « intérêts », comme on disait habituellement) constituait une étape si radicale qu'il en demeurait saisi.

Il ne voyait aucun inconvénient à jouer un rôle subordonné auprès de Matthieu — ils étaient frères, après tout — mais Nicholas et Paul n'étaient que cousins et n'avaient guère de sympathie l'un pour l'autre. Si l'on suivait la tradition familiale, tout passerait un jour entre les mains de Nicholas et, même si la part de Paul faisait de lui un homme riche, il devrait dépendre entièrement de son cousin pour accéder au pouvoir, pour obtenir une place dans la gestion de la fortune familiale. Et, à son tour, Paul n'aurait rien à laisser à son fils que de l'argent — ce n'était assurément pas la même chose que de contrôler des investissements, des industries, des intérêts bancaires à soi.

La moitié de ces intérêts permettrait à Steven de laisser à son fils une position de force et d'indépendance ; au pire, Paul serait l'égal de Nicholas.

« Peut-être, répondit lentement Steven, *peut-être* qu'un tel arrangement serait raisonnable. Etant donné les circonstances. Nous briserions une tradition familiale... »

Les yeux de Matthieu luirent de soulagement. Il n'existait pas, songeait-il, de meilleur frère que Steven.

« C'est vrai, admit-il, mais nous vivons une époque exceptionnelle. Qui sait ce qu'un homme doit faire pour survivre ? Grand-père Hirsch ou notre propre père — jamais ils n'auraient pu imaginer que nous serions un jour menacés dans notre propre pays, pris au piège. Si nous nous en tirons avec la moitié de notre fortune et l'espoir de récupérer l'autre moitié après que ces idiots d'Allemands auront perdu la guerre, nous nous serons bien débrouillés. Bien mieux que les Weinmann-Levy

ou les Petschekw, par exemple. Ils ont négocié interminablement, jusqu'au jour où les Allemands leur ont tout pris sans laisser aucun d'eux partir. Lorenberg m'a dit que le vieil Erwin Weinmann s'était retrouvé à Dachau, rendu fou par le chagrin. Il se croyait à l'Hôtel du Cap et appelait tous les gardiens SS " garçon ". Évidemment, ils se moquaient de lui, mais il valait sans doute mieux pour lui qu'il soit fou, quand on y réfléchit.

— Que lui est-il arrivé ?

— Un jour ils s'en sont lassés et l'ont fusillé.

— Pauvre vieux Weinmann. Il devait avoir près de quatre-vingts ans.

— Quatre-vingt-un, je crois. Un géant de l'industrie et de la banque allemande, marié à une chrétienne pendant soixante ans, conseiller financier du Kaiser, ami intime du vieux Krupp... Crois-moi, nous agissons bien. Nous leur donnerons ce qu'ils veulent et nous partirons. Hirsch aurait compris cela mieux que quiconque.

— Nous ferions mieux d'en informer la famille.

— Sans les alarmer indûment, oui. Il conviendrait peut-être de leur épargner certains détails — surtout aux enfants.

— Bien sûr. Quand pars-tu ?

— Lorenberg viendra me chercher tout à l'heure, plus tard dans la nuit. Il a été désigné pour me surveiller jusqu'à la frontière. J'ignore ce qu'ils ont sur *lui*, mais je peux te dire qu'il meurt de peur ! En tout cas, nous sommes censés partir ce soir à onze heures, mais les Allemands ont une telle impatience de me voir aller à Zurich qu'ils feraient attendre le train pour moi s'il le fallait. Tu comprends, ils redoutent que le gouvernement hongrois bloque toute l'affaire. C'est pourquoi il est tellement essentiel d'agir vite. Si nous sommes pris entre Sztójay et Himmler, nous perdrons non seulement tous nos biens, mais notre peau. Sztójay nous arrêterait pour avoir traité avec les Allemands. Himmler nous arrêterait parce que nous sommes juifs, nous n'aurions plus nulle part où nous tourner.

— Jusqu'à présent, personne n'a même tenté de nous traiter en Juifs. La réglementation ne s'applique même pas à nous...

— Steven, la réglementation peut changer. Elle change tous les jours, et certes pas dans le bon sens. Et puis quand il y a un demi-milliard de dollars en jeu, qui va prendre le temps d'observer la réglementation ? Nous avons juste assez de sang juif pour nous trouver en danger. Espérons que nous en avons suffisamment pour nous guider et nous aider à survivre ! En tout cas, serrons-nous la main. »

Les deux frères se levèrent et échangèrent une poignée de main solennelle, puis tombèrent dans les bras l'un de l'autre et s'embrassèrent, émus par la gravité du moment, l'importance de la décision, et les

difficultés en perspective, Matthieu se surprit à pleurer, fort étonné, et se demanda si c'était sous l'effet de la honte ou de la tendresse.

« C'est de la folie ! s'exclama Betsy. Et s'il arrive quelque chose ?

— Que peut-il arriver ? Il est mon frère. »

Betsy dévisagea son mari, voulut parler, puis se rendit compte que ce n'était pas le moment de raconter à Steven ce qui s'était passé entre elle et Matthieu.

« Nos vies dépendent donc de Matthieu ?

— C'est là une manière un peu romanesque de l'exprimer. Mais théoriquement, oui.

— Pourquoi ne pas aller trouver le régent ? Ou Sztójay ? Je n'ai aucune confiance dans les Allemands.

— Si le gouvernement hongrois apprenait que nous négocions directement avec les Allemands, on nous arrêterait. D'ailleurs, que pourraient-ils faire pour nous ? Nous donner des visas de sortie, peut-être. Mais ce sont les Allemands, et non notre gouvernement, qui contrôlent les sorties, de sorte que cela ne nous servirait à rien du tout. Seuls les Allemands peuvent nous aider à gagner Lisbonne. C'est aussi simple que cela.

— Et si Matthieu ne revient pas ? »

Steven secoua la tête. Il se sentait las et irrité. « Il reviendra, bien sûr. Sans parler de nous, il y a Cosima. Il ne va pas abandonner sa propre femme, tu sais. »

Mais, à son étonnement, cette observation logique ne consola nullement Betsy. Elle se contenta de le dévisager un moment, puis elle se mit à pleurer.

Steven quitta discrètement la pièce, et trouva Paul dans le vestibule.

« Pourquoi Maman pleure-t-elle ? demanda Paul.

— Ne pose jamais ce genre de questions, Pali. Les femmes pleurent pour toutes sortes de raisons. C'est là un des mystères de la vie, et cela vaut mieux ainsi.

— Je ne peux pas aller à Lisbonne. Louise non plus.

— Préférez-vous être envoyés tous les deux dans des camps de travaux forcés ? Ecoute : il s'agit d'une affaire grave. Ta mère est bouleversée parce que nous devons rester ici pendant que l'Oncle Mati va régler quelques affaires en Suisse. Ce n'est pas l'idée de quitter la Hongrie qui la fait pleurer. Crois-moi, le plus tôt sera le mieux, pour nous tous.

— Que vont nous faire les Allemands ?

— Rien. Nous serons surveillés, voilà tout. Une fois arrivés à Lisbonne, tout changera. Peut-être irons-nous en Amérique, pourquoi pas ? L'Europe est finie, franchement. Je dois ajouter que ton oncle et

moi sommes convenus de partager les possessions de la famille, étant donné le caractère exceptionnel des circonstances. Désormais, nous sommes des partenaires égaux. Par la suite, tu hériteras de la moitié, pour en faire ce que tu voudras. Niki n'obtiendra pas tout comme cela a été le cas pour Matthieu. »

Paul dévisagea son père, comprenant pour la première fois la gravité de la crise. « Je n'en veux pas », déclara-t-il.

Steven passa une main lasse sur ses yeux. « Tu n'en veux peut-être pas maintenant, Pali, répondit-il doucement. Mais un jour tu en voudras. »

La sonnerie de la porte retentit, et Paul, en songeant à ce que venait de lui révéler son père, traversa le vestibule pour ouvrir la monumentale porte d'entrée.

Devant lui se dressait un homme de haute stature revêtu de l'uniforme noir des SS, avec sa casquette ornée de la tête de mort enfoncée jusqu'aux yeux.

« De quoi s'agit-il ? » demanda Paul.

L'officier eut un petit rire. « Vous ne me reconnaissez pas ? »

Paul examina plus attentivement le visage, sous la visière cirée.

« Baron von Lorenberg ! s'exclama-t-il.

— *Standartenführer* von Lorenberg, si vous voulez bien. » Il leva les yeux vers Betsy qui descendait l'escalier, ôta son képi, et salua courtoisement.

« Baron von Lorenberg, déclara-t-elle, que signifie cette sinistre mascarade ? »

Lorenberg parut embarrassé. En y regardant de plus près, on pouvait observer que son uniforme n'était pas neuf, et qu'il lui manquait son habituelle élégance de coupe et de qualité.

« Mutation provisoire, expliqua-t-il. Je fais désormais partie de l'équipe du *BdS Ungarn,* l'estimé *Oberführer* Geschke. A cette heure encore, je sors d'une réunion avec lui. Quand je l'ai quitté, il gisait à terre, complètement ivre. J'ai dû emprunter cet uniforme à Becker.

— Devons-nous comprendre que vous êtes entré dans les SS, désormais ?

— *Gnädige Frau,* quand il s'agit de choisir entre cela et l'uniforme d'un sous-lieutenant dans un régiment d'infanterie de réserve sur le front russe, la décision est facile à prendre. Quoi qu'il en soit, je vous apporte de bonnes nouvelles. Le train attend. Nous disposons d'une voiture pour éviter au baron Matthieu le passage des postes de contrôle entre ici et la gare. Et le docteur Zengli a préparé tous les papiers, à Zurich, pour sa signature. *Alles in Ordnung* — comme sur des roulettes. Dans quarante-huit heures, vous serez au soleil, au Portugal ! Où sont votre époux et son frère ? »

Betsy désigna le bureau.

« Nous devrions commencer nos bagages, sans doute.

— Bien sûr, répondit Lorenberg. Prenez tout ce que vous voudrez. La baronne Weiss a même emmené ses chiens. » Lorenberg s'inclina cérémonieusement, frappa à la porte du bureau, puis se retourna vers Betsy et Paul. « Ne soyez pas tristes, reprit-il. Si je le pouvais, je partirais avec vous... »

Matthieu et Steven apparurent tous deux déconcertés par le nouvel uniforme de Lorenberg ; en fait, Matthieu demeura un instant pétrifié d'horreur en ouvrant la porte, croyant que Becker venait lui annoncer que tout était annulé.

« Et que dira Göring ? demanda-t-il quand Lorenberg eut terminé son explication.

— Que peut-il dire ? L'influence du *Reichsmarschall* est très en déclin, à franchement parler. Un télégramme m'attendait à l'hôtel Majestic, avec ordre de transfert dans le service de Geschke. On dit aussi que les SS reprennent en main le projet Wotan et il semble donc que le *Reichsmarschall* n'ait pas su se cramponner à ses jetons. De toute façon, le jeton que je suis préfère être dans le camp gagnant.

— Vous pensez que les SS représentent le camp gagnant ?

— Pour le moment, sans aucun doute ! Par la suite, nous verrons. Quand le bruit s'est répandu que le *Reichsmarschall* apprenait l'anglais avec des disques Berlitz, cela a provoqué beaucoup de commentaires désobligeants. Et ce n'est pas tout. Il s'est même fait faire un uniforme exactement semblable à celui des officiers américains, avec une veste à la Eisenhower et un Colt comme celui de Patton. Il l'a fait trop tôt, voyez-vous. Il espère négocier la paix avec Eisenhower, mais pendant ce temps Himmler regarde par-dessus son épaule, et le Führer est toujours bien vivant.

— Quelles sont les conditions de notre “ protection sous bonne garde ” ? » s'enquit Steven, en accentuant d'une lourde ironie l'euphémisme.

Lorenberg chassa d'une pichenette une imaginaire miette de poussière sur son uniforme.

« Criard, n'est-ce pas ? Le noir est une couleur si déprimante... Ecoutez, ne vous inquiétez pas. Tout se passera entre gens du monde. L'essentiel : pas de coup de téléphone au gouvernement hongrois. Nous ne voulons pas qu'ils interviennent au dernier moment. Et, bien entendu, pas de tentative d'évasion ridicule vers une ambassade neutre. J'ai cru comprendre que Kállay demeurait l'hôte des Turcs. Imaginez, s'il fallait manger du riz pilaf et des dolmas farcis jusqu'à la fin de la guerre !

— Parfait.

— Finissons-en avec cette maudite lettre », déclara Matthieu en

s'asseyant à sa table, tandis que Betsy apportait du café et déposait un baiser sur la joue de son mari en plaçant le plateau devant la cheminée.

Matthieu prit dans un tiroir une feuille de papier à lettres ordinaire et commença à écrire en énonçant le texte à voix haute. « Par cette lettre les soussignés baron Matthieu de Grünwald et baron Steven de Grünwald déclarent partager — ne devrions-nous pas plutôt dire " diviser également "? — les propriétés et intérêts, nationaux et internationaux, de la Banque Grünwald... »

Betsy reposa sa tasse et quitta rapidement la pièce, claquant la porte derrière elle.

Matthieu eut un sursaut contrarié, termina la lettre, la signa d'un geste assuré, et la tendit à Steven qui en fit autant.

« Il faudrait aussi la signature d'un témoin », déclara Matthieu.

Lorenberg sourit. « Très volontiers. » Il parapha le document et le remit à Steven, cependant que Matthieu sortait faire ses adieux. Lorenberg s'approcha du bar, dans un angle du bureau, tournant le dos à Steven, et s'affaira à confectionner un cocktail.

Debout devant la cheminée, Steven hésitait. Il commença par placer la feuille de papier dans sa poche puis, après réflexion, l'en sortit. C'était le genre de document qu'il convenait de conserver dans un coffre ou à la banque, mais il se trouvait chez Matthieu et ignorait la combinaison du coffre mural ; il paraissait peu probable que la Gestapo lui permît de se rendre au sous-sol de la banque. De même que la plupart des gens, Steven redoutait de conserver sur lui des papiers de valeur. Il rangea la lettre dans un tiroir, l'en ôta, parcourut rapidement la pièce du regard, se tourna vers les rayonnages et, faisant basculer le buste de Göring sur son socle de marbre, glissa le document à l'intérieur. Il était enfin satisfait. La lettre se trouvait là où lui seul pourrait la retrouver.

Steven traversa la pièce et se servit un cognac, en écoutant le bruit du shaker à cocktails qu'actionnait Lorenberg. Il ne remarqua pas que le regard glacial de Lorenberg se réfléchissait dans le miroir placé au-dessus du bar, et moins encore que ce regard était fixé sur le buste en bronze.

Matthieu et Betsy se dévisagèrent un moment tandis qu'il enfilait son manteau. Ils étaient seuls. Steven avait accompagné Lorenberg dans la cour pour attendre Matthieu près de la voiture, et les enfants dormaient dans leurs chambres, au premier étage.

Matthieu s'éclaircit la gorge.

« Je regrette que vous ne veniez pas avec moi, déclara-t-il d'une voix rauque.

— Je regrette que nous ne partions pas *tous* avec vous.

— Ce n'est pas ce que je veux dire. Quand tout cela sera fini, une vie entièrement nouvelle s'offrira à nous. Croyez-moi, vous n'avez pas épousé le bon frère !

— Taisez-vous ! Quand nous serons enfin sortis de ce pétrin, je révélerai à Steven ce qui s'est passé entre nous. Je pense qu'il devrait en être informé.

— Oubliez Steven. Il ne m'arrive pas à la cheville. »

Betsy leva la main pour le frapper, puis la laissa retomber. Ce n'était pas le moment de créer un scandale ou de commencer une scène bruyante.

« Partez, dit-elle, et s'il arrive quelque chose...

— Il n'arrivera rien. Ayez confiance. Je vous aime.

— Je ne veux rien savoir. Je ne vous écouterai pas.

— Je reviendrai pour vous.

— Revenez parce que c'est votre devoir de frère et d'homme. »

Matthieu eut un rire bref, mit son chapeau, prit sa serviette et sortit sous la pluie. Parvenu sur le perron, il se retourna et contempla Betsy pendant un instant. « Je ferais n'importe quoi pour vous », déclara-t-il.

Mais il ne reçut aucune réponse. Betsy lui tourna la dos et s'éloigna tandis que, dans la cour, une portière de voiture claquait et que le moteur se mettait en marche.

« *Na, los* », murmura Matthieu, et il descendit les marches pour commencer son voyage.

13

« Gin, annonça Paul en étalant ses cartes sur la table.

— Encore ! s'exclama Steven. Mais tu es un joueur-né, mon garçon.

— Tu n'as simplement pas le cœur au jeu, voilà tout, intervint Betsy. Il suffit de regarder ton visage pour connaître ton jeu... Je dois dire que cette attente est pénible.

— J'avais cru avoir des nouvelles de Mati plus tôt. Ou de Lorenberg. Écoutez... quelqu'un arrive. »

On entendait dehors le bruit d'une voiture. Une portière claqua et la porte d'entrée fut bruyamment déverrouillée.

« Dieu merci », soupira Betsy en posant sa tasse de thé avec une précipitation qui passa inaperçue.

Steven traversa la pièce à la rencontre de son frère et, tendant les bras comme la porte s'ouvrait, faillit serrer dans ses bras le *Standartenführer* Becker qui se tenait là d'un air sinistre, vêtu de son habituel trench-coat de cuir noir, ganté et coiffé d'une casquette, avec une serviette de cuir sous le bras. Ses yeux paraissaient plus morts que jamais sous la visière de sa casquette et il avait la mâchoire crispée.

Steven fixa un instant cette apparition déplaisante, puis s'écria : « Oh ! mon Dieu, il est arrivé quelque chose à Mati ! »

Betsy dévisagea Becker, puis secoua la tête. « Non, dit-elle, je pense plutôt qu'il *nous* est arrivé quelque chose. »

Becker ne perdit pas de temps en mondanités. Il se dirigea vers le bureau et s'assit à la table, comme pour ouvrir une séance. Il ôta sa casquette, ses gants et les posa soigneusement à côté de sa serviette, puis se pencha légèrement en avant en joignant les mains comme pour commencer une conférence ou un cours.

« Veuillez vous asseoir », déclara-t-il d'une voix neutre. Sa façon de parler n'avait rien de menaçant. Il savait depuis longtemps que sa présence suffisait à effrayer la plupart des gens et qu'il était donc inutile

de s'époumoner. Beaucoup de jeunes officiers SS suivaient la technique plus traditionnelle de Heydrich qui consistait à « aboyer », à se servir de leur voix pour inspirer à leurs victimes la peur et la docilité. Becker avait de la chance. Ses yeux faisaient tout ; il n'avait besoin d'aucun autre effort.

« Il y a un problème, poursuivit Becker. Il semble que Matthieu de Grünwald ait faussé compagnie à cet imbécile de Lorenberg.

— Vous voulez dire qu'il nous a abandonnés ? » demanda Betsy, redoutant de regarder le visage de son mari car elle savait avec une certitude absolue qu'elle avait raison et qu'elle aurait dû l'avertir.

« Je ne peux pas sauter aux conclusions, mais cela paraît probable. Embarrassante erreur de jugement de notre part. Mais qui aurait pu imaginer une chose pareille ? Il s'est apparemment rendu au bureau du docteur Zengli mais, au lieu de signer les papiers, il a organisé une brève réunion du conseil pour séparer entièrement les possessions étrangères de la Banque Grünwald, de sorte que nous ne pouvons plus les réclamer. Il a abandonné la Banque — et vous tous, pourrais-je même ajouter.

— Il faut que je parle à Matthieu, déclara Steven. Il doit y avoir un malentendu...

— Pour le moment, nous aimerions *tous* parler avec lui. Le problème, c'est qu'il a disparu. Je suppose qu'il avait préparé une cachette depuis déjà quelque temps. Il n'est pas homme à laisser les choses au hasard. Quoi qu'il en soit, nous allons le chercher pour tenter de le convaincre de revenir. En attendant, votre situation a changé. Vous êtes désormais entre mes mains.

— Quelles en sont les conséquences ? demanda Steven.

— Eh bien, répondit Becker en ouvrant sa serviette, commençons par ceci — qu'il faut coudre solidement, à propos, et non se contenter d'épingler. » Et il exhiba quatre étoiles jaunes de dimensions réglementaires, qu'il lâcha et poussa vers Steven du bout des doigts, comme si elles étaient contaminées.

Dans les heures qui suivirent, la « situation » des Grünwald se transforma, les laissant effarés et confondus. Dans la plupart des cas de ce genre, le processus d'application des réglementations s'effectuait lentement, constituant une interminable succession de petites humiliations et de défaites. A chaque étape intervenaient des ouvertures, des exceptions, des scintillements de faux espoirs, puisque le processus visait par-dessus tout à affaiblir la résistance. Les pauvres, les étrangers, les malades partaient avant les riches et les notables, de sorte que les riches et les notables étaient rendus malléables par l'espoir de n'avoir pas à partir du tout. Cette expérience avait été

épargnée aux Grünwald, mais à présent Becker leur en faisait parcourir les diverses étapes à une vitesse saisissante, en leur disant froidement la liste qu'il avait établie.

« L'étoile, c'est évident. Cousez-la bien solidement. Si vous sortez dans la rue, la police essaiera de vous l'arracher et, s'ils y arrivent, vous aurez de sérieux ennuis. Pour le moment, je vais vous laisser quelque latitude. Mais je ne puis être tenu pour responsable des problèmes que vous provoqueriez vous-mêmes. Je n'ai aucun moyen de contrôle sur les hommes de la gendarmerie hongroise, et dans l'ensemble ils se comportent comme des bêtes indisciplinées. Tant que nous n'aurons pas discuté avec *Herr* Matthieu, je ne compte pas vous soumettre à toute la réglementation, mais s'il ne revient pas — et j'espère pour vous que vous parviendrez à lui persuader de revenir — nous vous appliquerons le traitement complet.

— Quel est ce traitement ?

— Il change tous les jours.

— *Standartenführer,* déclara Betsy en désignant l'étoile d'étoffe, c'est impossible. Vous ne pouvez pas exiger que je porte cela ! »

Becker posa sur elle un regard impassible. « Adressez vos plaintes à votre beau-frère. S'il était revenu comme il s'y était engagé, je ne me trouverais pas ici, et vous seriez en sécurité à Lisbonne. Pour tout vous dire, je vous laisse votre liberté de mouvement et de communication dans le seul espoir qu'il tentera d'entrer en rapport avec vous. Ou que vous connaissez le moyen d'entrer en contact avec *lui.* Persuadez-lui de signer les papiers et de revenir. C'est le meilleur conseil que je puisse vous donner ! Quant à vous, baronne de Grünwald, vous pouvez écrire sur votre étoile " Mariée à un Juif " si vous le souhaitez. Et au cas où vous voudriez coudre en plus une croix à côté de l'étoile, pour les enfants, je n'y vois pas d'inconvénient. Je suis un homme raisonnable. Si je dois vous confier à l'*Oberführer* Geschke ou à Eichmann, vous recevrez un tout autre traitement, je puis vous le garantir ! Vous avez un peu de temps — combien, je n'en sais rien. Faites-en bon usage. Trouvez-moi Matthieu de Grünwald ! »

Trouver Matthieu, cependant, apparut bientôt comme une tâche impossible. Steven téléphona au docteur Zengli, qui déclara ne rien savoir sur son client ; il se rendit à la Légation suisse, où le personnel se montra courtois mais impuissant à l'aider. Il emmenait Paul partout avec lui, comptant sur le soutien moral de son fils comme si, dans son esprit, le garçon avait remplacé Matthieu.

Se forçant à réfléchir lucidement, Steven se rendait compte que la fuite (il avait du mal à l'appeler « trahison ») de Matthieu les exposait à de nombreux dangers. Le gouvernement hongrois avait désormais

pleinement conscience de l'accord passé entre les Allemands et les Grünwald, et la réaction du cabinet Sztójay fut explosive. Il y eut quelques entretiens glaciaux entre le Premier ministre de Hongrie et le docteur Veesenmayer, qui renvoya la « pomme de terre brûlante », comme il disait, à Berlin, où Himmler et Göring durent, malgré toute leur antipathie, se rencontrer pour débattre de la façon d'annoncer la nouvelle au Führer. Heureusement, le Führer détestait les Hongrois en général et Sztójay en particulier, et il approuva l'acquisition des *Interessen* des Grünwald en dépit des protestations de Ribbentrop.

Le gouvernement de Sztójay fut donc forcé de lâcher la position suivant laquelle cet accord était illégal et il exprima son désir d'accepter des excuses et une part du butin — aucune de ces deux requêtes ne fut bien reçue.

Comme le gouvernement hongrois n'était pas en mesure de menacer les Allemands, qui parvenaient ainsi à emporter la part la plus glorieuse de l'industrie et du commerce hongrois, Sztójay entreprit de punir les Grünwald, mais là encore les Allemands intervinrent. Les Grünwald devaient être pris en main par les *Sicherheitsdienst* et non par les Hongrois, tout Juifs qu'ils étaient, en tout cas jusqu'à ce que les négociations eussent repris avec le baron Matthieu de Grünwald, mais ils se trouvaient sous la « protection » des Allemands.

Ces considérations politiques plus générales pesaient lourdement sur Becker, que l'on critiquait à présent pour son maniement « maladroit » de la situation. Elles préoccupaient également Steven, qui cherchait désespérément une issue à la situation. Chaque matin, il discutait des diverses possibilités qui lui venaient à l'esprit avec Paul, dont il était amené à apprécier l'intelligence et l'instinct rapide. Tous deux partaient chaque jour rendre visite à quiconque pouvait se trouver en position de les aider.

Ils allèrent trouver Nicolas Horthy, qui se refusa poliment à tout commentaire sur l'étoile jaune et promit de faire tout ce qui serait en son pouvoir pour les Grünwald. Ils se rendirent chez le cardinal Serédy, et virent Mgr de Montenuovo à de nombreuses reprises. Ils rendirent visite à d'anciens amis et à des relations d'affaires. Nul n'avait eu de nouvelles de Matthieu de Grünwald ni n'avait la moindre idée de solution à suggérer à Steven. Montenuovo, même, se montrait inhabituellement pessimiste. Prenant Steven à part, il lui chuchota : « Sauvez les enfants. »

Steven parut contrarié. « J'espère sauver tout le monde », répliqua-t-il avec raideur.

Montenuovo hocha la tête avec impatience.

« Je le comprends, mais il faut être réaliste. Commencez par les enfants. Louise pourrait-elle envisager d'entrer en religion ?

— J'en doute. Cela serait-il utile ?

— Je ne sais pas. Peut-être. Il faudrait faire vite, mais je pourrais sans doute arranger cela. Ou bien mariez-la.

— Elle n'a que dix-sept ans !

— Excellent âge pour se marier... Je vous trouverai quelques noms. Pouvez-vous disposer d'argent ?

— Pour le moment, non. C'est l'un des problèmes. Les Allemands ont confisqué nos possessions et le gouvernement hongrois a bloqué tous nos comptes personnels. »

Montenuovo se pencha jusqu'à ce que ses lèvres pussent presque effleurer l'oreille de Steven et il chuchota : « Le coffre mural ! » puis fit le signe de la croix.

« J'aurais dû penser au coffre mural, déclara Steven à Paul comme ils rentraient chez eux à pied, suivis par leur gardien.

— Tu ne peux pas penser à tout, Papa.

— Le problème, c'est que j'ignore la combinaison. Après tout, c'est le coffre de Matthieu. »

Paul réfléchit un moment. « Essaie sa date de naissance », suggéra-t-il.

Et, en effet, quand ils arrivèrent et décrochèrent le tableau du mur, le coffre s'ouvrit dès la première tentative.

« Comment l'as-tu deviné ? » interrogea Steven.

Paul contemplait les petits sacs de cuir remplis de diamants, les liasses de devises étrangères et le petit carnet d'adresses posé dessus. Il haussa les épaules. « Il est toujours préférable de commencer par les évidences. »

Dieudonné de Rochefaucon faisait de son mieux pour ne pas sembler voir ce qui se voyait tant, tandis qu'il bavardait avec Steven dans son bureau de l'ambassade de France. En tant que diplomate et duc, son talent pour ne pas voir ce qu'il n'était pas rentable de voir était légendaire. L'étoile jaune cousue sur le manteau de Steven aurait pu être invisible, à en juger par la conversation facile et bienveillante du duc. Néanmoins, ses yeux trahissaient de l'intérêt et de la curiosité. La situation délicate de Steven de Grünwald n'était un secret pour personne, et il semblait peu probable qu'il fût venu dans le simple but d'une visite de politesse ou pour parler du bon vieux temps.

Rochefaucon n'avait rien d'un antisémite, sauf en ce qui concernait l'affaire Dreyfus, mais il s'agissait là d'une tradition familiale. Il fallait être fou pour ne pas voir que le baron Philippe de Rothschild avait une personnalité plus séduisante et plus brillante qu'un Himmler ou un Laval, par exemple.

De même que les Rothschild, les Grünwald étaient riches et valaient donc la peine d'être sauvés, si l'on pouvait les sauver sans danger ni

problème, ce qui n'était apparemment pas le cas. S'ils ne pouvaient *pas* l'être, ils avaient au moins le droit à la dignité et à la sympathie. Rochefaucon traitait donc Steven comme si rien n'avait changé, et que l'étoile jaune n'existât pas.

Plein de tact, Rochefaucon offrit à Steven une cigarette pour le mettre à l'aise. Ils parlèrent des gens qu'ils connaissaient, des réceptions auxquelles ils s'étaient rendus, des potins de la haute société de Budapest, en évitant soigneusement d'aborder la situation politique. Rochefaucon n'avait aucune hâte, car ses fonctions n'étaient déjà guère contraignantes en temps normal, et à ce stade de la guerre, quand il apparaissait clairement que les Alliés mettraient bientôt fin au régime de Vichy, elles étaient pratiquement à l'arrêt total. Rochefaucon avait déjà commencé à transmettre au service de renseignement britannique tout ce qui passait par son bureau afin de pouvoir affirmer par la suite qu'il avait travaillé clandestinement pour la cause alliée, et il avait discrètement aidé plusieurs prisonniers alliés de haut rang à gagner la Suisse. Un homme prudent, songeait-il, devait toujours savoir quand le moment était venu de changer de camp.

En dépit de toute sa prudence, Rochefaucon était pauvre — ridicule situation pour un duc. Il doutait fort que la présence de Steven dans son bureau pût présenter la moindre chance de modifier sa situation, mais il n'avait rien à perdre à l'écouter, et il l'écoutait donc avec toute l'aimable attention d'un vrai aristocrate.

« Avez-vous personnellement envisagé de fuir ? » demanda-t-il.

Steven secoua la tête.

« S'il ne s'agissait que de moi, j'en courrais peut-être le risque. Mais il serait vain d'essayer tous ensemble et, de toute façon, la Gestapo nous suit partout.

— Est-ce votre fils, qui attend dehors ?

— Oui. Et je crois que vous avez rencontré sa sœur.

— La magnifique écuyère ? Bien sûr. Une assiette superbe.

— Très juste. Je me demandais s'il n'y aurait pas moyen de la faire partir. »

Rochefaucon haussa un sourcil.

« Je ne vois franchement pas comment. S'il était en mon pouvoir de lui procurer un passeport français, je le ferais avec joie, mais même ainsi, elle n'irait pas bien loin.

— Avec un passeport ordinaire, non. Mais si elle avait un passeport *diplomatique ?*

— Ah ! c'est une autre histoire. Mais je crains que nous ne puissions faire d'elle une diplomate française, n'est-ce pas, malgré toutes ses qualités d'écuyère ? Non, certes, qu'elle ne soit pas infiniment plus charmante que mes collègues, mais cela ne suffirait guère à en faire une diplomate.

— Non, bien sûr. Mais si elle *épousait* un diplomate... »

Rochefaucon poussa un profond soupir et se perdit dans la contemplation de ses mains. Il ne portait pas d'alliance et l'on savait fort bien qu'il était célibataire, en partie par amour des plaisirs, et en partie par ce qu'il ne voyait guère d'attrait à une vie domestique dépourvue de fortune.

« La plupart des membres du corps diplomatique sont mariés, répondit-il. Je crois que l'ambassadeur d'Espagne est veuf, mais il a plus de quatre-vingts ans et semble fort dévot. Il serait difficile de le convaincre d'envisager le mariage, je le crains. Le chargé d'affaires du Paraguay est célibataire, mais c'est un Roumain de soixante ans ou davantage, de sorte que Mademoiselle ne serait sans doute pas tentée de le considérer comme...

— Un parti ? Non, mais comme c'est une question de vie ou de mort, il vaudrait sans doute la peine que je parle à...

— Au señor Alvarez Gúzman y Popescu. Attention, je ne pense pas que Popescu le ferait pour rien. Il vend des passeports paraguayens à dix mille dollars pièce, à la condition que l'acquéreur ne se rende jamais au Paraguay, encore que je me demande qui voudrait... Ce que serait son prix pour épouser Louise, je l'ignore. Combien êtes-vous prêt à payer ? Je dois vous avertir qu'on sait partout que vos comptes en banque sont bloqués. Popescu voudra être payé en espèces et avant le règlement de l'affaire. »

Steven tira de sa poche un petit sac en daim et le laissa tomber sur la table.

Rochefaucon le considéra un moment, le ramassa et le retourna au-dessus du buvard. Une demi-douzaine de magnifiques diamants tombèrent, scintillant sous la lumière du plafonnier. Rochefaucon les effleura du doigt d'un geste prudent, en affectant une indifférence d'aristocrate devant cet étalage qui serait certainement évalué à un demi-million de dollars à Asunción — ou tout aussi bien à Paris.

« Je ne doute pas que cela stimulerait l'ardeur de Popescu. Mais, connaissant son état de santé, je suppose qu'en tant que père vous souhaiteriez quelque garantie que la demoiselle arrive à Asunción... intacte.

— Je le préférerais, rétorqua sèchement Steven. Je l'exigerais même.

— Les goûts de Popescu le portent plutôt vers des femmes d'une certaine ampleur, reprit Rochefaucon en ébauchant avec ses mains la forme imaginaire d'une énorme poitrine, aussi, cela ne constituerait sans doute pas un problème. Est-ce là votre meilleure proposition ? »

Steven fixa Rochefaucon droit dans les yeux, sans ciller.

« Pour Asunción, oui.

— Ah ! » Rochefaucon lissa sa moustache d'un air pensif, et forma

un cercle devant lui avec les diamants. « Il paraît qu'Asunción est une ville charmante, dit-il. Peut-être un peu provinciale et d'un climat assez peu stimulant, d'après ce qu'on en dit. Et puis l'on éprouve bien sûr une réticence assez naturelle à voir sa propre fille devenir Mme Popescu, même s'il s'agit d'une question de vie ou de mort... »

Steven tira de sa poche un second sac et le déposa sur le bureau. Rochefaucon haussa les sourcils, ébaucha un geste fataliste et l'ouvrit.

« Vous comprenez, dit-il, je n'ai rien d'un spécialiste. A combien estimez-vous la valeur de ces pierres ? » Il fit rouler une douzaine de gros diamants ronds sur le buvard.

« Environ un million et demi de dollars. Les deux lots ensemble devraient atteindre les deux millions, peut-être davantage. On dit qu'à Paris la mode est aux pierres taillées en arrondi. »

Rochefaucon soupira, examina une nouvelle fois les pierres, puis sourit. Il se leva de derrière son bureau, le contourna pour presser Steven contre lui et, d'une voix brisée d'émotion, déclara : « Puis-je vous appeler Père ? »

« Mais c'est de la folie ! cria Betsy. Comment peux-tu imaginer qu'elle acceptera ?

— Elle acceptera si nous le lui expliquons tous les deux raisonnablement, Betsy. Écoute-moi. Préférerais-tu que j'essaie de lui faire passer la frontière clandestinement, avec le risque qu'elle soit arrêtée ou abattue ? De cette manière-là, elle prend le train en qualité d'épouse d'un diplomate français. Himmler lui-même ne pourrait pas l'empêcher de partir.

— En tant qu'épouse d'un diplomate français, elle va aussi devoir partager le lit d'un coureur de jupons qui a bien vingt ans de plus qu'elle.

— Rochefaucon connaît mon sentiment sur ce point. Je ne pense pas qu'il la touchera. Nous pourrons toujours obtenir une annulation par la suite, ce n'est qu'une question d'argent. En tout cas, même en prévoyant le pire, mieux vaut qu'elle perde sa virginité que sa vie. »

Betsy s'assit et se mit à pleurer, secouée de grands sanglots incontrôlables. Pour la première fois elle éprouvait de la peur, car la situation logique lui apparaissait désormais clairement. Si Steven désirait tant marier sa fille à un homme comme Rochefaucon pour la sauver, c'était qu'il s'estimait perdu.

Elle avait cru qu'il restait encore au moins quelque espoir. Elle se rendait compte à présent qu'il n'y en plus aucun.

Louise ne pleura pas. Elle n'était pas le genre de fille qui pleure. Elle se réfugia simplement dans sa chambre, dans cette horrible et détestable maison de Matthieu de Grünwald, et se demanda s'il valait

la peine de se suicider. Paul se tenait auprès d'elle, les mains posées sur les siennes.

« N'essaie pas de me consoler, dit-elle.

— Je n'en avais pas l'intention. Mais il n'y a pas lieu d'être fâché contre Papa, Louise. Il était effondré en revenant du bureau de Rochefaucon, à l'ambassade. Sais-tu ce qu'il a fait ? Il m'a serré contre lui, et m'a dit : " Me le pardonnera-t-elle jamais ? Me le pardonnerai-je à moi-même ? "

— Tout cela est fort touchant, et je suis ravie de l'apprendre en première main. Je reste ici à la maison, avec Maman et les officiers de la Gestapo, pendant que Papa et toi partez m'offrir à un inconnu sans même en avoir *discuté* devant moi. Un cheval ou un chien auraient droit à davantage de considération.

— Il ne s'agit pas d'un vrai mariage, Louise, tu le sais bien. C'est seulement une ruse.

— C'est ce que dit Papa. Mais Monseigneur va célébrer une vraie cérémonie, alors ce n'est pas totalement une feinte, n'est-ce pas ? Et que se passe-t-il ensuite ? Papa et toi n'êtes pas obligés de partager le lit de Rochefaucon.

— Je crois que toi non plus. Et puis sois raisonnable. Veux-tu vraiment rester ici, avec les officiers de la Gestapo au rez-de-chaussée ? »

Paul semblait épuisé. Son visage ressemblait soudain à celui de son père, comme s'il avait vieilli de plusieurs dizaines d'années en quelques jours — ce qui était somme toute assez vrai, car il avait reçu une véritable éducation en accompagnant Steven de Grünwald dans ses visites auprès de vieux amis de la famille et de relations qui se trouvaient désormais impuissants à les aider, ou bien préféraient simplement ne prendre aucun risque.

L'un après l'autre, les parents et amis des Grünwald se lavaient les mains du problème de Steven. A présent que le gouvernement hongrois avait enfin déchaîné les passions qu'il avait tenté de contenir pendant si longtemps, à présent que des bandes armées pourchassaient les Juifs dans les rues, encouragées par les Allemands, et à présent que les Allemands eux-mêmes tenaient la situation en main, la seule façon de survivre consistait à faire comme si rien ne se passait. Les Grünwald étaient désormais une source d'embarras, car leur présence même prouvait que les gens les plus riches n'étaient pas à l'abri et leurs amis se détournaient d'eux, quand ils ne se retournaient pas même contre eux.

Pour Paul, cela avait constitué une expérience douloureuse, mais déchirante pour son père et Paul en souffrait davantage encore. Il était resté auprès de son père lors d'innombrables entretiens pendant lesquels Steven avait maîtrisé sa rage pour demeurer charmant,

raisonnable, enjoué devant l'impuissance, l'indifférence et parfois même l'hostilité de ces gens qu'il avait reçus chez lui pendant des années, qui étaient venus dîner et boire chez lui, chasser sur ses terres, danser avec sa femme, qui avaient pris place dans sa loge aux courses, fait affaire avec lui à la banque... Désormais, ils gardaient les yeux fixés sur l'étoile jaune de son veston en espérant qu'il partirait vite.

Paul soupira et regarda Louise, dont la beauté semblait soudain devenue fragile et transparente. Il jugea inutile de lui expliquer qu'elle avait en vérité bien de la chance ou qu'elle serait probablement la seule à en réchapper. L'expérience récente lui avait appris beaucoup de choses, mais lui avait également ouvert les yeux sur le gouffre qui béait sous leurs pieds. Tout le monde parlait du « traitement des Juifs » comme s'il s'était agi d'un problème social, mais Paul, qui était trop jeune pour se consoler avec des espérances illusoires, avait vu dans les yeux de Becker l'indifférence d'un homme qui savait qu'être juif, dans ce pays et à cette époque, signifiait la mort. Si Louise pouvait être sauvée, même au prix d'un mariage avec Rochefaucon, tant mieux. En fin de compte, chacun devrait inventer son propre moyen de survie.

On ne pouvait avoir confiance en personne. Plus jamais on ne pourrait.

La sonnette de la porte retentit et Paul dévala l'escalier pour voir qui c'était. Non qu'il attendît de bonnes nouvelles. Tandis que son père et sa mère dormaient là-haut, épuisés, il commençait déjà à sentir qu'il ne pourrait plus guère compter sur eux pour résoudre les problèmes qui le concernaient.

Il ouvrit la porte et salua de la tête Lorenberg qui se tenait sur le seuil dans son hideux uniforme noir, l'air las et vaincu.

« Où est votre père ? demanda-t-il en ôtant sa casquette et ses gants.

— Il dort. Quelles sont les nouvelles de Suisse ? »

Lorenberg parut un instant surpris que Paul lui eût posé cette question comme un adulte en interroge un autre, mais il était trop fatigué pour s'en offusquer et n'avait aucune hâte de parler à Steven.

« Nous avons retrouvé votre oncle.

— C'est une bonne nouvelle, non ?

— Pas pour moi. Ni pour vous non plus, d'ailleurs. Il s'est réfugié à la Légation américaine, figurez-vous. De chez Zengli, il s'est rendu directement à Berne pour voir Tyler. Un coup d'œil aux dossiers, et ils le feront sûrement citoyen américain !

— Ce Tyler est un diplomate ?

— Oui et non. Il est diplomate en théorie, mais en vérité il s'occupe surtout de protéger les intérêts financiers de l'Amérique. Le métier des généraux américains consiste à gagner la guerre ; celui de Tyler, à s'assurer que l'Amérique dominera notre industrie et notre système

bancaire dès que la victoire sera assurée. Tyler a sans doute une ligne directe avec la Maison-Blanche, et une autre avec la Banque Morgan, ou bien avec Kuhn et Loeb.

— Avez-vous parlé à mon oncle Matthieu ?

— Je lui ai parlé.

— Qu'a-t-il dit à notre sujet ?

— Il m'a dit que c'était une question de logique dans les affaires. Il espérait que le gouvernement américain considérerait raisonnablement votre situation, mais franchement il ne m'a pas paru très préoccupé. Je lui ai demandé s'il ne voulait pas parler à sa femme et il m'a répondu : " Surtout pas, elle est bien la seule chose que je ne regrette pas de laisser derrière moi. " »

Lorenberg ôta son manteau. « J'ai besoin de boire quelque chose, dit-il. Franchement, mon avenir n'est pas des plus brillants, en ce moment. J'étais moi-même tenté de rester en Suisse, mais j'avais des hommes de Becker à mes côtés, avec des pistolets dans leurs poches. Il vaudrait mieux aller réveiller votre père. Autant qu'il connaisse la mauvaise nouvelle. »

Lorenberg et Steven discutèrent jusque tard dans la nuit tandis que Paul les écoutait, assis dans un coin du bureau. A deux reprises ils furent interrompus par Betsy qui apportait du café et leur conversation s'en trouva chaque fois considérablement restreinte. Lorenberg ne parvenait à trouver aucune solution au problème des Grünwald — ni au sien propre d'ailleurs. La vue de Matthieu de Grünwald dans la cour de l'ambassade américaine à Berne semblait avoir ébranlé sa confiance en lui-même. Il avait toujours admiré la clairvoyance aiguë et rusée de Matthieu ainsi que sa richesse héritée et voilà qu'il le retrouvait, vêtu d'un costume qui paraissait choisi en fonction de sa simplicité transatlantique, tirant sur son cigare sous la bannière étoilée. Il portait même une chemise bleue à col boutonné. Lorenberg regarda Matthieu de Grünwald et comprit que la guerre était finie, que l'Allemagne — et probablement toute l'Europe — était finie aussi.

« Finie, gémit-il en décrivant la scène à Steven. Il est plus intelligent que nous tous rassemblés. Tyler l'appelle " Matt " et le trouve " formidable ". Le baron mâchera du chewing-gum avant la fin de la semaine. »

Steven se versa un verre de whisky — il buvait davantage qu'il n'aurait dû, ces derniers temps, mais cela ne lui importait sans doute plus guère — et haussa les épaules. Il connaissait Tyler de réputation et en savait suffisamment sur l'Amérique pour comprendre que Matthieu n'aurait aucun mal à convaincre ses nouveaux amis qu'il était victime des persécutions nazies.

« Que devrions-nous faire, à votre avis ? demanda Steven. Maintenant que nous sommes enfoncés dans le pétrin ?

— Il reste encore une lueur d'espoir, répondit Lorenberg. Il veut parler à votre épouse. »

14

Mgr de Montenuovo était nerveux — non qu'il craignît la moindre conséquence personnelle, mais il n'avait tout simplement jamais célébré de mariage jusqu'alors. Sa vie au sein de l'Église s'était toujours orientée vers la diplomatie et la finance et il avait dû envoyer chercher un prêtre pour lui enseigner le rite pendant la nuit. Les circonstances n'étaient guère facilitées par le fait que la mariée, malheureuse fille, semblait en état d'hypnose, tandis que le marié parcourait la pièce du regard pour évaluer les toiles accrochées au mur — et dont il manquait une.

La famille de Grünwald se tenait derrière le malheureux couple dans des attitudes suggérant qu'ils allaient être fusillés — Steven et Paul les yeux fixés sur l'infini, Betsy sanglotant dans son mouchoir.

Lorenberg avait à contrecœur accepté d'être témoin, après avoir négocié avec Steven l'acquisition du Caravage de Matthieu de Grünwald en récompense de son témoignage. Le cadeau de mariage du duc à sa jeune épousée, ce qui était après tout le but de toute l'affaire, consistait en un passeport diplomatique français de couleur bleu nuit, au nom de « Madame la duchesse de Rochefaucon, née Grünwald, baronne Louise de », et portant une vieille photographie de Louise, prise en des temps plus heureux. Ce n'était pas un début de vie conjugale bien encourageant, mais Montenuovo se consolait en songeant qu'une annulation serait sûrement facile à obtenir après la guerre, à moins bien sûr que le duc et la duchesse ne se fussent épris l'un de l'autre entre-temps. Cela semblait hautement improbable, mais cela se produisait parfois, même dans les mariages conclus le plus cyniquement.

En tout cas, se disait Montenuovo, plus tôt ce serait fait et mieux ce serait. En dépit de son propre passeport diplomatique tant convoité — un petit fascicule blanc portant le sceau doré des armes du Saint-Siège

et l'inscription du Vatican —, Montenuovo n'avait aucune envie de se trouver encore là quand le colonel de SS Becker arriverait pour découvrir l'une de ses victimes disparue ou du moins parvenue hors d'atteinte, en sécurité. Le prélat prononça à toute vitesse ce qu'il se rappelait de la cérémonie, tel un coureur, ne s'interrompant que pour demander à Louise et au duc s'ils se prenaient pour mari et femme. Quand la question fut posée à Louise, le mur de réserve qu'elle était parvenue à maintenir autour de son chagrin s'effondra et elle fondit en larmes.

« Cela ne va pas, ma fille, déclara sévèrement Montenuovo. Il faut répondre " oui ". »

Louise ferma les yeux, cependant que les larmes ruisselaient sur ses joues. « Je ne le dirai pas », déclara-t-elle. Le duc leva les yeux vers le plafond très orné, manifestement embarrassé, comme s'il avait entendu proférer une gaffe dans une réception et qu'il fût bien décidé à ne pas la relever.

« Louise, je t'en prie, dis-le, supplia Betsy en entourant sa fille de ses bras.

— Je ne peux pas.

— Il le faut. »

Louise émit un dernier sanglot, pencha la tête comme Mary, reine d'Écosse, sur l'échafaud et murmura « Oui », tandis que sa mère la pressait contre elle.

« Oui », déclara à son tour le duc d'une voix forte. Il se tourna pour embrasser la mariée mais, en voyant son visage, se ravisa. Il était inutile de provoquer une nouvelle scène.

« Les alliances », ordonna Montenuovo.

Il y eut un moment de consternation. Nul n'avait pensé à prévoir des alliances, pas même le duc dont c'était pourtant la responsabilité.

Tristement, Steven ôta son alliance et la tendit à Louise, tandis que Betsy, hors d'état même de sangloter, remettait la sienne au duc.

Montenuovo acquiesça, le couple échangea les alliances et il les déclara mari et femme.

Comme Lorenberg se penchait pour signer le certificat de mariage, Steven déclara à Montenuovo : « J'espère que Dieu nous le pardonnera. »

Montenuovo avait hâte de s'en aller. « Oh ! ne vous inquiétez pas pour Dieu, répondit-il. Il vous pardonnera sûrement bien avant Louise. » Il ôta son surplis et le rangea dans sa serviette avec le reste de l'équipement qu'il avait emprunté au chapelain du cardinal.

Deux bouteilles de champagne attendaient dans la glace mais elles demeuraient intactes, flottant paisiblement dans l'eau qui restait de la glace fondue.

« Attendez seulement que Becker apprenne l'affaire », déclara Lorenberg d'un ton lugubre.

Cependant, Becker ne manifesta aucune émotion quand il arriva, trop tard pour empêcher Louise de partir. « Très astucieux », observa-t-il en saluant Steven d'un signe de tête.

Il apparut que c'était à Betsy qu'il souhaitait parler et il lui demanda de sortir avec lui un moment. Quand Steven voulut protester, Becker éleva la main.

« J'ai quelques questions à poser à la baronne, dit-il. Rien de plus. Vous n'avez aucun motif pour vous alarmer.

— Je préférerais accompagner mon épouse.

— Je n'en doute pas. Mais il n'en est pas question. Buvez donc ce champagne, après tout ! Ce n'est pas tous les jours qu'on marie sa fille à un duc ! »

Becker aida Betsy à enfiler son manteau et l'entraîna dans la cour où son chauffeur attendait en tenant la portière de la voiture ouverte.

« Nous allons faire une petite promenade, Stumpff », annonça Becker, et il remonta la vitre qui le séparait du chauffeur.

« Où m'emmenez-vous ? » demanda Betsy en évitant de regarder Becker. Il lui semblait peu probable qu'un colonel des SS voulût tenter de la violer — ou même de la séduire — sur le siège arrière d'une limousine, en plein jour, mais on ne savait jamais. Ces derniers temps, l'inimaginable devenait ordinaire et elle ne pouvait imaginer aucune autre raison à ce tête-à-tête qu'exigeait Becker.

Il se tenait à bonne distance d'elle, cependant, et il alluma une cigarette sans quitter des yeux la nuque grasse de Stumpff.

« Je veux vous faire voir quelque chose, dit-il. Et je veux que vous agissiez d'une certaine manière. Je ne voulais pas parler de tout cela devant votre mari.

— Vraiment, colonel Becker, vous allez trop loin... Il ne manque pas de femmes à Budapest, vous savez ! »

Becker agita la main.

« Vous vous méprenez, répondit-il. Je m'intéresse aux affaires, pas au sexe. D'ailleurs, j'ai une certaine notion de l'honneur, figurez-vous. Vous avez une bien piètre opinion des SS si vous pensez qu'un officier prendrait ainsi avantage de sa situation.

— Excusez-moi. J'avais entendu dire que cela se produisait fréquemment.

— Pas à mon niveau. Permettez-moi d'être franc, baronne. Vos charmes sont considérables, mais ils ne me concernent guère, même si je les admire. Notre problème, c'est qu'ils obsèdent apparemment une certaine personne.

— Je m'en moque et je ne veux pas le savoir.

— Je crains bien que vous ne soyez *obligée* de le savoir. Matthieu de

Grünwald est entré en contact avec nous. Il signera les papiers et réalisera l'affaire si vous le rejoignez en Suisse.

— Vous ne parlez pas sérieusement.

— Mais si, je vous assure ! Il suffit que nous vous fassions parvenir en Suisse et le marché se réalise. Il n'y a pas beaucoup de femmes qui vaillent deux cent cinquante millions de dollars pour le Reich, baronne.

— Je ne m'y plierai pas. Il est fou !

— C'est fort possible. Ce type de fixation sexuelle est souvent le signe d'un sérieux désordre mental. Mais c'est ainsi. Si j'étais vous, chère madame, j'accepterais.

— Et mon mari ? Mon fils ? A part le fait qu'il s'agit là d'une ignominie inqualifiable, qu'adviendra-t-il d'eux ? Viennent-ils aussi en Suisse ? »

Becker haussa les épaules.

« Bien sûr que non. D'abord, c'est *vous* que réclame votre beau-frère, et non eux. Deuxièmement, nous préférerions les garder un moment au frais, juste pour être sûrs de ne pas être dupés une seconde fois.

— Alors c'est hors de question.

— Ecoutez, soyez raisonnable, ma chère dame. Je peux les flanquer à Theresienstadt — c'est le camp réservé aux *Prominenten*. Ils y seront en sécurité.

— Pourquoi ne les libérez-vous pas, tout simplement ?

— Ce n'est pas prévu dans le marché. Matthieu de Grünwald veut que nous vous libérions et que nous les gardions encore quelque temps...

— Je n'irai pas. »

Becker soupira et tapota sur la vitre de séparation. La grosse Mercedes s'arrêta devant un barrage routier. Au-delà s'étendait un labyrinthe de ruelles étroites et de bâtisses lépreuses. Quelques silhouettes recroquevillées se hâtaient d'une porte à l'autre, les yeux fixés en permanence sur la chaussée crasseuse, comme pour y chercher des miettes de nourriture. Il y avait partout des gardes armés, dont certains étaient des civils hongrois, avec des fusils et des brassards, et partout des rouleaux de barbelés, avec des panneaux de fortune montrant des crânes et des tibias croisés pour avertir les gens d'avoir à se tenir à l'écart. Becker baissa sa vitre. Une puanteur d'ordures et d'excréments humains les frappa aussitôt, ainsi qu'un silence de mort. A quelques mètres de là, sur le seuil d'une porte, un vieillard mort gisait sur des marches, les yeux fixés sur le ciel gris. Il portait un manteau déchiré, mais quelqu'un s'était emparé de ses chaussures et ses orteils sortaient de ses chaussettes trouées.

« Le ghetto, annonça Becker. Voici où vous irez vivre si vous n'acceptez pas. Désirez-vous le voir de plus près ? »

Betsy secoua la tête et ferma les yeux.

« Non, c'est pareil partout. On dit que c'est encore pire à l'intérieur. Evidemment. La surpopulation, la maladie, la famine. Les conditions d'hygiène sont malheureusement fort sommaires. Dix ou vingt personnes dans une seule pièce, avec peut-être un robinet d'eau... Vous y réfléchirez, n'est-ce pas ? » Becker frappa à nouveau sur la vitre. « *Los !* cria-t-il à Stumpff. Nous ramenons la baronne chez elle. »

« Je ne me rendais même pas compte que tu t'intéressais au sionisme, déclara Paul à Meyer Meyerman.

— Jusque très récemment, je ne m'y intéressais pas du tout. Mais nous ne pouvons pas tous épouser des ducs. Les sionistes sortent des gens d'ici.

— Beaucoup ?

— Pas trop. Mais quelques-uns. Il y a un type du nom de Kastner, un médecin, qui négocie avec les Allemands afin d'obtenir des visas de sortie pour les jeunesses sionistes. Les Allemands ne détestent pas l'idée d'envoyer quelques Juifs vers la Palestine pour que les Anglais puissent les refouler à la frontière. Cela leur permet d'affirmer que les Britanniques ne souhaitent pas davantage que les Allemands accueillir les Juifs — ce qui est sans doute assez vrai. Alors je me suis mis à lire Herzl. Intéressant.

— Et cela va suffire à te mettre dans un train ?

— Non, bien sûr que non. Il faut graisser la patte de quelqu'un pour se faire inscrire comme vieux *chalutz*.

— Tu parles déjà le jargon ?

— Bien sûr. Et puis il faut payer des pots-de-vin aux Allemands. Même ainsi, c'est dangereux. Il y a quelques semaines, Kastner a obtenu la permission de faire sortir mille sionistes rigoureusement sélectionnés et, à la dernière minute, les Allemands ont interverti les trains. Les sionistes de Kastner sont partis pour Auschwitz et mille vieillards qui n'intéressaient personne sont arrivés à Istanbul. Personne ne sait s'il s'agissait d'une erreur ou si les Allemands voulaient donner une leçon à Kastner... En long comme en bref, le fond de l'affaire, c'est que j'ai besoin d'argent.

— Combien ?

— Beaucoup. Ce n'est pas donné, de survivre. Écoute : viens avec moi. Tu fournis l'argent et je m'occupe du reste.

— Je ne peux pas. Que vais-je faire ? Abandonner mes parents ? »

Meyerman haussa les épaules.

« Quand tout s'écroule, c'est chacun pour soi. Si tu ne veux pas venir, voudras-tu me prêter l'argent ?

— Je ne l'ai pas.

— Tu peux le trouver. »

Paul acquiesça. Il n'avait jamais beaucoup pensé à l'argent, étant né riche, et n'avait jamais été sollicité pour commettre un acte malhonnête. Mais il avait de la sympathie pour Meyerman. Il se rendit dans le bureau, ouvrit le coffre de Matthieu, en sortit une enveloppe pleine de devises, la soupesa dans sa main et regagna le salon.

« Combien te faut-il ? » demanda-t-il.

Meyerman réfléchit un moment. « Cinq mille dollars pour le secrétaire de Kastner, dix pour les Allemands, commença-t-il. Et peut-être deux mille pour les frais en cours de route. »

Paul compta l'argent et le tendit à son ami.

« Tu es sûr de ne pas vouloir venir avec moi ?

— Sûr et certain. »

Le regard de Meyerman s'illumina de gratitude. « Je te rembourserai un jour, déclara-t-il. Tu peux y compter. »

Mais Paul ne comptait sur rien. Il ne s'attendait pas à revoir Meyerman un jour.

Au premier coup d'œil Betsy comprit que Steven était ivre. Il gisait sur le canapé, une bouteille de champagne vide à côté de lui et un carafon de whisky sur la table. Avant qu'elle pût rien dire, il ouvrit un œil et se redressa péniblement.

« Alors, commença-t-il d'une voix pâteuse, que voulait donc te dire Becker ?

— Rien, les habituelles menaces.

— Ah ? Lorenberg dit que mon cher frère t'a fait une proposition. »

Betsy soupira et s'assit.

« C'est vrai, admit-elle.

— Quelle bonté de sa part ! Depuis quand a-t-il cette incroyable — ou bien devrais-je dire *invisible* — passion pour toi ?

— Cela a toujours été ainsi. Je te l'ai dit quantité de fois, mais tu ne voulais pas me croire. Il est fou. Jamais je ne l'ai encouragé. Au contraire...

— Allons, allons ! Il ne renoncerait pas à la moitié des biens de la famille s'il n'y avait pas déjà quelque chose entre vous. Tu n'imagines quand même pas que je vais te croire.

— Il n'y a *rien* eu entre nous. Je l'ai toujours trouvé parfaitement odieux. Il a tenté de me violer après cet horrible déjeuner d'anniversaire et je lui ai dit de s'occuper davantage de sa femme.

— Pourquoi ne me l'avais-tu pas dit avant ?

— Pour ne pas t'inquiéter. »

Steven ferma les yeux.

« Quelle histoire vraisemblable, ricana-t-il. Mon Dieu, quelle abominable journée ! Louise mariée à ce maquereau de duc, maintenant cette histoire... Sais-tu que quelqu'un a volé près de vingt mille dollars dans le coffre ?

— Qui connaît la combinaison ?

— Seulement Paul et moi, à ma connaissance. Mais je n'imagine guère Pali faisant une chose pareille. De toute façon, je m'en moque. Va rejoindre Matthieu, au moins tu seras en sécurité avec lui.

— Je ne peux pas.

— Et moi, je te *dis* de le faire. Je parviendrai peut-être à faire sortir Paul, d'une manière ou d'une autre. En attendant, tu as une possibilité d'évasion. Sers-t'en.

— Je ne partirai pas sans toi », déclara Betsy, mais Steven s'était déjà laissé retomber, hébété d'ivresse.

Betsy sanglota un moment, puis se ressaisit en songeant que les larmes ne serviraient à rien. Elles étaient en tout cas inappropriées. Elle se sentait moins triste que furieuse — furieuse contre Steven qui buvait pour oublier, contre Matthieu, traître et obstiné dans sa passion à sens unique, contre elle-même car elle ne pouvait rien faire. Elle monta dans sa chambre et découvrit avec horreur que Steven avait préparé ses affaires, apparemment conscient du fait qu'il devrait bientôt partir, d'une manière ou d'une autre, et qu'il serait raisonnable de tenir une valise prête.

Sur le lit se trouvait une pile d'affaires personnelles — le coupe-cigare de son père, la photographie de sa mère dans un cadre de Fabergé, des boutons de manchettes, quelques premières éditions de livres qu'il avait publiés et un petit paquet enveloppé dans une étoffe. Elle le défit et y découvrit avec un choc le pistolet à long canon que Göring avait offert à Steven le jour de la chasse au sanglier, si longtemps auparavant.

Betsy connaissait bien les armes à feu. Les Bardossy grandissaient parmi les fusils et son père lui avait appris à tirer, pour le sport mais aussi parce qu'il croyait qu'un jour ils auraient à se défendre contre une jacquerie d'impudents paysans assoiffés de sang.

Elle prit le pistolet. Sur la crosse, le petit écusson d'argent orné du monogramme personnel de Göring et du *Parteiabzeichen* s'était terni. Machinalement, elle le frotta avec son mouchoir. Elle se souvenait que son père méprisait profondément le Lüger 7.65. Le fait que le Kaiser s'en servît pour la chasse au cerf à cause de son bras gauche endommagé constituait un nouvel exemple du manque d'esprit sportif de Sa Majesté impériale. La balle de petit calibre transperçait le gibier à grande vitesse, le blessant ou perforant le poumon, mais sans le tuer. Le prince était profondément chasseur. Il croyait dans les armes qui tuaient instantanément.

On frappa. Betsy déposa le pistolet sur le lit et ouvrit la porte. Une femme de chambre terrorisée annonça en faisant la révérence que le *Standartenführer* Becker voulait voir la baronne.

Betsy acquiesça. « Faites-le monter », dit-elle.

Elle entendit ses bottes résonner dans l'escalier, puis sa ceinture de cuir grincer. Il frappa et entra, ses yeux étroits plus morts et vides que jamais.

« Je suis navré de vous déranger, déclara-t-il.

— Que voulez-vous ?

— Une réponse. Je subis des pressions considérables de la part de mes supérieurs, à Berlin. Votre beau-frère est prêt à signer si nous vous relâchons.

— Je n'irai pas. »

Becker se tenait dans l'encadrement de la porte. Il semblait embarrassé de se trouver sur le seuil d'une chambre à coucher.

« Peut-être y aurait-il un endroit, en bas, où nous puissions parler ? suggéra-t-il en cillant rapidement.

— Mon mari est ivre, dans le bureau. Quoi qu'il en soit, nous n'avons rien à nous dire. Je suis une Bardossy. Je n'ai pas l'intention de souiller mon honneur.

— Ma chère dame, nous sommes en 1944. L'honneur est un vain mot.

— Alors envoyez-moi dans le ghetto et laissez partir mon époux et mon fils !

— Ce n'est pas possible. Écoutez-moi bien, je vous prie. Vous *devez* partir. J'ai reçu des instructions de Berlin. Vous pouvez vous rendre à la gare de votre propre gré, en femme raisonnable, ou bien je puis confier votre mari — et votre fils si c'est nécessaire — aux hommes de Geschke. Je vous promets qu'après une heure ou deux dans les caves de l'hôtel Majestic, vos chers et tendres vous *supplieront* de partir pour la Suisse et de vous déshonorer.

— Sortez d'ici !

— Pas avant que vous ayez accepté, baronne », répliqua Becker en pénétrant dans la pièce, le bras tendu pour immobiliser Betsy et le visage empreint d'une détermination courroucée.

Quand il lui toucha la manche, Betsy s'écarta en hurlant comme si toute sa peur et sa rage s'étaient soudain concentrées sur Becker et, avant qu'il pût bouger ou décider s'il fallait l'apaiser ou la frapper, elle s'empara du Lüger et fit feu sur lui.

Le pistolet faillit lui échapper des mains quand elle découvrit dans un sursaut qu'elle avait cru viser Matthieu. L'espace d'un instant, elle avait clairement vu son visage, là, devant elle — la moustache rousse, les lourdes paupières, les lèvres pleines, l'expression de suffisance —

puis la vision se dissipa et Becker reparut, la bouche ouverte et les yeux tournés vers le plafond, où seul le blanc se voyait.

Il émit un grognement de surprise, comme le sanglier que Göring avait poignardé, et resta un moment à osciller, prouvant ainsi à Betsy que son père avait dit juste — on ne pouvait pas compter sur un Lüger pour abattre un homme ou une bête du premier coup. Elle entendit quelqu'un hurler, une longue plainte de souffrance et de rage, mais c'était là sa propre voix et non celle de Becker, car il semblait incapable de produire un véritable son, que ce fût sous l'effet du choc ou de la surprise. Il avait les yeux exorbités, de ses mains il se palpait le torse pour chercher la blessure, les doigts agités de tressautements comme les pattes d'une grenouille lors d'une expérimentation électrique. Une tache sombre apparut sur le devant de son pantalon tandis qu'il se mouillait, puis d'une petite voix d'enfant il articula « Maman ! » et tomba bruyamment à plat ventre comme s'il avait trébuché sur quelque chose.

Betsy le contemplait avec effroi, incapable de bouger. Elle se tenait encore là, le pistolet à la main, quand Stumpff gravit l'escalier en hâte, haletant et faisant résonner ses bottes sur les marches. Il embrassa la scène d'un seul regard étonné, tira son pistolet et abattit Betsy d'une balle entre les deux yeux.

Un homme plus imaginatif serait peut-être resté un moment en état de choc, mais Stumpff avait vu quantité de cadavres dans sa vie et deux de plus ne l'intéressaient nullement. Il remit son Walther dans son holster, poussa la baronne de Grünwald du bout du pied pour s'assurer qu'elle était morte, inspecta rapidement la pièce et fourra dans sa poche les boutons de manchettes de Steven. Il extirpa délicatement les pierres du cadre Fabergé posé sur le lit, les glissa dans ses bottes et se pencha pour ôter les bagues des doigts de Betsy. Puis il se redressa, rajusta son uniforme, et alla examiner de plus près le *Standartenführer.*

Comme il se penchait en sifflotant entre ses dents, Becker ouvrit un œil et gémit, tandis qu'une mousse de sang apparaissait entre ses lèvres fines.

« Un médecin, murmura-t-il.

— *Zu Befehl !* » hurla Stumpff, et il dévala l'escalier pour téléphoner au quartier général.

Tout cela allait sans aucun doute se payer très cher, songeait Stumpff, mais pour sa part il avait le nez propre !

« Vous allez le payer très cher », annonça Lorenberg en faisant craquer ses jointures sur le siège arrière de la Mercedes, mais ni Steven ni Paul ne semblaient l'écouter. Steven, en vérité, paraissait à moitié mort de choc et de chagrin, tandis que Paul gardait simplement les yeux

fixés sur les rues grises et mouillées qui défilaient derrière la vitre, pendant que les pneus de la voiture crissaient sur les rails de trolley mouillés.

Eichmann, qui conduisait, grogna son acquiescement. Les Hongrois commençaient à faire des difficultés. Bah ! on ne pouvait pas le leur reprocher, après tout. La rumeur circulait déjà que la baronne était morte en se défendant contre un officier de la Gestapo.

« Comment va Becker ? demanda-t-il en regardant Lorenberg dans le rétroviseur.

— Il va sans doute survivre. En vérité, nous allons peut-être même devoir lui donner une médaille. Notre version, c'est que la femme était une résistante terroriste. Becker allait l'interroger, et elle a tiré... »

Eichmann haussa un sourcil.

« Qui va croire cela ?

— Sans doute personne, mais c'est encore ce qu'on a pu trouver de plus plausible en aussi peu de temps.

— Alors Becker devient un héros !

— Tout de même pas. Une Croix de fer première classe devrait suffire juste pour montrer que *nous* croyons à cette version. Les seuls au courant de l'affaire sont Stumpff et nos amis, ici. Stumpff est déjà en route vers chez lui avec l'ordre de ne rien dire, et une fois que nous aurons réglé le compte de ces deux-là... »

La voiture passa devant la gare sans s'arrêter. Eichmann continua au-delà des quais, salué au passage par les sentinelles, puis s'engagea sur un chemin cendré irrégulier qui menait aux cours de fret.

Dans l'obscurité baignée de bruine; il était difficile de distinguer quoi que ce fût par les fenêtres, mais une torche clignota devant eux et Eichmann freina. Paul essuya la buée sur la vitre mais ne put voir qu'un train de marchandises et les silhouettes spectrales de quelques sentinelles recroquevillées dans leurs pèlerines, qui se hâtaient d'éteindre leurs cigarettes à la vue d'une voiture d'officier. Paul se demanda un instant si l'on allait les faire sortir pour les fusiller mais Lorenberg lui tapota l'épaule d'un geste rassurant.

« Et voilà, dit-il. Fin de la ligne ! »

Eichmann ouvrit sa portière, contourna une flaque d'eau avec circonspection et cria un ordre aux gardes. Lorenberg ne sortit pas de la voiture mais poussa doucement Paul pour lui indiquer d'avoir à le faire.

« Je le regrette sincèrement, reprit Lorenberg, mais je crains bien que vous ne soyez désormais plus entre mes mains.

— Entre quelles mains sommes-nous ? interrogea Paul en aidant son père à quitter la Mercedes.

— Les leurs », répondit Lorenberg, hochant la tête en direction du train où, à la lumière des phares, apparaissaient deux énormes

gardes, dont l'un portait une matraque et le second tenait en laisse un berger allemand. De l'autre main, l'homme était armé d'un long fouet enroulé. Les deux hommes ressemblaient à d'anciens catcheurs, bien qu'il fût impossible de ne pas remarquer, même à la lumière des phares, l'expression morte de leur regard, comme si une trop grande exposition à la violence et à la cruauté les avait vidés de tout sentiment humain. Dans leurs uniformes froissés et trempés, sous leurs casques noirs, ils paraissaient infiniment moins humains que le chien. L'impression qu'ils créaient de menace impersonnelle était si intense qu'Eichmann lui-même recula de quelques pas.

Ils ne se donnèrent pas la peine de le saluer. Ils se situaient au-delà des disciplines et politesses normales, moins une élite qu'une antiélite, des hommes dont la profession était le meurtre de masse et qui méprisaient les petits délicats incapables d'accomplir la dernière étape de la Solution finale.

Avec ses galons d'argent de colonel et son beau profil d'avocat, Lorenberg ne les intéressait pas et Eichmann encore moins, cet officier administratif qui dictait des lettres derrière un bureau, répondait au téléphone et se parfumait à l'eau de Cologne. Le *Reichsführer* lui-même n'aurait pas impressionné ces hommes. En fait, la seule fois qu'il avait visité Auschwitz pour se rendre compte personnellement de ce qui s'y passait, il s'était évanoui quand le *Sturmscharführer* avait lancé l'expression rituelle : « Et maintenant, ils vont se régaler ! » en jetant les ampoules de gaz Zyklon B dans la chambre. L'abominable spectacle que Himmler avait aperçu par les hublots lui avait été intolérable.

Eichmann attendit un salut, décida de ne pas en faire un drame, remonta en voiture et repartit lentement en marche arrière.

Paul regarda Lorenberg qui haussa les épaules d'un air de regret et remonta sa vitre. Puis, prenant son père par le bras, Paul se dirigea à pas lents vers les sentinelles. Il n'y avait plus lieu de lutter contre l'inévitable. La seule chose qui importait à présent, était de survivre.

Huitième Partie

L'homme qui avait tout

15

« Survivre est une occupation à plein temps », déclara Paul, moins pour expliquer que pour s'excuser. Il ne doutait pas que la révélation de l'élimination de Lorenberg eût bouleversé Diana. Même un homme moins sensible l'aurait remarqué et Dieu sait s'il était sensible aux humeurs, aux nuances, aux petits signaux des femmes.

Elle était devenue distante, glaciale — plus du tout la femme passionnée qui avait partagé son lit quelques heures auparavant.

« Vous êtes fâchée, observa-t-il.

— Non.

— La mort de Lorenberg vous trouble. » C'était là une affirmation, et non une question.

« Un peu. Ne *vous* trouble-t-elle pas ?

— Pas beaucoup. Il était nazi. Et puis il fallait s'y attendre. Greenwood n'allait pas laisser Kane parvenir jusqu'à lui, n'est-ce pas ?

— Et vous ? L'auriez-vous laissé ? »

Paul soupira.

« Peut-être pas, admit-il après un moment de silence. J'avais quand même demandé à Luther de garder l'œil sur lui... Dès que Kane a ouvert la bouche, la peau de Lorenberg ne valait plus un sou.

— Luther va-t-il à Zurich pour récupérer les dossiers de Lorenberg ?

— Oui. Nous allons bien voir s'il arrivera le premier. Ils seront plus utiles entre mes mains qu'enterrés dans les tiroirs d'un quelconque bureaucrate à Washington.

— Comment va-t-il se les procurer ?

— Ce sont des détails, répliqua Paul avec impatience. Je n'ai pas besoin de le savoir. Je ne *veux* pas le savoir. Et, franchement, je ne pense pas qu'il soit souhaitable que vous le sachiez non plus.

— Je ne suis pas l'un de vos subordonnés, Paul.

— Non, non, je pense à votre sécurité...

— Vous ne pensez absolument pas à ma sécurité. Vous vous contentez de ne pas me dire toute la vérité. Je ne l'accepterai pas. Je ne veux pas que vous vous serviez de moi quand cela vous est utile et que vous me mentiez quand cela vous convient. Je regrette vivement d'être allée voir Greenwood, mais désormais je suis impliquée dans l'affaire et il va falloir que vous m'admettiez à part entière ou que vous me disiez adieu. Je n'aime pas les demi-vérités. Ni les demi-quoi que ce soit.

— Je vais vous expliquer ce qui s'est passé... » commença Paul et, tenant la main de Diana, il entreprit de lui raconter toute sa vie. De temps à autre, la petite lampe du téléphone clignotait pour annoncer un appel, mais il n'en tenait pas compte. Il lui parla de Becker, de Loringhoven, de la mort de sa mère et de la trahison de Matthieu de Grünwald, jusqu'à ce que l'aube commençât à poindre à l'horizon, lui racontant l'histoire de sa famille comme si chaque détail était resté aussi vivant dans son esprit que dans la réalité, trente ans auparavant...

Il ne mentionna pas la mort de son père ni le projet Wotan, mais elle n'avait aucune idée de ce qu'il censurait dans ses souvenirs. Il lui suffisait d'entrer enfin dans la confiance de Paul. C'était une femme qui voulait qu'on eût besoin d'elle. Niki avait naguère eu besoin d'elle, et puis avait cessé.

Dans l'avion, très haut au-dessus de l'Atlantique, Paul murmura : « J'ai besoin de toi, Diana » et elle sut, par une sorte d'instinct des hommes et de leurs sentiments, qu'il disait vrai. Et elle le prit dans ses bras.

« Il n'a rien du monstre que tu décris, déclara Diana à David Star, interrompant son étude approfondie de la liste des vins du restaurant Lutèce.

— Le Cos d'Estournel, décida-t-il, et le sommelier lui adressa un petit sourire approbateur. Ah non ?

— Pas du tout. Une fois que tu le *comprends,* il n'a plus du tout cette froideur de poisson que tu lui reproches.

— A propos de poisson froid, ils ont habituellement ici un merveilleux coulibiac de saumon, pour le déjeuner... En tout cas, ce n'est pas cet aspect de Foster qui me rebute, encore que je n'y voie guère une qualité très attachante. Ce qui m'épouvante en lui, c'est qu'il est un redoutable salaud. Ou bien vas-tu me dire que j'ai tort, là aussi ? »

Diana attendit que David eût goûté le vin. « Pas mauvais », apprécia-t-il. Il sourit à Diana tandis que le serveur lui versait du vin, le sourcil haussé pour bien lui montrer qu'il attendait toujours sa réponse.

« Non, tu n'as pas tort. *C'est* un redoutable salaud. Mais il est également capable d'une générosité et d'une bonté effrayantes.

— Il est riche.

— Ce n'est pas ce que je veux dire. Il existe chez Paul un côté que tu ignores.

— On jurerait Eva Braun parlant du Führer. Maintenant tu vas me dire qu'il adore les bêtes !

— Coup bas, David. Tu ignores beaucoup de choses sur son compte. »

Star acquiesça, but une gorgée de vin, et montra du doigt le verre de Diana pour lui enjoindre d'en faire autant.

« Je suis sûr que j'ignore en effet beaucoup de choses sur son compte, admit-il. Sais-tu comment ton ami Foster a marqué son premier but ?

— Non. Est-ce important ?

— Tout dépend du sens que tu peux avoir du bien et du mal. Kane a découvert des choses intéressantes, à Londres. Il a commencé par poser des questions sur Meyerman et le nom de Foster revenait toujours. Savais-tu qu'ils étaient très copains, à Londres, juste après la guerre ?

— Oui. Ce n'est pas un secret.

— T'es-tu jamais demandé comment deux réfugiés d'Europe centrale, absolument sans un sou en 1945, sont parvenus à construire chacun une fortune colossale ? C'est-à-dire que, dès 1950, Meyerman était riche et Foster avait déjà acquis sa première société.

— Ils étaient tous deux très intelligents.

— Bien sûr. Mais même en étant très intelligents, il leur fallait un capital pour démarrer, non ?

— Sans doute. Essaies-tu de me dire qu'ils ont cambriolé une banque ? »

Star se mit à rire, tandis que le serveur déposait devant Diana une truite fumée parfaitement dépouillée de ses arêtes. Il fit un signe de tête satisfait en voyant arriver son assiette de foie gras — il avait publié un livre intitulé *Le cholestérol vous fait du bien* et y croyait sincèrement.

« Une banque n'aurait posé aucun problème, articula-t-il distinctement bien qu'il eût la bouche pleine. Non, ils ont volé leurs semblables.

— Qu'appelles-tu " leurs semblables " ?

— Des réfugiés. Des personnes déplacées. Des survivants des camps de concentration. Des veuves. Des orphelins. Ce genre-là. Apparemment, Meyerman et Foster étaient amis pendant la guerre. Meyerman s'est débrouillé pour trouver les moyens de sortir de Hongrie. Il s'est rendu en Palestine via Istanbul, puis a gagné l'Angleterre en distribuant ici et là quelques pots-de-vin.

— C'est une histoire qu'il raconte lui-même depuis très longtemps, et il la raconte fort bien.

— Je sais. Le problème, c'est qu'il en omet la meilleure partie. Bon. Il trouve un emploi comme professeur d'allemand dans une école commerciale et le soir il travaille dans une organisation de secours aux victimes autrichiennes et allemandes du nazisme, une de ces fondations que les Anglais adorent, tu vois ce que je veux dire : une maison transformée en club, où les gens peuvent se retrouver pour boire du café, parler du bon vieux temps, essayer de savoir qui a survécu et qui a péri, et ainsi de suite. Ils avaient un fonds de secours, bien sûr, pour aider les gens à se remettre sur pied. Pas de grosses sommes, tu comprends, cinq ou dix livres sterling ici et là pour les aider à rester en vie.

— Tout cela me semble très bien.

— Bien sûr. Parfaitement honorable. Meyerman passait tellement de temps au club, chaque soir, qu'ils ont fini par le nommer secrétaire. Pourquoi pas, après tout ? Il était jeune, de bonne volonté, avec un sens des affaires manifeste et disposé à beaucoup travailler. On a besoin de ces gens-là pour organiser les choses, pour tenir les comptes.

— Meyerman tenait les comptes ?

— Bien sûr. Il contrôlait tout le fonds. Puis Foster arrive à Londres — le vieux copain de Meyerman. Il a fait surface en Allemagne, sans doute rescapé d'un camp, et s'est rendu indispensable à la Commission britannique des crimes de guerre. Dieu sait comment. En tout cas, il parvient à gagner l'Angleterre en 1946, retrouve Meyerman et ils décident de partager un appartement. A ce moment-là, Meyerman a plus de travail qu'il ne peut en faire. Le matin, il cherche des antiquités parce qu'il compte monter une affaire ; l'après-midi, il donne des cours d'anglais à Fulham Road ; le soir, il dirige le club... Une vie très active.

— Il n'y a rien de mal à cela.

— Non, bien sûr. Je n'ai jamais dit que Foster et Meyerman ne travaillaient pas *énormément,* Diana. Quoi qu'il en soit, Meyerman proposa à Foster de devenir son assistant au club, pour l'aider...

— A tenir les comptes ?

— Exactement. Tous deux travaillent d'arrache-pied le soir, s'occupant des demandes de secours, établissant des chèques, tenant les registres. Tout le monde trouvait cela formidable. Meyerman était chaleureux, sympathique, irrésistible auprès des dames...

— Il l'a toujours été.

— C'est ce qu'on m'a dit, mais je ne vois vraiment pas pourquoi. Foster était sérieux — le genre renfermé, silencieux. Je suppose que Foster s'en tirait bien aussi avec les dames. On raconte qu'il a eu une liaison avec la fille d'un des donateurs.

— Vraiment ?

— C'est ce que dit Kane. Il y a eu beaucoup de problèmes. Les parents de la fille ne voulaient pas de Foster et elle s'est enfuie avec lui.

— Que lui est-il arrivé ?

— Elle s'est trouvée enceinte et elle est morte en accouchant. Kane pense que Foster a vraiment commencé ses prélèvements sur l'argent de l'association vers l'époque où il a connu la fille. Je suppose que l'histoire cadre assez bien. Il voulait sans doute montrer qu'il était capable de l'entretenir convenablement. Mais je pense que Foster et Meyerman auraient fini par se servir de toute façon. La tentation devait être trop forte pour eux.

— Quelles sommes étaient-ce ?

— Peut-être une centaine de milliers de livres, mais ils jouaient très vite. C'étaient des arrivistes avant la lettre, fonceurs et prêts à tout. Ils achetaient des parts à Beyrouth ou à Lisbonne, les revendaient aussitôt avec un bénéfice, et rapatriaient l'argent en Angleterre en passant par Zurich. Ils apprenaient vite. L'argent de l'association servait à des marchés d'armes au Proche-Orient, des locations de pétroliers à Lisbonne, des trafics de cigarettes à Marseille, tout ce qui rapportait gros. Il fallait que l'argent circule vite, tu comprends, avant de brûler. Et puis ils avaient besoin de le récupérer à Londres pour équilibrer les comptes, au cas où quelqu'un aurait pris la peine d'y jeter un coup d'œil.

— Cela s'appelle de la spéculation, pas du vol.

— Le vol est venu plus tard. »

Diana haussa les épaules. Elle connaissait le monde. La fraude commerciale ne la choquait ni ne l'étonnait — la plupart des hommes riches ont quelque chose à cacher, ou prennent des risques qui conduisent les plus timorés en prison, et c'est précisément ainsi qu'ils deviennent riches — et c'est aussi la raison pour laquelle les femmes s'intéressent à eux. Elle regarda le serveur découper le coulibiac, le remercia et goûta. C'était excellent. Star prit une première bouchée du sien, adressa au maître d'hôtel un sourire lumineux et dessina un O avec son pouce et son index. Le maître d'hôtel et le serveur lui rendirent son sourire et firent le même petit geste du pouce et de l'index, en chœur.

« Un grand restaurant, c'est le seul endroit au monde où les gens sont heureux parce que vous l'êtes », observa Star, dégustant son saumon avec une telle passion retenue que les muscles de sa mâchoire semblaient prêts à éclater. De derrière ses épaisses lunettes, ses yeux glauques et agrandis par l'effet optique contemplaient fixement le décolleté de Diana.

« Alors, demanda-t-elle, que s'est-il passé ?

— Ce qui s'est passé ? Ils ont couvert leurs traces. Ils ont engagé un

bouc émissaire, un comptable à mi-temps, et lui ont raconté des bobards énormes.

— Qui était-ce ?

— Un Anglais du nom de Boyce, Nigel Boyce. Ancien élève d'Eton, service dans les gardes. Parfaite devanture pour Meyerman et Foster. En fait, c'était un excellent choix — il était passé en cour martiale pour avoir volé de l'argent au mess de son bataillon et il ne pouvait trouver aucun emploi. Ils ont dû se dire que, quand la merde atteindrait le ventilateur, les soupçons se porteraient tout naturellement sur Boyce. »

Diana posa sa fourchette. Il semblait incroyable que le Boyce rencontré deux jours plus tôt sur le yacht de Greenwood pût être la même personne, mais, en y réfléchissant, elle l'imaginait aisément en officier déchu du corps des gardes.

« Et ce Boyce, qu'est-il devenu ?

— A l'époque ?

— Non, maintenant.

— Maintenant, je n'en sais rien. Kane n'a pas pu le retrouver. Ce qui lui est arrivé à l'époque, c'est que Meyerman et Foster sont partis avec cinquante mille livres en laissant ce connard de Boyce la main dans le sac. Boyce a passé deux ans derrière les barreaux à Wormwood Scrubs après un procès fort discret. On dit qu'à sa sortie, une Rolls-Royce l'attendait. Je ne m'étonnerais guère que Meyerman et Foster aient conclu un marché avec lui — tu sais, quelques milliers de livres placées en son nom à Zurich s'il fermait la bouche et servait son temps comme un gentleman, ce genre de chose-là.

— Oui, je vois très bien. Qu'est devenu l'argent ?

— *Kaputt.* Grand dommage pour les réfugiés. Meyerman s'est acheté un magasin d'antiquités, puis s'est lancé dans les affaires internationales d'édition d'art. Dès les années cinquante, il était entré dans la presse quotidienne, les magazines, les livres, la radio, la télévision, je ne sais quoi encore. Il n'a jamais regardé en arrière. Quant à Foster, il a acheté des surplus d'armes à travers toute l'Europe pour les revendre aux Israéliens contre des dollars payables à New York — admirable manière de contourner la loi britannique sur le contrôle des changes ! Il est arrivé en Amérique sur le *Queen Elizabeth I,* sans rien d'autre qu'une valise et la clé d'un coffre de dépôt. En six mois, il avait acheté Connecticut Eagle Industries.

— Mais, David, toutes les histoires d'enrichissement rapide à partir de zéro supposent un minimum de détails déplaisants. Tu n'aimes pas Foster parce qu'il est plus riche que toi et qu'il cherche à racheter ta maison, mais rien ne t'oblige à vendre, après tout.

— Je n'en suis pas certain. Je ne crois pas qu'il y ait d'avenir pour une maison d'édition artisanale, maintenant que les auteurs réclament

des avances chiffrées en millions de dollars... Mais la vraie raison pour laquelle je n'aime pas Foster, c'est qu'il te plaît, à *toi*. Peu m'importe qu'il ait plus d'argent ; mais je ne supporte pas qu'il t'ait.

— Mon Dieu », soupira Diana en contemplant les desserts et elle se mit à tourner son café avec une extrême attention, évitant de regarder Star qui se penchait par-dessus la table pour lui prendre l'autre main. Elle appréciait d'avoir Star pour ami, mais jamais elle n'avait sérieusement considéré qu'il pût jouer le rôle d'amant ou de rival dans ses affections. En d'autres circonstances, aussitôt après la rupture avec Niki, elle aurait pu réagir favorablement à une initiative de Star — il était bon, intelligent, non dénué de charme, mais il lui manquait l'énergie et l'intensité passionnée de Foster. Les femmes aiment les hommes chargés de secrets et Diana ne faisait pas exception à la règle. Pour autant qu'elle le sût, Star était un homme sans le moindre secret.

« J'aimerais faire de toi une honnête femme, déclara Star avec un petit rire bref pour émousser le tranchant de cette remarque.

— Je ne suis pas sûre de vouloir devenir honnête. Et de toute façon, tu es marié.

— Un seul mot de toi et je divorce.

— Non, David. J'en suis flattée, tu comprends, je t'aime beaucoup, mais je ne peux pas.

— Tu changeras peut-être d'avis un jour.

— Je te suis reconnaissante. J'aimerais pouvoir te dire oui. Partons, maintenant. »

Star hocha la tête et fit signe qu'on lui apporte l'addition. Toujours attentif, il ôta ses lunettes et la relut soigneusement en remuant les lèvres pendant qu'il recomptait, puis il signa et ajouta un pourboire calculé avec soin, suffisant pour faire de lui un client apprécié, mais pas au point de lui donner une réputation d'extravagance. Il se leva et tint la chaise de Diana.

« Voudras-tu dire à ton ami Foster de cesser ses sales numéros ? demanda-t-il.

— Quels sales numéros ?

— Tout ce qu'on peut imaginer. Un homme de main a essayé de se faire passer pour un inspecteur de la sécurité contre les incendies et de s'emparer du manuscrit de Kane. L'appartement de Kane a été cambriolé. Nous avons surpris une femme de ménage à fouiller les corbeilles à papier et voler toutes les photocopies inutilisées de la salle des Xerox. Ma secrétaire pense que nos lignes téléphoniques sont sur écoute. Mais qu'y a-t-il donc dans le livre de Kane qui puisse tellement intéresser Foster ?

— Es-tu certain que ce soit Foster ?

— Qui d'autre ? En tout cas, dis à Foster de laisser tomber. Kane enferme chaque page dans son coffre-fort, le soir, et j'ai mis l'unique

exemplaire du manuscrit dans mon coffre de banque. De quoi a-t-il donc peur ?

— Je ne pense pas qu'il ait *peur.* Sans doute est-il simplement curieux.

— Je ne crois pas que la curiosité puisse suffir à l'expliquer, même pour un homme aussi riche que Foster. Non, Kane a dû toucher un nerf, quelque part. Dis à Foster qu'il n'a qu'à attendre pour acheter un exemplaire, comme tout le monde. Et puis, Diana, réfléchis à ce que je t'ai dit. Foster n'est pas un type pour toi. »

Diana l'embrassa sur la joue avant de prendre place dans un taxi, devant le restaurant. « Voyons, David, répondit-elle, tu devrais savoir que les femmes ne veulent *jamais* des types faits pour elles. »

Mais une fois dans le taxi, tandis qu'elle pensait à Boyce et au temps qu'il avait passé en prison, à Lorenberg, abattu dans son jardin, au cauchemar familial que Paul lui avait calmement décrit en traversant l'Atlantique, elle n'était plus si sûre que Star n'eût pas raison, finalement.

Business Week avait un jour décrit Burton Savage comme ayant « les yeux les plus froids et le cerveau le plus aiguisé » de tous les cadres supérieurs de direction. Les gens qui avaient eu l'occasion de traiter avec lui le qualifiaient souvent de « requin », et son sourire ne manquait assurément pas d'une étrange froideur. Savage souriait volontiers, mais la vue de ses grandes dents étincelantes et parfaitement émaillées n'évoquait aucunement la bonne humeur. Rien ne comptait pour lui que les bénéfices.

Sa vie domestique était réputée heureuse et sans histoire, bien que Mme Savage apparût remarquablement peu en public et, dans les rares occasions où elle le faisait, elle contemplait son époux avec terreur, tel un lapin hypnotisé par un renard. Savage n'avait aucune faiblesse connue. Il ne fumait pas, buvait rarement plus d'un verre de vin, recevait peu et n'avait jamais pris de vacances pour autant qu'on le sût.

Depuis vingt ans Savage vivait dans le respect de l'absolu *Fingerspitzengefühl* de Foster, ce talent apparemment spontané pour faire exactement ce qu'il fallait au bon moment, distancer instinctivement ses concurrents, et savoir précisément quand une compagnie était mûre pour une acquisition ou une fusion.

Le génie de Foster inspirait une foi sans faille à Savage mais, depuis quelque temps, il se laissait ronger par le doute ainsi que par la certitude croissante que Foster lui donnerait tout — sauf son propre pouvoir. Savage avait toujours vécu dans l'ombre de Paul Foster,

satisfait d'être son bras droit. Foster avait besoin de lui, mais il commençait à se demander s'il avait, lui, besoin de Foster.

Chaque jour, Savage se répétait que Foster était le meilleur de tous mais chaque nuit son subconscient le contredisait. Il trouvait donc fort difficilement le sommeil et, bien qu'elle fût habituée à ses insomnies, à son agitation, à ses grincements de dents, Mme Savage avait fini par lui suggérer de s'installer dans la chambre d'amis, ce qu'il fit sans regrets. Savage n'avait rien d'un puritain mais, de même que le golf, le sexe requérait du temps et de l'attention, et les deux lui manquaient.

Foster, lui, avait du temps à perdre. C'était l'un des nombreux reproches que Savage formulait intérieurement contre son mentor, maintenant que ses doutes commençaient à affleurer. Le jugement de Foster paraissait à Savage de plus en plus extravagant. Il était déjà bien assez consternant qu'il eût commencé une liaison avec l'ancienne maîtresse de Niki Greenwood, mais il était bien pire encore qu'il passât tout son temps à intriguer contre l'empire des Greenwood. Ou bien Foster perdait la main, ou bien il dissimulait quelque chose à Savage. De même qu'une maîtresse inquiète de se voir délaisser, Savage broyait du noir — et rêvait de frapper le premier coup.

Quand les gens parlaient de Foster à Savage, son visage prenait une expression figée de masque de pierre ; sa loyauté avait toujours été absolue et instinctive. Augustus Biedermeyer lui avait un jour offert le poste de Foster, avec contrôle total et un gros paquet d'actions, s'il acceptait de coopérer avec le groupe de Biedermeyer pour procéder à une absorption. Savage s'était contenté de dévisager un instant son hôte, dans la salle à manger du Metropolitan Club, de déclarer : « Je n'ai rien écouté », et de sortir en laissant intacte sa grillade sur son assiette.

A présent, pour la première fois, Savage écoutait. Il entendait surtout dire que Foster était fou, que Foster plafonnait, que Foster avait dépassé les limites. Wall Street ne lui faisait plus confiance, et Savage non plus. Les Greenwood formaient un trop gros morceau pour qu'il pût l'avaler et, s'il persistait à vouloir essayer quand même, Savage devrait envisager de changer de camp. Il fallait sauver sa propre tête, se disait-il ; telle était la première loi en affaires. Foster avait les yeux plus gros que le ventre. Seuls les amateurs se laissaient prendre à ce genre de piège, comme le disait si volontiers Foster lui-même.

Foster n'était pas homme à aimer s'asseoir derrière un bureau. Il préférait prendre place en face de Savage, tous deux installés dans des fauteuils de cuir identiques, une table laquée entre eux. D'un côté, une paroi de verre teinté offrait une vue spectaculaire de New York — si l'un ou l'autre avait pris la peine de regarder. Un jour qu'un nouveau

venu dans la compagnie avait fait une réflexion sur cette vue, Savage avait paru surpris, comme s'il ne l'avait jamais remarquée. « Quiconque a le temps, dans cet immeuble, de regarder par les fenêtres, ne mérite pas de travailler ici », avait-il dit. Le jeune homme avait attendu de lui un rire. Mais non, il le pensait sérieusement, comme tout ce qu'il disait.

« Nous avons des ennuis », annonça Savage.

Foster haussa les épaules. Il avait des ennuis depuis le jour où il était entré dans les affaires. Il n'y avait là rien de neuf.

« Qu'est-ce que c'est, cette fois-ci ? interrogea-t-il. Nous avons gagné deux points. Nous faisons des bénéfices.

— Les gens commencent à se demander pourquoi vous vous intéressez tant à l'argent, d'abord.

— Pourquoi ? Parce qu'il monte.

— Bon, d'accord. Comment pourrait-il ne pas monter ? Vous en achetez comme un fou, et Niki Greenwood plus encore. Mais c'est de la spéculation, pas de la finance.

— Greenwood continue à acheter autant ?

— C'est ce qu'on dit sur le marché.

— Bien.

— Pourquoi est-ce bien, Paul ? Quelle différence cela fait-il pour vous, si Nick Greenwood s'avance sur une branche dangereuse ?

— Je veux qu'il s'y avance. Il a investi près d'un milliard de dollars dans la recherche pour ses nouvelles usines compactes d'énergie nucléaire. C'est un risque énorme. Maintenant, il joue le marché de l'argent parce qu'il a besoin de bénéfices rapides. C'est un risque encore plus énorme. Il a pris trop d'engagements financiers. Je sais justement qu'il compte sur Biedermeyer pour émettre tout un stock de nouvelles actions — et Biedermeyer lui impose des conditions draconiennes.

— C'est encore trop gros pour vous y attaquer, Paul. Même si Nick boit la tasse, son père plongera pour ramasser les morceaux. Le gros du capital Greenwood est à l'étranger, pas ici — l'opération de Nick est une amusette. Le vieux Greenwood ne va pas laisser son propre fils faire le plongeon, vous le savez bien. »

Foster termina son café et observa d'un air énigmatique :

« Pourquoi pas ? Strictement entre nous, il a bien laissé son propre frère faire le plongeon. C'est en tout cas ce qu'on m'a dit.

— Je ne savais pas qu'il avait un frère.

— Bah ! ce n'est peut-être qu'une rumeur, répondit Foster.

— Beaucoup de membres du conseil d'administration éprouvent quelque nervosité à vous voir ainsi pourfendre les Greenwood, Paul. Il faut que vous le sachiez.

— Leur avez-vous parlé ?

— Je les ai écoutés. Ils ont le sentiment que cela pourrait se retourner contre vous. Les Greenwood sont trop gros pour nous.

— Il est surprenant de voir tout ce qu'on peut réussir à avaler quand on se contente de grignoter lentement, dit Foster. Si *par hasard* vous écoutez justement les membres du conseil d'administration dans les jours qui viennent, dites-leur de se détendre.

— Ils ne se détendront certainement pas avant de savoir ce qui se passe.

— Oh ! c'est absolument impossible, répliqua Foster en se levant pour mettre fin à l'entretien. Cela signifierait de leur dire la vérité ! Maintenez-les au calme, mon vieux. Vous faites cela admirablement. Vous l'avez déjà fait pour moi. » Il donna à Savage une bourrade amicale sur l'épaule.

Foster ouvrit courtoisement les doubles portes de son bureau et sourit à Savage. Dans l'antichambre, deux secrétaires de Foster étaient assises derrière un long bureau, telles des candidates à un jeu télévisé, et uniquement visibles à partir du buste. L'une d'elles pressa un bouton et la porte de l'ascenseur privé de Foster s'ouvrit sans bruit, prêt à emmener Savage à l'étage au-dessous.

« Dites-moi ce qui se passe, Paul. Vous pouvez me faire confiance », demanda Savage d'une voix pressante.

Foster acquiesça. « Bien sûr », dit-il mais, lorsque la porte de l'ascenseur se referma et que l'appareil descendit, Savage sentit soudain une vague de nausée et de peur l'envahir. Foster lui avait toujours parlé ouvertement de ses projets. Cette fois, il lui dissimulait visiblement quelque chose et Savage se demanda en arrivant dans le vestibule de son propre bureau si cette fois Foster lui avait ménagé un piège.

« Voulez-vous voir la liste de vos appels téléphoniques ? lui proposa aimablement sa secrétaire.

— Non, répondit-il en froissant la liste qu'elle venait de lui remettre et en la jetant à terre. Donnez-moi le dossier de l'acquisition de Star. Voyez si vous pouvez joindre Augustus Biedermeyer sur ma ligne privée. Et prévenez ma femme que je rentrerai tard. »

Savage s'engouffra dans son bureau et claqua la porte. Sa secrétaire se tourna vers son assistante en haussant les épaules.

« Qu'est-ce qui peut bien lui prendre ?

— Je n'en ai pas la moindre idée. M. Foster lui a peut-être passé un savon.

— Bah ! il faut bien une première fois pour tout. Biedermeyer, ce n'est pas le père du mannequin ? Celle qu'on voyait dans *Vogue* à toutes les pages, le mois dernier ? Dans le *Post,* on dit qu'elle épouse Nick Greenwood. »

La voix rêche et impatiente de Savage retentit dans l'interphone : « Alors, ce foutu appel à Biedermeyer ? »

Sa secrétaire soupira, pressa un bouton et composa le numéro. Elle jeta un coup d'œil sur la page sept du *Post.* « Il y en a qui ont vraiment toutes les chances ! » On voyait une photographie de Nick Greenwood, grand, beau, resplendissant, qui protégeait Angelica Biedermeyer d'une meute de photographes lors d'une première à Broadway. Il la tenait par les épaules en sortant de sa limousine. La légende disait : « L'homme qui a tout ! »

L'appartement de Paul Foster étonna Diana quand elle le vit pour la première fois, à leur retour de France. Non seulement il était meublé comme une luxueuse suite d'hôtel, mais il s'agissait d'une suite dans un hôtel.

Comme toujours, Paul avait préféré la paix à l'étalage. Sa suite se trouvait très haut dans les tours du Waldorf et occupait l'étage entier ; elle était louée au nom d'une succursale de sa compagnie. Quiconque se renseignait s'entendait répondre qu'il n'y avait pas de M. Foster parmi les locataires et aucune de ses lignes téléphoniques ne passait par le standard. Le domestique de Foster, un lugubre Anglais du nom de Crisp, arrivait chaque matin pour faire le café de Foster, préparer ses vêtements et repartait le soir quand Foster le congédiait, saluant d'un signe de tête respectueux et disant à voix basse et triste : « Bonsoir, Monsieur », même s'il était deux heures du matin.

Diana était restée passer la nuit avec Paul et avait éprouvé quelque surprise à voir que Crisp avait non seulement préparé une brosse à dents pour elle (encore dans son emballage de cellophane), mais également pressé un centimètre de dentifrice sur celle de Foster avant de s'en aller pour la nuit. A en juger par la boîte à moitié vide de brosses à dents neuves que Diana découvrit dans l'armoire à pharmacie, elle n'était pas la première femme à passer la nuit là, en supposant que chacune d'elle eût reçu une nouvelle brosse à dents.

Quand elle se réveilla, le matin suivant, Diana trouva Crisp occupé à mettre le couvert du petit déjeuner sur la table du salon. Il ne parut pas s'étonner du fait qu'elle était restée passer la nuit ; il se contenta d'incliner la tête puis, voyant qu'elle portait le peignoir de Foster, il s'éclaircit poliment la gorge. « Si le peignoir est trop grand pour Mademoiselle, dit-il, nous en avons quelques-uns de plus petite taille. »

Diana comprit la suggestion et retourna dans la chambre, où elle découvrit que Crisp avait déposé à son intention sur le lit un peignoir neuf en éponge. Crisp pensait à tout et était prêt à tout.

Dans le salon, il avait déposé sur la table un second exemplaire du *Times* ainsi qu'une rose rouge dans un vase à col étroit.

« Où est M. Foster ? » s'enquit Diana.

Crisp serra ses mains l'une contre l'autre à la manière d'un croque-mort — il en avait tout à fait l'air, avec sa veste noire et son pantalon rayé.

« M. Foster accomplit sa gymnastique matinale sur la terrasse, Mademoiselle. Il va certainement vous rejoindre dans un instant. En attendant, il m'a informé que vous preniez du thé plutôt que du café. Le Earl Grey vous conviendra-t-il ?

— Parfait. »

Les yeux pâles de Crisp, assez semblables à ceux de ces races de chiens à l'air endeuillé, manifestèrent une brève appréciation, puis il cilla et retourna à ses activités. Diana se demanda s'il s'agissait d'un défi.

Maintenant, deux jours après leur retour, elle se rendait compte que ce n'était pas du tout le cas. Crisp s'assurait simplement qu'elle était à la hauteur des exigences de son maître. Il l'avait évaluée de la même manière exactement qu'il l'aurait fait pour une orange ou une paire de chaussures, son existence même ayant pour but de faire en sorte que Paul Foster ne se trouvât en contact qu'avec du premier choix. Aucun défaut n'était assez petit pour échapper à son attention. Quand on employait une allumette d'une pochette, Crisp remplaçait la pochette ainsi entamée par une autre, neuve. Jusqu'aux savonnettes de la salle de bains, qu'il remplaçait chaque jour. Les petites économies ne l'intéressaient manifestement pas, non plus que Paul.

Diana s'aperçut que Crisp était enchanté de trouver un public, puisque Paul ne recevait jamais. Quand elle arriva à l'appartement, le jour de son déjeuner avec Star, Crisp avait préparé sur un plateau d'argent du caviar avec des tranches de pain grillé et une bouteille de champagne.

« Mademoiselle a eu une bonne journée ? s'enquit-il avec sollicitude.

— Pas trop mauvaise, Crisp, merci. Évidemment, quand je suis arrivée au bureau, j'aurais pu m'être absentée un an entier. Jamais je n'avais vu une telle profusion de courrier.

— Eh oui ! M. Foster lui-même m'en a souvent fait la remarque.

— Il doit recevoir une quantité phénoménale de courrier, je suppose.

— Probablement, Mademoiselle, mais il ne le lit jamais. Les dames de son bureau lui donnent la teneur de ce qui peut lui être utile et elles répondent pour lui à tout le reste. Ah ! le voici. »

Crisp ouvrit la porte d'entrée. Foster entra dans le salon, embrassa Diana, accepta un verre de champagne, resta un moment à admirer Diana puis leva son verre à son intention. Il semblait fatigué.

« Comment s'est passée cette première journée de bureau ? demanda-t-il.

— Le chaos total. Carson a fait décommander l'un de mes auteurs pour son émission télévisée. Irving Kane devait avoir une interview avec le *Times* au sujet de son nouveau livre, mais le journaliste a brusquement changé d'avis et annulé le rendez-vous. Kane pense qu'il s'agit d'un complot. A propos, j'ai déjeuné aujourd'hui avec David Star.

— Ah ? » Foster s'assit. Les difficultés de Kane ne semblaient pas l'étonner le moins du monde. « Vous pouvez disposer, annonça-t-il à Crisp.

— Très bien, Monsieur.

— Quel serviteur dévoué, observa Diana quand la porte se fut refermée en silence sur Crisp.

— Rien n'est plus facile que de garder les bons domestiques.

— Je ne l'aurais pas cru. Niki n'y est jamais arrivé. Comment faites-vous ?

— Je laisse simplement Crisp organiser ma vie, c'est tout. Cela le rend heureux. Je n'existe que pour le satisfaire.

— Comment vivriez-vous, si vous aviez le choix ? »

Paul parut pris de court par la question, comme s'il en avait éprouvé un vague embarras. Il réfléchit un moment, puis répondit :

« Plus simplement, j'imagine. Quand j'étais marié, j'ai vécu pendant quelque temps à plus grande échelle. Crisp n'était pas heureux. Il aimait les réceptions, les maisons et ainsi de suite, mais il y avait trop d'autres domestiques. Il est en vérité le gentleman d'un gentleman, pas un maître d'hôtel. Il ne s'entendait pas du tout avec la femme de chambre de Dawn ou le cuisinier — ni d'ailleurs avec cette pauvre Dawn, pour dire vrai. Il est extrêmement possessif, ce Crisp. Comment va Star ?

— Il semble penser que vous le cherchez un peu trop, franchement. Il ne compte pas précisément parmi vos idolâtres.

— Non, je m'en doute un peu. Quand les gens veulent vendre leur compagnie, ils finissent toujours par haïr l'acheteur potentiel. Je lui ai fait une offre généreuse. Bien trop généreuse, d'après ce qu'on me répète à mon bureau. »

Diana se leva et se versa un second verre de champagne, puis servit Paul. Elle parcourut la pièce et constata que Paul lisait apparemment des livres en quatre langues pour le moins. Un mur de la pièce était couvert de rayonnages en bois sculpté du sol jusqu'au plafond, rempli de livres sans ordre particulier, à l'exception d'une seule étagère au centre, éclairée par un projecteur qui contenait une rangée de petits volumes élégamment reliés et dans une langue qu'elle ne connaissait pas. Elle en prit un et vit que le nom de l'auteur était

James Joyce. Sur la page de titre, elle lut : « Grünwald Press, 29 Andrassy Utca, Budapest. » Au-dessus du nom de l'éditeur, un emblème gravé montrait un majestueux oiseau tenant dans son bec un flambeau.

« Lisez-vous encore le hongrois ? demanda Diana.

— Non, plus guère. Pourquoi ?

— Je regardais ces livres. »

Paul se leva, jeta un coup d'œil au livre qu'elle tenait puis le lui prit des mains et l'examina un instant avant de le replacer sur l'étagère.

« Ceux de mon père, expliqua-t-il.

— Il les collectionnait ?

— Non. Il les publiait. C'était l'une de ses activités. Je crois que cela l'intéressait davantage que tout le reste.

— Et vous les avez apportés de Hongrie ?

— Oh non ! J'ai quitté la Hongrie sans rien. Après la guerre, lorsque j'ai pu le faire, j'ai engagé quelqu'un pour les dénicher dans les magasins d'occasion et auprès des marchands de livres anciens. Sans doute est-ce là l'unique collection complète, à moins qu'il ne s'en trouve une à la bibliothèque de Budapest. Encore que plus personne ne s'y intéresse.

— Cela doit bien vous intéresser, puisque vous avez pris la peine de la reconstituer. Est-ce pour cette raison que vous souhaitez acheter une maison d'édition ? Parce que vous le devez à la mémoire de votre père ? »

Paul réfléchit un moment. Il semblait légèrement contrarié, comme chaque fois qu'on lui posait des questions, mais il parvenait à sourire, faisant mine que l'expérience lui eut plu.

« C'est l'une des raisons, répondit-il. Mais ne le dites à personne. Je ne veux pas qu'on me prenne pour un sentimental secret.

— Pourquoi choisir la compagnie de Star ? Si vous tenez simplement à racheter une maison d'édition, Dieu sait qu'il n'en manque pas à vendre.

— C'est une petite maison avec un bon fonds et une réputation de qualité. Que je veuille une maison d'édition ne signifie pas que je veuille en acheter une énorme. Celle de Star est juste de la bonne dimension pour un geste sentimental.

— Ce pauvre David semble croire que vous vous intéressez à sa compagnie uniquement pour évincer Niki. Une querelle de famille, en sorte. Sauf bien sûr qu'il ignore tout de vos liens familiaux. Il pense également que vous avez tenté d'empêcher Kane de publier son livre.

— Ah oui ? Quelle mentalité malveillante et vicieuse, pour un éditeur.

— Il existe assurément quelqu'un qui s'efforce d'accéder au manuscrit. Et il vous soupçonne.

— Franchement, admit Paul, il a bien raison. Mais je ne suis pas le seul.

— Ne serait-il pas plus sage d'oublier tout cela ? Quel mal peut faire le livre de Kane, après tout ? Ce ne sont guère que des ragots sur des événements vieux de trente ans. Matthew Greenwood se trouvera dans une position embarrassante, Niki aussi, je suppose, mais j'aurais cru que cela vous plairait.

— Ce n'est pas la question. Il s'agit de la programmation. Je ne veux pas empêcher Kane de publier son livre — ce serait risqué et sans doute même impossible. Je cherche simplement à le retarder. Dans mes mains, la vérité sur Matthew Greenwood est une arme. Dans celles de Kane, ce n'est plus qu'un best-seller. Et puis je veux savoir ce qu'il a appris sur moi — ou ce qu'il a deviné.

— Vous ne pensez pas qu'il ait découvert votre cousinage avec Niki ?

— Non. C'est une possibilité, bien sûr. Kane n'est pas sot. Rappelez-vous ce qu'il a fait à Nixon, au sujet des prêts que Howard Hughes avait consentis à son frère. J'admets que j'aimerais bien m'en assurer en lisant son manuscrit, mais il n'avait aucun autre moyen de le découvrir qu'en parlant avec ce pauvre Lorenberg... »

Paul leva son verre en toast ironique à la mémoire de Lorenberg, puis le reposa.

« Quatre personnes seulement savent que Paul de Grünwald a survécu : ma sœur, qui ne risque guère de parler à Kane, moi-même, Meyerman — et vous ! » Il posa son regard bleu sur Diana, avec une curieuse expression neutre qui paraissait à la fois intense et lointaine, comme s'il avait cherché à évaluer une nouvelle fois sa fiabilité. Puis il se détendit, sourit, et se pencha pour lui baiser la main. « Voulez-vous que je sonne Crisp pour qu'il nous serve à dîner, ou bien préférez-vous sortir ?

— J'ai eu une longue journée. Et j'ai déjeuné lourdement. Verriez-vous un inconvénient à manger un repas léger ici ? »

Paul pressa un bouton électrique pour appeler Crisp et se leva pour servir encore un peu de caviar à Diana. Il semblait avoir retrouvé sa bonne humeur, comme s'il avait de justesse négocié un passage difficile. Il s'assit à côté d'elle avec le plat à la main, cependant que la clé de Crisp tournait dans la serrure.

Diana dévisagea Paul et se demanda quelle proportion de vérité il lui avait révélée. Elle voulait le croire, mais presque par instinct elle se pencha vers lui en disant :

« J'ai essayé de me rappeler le nom du secrétaire de Greenwood, sur le yacht. Vous le connaissez ?

— Non, malheureusement. Je n'y suis jamais allé moi-même. Pourquoi ?

— Sans aucune raison, si ce n'est qu'il allait en classe avec mon ex-mari. Pouvait-ce être... Boyce ?

— Peut-être. Ah ! voici Crisp. Crisp, peut-être un peu de saumon fumé, une salade — quelque chose de léger. Cela vous conviendra, ma chérie ?

— Parfait. Merci, Crisp. Je sais ! *C'était* Boyce. Nigel Boyce. Figurez-vous que cela me revient, à présent. Il m'a dit qu'il vous avait connu à Londres, juste à la fin de son service militaire. »

Paul se tourna vers elle, le regard aussi clair qu'à l'accoutumée. Il avait le visage franc, ouvert, détendu, reflétant un humour doux et teinté d'ironie. « Non, répondit-il de sa voix basse et précise. Je n'ai jamais rencontré cet homme ni entendu ce nom. »

Il lui donna un petit baiser rapide mais du coin de l'œil elle observa qu'il avait la main gauche agitée d'un léger tremblement, comme s'il avait aperçu un fantôme — ou en avait entendu parler.

16

Les gens prenaient souvent Augustus Biedermeyer pour un brasseur, ce qui ne lui déplaisait pas. Son grand-père était venu en Amérique dans l'entrepont, fuyant Dantzig où les blancs-becs à qui il avait vendu de faux billets de traversée le recherchaient, armés de couteaux et de gourdins. Il apportait avec lui ses bénéfices, bourrés dans les semelles de ses bottes judicieusement achetées avec plusieurs pointures de trop, et laissait derrière lui une famille qui ne l'avait jamais vraiment intéressé.

Dans le Nouveau Monde, il prospéra, réussit et se remaria bien. Quand Augustus Biedermeyer vit venir son tour d'hériter de la fortune familiale, celle-ci comprenait une banque, une maison de courtage en Bourse à Wall Street, des gratte-ciel, des stades, des centres commerciaux, des supermarchés, des parcs d'amusement, des équipes sportives, des hôtels, un pipe-line de gaz naturel, une chaîne d'établissements de *fast food,* et de nombreux intérêts dans l'industrie alimentaire et de la boisson, y compris bien sûr la bière. Le bétail Biedermeyer se nourrissait de soja Biedermeyer, pour être transformé en hamburgers surgelés Biedermeyer que l'on consommait à travers tout le pays dans les établissements en franchise Biedermeyer Burgerbraus.

Biedermeyer était un colosse à la panse énorme, avec un visage rond et gras, une moustache et des mains qui n'étaient pas sans rappeler les solides jambons Smithfield. De même que tant d'autres hommes gros, il semblait jovial au premier regard, mais à y regarder de plus près, ses petits yeux noirs se révélaient méfiants, cupides et dangereux.

Son bureau était un rêve de brasseur dans sa splendeur victorienne, avec des vitraux, des lambris de bois sombre, des andouillers et des chopes à bière. Le mobilier était tout en cuir, en défenses et en cornes. Aux murs, des plaques, des documents encadrés, des photographies et des lettres attestaient de la dévotion de Biedermeyer à l'égard des

œuvres de l'Église ; dans une vitrine trônaient ses tenues de chevalier de Malte et de chevalier pontifical, ainsi que ses attributs de commandeur de l'ordre du Saint-Esprit. Même Savage, qui demeurait habituellement indifférent à son environnement, trouvait tout cela déprimant.

« Prenez une bière », déclara Biedermeyer comme s'il n'y avait pas eu d'autre choix.

Savage acquiesca. Des années d'expérience dans les affaires américaines lui avait enseigné qu'on ne refusait jamais le produit d'un homme qui possédait la compagnie, et Savage qui n'aimait pas la bière sourit de plaisir en voyant Biedermeyer ouvrir deux boîtes et en verser le contenu dans deux verres.

Tous deux burent en silence quelques gorgées, comme des connaisseurs. « A votre santé », déclara Biedermeyer en lissant sa moustache de l'index, comme il venait d'apprendre à le faire pour ses récentes apparitions à la télévision — car il faisait à présent lui-même la publicité pour sa bière, des spots de vingt secondes où il regardait le public droit dans les yeux, en disant : « Pas mal — même si c'est la mienne ! » Il était en train de devenir une célébrité des médias.

Savage leva son verre pour manifester son enthousiasme, bien que la bière en vérité le rendît malade et que celle de Biedermeyer parût avoir un goût chimique particulier et un arrière-goût déplaisant.

Savage rota discrètement et reposa son verre sur la table.

« C'est bien aimable à vous de me recevoir aussi rapidement, Augustus.

— J'ai toujours le temps d'écouter les mauvaises nouvelles quand il s'agit de votre patron. Je tiens à lui rendre la monnaie de sa pièce depuis le jour où il m'a raflé les Jouets Kris Kringle sous le nez, il y a de cela six ans. Je comptais offrir cette compagnie à mon fils pour Noël et vous me l'avez littéralement fauchée. Combien l'avez-vous payée ? Trente ?

— Je ne me rappelle plus le chiffre exact, Augustus.

— Mon œil ! Vous vous en souvenez aussi bien que moi.

— Vingt-neuf cinq cents. Moitié en actions, moitié en espèces. »

Biedermeyer soupira.

« Du vol pur et simple. Elle en valait quarante facile. Et c'est du gâteau. A Noël, les gens achètent des jouets. Ils sont obligés. Foster m'a vraiment eu, cette fois-là.

— Tantôt on gagne, tantôt on perd, Augustus.

— Pas si vous travaillez pour moi.

— Et puis nous aimons assez l'idée de jouer en durs, n'est-ce pas.

— Oui, sans doute. Franchement, Foster me donne les jetons. Vous auriez dû m'écouter, quand je vous ai demandé de m'aider à racheter sa boîte. A nous deux, nous lui aurions tiré le tapis sous les pieds !

Merde, mon vieux, vous êtes un *mensch.* Vous n'avez plus besoin de Foster. »

Savage fit craquer ses jointures et dévisagea Biedermeyer. « Cela peut encore se faire », articula-t-il à voix basse.

Biedermeyer posa sa bière, se leva et se dirigea vers le bar qui occupait un coin du bureau. Il poussa son gros ventre derrière le bar et se servit une rasade de scotch sur des glaçons. Il en but une gorgée et se retourna vers Savage. « Vous en voulez un ? demanda-t-il. Franchement, j'aime mieux cela que la bière. »

Savage acquiesça.

« J'apprécie un homme qui ne me raconte pas de foutaises. » Biedermeyer remplit un verre pour Savage, le lui apporta, et se rassit. « Et maintenant, dit-il, que mijote Foster ?

— Il s'enfonce.

— Il s'est toujours enfoncé. Vous savez ce qu'on dit sur votre compagnie, à la Bourse ? " Il y en a bien moins que ce qu'on voit. " Foster a toujours aimé les grands sans avoir d'argent derrière lui.

— Il s'en est bien débrouillé, Augustus.

— Bien sûr, mais il y a riche et riche. Nick Greenwood, par exemple, est vraiment riche.

— C'est aussi un con.

— Vous parlez là de mon futur gendre. Je vous accorde qu'il n'a pas le cerveau de son père — ni ses couilles. C'est difficile, pour un type qui est né riche et beau, de développer tout son potentiel. Mais il a quand même bien autre chose derrière lui que Foster. Il est *solide.*

— Foster ne semble pas partager cet avis.

— Ah non ?

— Non. En fait, j'ai l'impression qu'il prépare une O.P.A. contre les Greenwood. C'est pour cela que je suis ici. A mon avis, c'est du suicide. »

Biedermeyer éclata d'un grand rire joyeux concordant avec son image, mais ses traits ne reflétaient aucun amusement particulier. « Foutaises ! Ils sont trop gros pour Foster. Pourquoi n'allez-vous pas le dire à Nick Greenwood ?

— Je préfère vous parler, à vous. On dit que Nick a des problèmes. Il a placé beaucoup d'œufs dans le panier de l'usine nucléaire et maintenant il se trouve à court de liquidités. C'est pourquoi il spécule sur l'argent, ce qui n'est pas une très bonne idée à mon avis. Et je suppose que c'est la raison du mariage avec Angelica — encore qu'à regarder ses photos, je devine qu'il doit exister d'autres motifs. On dit qu'en cadeau de mariage vous avez consenti à consolider un peu, Augustus. Pour vous placer, bien sûr.

— Les deux choses ne sont pas nécessairement liées, Savage. J'ai

mes problèmes avec Angelica, comme tout père, mais avec son allure et l'argent qu'elle a, je n'ai guère besoin de lui acheter un mari.

— Bien sûr. Mais la meilleure sécurité de l'argent, c'est encore la relation familiale, pas vrai ? Vous auriez un peu plus de prise sur les Greenwood si Nick était votre gendre, non ? Vous entrez au conseil d'administration, bien sûr ? »

Biedermeyer opina.

« Bien sûr. Nous ne formerons plus qu'une seule famille aimante et heureuse. J'ai invité Matt Greenwood à venir au mariage, mais c'est un long voyage pour un type de son âge. Écoutez, si Foster prépare un coup contre les Greenwood, il s'en prend à moi du même coup. Et il n'a pas suffisamment d'argent derrière lui pour cela, n'est-ce pas ?

— Juste.

— Il doit donc avoir autre chose, n'est-ce pas ?

— Juste.

— Que peut-il bien avoir contre les Greenwood ? Ils mènent leur barque assez proprement, pour autant que je sache. Je n'ai pas entendu parler d'ennuis avec la Sécurité ni la commission des changes, et vous ? Pots-de-vin à des gouvernements étrangers ? Ils le font sûrement, mais qui ne le fait pas, hein ? La loi antitrust ? Les ententes sur les prix ? Les contributions illégales à des campagnes politiques ? L'évasion fiscale par des comptes étrangers ?

— Ils pratiquent sans doute tout cela.

— Bien sûr. Foster aussi. Et moi aussi. Qu'y a-t-il de neuf à cela ? Si l'on voulait jouer le jeu des réglementations gouvernementales, on irait droit à la faillite, non ? Ce doit être autre chose.

— Peut-être quelque chose d'ancien ?

— Ancien ? Mais qui se soucie du passé, Savage ? Enfin, Nick n'est même pas assez vieux. Quel passé peut-il bien avoir ? Il a beaucoup traîné à droite et à gauche, et cela ne me plaît pas outre mesure, mais de nos jours ils vous donnent la couverture de *People* pour ça.

— Son père a peut-être quelques cadavres dans un placard. Cela paraît plus probable. »

Biedermeyer sifflota quelques instants puis emporta les deux verres pour les remplir au bar, en faisant tinter les glaçons dans le silence de la pièce. Il pressa un bouton et la voix de Frank Sinatra chantant. « I did it my way » emplit doucement le bureau.

« Oui, reprit Biedermeyer d'un air songeur en regagnant sa place avec les verres, c'est assurément une hypothèse. Mais il faudrait que ce soit quelque chose vraiment moche... Et comment Foster le saurait-il ?

— Je n'ai pas la réponse, Augustus. Il ne parle guère du passé.

— Matt Greenwood non plus. Je sais qu'il était riche avant la guerre et qu'il a dû fuir les Allemands parce qu'il était à moitié juif. Je l'ai interrogé un jour là-dessus mais il s'est mis à pleurer. Les Allemands

ont expédié presque toute sa famille à Auschwitz, figurez-vous. Il m'a dit que pas un jour ne passe sans qu'il y pense encore. Ils ont même tué son frère.

— Comment se fait-il que Nick et lui en aient réchappé ?

— Nick était en Suisse, dans une pension. Le vieux s'en est tiré par pur hasard, je suppose. Il avait organisé l'évasion de toute la famille et quelque chose a mal tourné. Ils ont pris des routes différentes pour plus de sécurité, je crois, et quelqu'un les a trahis, ou bien les Allemands étaient trop rusés... En tout cas, *il* s'en est tiré et personne d'autre avec lui. Il m'a dit que s'il n'y avait pas eu Nick, il se serait suicidé quand il a appris la vérité. Évidemment, il est catholique. Sa foi l'a soutenu, ajouta Biedermeyer avec une expression de complaisante piété.

— Comment a-t-il sorti son argent ?

— Il en avait beaucoup à l'étranger. Il devait voir venir ce qui se préparait — il n'était pas idiot, après tout. Il m'a confié que les Allemands avaient confisqué tous ses biens. Göring lui a même volé sa collection de tableaux. Une histoire tragique. Je lui ai dit qu'il devrait écrire un livre là-dessus, mais il m'a répondu que c'était trop douloureux. Irving Kane voulait écrire l'histoire mais Greenwood a refusé de lui *parler*. Il a dit que beaucoup de gens avaient souffert plus que lui. C'est un homme de grande sensibilité — et modeste.

— Si c'est le cas, que peut bien avoir Foster contre lui ?

— Je n'en sais rien. Cela n'a peut-être aucune importance. Avec vous au conseil, nous pourrons mettre Foster à genoux. Nous avons bien trois ou quatre fois plus de fric que lui, non ? Laissons-le faire une passe à Greenwood et puis sautons-lui à la gorge quand il sera aux abois. Nous aurons besoin de votre aide, bien sûr. »

Savage acquiesça. Il ne disait rien. Seul un amateur aurait soulevé la question du prix.

Biedermeyer attendit, les yeux fixés sur Savage, puis s'éclaircit la gorge. « Je suppose que vous voudriez un gros paquet d'actions », dit-il.

Savage fit signe que oui, sans manifester d'enthousiasme particulier.

« Évidemment, si tout marche bien et que nous finissons par fusionner les trois compagnies, nous aurons un géant. Il nous faudra un directeur de tout premier ordre. Nick est un brave garçon, mais je ne voudrais pas le voir à la tête d'un groupe aussi colossal, tout gendre qu'il sera.

— Ce qu'il vous faudra, répondit calmement Savage, c'est un vrai professionnel.

— Il faudra que j'en parle d'abord à Greenwood, déclara Biedermeyer après un moment de silence.

— D'accord, faites comme ça. J'attends de vos nouvelles. »

La nature anormale de ses rapports avec les hommes contrariait parfois Diana, contre elle-même autant que contre eux.

Voilà une femme séduisante et installée dans la vie professionnelle, d'âge encore très raisonnable, qui se trouvait pourtant confrontée au choix de voir son amant lui rendre visite, ou de lui rendre elle-même visite. Niki Greenwood passait inopinément, restant pour la nuit à la manière d'un propriétaire et conservant quelques complets dans sa penderie parce que c'était plus simple et aussi pour symboliser ses droits sur la personne et l'environnement de Diana. A présent, la situation s'était renversée diamétralement, et de manière tout aussi insatisfaisante. *Elle* rendait visite à Paul Foster, laissant peu à peu derrière elle, ou bien apportant, quelques objets de première nécessité qui établissaient sa présence dans l'appartement aussi clairement que les boutons de manchettes et le rasoir de Niki l'avaient fait chez elle.

Aux yeux de la plupart des gens — y compris de David Star — Diana « avait une liaison » avec Paul Foster, mais elle n'était en vérité pas sûre du tout de la nature exacte de la relation qu'elle entretenait avec lui. Ils étaient amants, mais sans qu'on pût déterminer sur quelle base ni avec quels espoirs de permanence. Toute l'existence de Paul semblait provisoire. Il vivait dans une suite d'hôtel, dirigeait ses affaires en avion, n'avait pas de maison et, pis encore, sa vie entière était dirigée — comme Diana était parvenue à s'en rendre compte — vers le but exclusif de renverser Greenwood, comme si c'eût été là l'unique justification de son existence. Quand il y serait parvenu (si même il y arrivait), il n'avait aucun autre rêve ni projet tout au moins aucun dont il lui eût fait part.

« Je réfléchissais, déclara-t-il une nuit, très tard, alors qu'ils étaient au lit.

— Je croyais que tu dormais.

— Je ne dors pas beaucoup. » C'était bien vrai, songea Diana. Après avoir fait l'amour avec elle, Paul fermait les yeux et demeurait immobile, mais Diana doutait fort qu'il dormît beaucoup, ni même qu'il dormît du tout. Quand elle se réveillait, il était toujours déjà levé, et bien souvent il s'était déjà habillé, faisait sa gymnastique ou bien parlait au téléphone. La vulnérabilité du sommeil le rendait visiblement nerveux, même avec elle. Il n'était pas homme à aimer se laisser aller.

Diana alluma sa lampe de chevet. Paul se leva sur un coude et la contempla. « Je t'aime », dit-il.

Elle l'embrassa. « Je sais. Mais as-tu *confiance* en moi ? »

Il se mit à rire.

« J'essaie. Je suis plus doué pour aimer les gens que pour leur faire confiance. Je crois que nous devrions faire des projets.

— Quel genre de projets ?

— D'abord, un endroit où vivre. Il est ridicule de continuer à avoir ainsi deux appartements. Et le mien est bien trop petit pour qu'on puisse vraiment y vivre à deux. Je vais téléphoner à une agence comme Helmsley ou Rudin. Il y a des appartements très pratiques sur la Cinquième Avenue, avec vue sur le parc... ou bien préfères-tu habiter l'immeuble *Dakota ?* J'avoue que je le trouve un peu... lugubre.

— Eh bien...

— En vérité, rien ne nous oblige à habiter New York. Après tout, l'argent ne pose pas de problèmes. Nous pourrions visiter des propriétés. Il y en a une à vendre à Bedford Hills — cinquante hectares, piscine, écuries, tennis. Je pourrais faire les trajets en hélicoptère.

— Paul, est-ce une demande en mariage ? »

Il hésita un instant.

« Eh bien, oui, répondit-il d'un air vaguement surpris, je crois que oui.

— Alors j'accepte. J'ai cru un moment que tu m'expliquais une affaire immobilière.

— Demain, je dois aller au Mexique, déclara-t-il. Nous déciderons tout cela à mon retour.

— Puis-je t'accompagner ? »

Paul hésita. Une expression d'incertitude lui effleura le visage. Puis il sourit, l'embrassa et eut un acquiescement indulgent.

« Bien sûr, mais je t'avertis : c'est boulot-boulot. Parfaitement assommant.

— Je ne m'ennuierai pas. »

Paul parut pensif. « Non, dit-il, sans doute pas. »

Mais l'espace d'un instant Diana crut discerner sur ses traits la même expression furtive que quand elle avait mentionné Boyce. Il l'entoura de ses bras et elle se persuada qu'elle se trompait.

« J'apprends qu'ils partent au Mexique, ce week-end », commença Star en s'efforçant de trouver le moyen de convaincre Irving Kane d'ôter ses pieds de la table. Star avait dépensé beaucoup d'argent à faire refaire son bureau en ronce de noyer et il éprouvait de la souffrance à voir les chaussures mal tenues de Kane sur *sa* table. Mais il n'existait aucun moyen de prier un auteur de best-sellers d'ôter ses chaussures de la table. Star le savait.

« La semaine dernière, c'était le midi de la France. Maintenant, le Mexique. Diana a trouvé le bon filon. Vous auriez dû foncer, Star. Elle vous faisait bander.

— Irving, elle ne me faisait pas bander », répliqua Star en appuyant

comme entre guillemets sur le mot « bander ». Ce n'était pas le genre d'expression qu'il aimait ni qu'il aurait lui-même employée, et elle lui plaisait encore moins quand elle s'appliquait à lui.

« Allons, Star ! Je vous ai bien vu la regarder. On ne mène pas Tonton Irving en bateau. Il n'y a pas de quoi avoir honte. Diana est une belle fille autonome avec un beau paysage nord. Je ferais bien un tour de piste avec elle si j'avais une chance. Vous voulez que je vous dise ce qui cloche, chez vous ? demanda Kane sans donner à Star la moindre chance de répondre qu'il ne voulait surtout rien en savoir. Vous vous êtes retenu. Il faut aller droit au but. On ne se fait pas sauter si on ne demande pas. Moi, quand je rencontre une nana qui m'intéresse, je lui demande tout de suite : " Tu veux baiser ? " »

Intéressé malgré lui, Star dévisagea Kane en se demandant ce qu'une femme pouvait bien lui trouver de séduisant.

« Répondent-elles souvent oui, Irving ? s'enquit-il.

— Pas trop souvent, non. C'est une question de pourcentage, Star. Demandez à cent, il y en aura peut-être une pour dire oui. Que fabrique Foster au Mexique ?

— Comment le saurais-je ? Le seul moment où je peux respirer tranquille, c'est quand il voyage. Quand il est là, il me téléphone tous les jours pour m'expliquer comme je serais heureux si j'acceptais son offre de rachat.

— N'en faites rien, Star. Les types comme Foster ne devraient pas posséder de maison d'édition. Nick Greenwood non plus.

— Préférez-vous que je vende à une chaîne de télévision ou à une société de cinéma, Irving ?

— Oui. Ils sont moins intelligents. Vous pourriez les rouler. Mais on ne roule pas Foster. A propos de Greenwood, Mel Kashmir du *Times* dit qu'il a de gros ennuis.

— Je ne peux pas le croire. Il a cette usine nucléaire — cela représente des millions de dollars en pointillé. Et la dernière fois que j'ai regardé, la société s'en tirait très bien.

— Mel m'a coincé au Palm pour me chapitrer sur les emmerdements de Greenwood, complètement enterré dans ses spéculations sur l'argent. Il dit aussi que Greenwood pourrait bien avoir des pépins avec le gouvernement avec cette affaire nucléaire. Il semblerait que des sénateurs aient posé des questions sur ce qu'il fabriquait au juste pendant la guerre.

— Bon Dieu, Irving, vous n'avez pas laissé filtrer des anecdotes de votre livre, au moins ? Mon conseiller juridique me tuerait. »

Kane se renfrogna comme si son intégrité eût été mise en doute.

« Je ne laisse rien filtrer, déclara-t-il fermement. Les fuites, c'est moi qui les obtiens. Mais quelqu'un a parlé de Wotan, et là où il pouvait faire mouche... Je crois qu'il faut hâter la sortie du livre, Star. Nous

détenons des informations importantes. L'une des plus grandes compagnies américaines appartient à une famille qui voulait fabriquer cette putain de bombe A pour Hitler ! Et maintenant ils essaient de noyauter l'industrie nucléaire ici. C'est une véritable charge ce dynamite, cette histoire. Le Quatrième Reich, voilà ce que c'est. Je vois d'ici la couverture de *Time :* " De Wotan à Washington : la Greenwood Connection. " Nous serons numéro un pendant un an !

— Si nous ne sommes pas poursuivis en justice pour des millions de dollars, ou même abattus. Franchement, les derniers chapitres que j'ai lus m'ont paru un peu trop forts, Irving.

— Bah ! il fallait bien pimenter un peu. Je n'ai jamais pu parler avec Lorenberg, après tout. Quelqu'un l'a trouvé avant moi. Écoutez, Star, pour publier c'est comme pour baiser, il faut des couilles. Ce livre vous fait peur ? Je n'ai qu'à traverser la rue pour aller chez l'un de vos confrères. Ils déploieront le tapis rouge pour moi. »

Star soupira et parcourut son bureau du regard. Il savait que Kane disait juste. Un éditeur devait prendre certains risques. Quand Kane avait fait son livre sur Watergate, les téléphones avaient été placés sur écoute, le fisc avait convoqué Star et la C.I.A. était allée en justice afin d'obtenir la suppression de certains passages du manuscrit « pour des raisons de sécurité nationale » parfaitement spécieuses. Star s'était rongé les ongles d'angoisse, à ce moment-là, mais il était sorti de l'épreuve avec un best-seller fantastique — numéro un sur la liste du *Times* pendant quatorze semaines — et une réputation d'éditeur libéral et courageux.

« Ce que je ne comprends pas, Irving, reprit Star de sa voix la plus conciliante, c'est pourquoi Foster s'intéresse tant à l'histoire des Greenwood. Cherche-t-il simplement un renfort d'artillerie contre eux ? Ou bien est-ce plus profond que cela ? Après tout, il vient aussi d'Europe centrale ; peut-être le vieux Greenwood a-t-il fait quelque chose à sa famille. »

Kane acquiesça lugubrement et ôta ses chaussures du bureau, laissant une petite éraflure bien visible sur la surface.

« Je ne le sais pas non plus, dit-il. Foster ne semble pas avoir de famille. Il a surgi en 1945 dans le rôle d'informateur de la Commission britannique pour les crimes de guerre. C'est lui qui a retrouvé Becker, figurez-vous.

— Qui était Becker ?

— Un Boche, bon Dieu. Il travaillait avec Eichmann. Becker était en Hongrie en 1944. Il figurait sur toutes les listes de personnes recherchées, mais il a disparu en 1945. Et puis, ô miracle, voici Foster, qui travaillait comme traducteur auprès des Anglais pendant l'été 1945, après avoir été déniché à moitié mort dans un camp de travail, qui retrouve Becker. On peut donc supposer que Foster avait connu

Becker en Hongrie, sans quoi il n'aurait pas pu le reconnaître dans une foule de prisonniers de guerre allemands.

— Qu'est-il arrivé à Becker ?

— Il avait une capsule de cyanure dissimulée dans une dent creuse. A cette époque-là, c'était le grand symbole du statut supérieur.

— Et Foster ?

— Eh bien, Foster s'est retrouvé héros du jour. Après tout, ils cherchaient tous Becker et ce gamin l'avait trouvé. Les Anglais étaient tellement contents qu'ils l'ont laissé entrer en Angleterre comme personne déplacée. Encore qu'il ait peut-être dû distribuer quelques pots-de-vin à droite et à gauche. Ce qui était parfaitement normal à l'époque.

— Mais où aurait-il pu se procurer l'argent, s'il avait été retrouvé à moitié mort dans un camp de travail ?

— Je n'en sais rien. En 1945, il ne manquait pas de butin qui traînait. Foster a peut-être eu l'astuce d'en rafler un peu pour son compte. Ou bien il savait quelque chose. En tout cas, il est reparu en Angleterre, s'est rendu tout droit chez Meyerman et n'a plus jamais pris le temps de regarder en arrière.

— Comment connaissait-il Meyerman ? »

Kane se leva et alla se planter devant sa photo fixée au mur. Avec sa carrure massive, il avait l'air d'un champion fini contemplant les souvenirs de ses victoires passées — et il se considérait en effet comme un lutteur, pourchassant la vérité, les faits, l'histoire réelle, de même qu'un boxeur frappant, feintant, écrasant ses adversaires par sa ténacité et son endurance. Il lança un coup de poing dans l'air, oscillant sur ses jambes comme s'il avait dû basculer d'un instant à l'autre et tomber à terre.

« Comment il connaissait Meyerman ? demanda-t-il en écho, tout essoufflé par cet instant d'exercice. C'est une bonne question, Star. Je ne... *sais pas.* »

Kane ponctua sa phrase de quelques coups en direction de Star, puis il s'interrompit et fixa son regard sur Star qui lui fit signe qu'il l'écoutait avec une attention et un intérêt soutenus. « Mais je vais vous dire une chose, reprit-il. Une chose que personne ne sait. Savez-vous pour qui travaillait Meyerman ? Il travaillait pour Greenwood, figurez-vous ! Qu'en dites-vous, hein ? »

Star avait fermé les yeux comme un homme se demandant si cette douleur dans son ventre est simplement due aux gaz ou bien à l'assaut de quelque redoutable maladie. Il rouvrit les yeux. Kane était toujours là, face à lui comme un magistrat dans un tribunal — image que Star trouva fort déprimante dès l'instant où elle lui effleura l'esprit. Kane était le genre d'auteur qui *adorait* les poursuites en diffamation. Il considérait les procès comme une sorte de sport violent, une preuve de

son courage et de sa virilité. Plus la cible était puissante, plus il était ravi.

« Quel tout petit monde, observa finalement Star. Diana travaillait naguère pour Meyerman, avant de commencer à vivre avec Nick Greenwood ; et maintenant elle a une liaison avec Foster. Je me demande ce qu'elle peut bien savoir ?

— Tout. Vous pouvez parier. Les femmes savent toujours tout. Montrez-moi un type qui ne parle pas au lit et je vous montrerai un eunuque ou un muet. Si vous aviez agi plus vite avec elle, nous saurions probablement tout, à présent. Mais je découvrirai la vérité, ne vous inquiétez pas. »

Star s'inquiétait. C'était son rôle.

« Par où allez-vous commencer, Irving ?

— Quelle question ! Par le Mexique, bien sûr ! »

17

Cuernavaca ne comptait guère parmi les villes préférées de Diana. Son charme en effet ne résidait point tant dans la ville elle-même ou dans son climat que dans l'isolement qu'on pouvait y trouver. Dans cette cité depuis longtemps connue comme la « Vallée des Gringos », les maisons des gens riches se tapissaient derrière des murs de pierre grise de quatre ou cinq mètres de haut, surmontés de barbelés électriques, de systèmes d'alarme, de morceaux de verre brisé et de pointes d'acier.

Cuernavaca était le contraire de Bel Air — ici, rien n'était exhibé. Même les noms des propriétaires de ces demeures, si l'on parvenait à les découvrir dans ce labyrinthe de rues sans noms ni numéros, demeuraient jalousement gardés. « On savait » que Sam Giancana, le chef de la Mafia, possédait une maison ici ; « on disait » que l'actrice Merle Oberon avait vécu ici dans une maison agrémentée d'une chute d'eau artificielle à la manière japonaise, et de sols en albâtre ; « le bruit courait » que la sœur du Chah entretenait dans son jardin une douzaine de paons blancs fort rares et qu'elle avait une baignoire en or massif.

Dans la ville, l'habituel chaos bruyant du Mexique se poursuivait nuit et jour — de gros camions et des bus fonçaient dans les rues étroites en crachant d'épais nuages graisseux et noirs de fumée Diesel, des paysans miséreux se tenaient recroquevillés sous les voûtes des *Calles* avec leurs maigres possessions, quelques piments séchés ou quelques fleurs presque fanées étalées sur un chiffon devant eux, des foules denses occupées à se bousculer et à crier dans les marchés couverts, cependant que des mouches et des chiens faméliques cherchaient à se nourrir parmi les ordures répandues.

Derrière les hauts murs gris, on ne voyait ni n'entendait rien de tout cela. Le silence y était absolu, uniquement rompu par le chuchotement monotone des tourniquets d'arrosage et de temps à autre par le

grattement léger des râteaux des jardiniers ramassant les pétales de fleurs, ou par les rares cris des célèbres paons impériaux dans le jardin de la sœur du Chah.

« Si tu aimes le calme, observa Paul Foster sans enthousiasme, c'est vraiment l'endroit idéal. Pour ma part, je ne peux jamais m'empêcher de penser au cimetière de Hollywood... »

Dans la lumière faiblissante de la fin d'après-midi, le jardin s'étendait devant eux, tellement parfait qu'il semblait irréel. De la terrasse, il descendait vers une piscine de marbre et cette immense étendue de gazon admirable aurait rendu jaloux un jardinier anglais. Quelques sculptures émaillaient la pelouse — un Brancusi, un bronze de Henry Moore, un Maillol. Il en émanait en effet une impression de nécropole californienne, songea Diana. Il n'y manquait guère que la musique diffuse parmi les arbres, jouant à l'orgue une adaptation de « Over the rainbow ». De l'autre côté de la piscine, avec ses délicates colonnes grecques et ses nus de marbre, s'étendait un jardin de fleurs tropicales.

« Pour un homme aux goûts simples, tu ne recules guère devant les splendeurs orientales. Utilises-tu souvent cette maison ? »

Paul se mit à rire. Il était assis à côté d'elle et buvait de l'eau Perrier, apparemment heureux de contempler Diana tandis qu'elle essuyait le sel sur le bord de son verre de margarita. Crisp était resté à New York, puisque, selon les propres termes de Paul, il y avait déjà ici « assez de domestiques pour un maharadjah », mais Luther, le garde du corps, les avait accompagnés dans le G-2 personnel de Foster, et sa présence tempérait l'enthousiasme de Diana pour ce voyage. Paul éprouvait apparemment une confiance plus limitée que les autres millionnaires dans la sécurité de Cuernavaca.

« Elle ne m'appartient pas, répondit Paul.

— Ah ? A qui donc, alors ?

— A Dawn Safire.

— Ta femme ?

— Mon *ex*-femme. »

Pour des raisons qu'elle s'expliquait difficilement, Diana se trouva décontenancée. Il lui paraissait incongru que Paul l'amenât dans la maison de son ex-femme, même si cela expliquait pourquoi les domestiques lui disaient et redisaient à l'envi comme ils étaient heureux de le revoir, révélant ainsi que ses visites étaient aussi rares qu'inattendues.

« Elle ne voit pas d'objections à te prêter sa maison ?

— Aucune, bien sûr. Pourquoi s'en formaliserait-elle ? Nous nous sommes quittés en des termes raisonnablement amicaux. Je lui ai donné cette maison lors de la séparation — elle l'avait toujours aimée plus que moi — mais elle passe maintenant l'essentiel de son temps à

Acapulco ou à Beverly Hills avec son nouveau mari, de sorte que cette maison-ci est le plus souvent vide. »

Les arrangements de Paul étaient toujours d'une admirable logique, songea Diana, comme s'il avait toujours choisi les solutions de simplicité et de bon sens sans éprouver de sentiments ni d'émotions, sauf quand il s'agissait du passé et qu'il se révélait alors passionné et irrationnel. Elle aurait aimé demander à Paul s'il lui coûtait beaucoup de se contrôler ainsi totalement ou s'il en avait désormais pris le pli, mais il paraissait préoccupé et elle se contenta de lui demander qui était le nouveau mari de Dawn Safire.

« Un aristocrate mexicain, répondit-il, du nom de Porfirio de Villada. Elle l'a connu ici. C'est l'un de mes associés.

— Quel genre d'associé ?

— Il s'occupe de mes intérêts au Mexique et dans toute l'Amérique latine. Il m'a rendu de grands services pour l'une de mes entreprises au Costa Rica, par exemple. » Paul s'interrompit soudain, puis reprit : « Il a des relations de tout premier ordre. Son frère est ministre du Commerce, et son père s'est présenté quatre fois à la présidence du Mexique. Il a toujours réussi à perdre, ce qui faisait de lui le candidat d'opposition idéal.

— Le fait qu'il ait épousé Dawn ne te dérange pas ? »

Paul parut étonné. « Pas du tout, répondit-il. Cela présente au contraire de nombreux avantages. Les liens de famille sont sacrés, en Amérique latine. Pifi pourrait trahir son patron, mais jamais l'ancien mari de sa femme ! Je peux lui faire confiance pour des affaires où je ne répondrais pas de Savage. Ah ! j'entends sa voiture. »

Comme il quittait la loggia pour s'avancer et saluer Foster, Pifi apparut à Diana d'une telle élégance qu'il en était presque caricatural. Il donnait l'impression de se plaire tellement que le reste du monde existait à peine à ses yeux.

Quand il souriait, comme il le fit en apercevant Diana, il semblait indiquer que sa seule présence apportait le bonheur et transformait une soirée jusqu'alors terne en un moment chargé d'une romanesque intensité.

Il baisa la main de Diana, s'exclama sur sa beauté, félicita Paul pour son bon goût et la complimenta d'avoir choisi de visiter Cuernavaca, de manière tellement spectaculaire qu'elle remarqua à peine, sur l'instant, qu'il n'était pas seul. Deux personnages infiniment moins charmants l'avaient suivi, l'un court, trapu et essoufflé, dont le cigare rougeoyait comme une lumière d'avion au crépuscule, et l'autre immense et obèse, précédant le premier à grands pas, la tête coiffée d'un chapeau gigantesque. Le plus grand des deux, quand il apparut à la lumière, se révéla d'une laideur étonnante, avec un visage lunaire, un nez écrasé entouré de chair bouffie et des lunettes démodées à monture d'acier,

aux verres si petits et si épais que ses yeux ressemblaient à ceux d'un poisson dans un aquarium. En guise de cravate, il portait autour du cou un cordon tenu sur la gorge par un énorme aigle en argent et turquoise. Son costume tout froissé, fait d'une étoffe qui rappelait la toile à matelas, semblait acheté dans un magasin de soldes permanents pour hommes forts. Ses pas résonnaient sur le dallage avec un bruit mou d'appareils amphibies — il portait des chaussures usagées, du genre de celles qu'arborent les octogénaires maniaques d'alimentation macrobiotique dans le sud de la Californie.

Villada ébaucha un petit geste gracieux de présentation, comme dans l'espoir que son charme suffirait à pallier les déficiences de ses deux compagnons dans ce domaine, car le visage du gros homme demeurait vide de toute expression, comme celui d'un enfant obèse.

« Monsieur Love Potter, présenta Villada. De Dallas », ajouta-t-il inutilement, car Potter ôta son Stetson à large bord d'un ample geste, révélant de maigres cheveux gris et graisseux, et murmura d'une voix profonde à l'accent texan indéniable : « Foster, 'jour — mes hommages, madame », puis il remit son chapeau et s'assit, les mains posées à plat sur les genoux, comme dans l'attente de voir Villada — ou peut-être Diana — accomplir un miracle.

Quant au second homme, lorsqu'il émergea des zones d'ombre, il n'était point besoin de le présenter. « Je n'ai jamais aimé le Mexique », annonça-t-il d'une voix rocailleuse dont l'accent anglais se situait aussitôt à Mayfair mais se révélait indéniablement étranger. « Il évoque toujours pour moi le Jardin d'acclimatation de Monaco — trop de chaleur, trop de cactus et trop de marches à grimper. Salut, Pali. Diana, quelle merveilleuse surprise ! Ou peut-être devrait-on plutôt parler de " plaisir ", car pour être franc on ne peut guère s'étonner excessivement de vous trouver ici. »

Lord Meyerman écarta son cigare de ses lèvres, se pencha avec difficulté pour embrasser Diana, murmura : « Vous êtes divinement belle, ma chère, plus encore que jamais », et il s'assit en pressant sa cuisse contre celle de Diana comme si le seul but de sa visite avait été de la retrouver.

Diana se demandait ce que deux personnes aussi dissemblables que Meyerman et Potter faisaient ensemble. Elle supposa, avec justesse, que ce devait être lié à une histoire d'argent — déduction évidente.

« Un margarita ? » proposa-t-elle, jouant le rôle d'hôtesse.

Villada lui adressa un sourire incandescent comme si elle l'avait à l'instant nommé chevalier ; Potter se contenta de hocher la tête d'un air lugubre. « Je suis chrétien, madame », déclara-t-il comme si cela eût tout expliqué.

« Un scotch avec du soda, chère amie, demanda Meyerman. Sans

glace, s'il vous plaît. Je déteste les boissons qui portent le nom des gens ou qui contiennent des morceaux de fruit... Ah merci bien.

— Êtes-vous venus tous ensemble ? » s'enquit Diana.

Paul se mit à rire.

« Non, non, répondit-il, ce serait mettre tous nos œufs dans le même panier. Et des œufs d'or, en plus !

— Ou d'argent », rectifia Meyerman avec un rire gras en pressant le genou de Diana. Love Potter n'y entendit rien de drôle ; apparemment, le christianisme interdisait le rire aussi bien que l'alcool. Il demanda un Coca-Cola et en but quelques gorgées d'un air sombre, avec une certaine impatience comme s'il avait eu hâte de venir au but ou bien simplement de dîner.

Le pressentant peut-être, Paul annonça : « J'ai commandé pour ce soir un repas mexicain. C'est ce qu'ils font le mieux par ici, je le crains. Dawn a tenté de leur faire adopter la cuisine française, mais après quelques jours ils commençaient à mettre du piment et des épices dans tout. Ils sont comme les Hongrois — ils ont les épices dans le sang. »

Potter demeurait impassible sur son siège, son verre à la main.

« Pas de problème, dit-il, j'aime bien la cuisine mexicaine. Mon père emportait tous les jours une boîte de *chili* à son bureau pour le déjeuner. Avec une boîte de boisson du Docteur Pepper.

— Que faisait-il, monsieur Potter ? interrogea Diana.

— Il était dans les affaires », répondit modestement Potter.

Paul se leva, comme le maître d'hôtel venait annoncer que le dîner était servi, et prit Diana par la main.

« Le père de Love, ma chérie, était Marlon Potter. L'homme le plus riche du monde.

— N'était-ce pas lui qui survolait Dallas en hélicoptère pour jeter des exemplaires de la Constitution sur la ville ? »

Potter fit signe que oui avec une paisible fierté.

« Si, madame. C'était un grand citoyen.

— Je ne l'ai rencontré qu'une fois, raconta Paul tandis qu'ils pénétraient dans la salle à manger. Je me souviens qu'il avait dans son bureau un téléphone à pièces.

— Ouais, dit Potter. Papa considérait qu'on y réfléchissait à deux fois avant de téléphoner s'il fallait d'abord mettre une pièce de cinq cents dans la fente au lieu de simplement composer le numéro. Il avait aussi un minuteur, qu'il avait acheté dans un bazar. Il disait que si l'on ne pouvait pas conclure une affaire pour un *nickel*[1], on ne pourrait probablement pas la conclure du tout. Il a eu le cœur brisé quand ils ont augmenté le prix des communications à dix cents. »

La salle à manger était spectaculaire. Une paroi de verre donnait sur

1. Nickel : pièce de cinq cents. (*N.d.T.*)

le jardin, où des projecteurs cachés illuminaient chaque sculpture. Le plafond consistait en miroirs anciens où se reflétaient les lumières des deux lustres, et aux murs se trouvaient des toiles représentant l'ex-femme de Foster car, comme tant d'autres vedettes, elle semblait se considérer comme une œuvre d'art, comme le Taj Mahal. Dans une niche trônait un bronze grandeur nature de Dawn Safire nue, les bras levés comme en supplication, une expression extatique sur le visage. Love Potter n'y jeta pas même un coup d'œil, bien qu'il examinât attentivement chaque bibelot d'argent comme dans une vente aux enchères.

« Potter, expliqua Paul à Diana, s'intéresse beaucoup à l'argent.

— Les objets anciens ? »

Potter cilla, tel un lapin aveuglé par les phares d'une voiture.

« Pas particulièrement, madame. A la maison, nous employons à table des couverts en acier inoxydable. Je m'intéresse à l'argent en tant que moyen de protection contre l'inflation.

— Sans doute est-ce raisonnable. Vous en avez beaucoup ?

— Pour environ un milliard de dollars, je suppose. Évidemment, un milliard n'est plus ce qu'il était.

— Cela fait beaucoup d'argent. »

Potter acquiesça.

« C'était une idée de Papa, expliqua-t-il modestement. Quand Roosevelt a passé sa loi interdisant aux Américains de posséder de l'or, Papa l'a vu comme écrit sur le mur. Il était en avance sur son temps. Puisqu'il ne pouvait pas acheter d'or, il achetait de l'argent. Il avait des sacs de pièces d'argent dans une cabane derrière la grange, quand j'étais gosse, je m'en souviens. Il savait qu'ils allaient dévaluer le dollar un jour ou l'autre. Tout cela fait partie du plan magistral du Kremlin.

— Combien d'argent possédait-il, monsieur Potter ?

— Appelez-moi Love, madame, je vous en prie. Il n'a jamais compté. Il disait toujours que les gens qui savent combien ils valent ne valent rien du tout.

— J'ai toujours eu une idée assez précise de ce que je valais, intervint Meyerman. On aime bien le savoir, en vérité. Cela procure une certaine satisfaction... »

Potter cilla et acquiesça de son air pesant, les doigts agrippés à son couteau et à sa fourchette comme de grosses saucisses. Il mangeait comme s'il ne devait jamais plus manger, engloutissant la nourriture dans sa bouche avec une régularité de machine. « Oui, admit-il entre deux bouchées, mais Foster et vous n'êtes pas vraiment *riches.* Je ne dis pas que vous soyez pauvres, attention, mais vous ne possédez que des actions dans une société. Les actions ne sont que du papier. Mon père ne touchait à rien s'il ne pouvait pas l'avoir à cent pour cent, et je suis pareil. J'ai rencontré un jour Harold Geneen, le type qui dirige I.T.T.,

et il me disait qu'il fait huit ou neuf cent mille par an, quelque chose de ce genre. Je lui ai dit : " Un salaire reste un salaire. " Peu m'importe si c'est un million de dollars par an ou cinquante dollars par semaine, on reste embauché de l'extérieur. Jamais je n'ai reçu un salaire de ma vie. Je suis un commerçant.

— C'est exactement pourquoi nous voulions vous parler, déclara Paul en faisant signe au domestique de resservir Potter.

— Je m'en doutais.

— En vérité, le bruit court que vous lâchez l'argent, Love.

— Il circule toujours toutes sortes de bruits.

— Très juste, admit Meyerman. Mais, cette fois-ci, c'est très précis. Bien que ce ne soit pas, je l'admets, *couramment* répandu. J'ai cru comprendre que vous envisagiez de couler quelques milliards de dollars à forer sous la mer ?

— De qui tenez-vous cela ?

— D'un gars que je connais à la Banque Rothschild. Un homme charmant, d'ailleurs.

— Je n'accorde aucune confiance aux banquiers.

— Franchement, Potter, qui leur ferait confiance ? Ce n'est pas la question. Beaucoup de gens ont acheté de l'argent ces derniers temps, et le prix a monté par bonds, mais fort peu de gens ont examiné la situation attentivement et se sont demandé où se trouve tout cet argent. Et la réponse, mon cher ami, c'est que *vous* le détenez ! Vous êtes assis sur la montagne d'argent, pendant que les *schmucks* font monter le prix pour vous — pas vrai ?

— Peut-être. Et alors, Meyerman ? Il n'existe aucune loi interdisant de stocker une matière première.

— En vérité, Potter, il existe de nombreuses lois l'interdisant, mais ce n'est pas notre affaire. Il vous faut une véritable fortune pour entreprendre des forages en pleine mer. Si vous lâchez sur le marché de l'argent pour une valeur d'un milliard de dollars, que va-t-il arriver au cours de l'argent ?

— Je m'en fiche », répliqua Potter, la bouche pleine. Diana se rendit soudain compte que Meyerman et Potter, assis de part et d'autre de la table, se ressemblaient comme les Tweedledum et Tweedledee des contes.

« Il va s'effondrer, déclara Meyerman. Le cours va passer de quarante dollars l'once à dix ou même moins encore, non ? »

Potter grommela :

« C'est possible. Pour le moment, les gens achètent comme des fous.

— Nick Greenwood, par exemple », observa Paul calmement.

Potter haussa un sourcil.

« Ah oui ?

— Allons, allons, Love, vous le savez parfaitement. Vous avez

dépensé une fortune pour chauffer le marché. Greenwood a acheté de l'argent tant qu'il a pu pour jouer la hausse. Il a oublié quelle quantité vous en aviez, ou bien vous vous y cramponnez depuis si longtemps que plus personne n'y pense. Après tout, vous êtes toujours resté très discret là-dessus.

— Papa me disait toujours qu'on ne parle pas à des inconnus, expliqua Potter en nettoyant son assiette avec un morceau de pain. Qu'est-ce que vous avez derrière la tête, les gars ?

— Nous avons acheté à la baisse, Love — disons que nous avons parié contre Greenwood, en quelque sorte. Si le prix de l'argent baissait dans une dizaine de jours, nous gagnerions un joli paquet. Et Greenwood perdrait une fortune. Il achète sans couverture, ses courtiers et les banques reprendraient toute leur mise et il pourrait se retrouver lessivé.

— Ouais. Ça paraît assez vraisemblable.

— Ce serait bien utile, si vous commenciez à décharger bientôt, reprit Meyerman.

— Quand ?

— Une dizaine de jours. »

Potter fit signe au domestique et lui montra son assiette vide. « *Más,* déclara-t-il simplement. Ce n'est pas mauvais, comme nourriture mexicaine, Foster, même si personnellement je préfère toujours le genre que nous avons au Texas. Je ne supporte pas les haricots recuits, soupira-t-il en rotant sans tenter de se retenir, pour renforcer son discours. Et qu'y aura-t-il à gagner pour ce bon vieux Love ? »

Paul et Meyerman échangèrent un regard, puis Meyerman se pencha pour poser la main sur le bras de Potter, ses yeux noirs étincelant tandis que sa voix se faisait soudain confidentielle, le sourire à la fois insinuant et âpre. « Mon cher ami, dit-il, *si* nous nous trouvions en mesure de contrôler la compagnie des Greenwood, nous profiterions de l'occasion pour *liquider* certaines choses. » Il se tut un instant. « Les intérêts de Greenwood dans Marine Oil, par exemple », ajouta-t-il en arborant une expression d'extase comme s'il avait remis le saint Graal entre les mains de Potter.

Potter cessa de mastiquer. Son visage lunaire s'immobilisa, véritable masque de pierre à l'exception d'une goutte de sauce figée à la commissure de ses lèvres. Il ferma un instant les yeux comme pour prier en silence, puis les rouvrit.

« Qu'est-ce qui vous fait penser que j'en veux ?

— Allons, allons, Love. Marine Oil a les plates-formes de forage situées au nord et au sud des vôtres. Si vous frappez juste, vous leur donnez un véritable bonus. A moins que Marine ne vous *appartienne,* bien sûr, auquel cas vous avez tout bien en main — à cent pour cent, comme disait votre père. »

Potter se donnait beaucoup de mal pour feindre l'indifférence, mais des gouttes de sueur perlaient à son front, formant une auréole, et pour la première fois depuis qu'ils étaient à table, il posa son couteau et sa fourchette.

Paul était plus doué pour feindre que Potter — en vérité, il paraissait se désintéresser totalement de la discussion.

« Nous vous offrons un marché intéressant en échange d'une simple faveur, en fin de compte, Potter. C'est uniquement une question de date, rien de plus.

— Dix jours ? »

Paul acquiesça, les yeux fixés sur le visage impavide de Potter.

Potter tendit sa lèvre inférieure. « Okay, déclara-t-il après un long moment de silence. C'est conclu. Et maintenant, qu'y a-t-il comme dessert ? »

« J'ai eu tort de t'amener ici », soupira Paul d'une voix lugubre, dans l'énorme lit blanc de Dawn. Il semblait soudain accablé, déprimé et Diana comprenait bien que cette chambre, dont une paroi entière se composait d'un collage en l'honneur de Dawn et de sa carrière, ne faisait rien pour améliorer son humeur.

Il avait les yeux fixés sur le mur où une affiche de Dawn Safire en danseuse de night-club retenait son attention.

« On dirait un musée consacré à Dawn, gémit-il. J'aurais dû m'en souvenir... T'avoir amenée dans cette foutue maison, c'était... une *erreur.* » Il prononça le mot avec un soin exagéré. « Et puis je ne suis pas sûr que ce soit une très bonne idée, de te faire écouter toutes ces histoires de métier.

— Mon Dieu, Paul, mais je ne suis pas chanteuse de music-hall ! Je suis une femme d'affaires.

— Oui, oui, je me suis mal exprimé. Que pourrait-il y avoir de plus ennuyeux que trois messieurs d'âge mûr — quatre si l'on compte Pifi — discutant affaires ?

— J'ai l'habitude d'entendre des messieurs d'âge mûr parler affaires, Paul. C'est beaucoup plus intéressant que les messieurs d'âge mûr parlant de femmes. Que se passera-t-il quand Potter liquidera son argent ?

— Les actions de Nicholas tomberont comme une pierre au fond d'un puits. Nous en avons acheté ici et là, tranquillement. Nous allons en acheter beaucoup plus, maintenant, et reprendre la compagnie de Nicholas.

— Et ensuite ?

— Du point de vue des affaires, nous aurons réussi un fort joli coup.

— Je le sais. Mais ce n'est pas la raison pour laquelle tu le fais, n'est-ce pas ? »

Paul examina ses ongles avec un grand soin.

« Non, admit-il. C'est la raison pour laquelle Meyerman le fait, mais pour moi il y a autre chose. J'aurai le plaisir d'annoncer à Matthew Greenwood que je tiens une part majoritaire dans sa compagnie. J'aurai ce que mon père était censé avoir. Le compte sera réglé.

— Et ensuite ?

— Ensuite, je ne sais pas. Je garderai peut-être quelques petites choses qui m'intéressent et je me retirerai des affaires. Pourquoi ne commencerions-nous pas une vie nouvelle, tous les deux ?

— Avec un peu moins de drame, j'espère.

— *Sans* drame. Une vie calme, paisible. Je suis fatigué de toutes ces histoires. » Foster agita la main dans la direction générale de la fenêtre. « Je me mettrai peut-être au jardinage », reprit-il.

Diana se mit à rire. L'idée de Paul se mettant au jardinage ne lui serait jamais venue.

« Des fleurs ? interrogea-t-elle.

— Sans doute... Mais, je ne sais pas pourquoi, je préfère l'idée de légumes. Il existe toujours un marché pour les légumes.

— Paul, que va faire le père de Niki, quand tout cela se produira ?

— Il sera furieux. C'est normal. Il a donné trop de pouvoir à Nicholas et il est désormais trop vieux pour le reprendre. Je ne crois pas qu'il sache à quel point Nicholas s'est lancé dans la spéculation. Le vieux Greenwood serait horrifié.

— Si Niki fait le plongeon, il n'osera plus jamais affronter son père.

— Il va assurément passer un mauvais quart d'heure. Mais rien de plus, je te le promets. Ils seront encore riches.

— Je le connais mieux que toi, Paul. Par certains côtés, c'est encore un enfant. Je me demande comment il tiendra le coup après un échec de cette ampleur. Il a de terribles changements d'humeur — des moments d'enthousiasme incroyable et puis de profonde dépression. Et il vit dans la terreur du vieux.

— Il perdra le contrôle de ses intérêts américains. Au pire. Pas de chance pour Nicholas, c'est vrai, mais rien d'effroyable. Le vieux finira bien par recoller les morceaux. Crois-moi, ce genre de chose arrive tous les jours. Nicholas a essayé de me faire le coup en s'associant à cet imbécile de Biedermeyer et, s'il le pouvait, il essaierait encore. » Un paon au loin cria lugubrement. « Cet endroit ne recèle pour moi aucun souvenir heureux, reprit Paul d'une voix adoucie. Je l'ai choisi uniquement pour des raisons de sécurité. Pas de journalistes, comprends-tu. Dès que quelqu'un entreprend de poser des questions sur les gens riches, la police le remet dans un autocar à destination de Mexico. S'il a de la chance ! »

Diana éteignit la lumière et se pencha pour enlacer Paul. « Alors, essayons de faire au moins une chose qui nous laissera un bon souvenir », suggéra-t-elle et Paul se retourna pour l'embrasser, l'humeur apparemment métamorphosée.

Au petit déjeuner, qu'ils prirent tous ensemble sur la terrasse comme les participants d'un voyage organisé, Luther reparut. Il ne s'assit pas, et Foster ne le lui proposa pas.

« Kane est en ville, annonça-t-il.

— Merde ! s'exclama Meyerman. Mais nous ne pouvons pas l'en empêcher. Nous sommes ici dans un pays libre. »

Villada sourit. « En tant que citoyen mexicain, je me permettrai d'exprimer quelques doutes sur ce point... Que fabrique-t-il ? »

Luther haussa les épaules.

« Il pose des questions. Il se trouvait à l'aéroport quand l'avion de Potter a atterri. Quelqu'un a dû lui dire que Potter venait à Cuernavaca. A moins que Kane ne l'ait suivi jusqu'ici.

— Où s'est-il installé ?

— A Las Mananitas. Le portier m'a dit qu'il s'était renseigné sur l'emplacement de la villa de Dawn Safire.

— Exactement ce que nous voulons éviter, déclara Foster en jetant un coup d'œil à Meyerman, qui acquiesça.

— Je peux m'en occuper », observa Luther d'une voix neutre, le visage tellement dénué d'expression que Diana frissonna.

Paul remarqua son frissonnement. Le visage toujours aussi sombre, comme s'il réfléchissait à la proposition de Luther, il finit par secouer la tête. « Peut-être pas, dit-il. Il doit bien exister un autre moyen. »

Meyerman et lui échangèrent un regard puis fixèrent les yeux sur Diana. Meyerman déposa son cigare dans le cendrier et s'éclaircit la gorge.

— Ce ne serait peut-être pas une mauvaise idée, si vous alliez... *bavarder* avec votre ami Kane, déclara-t-il en posant sa grosse patte sur la main de Diana.

— Quel genre de bavardage ? Irving est un vieil ami — *et* un client. Mais je ne peux vraiment pas l'appeler pour lui dire de vous lâcher les basques ! Si c'est ce que vous aviez en tête.

— Bien sûr que non, protesta Meyerman d'une voix apaisante, mais vous pourriez l'orienter très délicatement dans la mauvaise direction. Rien de trop compliqué, bien sûr — les mensonges compliqués sont toujours risqués.

— Je n'aime vraiment pas l'idée de mentir à quelqu'un, et surtout à Irving Kane. »

Le sourire de Meyerman demeura mais ses yeux se posèrent

brièvement sur Foster. « Ma chérie, intervint Paul en se penchant d'un air fervent, tu n'as pas besoin de lui *mentir.* Tâche simplement de découvrir ce qu'il sait. Pour moi. »

« Ces foutus hérons m'empêchent de dormir la nuit, déclara Kane. C'est leur appel amoureux ou je ne sais quoi. »

Diana lui trouvait un air épouvantable. Il avait le visage bouffi, des poches sous les yeux et il avait dû se raser avec une lame émoussée puis tenter de réparer les dommages avec des miettes de papier hygiénique.

Ils étaient assis près de la petite piscine qu'alimentait une cascade compliquée. Les hérons qui justifiaient le nom de l'hôtel arpentaient le jardin en observant Kane de leurs yeux ronds et poussaient de temps en temps un cri déchirant. « Foutez le camp », hurla Kane en agitant les bras comme des moulinets pour les chasser. Ils répondirent par des battements d'ailes dans sa direction et reculèrent de quelques centimètres en poussant des sifflements menaçants. Kane vida son verre de bourbon d'un air morose et le remplit à nouveau.

« Quel endroit épouvantable, reprit-il. Comment m'avez-vous trouvé ?

— J'ai appris que vous étiez en ville.

— Par qui ?

— Oh ! par la rumeur publique. Vous êtes célèbre, après tout. »

Kane posa sur elle des yeux qui ressemblaient à ceux des hérons.

« Les rumeurs se répandent décidément très vite à Cuernavaca, dit-il. Vous êtes sûre que ce n'était pas l'espion de Foster ? Et que fabrique Foster ici, de toute façon ?

— Pas grand-chose. Nous sommes venus ici nous reposer un peu, c'est tout.

— Avec Meyerman et Love Potter ? Quel petit groupe romantique !

— Meyerman est un vieil ami et Potter est simplement passé dîner.

— Bien sûr. Écoutez, Diana, personne, et je dis bien *personne,* ne voit Potter si ce n'est pour affaires. Les gens n'invitent pas Potter chez eux ; ils le retrouvent à minuit dans des voitures garées dans des rues sombres, comme Howard Hughes. Vous avez de drôles d'amis ! Que manigancent-ils ?

— Ils ne manigancent rien du tout, Irving. Vous savez comment sont les hommes riches — ils se rassemblent tout naturellement.

— Comme ces foutus hérons. Je ne marche pas, Diana. Ce groupe d'hommes riches là ne se rassemblerait jamais à moins de mijoter quelque chose. Meyerman et Foster, d'accord — ils sont amis de vieille date. Mais Potter ? C'est un semeur de merde avec des illusions romantiques sur les marchés de matières premières. Il y a quelques années, Potter a découvert les cotations de cacao et, avant que les gens

s'aperçoivent de ce qui leur tombait dessus, il avait raflé tout le marché. Hershey a dû doubler le prix de ses bouchées au chocolat, il a fallu commencer à payer très cher la moindre tasse de chocolat chaud, tous les connards en place achetaient du cacao comme ils auraient acheté de l'or, et puis Potter a débranché et les prix sont tombés si bas qu'on ne pouvait même plus *donner* du cacao pour rien. Des pays entiers ont fait faillite du jour au lendemain. Si Potter montrait le bout de son nez en Sierra Leone, on l'abattrait comme un porc. Ensuite, ce fut le tour du soja, à moins que ce n'ait été la bauxite...

« Savez-vous que Potter a *inventé* la noix macadamia ? Non, je ne plaisante pas. Quelqu'un lui a parlé de ces noix à Hawaii. Les gens en nourrissaient le bétail, mais c'était plein d'huile et Potter a aussitôt noyauté le marché. Bon, il s'est aperçu que le traitement de ces noix coûtait plus qu'elles ne valaient et Potter s'est retrouvé coincé. Coincé jusqu'à la gorge dans ces foutues noix dont même les cochons ne veulent pas, et finalement il décide : " Et merde, salez-les et emballez-les comme des friandises, puisqu'il n'y a plus rien à perdre ! "

« Au début, il a dû payer les compagnies aériennes pour qu'elles acceptent d'en servir aux passagers de première classe, mais il avait raison, le salaud, ça a pris et il a bâti une fortune là-dessus. Évidemment son premier amour a été l'argent... »

Kane fixa sur Diana un regard scrutateur et prit une poignée de noix macadamia sur le plateau posé devant lui. Il mâchouilla bruyamment pendant un moment, puis jeta le reste des noix aux hérons, qui les ignorèrent superbement.

« Ces oiseaux ne sont pas fous, observa-t-il. J'ai toujours pensé que cela avait goût de carton salé. Bien sûr, on reconnaît là le génie de Potter. Donnez aux Américains quelque chose de coûteux qui n'ait aucune saveur, et vous ne pourrez pas vous tromper. Ecoutez — vos amis ne parleraient pas du marché de l'argent, par hasard ?

— L'argent ?

— Vous savez, le truc qui sert à fabriquer des petites cuillères ! »

Elle contourna la question.

« Pourquoi parleraient-ils d'argent ? s'étonna-t-elle.

— Potter ne peut pas chier s'il ne parle pas d'argent. Ecoutez, Diana, vous n'êtes quand même pas passée dans le camp des méchants ?

— Il n'y a pas de méchants. Paul Foster et moi sommes excellents amis. Il ne me parle pas de ses affaires. De toute façon, il dirige une grande compagnie. Qu'y a-t-il de mal à cela ?

— Si nous étions *excellents* amis, vous et moi, lança Kane avec un clin d'œil, je ne vous parlerais pas de mes affaires non plus... On dirait qu'il arrive de drôles de trucs aux gens qui se mettent en travers du chemin de Foster. Il y avait un type dans la compagnie qui a filé au

Costa Rica avec quelques dossiers de Foster. Gehtmann, je crois qu'il s'appelait. On l'a retrouvé la gorge tranchée. Ce n'est pas ce qu'on enseigne à la Business School de Harvard, que je sache. Ce fumier de Villada a monté ce coup-là pour Foster et il a eu Dawn Safire en récompense. Quels gens charmants !

— Ce n'est pas ainsi que Paul raconte l'histoire.

— Je le crois volontiers. Je ne la raconterais pas non plus de cette manière si j'étais dans sa peau. Pourquoi déteste-t-il Greenwood ? Quelle est l'histoire cachée ?

— Je n'en sais rien, Irving. Il ne le déteste pas, en tout cas. Il n'y a pas d'histoire secrète.

— Oh si ! et elle remonte très loin en arrière. Écoutez, Diana, ces gens-là jouent pour de bon, vous voyez ce que je veux dire ? Foster n'est pas en *compétition* avec Greenwood, bon Dieu. Il veut sa peau.

— Je crois que vous vous laissez un peu emporter par votre imagination, Irving. »

Kane contempla songeusement son verre. « Vous croyez que ces glaçons sont inoffensifs ? demanda-t-il. Ils sont censés les faire avec de l'eau bouillie, mais qui peut savoir... Ne vous y trompez pas, il s'agit d'une lutte à mort. Votre vieil ami Nick ne le sait peut-être pas, il est bien trop content de lui-même pour s'en rendre compte, mais Foster veut sa peau et il a chargé son arme pour du gros gibier. Il sait ce qu'il veut, mon petit, croyez-en le vieux Tonton Irving. »

Diana secoua la tête rêveusement, comme en pensant à autre chose.

« N'allez pas dire que je ne vous aurai pas avertie », cria Kane tandis qu'elle chaussait ses lunettes de soleil et se levait pour partir, mais ce qu'il pouvait avoir d'autre à dire se perdit dans une explosion de cris des hérons qui avaient entrepris une sorte de danse des amours autour de sa chaise longue, apparemment enchantés par le timbre de voix de Kane.

A la villa, Meyerman attendait Diana dans le jardin, entouré de ses bagages qui semblaient bien excessifs pour un aussi bref séjour. A l'exception d'une malle-cabine, il possédait apparemment un exemplaire de chacun des objets qu'eût jamais fabriqués Vuitton, tous marqués de ses initiales et de ses armoiries en or.

« Vous n'aimez guère voyager léger, dirait-on ? s'exclama-t-elle.

— Non. L'expérience me prouve qu'en voyageant léger, on voyage dans l'inconfort. L'unique raison d'emporter peu de chose réside dans le risque d'avoir à les porter soi-même et je suis heureux de dire que je n'ai pas eu à le faire depuis trente ans. Je ne voulais pas partir sans vous dire adieu — ou vous féliciter.

— Paul vous a dit... ?

— Oui. Je suppose que c'est encore un secret, mais nous sommes amis de très longue date. Je suis *ravi.* Je lui avais dit que vous étiez belle et intelligente, de sorte que je me sens un peu responsable ! Comme une marieuse, en somme !

— Pourquoi ne viendriez-vous pas à New York pour notre mariage ?

— Je crois que Paul aimerait rester dans l'intimité. Et puis je dois partir.

— Vous retournez à Londres ?

— Plus tard, oui. Mais j'ai d'autres affaires à régler ailleurs, d'abord. Paul a fort aimablement mis l'un de ses avions à ma disposition.

— N'en possédez-vous pas ?

— Non, non. Vous savez, Diana, les magnats américains adorent les avions. Je préfère me dorloter avec un confort à l'ancienne mode et une existence luxueuse. Je ne partage pas la passion de Paul pour les voyages d'affaires à grande vitesse.

— Vous êtes pourtant venu jusqu'ici en avion pour le voir.

— Nous nous devons mutuellement de nombreuses faveurs. Et puis il s'agit là d'affaires importantes.

— Pour vous ? »

Meyerman ébaucha un geste de modestie.

« Pour beaucoup de gens, répondit-il vaguement. Il faut que je parte, chère enfant.

— Meyer, que va-t-il arriver à Nicholas ? Il n'est pas homme à prendre sa défaite à la légère. Son père ne lui pardonnera jamais...

— Attention à cette valise, déclara sèchement Meyerman au domestique. Elle contient mes cigares. Diana, mon petit, je vais vous donner un conseil en guise de cadeau d'adieu : sachez toujours exactement quel camp vous choisissez — *surtout* maintenant ! »

Il lui tendit la joue pour qu'elle y dépose un baiser, s'installa dans la limousine qui l'attendait, ferma les rideaux et disparut.

« *Dónde está señor Foster ?* » demanda Diana au valet de chambre et il lui désigna la direction de la loggia. Diana passa devant plusieurs reproductions de Dawn Safire dans diverses poses et en divers matériaux, puis gravit les marches. Là, Paul et Villada se tenaient assis de part et d'autre d'une grande table en verre et ils étaient à ce point absorbés dans leur conversation qu'ils ne l'entendirent pas approcher. Au son de ses talons sur le dallage, Villada s'interrompit pour rassembler en hâte quelques papiers étalés sur la table. Ce fut seulement quand elle prit place auprès de Paul et reçut un baiser mécanique que Diana se rendit compte qu'avant son arrivée ils examinaient un passeport. De loin, le visage de la photo ressemblait étonnamment à celui d'Irving Kane.

La tempête jouait en virtuose sur les ailes de l'avion, dans un style très wagnérien, mais Paul ne s'y intéressait nullement et Diana trouvait cela déprimant. Il semblait noyé dans ses pensées et Diana, qui réagissait à son humeur et ressentait des préoccupations et des craintes propres, se tenait recroquevillée dans un grand fauteuil de cuir, enveloppée d'une couverture. De son poste de commande aérien, Paul était en contact avec l'univers qu'il avait créé et qui semblait avoir repris désormais le contrôle sur lui.

Elle l'entendit appeler Savage à New York. Il pianotait sur le hublot tout en écoutant, puis il déclara : « Gardez-les en ligne, bon Dieu... Je les ai placés au conseil d'administration, je peux aussi les en exclure s'il le faut... » Il garda le silence quelques instants, puis composa un nouveau numéro.

« Que manigance Savage ? » demanda-t-il puis il se tut pour écouter la réponse, pianotant à nouveau.

« Je ne sais pas, reprit-il, je ne peux mettre le doigt sur aucun élément précis mais il m'a paru débranché. Peut-être un poil trop obséquieux. Ce n'est pas son style. Reniflez tout cela. Non, Luther est au Mexique, il travaille pour moi. Il faudra le faire vous-même. Ne me parlez pas de vos problèmes, vous êtes payé pour résoudre les miens. »

Paul brancha la console, jeta un coup d'œil sur les chiffres de la Bourse de New York, grommela, puis l'éteignit et se plongea dans la contemplation du feu Saint-Elme dansant sur les ailes de l'appareil qui se cabrait dans la tempête.

« J'espère que cela ne te trouble pas, dit-il à Diana.

— Non.

— Tu es bien silencieuse.

— Juste un peu fatiguée.

— Fatiguée ? Ou troublée ?

— Qu'est-ce donc qui devrait me troubler ?

— Je ne sais pas. Mais je reconnais les symptômes.

— Paul, t'es-tu servi de moi pour coincer Irving ? »

Paul garda le silence.

« Tu m'as envoyée bavarder avec lui et, pendant que nous étions près de la piscine, Luther s'est introduit dans sa chambre, n'est-ce pas ?

— Cela s'est fait ainsi par pure coïncidence. Pourquoi penses-tu que c'était Luther ?

— Je le prenais pour le grand expert en cambriolages. Il a déniché mon passeport dans mon appartement, si je me souviens bien. »

Paul acquiesça.

« Dans ce cas particulier, il aurait été trop visible.

— Villada a recruté quelque génie local et Luther a fourni le savoir-faire ainsi que les outils ?

— Quelque chose de ce genre, sans doute. On n'a évidemment pas besoin d'un matériel très élaboré pour ouvrir une suite d'hôtel.

— Je me sens *utilisée,* Paul. C'était vraiment révoltant.

— Mais non, Diana. Révoltant est trop fort. Franchement, je n'ai pas pu trouver d'autre moyen. Il fallait agir vite. Maintenant, au moins, nous savons ce que Kane sait et nous avons une idée assez précise de ce qu'il ignore. Je pense qu'aucun d'entre nous n'aurait grand-chose à gagner, si le monde entier lisait le détail de notre petit contrat avec Potter.

— Je ne vois pas ce que tu y gagnes. Quand Irving découvrira la disparition de ses papiers et de son passeport, il saura qu'il est sur la bonne piste.

— Oui. Mais il peut aussi ne pas s'en apercevoir, s'il a d'autres soucis en tête.

— Quels soucis ?

— Oh ! répondit Paul d'un ton léger, une inculpation pour détention de drogue, par exemple. Les Mexicains ont des idées assez strictes sur le traitement qu'il convient de réserver à un étranger surpris en possession de drogues dures, cocaïne, héroïne, etc.

— C'est ce que tu as manigancé ?

— Pour être franc, déclara Paul en consultant la pendule du tableau de bord, c'est déjà fait. Veux-tu une tasse de thé ?

— Non. Comment as-tu *pu* faire une chose pareille à Irving ?

— Il s'est mis en travers de mon chemin. Ce n'est pas ma faute. Personne ne lui a demandé de fourrer son nez dans mes affaires. De toute façon, nous n'allons pas le laisser moisir cent sept ans en prison. Une semaine ou deux de détention dans des conditions confortables suffiront amplement, ensuite Pifi tirera quelques ficelles et lui fera quitter le Mexique. Nous voulons simplement garder Irving au réfrigérateur pendant quelque temps, rien de plus.

— Et tu t'en débarrasses en dissimulant de la drogue dans sa chambre.

— Bah ! c'était nécessaire. Il aurait été inutile de prévenir la police s'il n'y avait rien eu à découvrir, pas vrai ?

— Sans doute est-ce là l'un de ces fameux petits tours de Villada ?

— Exactement. Pifi a des relations partout. Il peut faire apparaître un sachet d'héroïne ou le chef de la police à volonté. Inestimable compagnon, je dois dire.

— Je suppose qu'il peut aussi faire trancher des gorges, pour rendre service. »

Paul haussa un sourcil.

« Je n'en ai pas la moindre idée. Uniquement en Amérique centrale ou latine, je présume.

— Paul, je ne veux vraiment plus être impliquée dans cette affaire.

Peut-être devrions-nous nous séparer jusqu'à ce que ce soit terminé, et voir à ce moment-là comment nous nous retrouverons.

— Qu'est-ce que tout cela a à voir avec nous ? Il s'agit uniquement d'affaires.

— Ce n'est pas le genre d'affaires auquel je suis habituée.

— Tout sera terminé d'ici une semaine, Diana. Tiens bon. Je te promets qu'ensuite nous mènerons une vie calme et paisible — aucun problème, aucun drame. Nous avons juste rencontré une petite difficulté et nous l'avons résolue. Peut-être un peu trop brutalement, je l'admets. Désormais, les événements vont suivre leur cours.

— Je voudrais pouvoir te croire, Paul.

— Alors crois-moi. Je t'en prie. Parce que c'est la vérité.

— Et qu'advient-il de Niki ? Qu'est-ce qui l'attend, *lui ?*

— Je m'en moque parfaitement, répondit Paul doucement après un moment de réflexion. Et toi ? »

« Compte-t-il encore pour toi ? » demanda David Star en dévisageant Diana au travers de ses épaisses lunettes. Derrière son bureau, un chevalet soutenait deux projets de couverture pour le prochain livre d'Irving Kane, *Les Traîtres d'or,* chacun présentant un audacieux enchevêtrement de svastikas et de signes du dollar dans des gammes de couleurs différentes.

« Je ne sais pas, répondit Diana en allongeant ses jambes sur le canapé oriental de Star. Irving a fini son livre ? » Il existait peu de gens à qui elle pût parler, mais elle comptait Star parmi ses vrais amis. S'il aimait quelque chose, c'était bien une conversation à cœur ouvert.

« Non, ce sont uniquement des projets de couverture, pour être prêts à imprimer dès qu'il aura fini. En vérité, je m'inquiète un peu à son sujet. Il se trouve actuellement au Mexique et il ne m'a pas appelé une seule fois, pas même pour réclamer de l'argent. Cela ne lui ressemble pas du tout.

— Il est toujours à Cuernavaca, répondit Diana d'une voix ferme. Il sera là d'ici huit jours. Ne trouves-tu pas ces illustrations un peu trop osées ?

— Si tu veux des tons feutrés, tu vas chez mon bon confrère Knopf. Mais je ne vois absolument pas pourquoi tu t'inquiètes au sujet de Nick Greenwood. Il est assez grand pour s'occuper de ses affaires.

— Je n'en suis pas si sûre.

— Qu'en pense ton bon ami Foster ?

— C'est justement le problème. Il répugne à en parler. Peu m'importe que Niki perde deux ou trois milliards de dollars, mais je ne veux pas qu'il soit *blessé.*

— C'est assez logique. Te sens-tu encore liée à lui ?

— Paul m'a posé la même question. Meyerman aussi. Je ne veux simplement pas qu'on se serve de moi pour le détruire. Il est le père de mon enfant, même si cela ne signifie pas grand-chose. »

Star acquiesça avec compassion, les yeux fixés sur les jambes de Diana.

« Il faut que tu saches où vont tes loyautés, mon petit. Enjambe une clôture, tu sais ce qui t'arrivera ?

— Non. Quoi ?

— Du fil de fer barbelé entre les jambes. C'est un dicton de sagesse populaire inventé par Love Potter.

— J'ai fait sa connaissance !

— Tu as fait la connaissance de Love Potter ? Mais, mon Dieu, *personne* ne fait connaissance de Love Potter !

— Eh bien, moi si ! Il était à Cuernavaca, avec Meyerman. » A peine prononçait-elle ces mots que Diana eut conscience de faire une gaffe, mais il était trop tard pour se reprendre. Elle avait eu l'intention d'annoncer à Star son mariage mais décida que ce n'était ni le lieu ni l'heure. D'ailleurs, Paul préférait retarder de quelques jours l'annonce officielle.

« Tu fréquentes des milieux huppés, observa Star. Sais-tu que, quand il fit construire sa maison à Dallas, le père de Potter fit exécuter à l'architecte une réplique exacte de la Maison-Blanche, jusque dans le détail des salles de bains et des interrupteurs électriques ? Marlon Potter disait que, s'il était élu président un jour, il ne voulait pas tâtonner pour trouver les chiottes ou la lumière. Est-ce que tu t'inquiètes sérieusement, pour Nick ? »

Diana fit marche arrière. « Non, ce ne sont que des intrigues d'hommes d'affaires, j'imagine. Les gros poissons mangent les petits. Les plus gros essaient de s'entre-dévorer. David, tu me promets que toute cette petite conversation restera entre nous, bien sûr ? »

Star lui décocha un sourire d'une sincérité intense et profonde en posant la main sur son portefeuille, qui marquait à peu près l'emplacement supposé de son cœur. « J'ai même oublié qu'elle avait eu lieu », déclara-t-il solennellement tout en se jurant d'appeler Aaron Diamond. Si l'on voulait traiter avec Aaron, il fallait lui fournir tous les derniers ragots et les nouvelles. Quand on négligeait de le tenir au courant, il guidait ses clients vers d'autres éditeurs.

« Mes lèvres sont scellées », promit Star.

A Bel Air, Aaron Diamond n'était pas le seul à avoir le téléphone dans sa douche Jacuzzi, mais il avait été le premier, toujours à l'avant-garde. Il y avait chez lui des téléphones partout, dans les emplacements les plus inattendus. On en voyait flotter un sur un radeau au milieu de

la piscine ; un autre trônait sous une bulle imperméable dans la douche ; de nombreux arbres du jardin avaient été creusés afin de ménager des niches pouvant accueillir un téléphone ; il se trouvait même un téléphone dans le réfrigérateur, pour le cas où quelqu'un aurait appelé Aaron pendant qu'il se préparait un petit en-cas aux alentours de minuit.

Aaron était le maestro du téléphone, il en jouait comme d'un Stradivarius et l'appareil devenait entre ses mains un véritable instrument d'art. Deux secrétaires passaient l'essentiel de leurs journées et de leurs nuits à composer des numéros pour lui. Aaron faisait des signaux, gesticulait, criait, indiquait par de brefs mouvements du pouce quel appel il prendrait ensuite, qui devait rester en attente, et à qui il fallait simplement dire qu'on le rappellerait.

Il lui arrivait de s'y perdre et de presser un bouton par erreur : il avait un jour salué le cardinal archevêque de Los Angeles, qui l'avait appelé pour tenter d'obtenir la visite de quelques clients de Diamond à une vente de charité catholique, en criant gaillardement : « Alors, mon salaud, il paraît que tu t'es fait reluire comme un prince, cette nuit ? »

Il trônait à son bureau Louis XV (Diamond collectionnait les antiquités dans un but d'investissement), vêtu d'un peignoir en tissu éponge jaune citron, une serviette de bain verte drapée autour de la tête à cause des courants d'air et les pieds chaussés de babouches à l'extrémité recourbée. L»élégance de son bureau n'était qu'à peine ternie par le fait que l'étiquette du prix pendait encore à la poignée d'un tiroir.

« Place deux cents sur Choix d'Ardente dans la deuxième... Je sais qu'il est à vingt contre un, bon Dieu... J'ai rencontré quelqu'un hier soir qui avait *baisé* le jockey », cria Diamond tandis que sa secrétaire écrivait en grosses lettres sur son bloc-notes : « David Star sur la trois » et lui passait la communication.

« Comment vas-tu, Aaron ? » demanda Star. Il avait la voix métallique et creuse.

« Très bien, mais je n'ai pas le temps de te détailler mon bulletin de santé, mon petit. Quoi de neuf ?

— Il paraît que Kane est au Mexique.

— Kane ? Au Mexique ? Pour quoi faire, bon Dieu ?

— Il y est allé pour faire des recherches. Diana m'a dit que Foster était là-bas, pour rencontrer Love Potter et... devine qui !

— Je n'ai pas de temps pour les devinettes non plus. Qui ?

— Meyerman. Qu'en penses-tu ?

— Ils doivent préparer un coup contre Nick Greenwood », déclara Aaron, puis aussitôt il cria à sa secrétaire : « Rappelez-moi d'appeler mon agent de change dès que j'aurai fini avec Star, j'ai des actions à vendre. »

« Kane pense que Grenwood a de sérieux ennuis. Il me l'avait dit avant de partir.

— Merde, Nick est patron d'une boîte qui tourne sur cinq milliards de dollars par an et en plus il a un papa très riche. Quel genre d'ennuis peut-il avoir ?

— Des ennuis de trésorerie. »

Aaron Diamond sifflota un moment. Il écrivit sur une feuille de papier le nombre d'actions qu'il possédait dans la compagnie de Greenwood, puis le barra d'un trait.

« Où est descendu Kane ?

— Il aurait dû être au Las Mananitas, mais c'est drôle, j'ai essayé de le joindre là-bas et il avait disparu. Le directeur dit qu'il est parti, mais le type du comptoir semblait dire qu'il a été arrêté. Je ne parle pas l'espagnol...

— *Arrêté ?* Pourquoi diable arrêterait-on Kane ? Il est écrivain, bon Dieu !

— Il a peut-être marché trop fort sur les pieds de Foster, suggéra Star. Écoute, tout cela doit rester strictement entre nous... » Mais avant qu'il eût pu poursuivre, Diamond coupa la communication. Il déchira la feuille de papier. Il voulait savoir que faire de ses actions et il voulait l'apprendre de la bouche même du cheval, pas de seconde main par Star.

« Appelez-moi... comment s'appelle-t-il ? le secrétaire d'État, cria-t-il à sa secrétaire. Si vous avez du mal à le joindre, faites-lui dire que j'ai un éditeur qui s'intéresse à ses mémoires. Cela les fait toujours venir au téléphone ! »

Tard dans l'après-midi, à Washington, le secrétaire d'État des États-Unis se versa un martini et s'assit en face de sa femme.

« J'ai reçu un curieux coup de téléphone, aujourd'hui, annonça-t-il.

— Vraiment ? répondit-elle d'une voix suggérant que rien ne pourrait jamais l'étonner dans une journée de travail de son mari.

— Aaron Diamond m'a appelé. Tu sais, l'agent.

— Mais que diable voulait-il ?

— Il semblerait qu'un certain nombre d'éditeurs s'intéressent à mes mémoires. Diamond m'a dit que David Star était très excité — pour reprendre *son* expression.

— Mais, mon chéri, qui diable pourrait s'intéresser à tes mémoires ? Que pourrais-tu donc raconter ?

— Certaines personnes pourraient y trouver de l'intérêt, ma chérie. *Tout le monde* ne me considère pas comme un éteignoir.

— Si tu le dis, mon chéri. Est-ce là tout ce qu'il avait à raconter ? Pas de commérages de Hollywood ?

— Non. Juste une chose curieuse... Il semblait croire qu'Irving Kane, l'écrivain — tu sais, celui qui se lance toujours dans des bagarres terribles — avait été arrêté à Cuernavaca.

— Et c'était vrai ? bâilla l'épouse du secrétaire d'État.

— Non. La police là-bas affirme n'avoir jamais entendu parler de lui. Et, quand notre ambassadeur a vérifié auprès de l'hôtel, il n'y avait jamais été enregistré. Je suppose que Diamond s'est trompé de ville. Ah bah ! dans une journée de travail...

— Tu sais, mon chéri, si c'est le genre d'histoires que tu comptes raconter dans tes mémoires, ce sera bien long à lire. Sers-moi un autre martini et cette fois tâche de ne pas le noyer. »

Si Nicholas Greenwood croyait à quelque chose, c'était bien à sa bonne étoile. Une importante équipe de cadres, de chercheurs et d'experts se donnait beaucoup de mal pour lui fournir des « devoirs », mais il les accomplissait rarement. Les détails l'ennuyaient, les discussions l'exaspéraient. Il aimait que ses options fussent bien clairement énumérées à la fin d'un rapport (« Oui. Non. Attendre »), et il était en vérité bien rare qu'il prît réellement la peine d'étudier le dossier qui précédait la décision. De même que bien des hommes paresseux, il préférait l'instinct à la réflexion. Il payait des gens pour réfléchir à sa place.

Il était totalement européen et n'avait jamais assimilé les méthodes et les habitudes de travail des Américains. Il lui arrivait fréquemment de quitter son bureau pendant plusieurs jours pour aller skier à Saint-Moritz ou bien suivre le soleil. C'était à ses subalternes de faire chaque jour acte de présence à leur bureau. Un homme riche, considérait-il, n'a pas à s'y plier. Son ami l'Aga Khan ne le faisait pas. Gianni Agnelli non plus. Ni le vicomte de Ribes. Ils menaient joyeuse vie et réservaient leur énergie aux grandes décisions, contrairement aux hommes d'affaires américains qui travaillent davantage encore que leurs propres subordonnés, et mènent le plus souvent des existences mornes de petits bourgeois.

Niki pensait s'être modelé sur son père, le redoutable Matthew Greenwood, mais il oubliait le fait que le goût de Matthew pour la bonne vie masquait une farouche témérité, doublée d'une énergie féroce obstinée et d'un instinct de survie aussi précis que le radar d'une chauve-souris. Même quand il était allongé au soleil à côté d'une belle fille, le cerveau de Matthew Greenwood continuait à travailler, organiser, comploter, soupeser les possibilités, alors que, quand Niki s'amusait, il oubliait complètement les affaires.

Niki soupira sans même jeter un coup d'œil à la vue de Central Park qu'il avait de sa garçonnière située au quarante-deuxième étage et

appartenant bien entendu à la société. Il allait bientôt devoir y renoncer. Angelica Biedermeyer avait déjà précisé que ce serait bien trop exigu pour un couple, à peine plus qu'un pied-à-terre, et le vieux papa Biedermeyer lui téléphonait une demi-douzaine de fois par jour pour lui parler d'appartements en duplex sur la Cinquième Avenue, d'hôtels particuliers bien situés sur l'East Side aux alentours de la Soixantième Rue, de propriétés à Long Island.

Toute cette affaire déprimait Niki. Ce n'était pas qu'Angelica Biedermeyer lui déplût — il aurait été difficile de trouver une plus belle jeune femme, ou bien, malheureusement, une qui fût plus gâtée. Et pourtant, cette nature follement cupide, âpre, superficielle et exigeante n'aurait pas nécessairement constitué un obstacle, car Niki pouvait fort bien se permettre de lui céder tous ses caprices. C'était la pensée du mariage qui le déprimait.

Une aventure avec Angelica l'aurait excité, mais le mariage constituait une hypothèse autrement plus incertaine — encore que le vrai problème ne fût évidemment pas Angelica elle-même mais son père qui, malgré toutes les preuves du contraire, croyait sa fille vierge et pure et exigeait un mariage avec tous les pièges de rigueur, y compris la présence du cardinal de Montenuovo, qui avait accepté de venir exprès du Vatican pour célébrer en personne la cérémonie.

La vérité de toute l'affaire, songeait Niki avec morosité, c'était que Diana était la seule femme qu'il eût jamais désiré épouser — mais pas suffisamment pour le faire... Peut-être avait-ce été une erreur. Il s'était commis tant d'erreurs. Niki avait parfois l'impression que la famille Greenwood tout entière constituait une vaste erreur historico-biologique depuis le début.

Il se souvenait des années précédant la guerre, au temps de son enfance. La vie semblait alors fort simple. Puis il avait été envoyé en Suisse et tout avait changé. Sa mère était morte. Son oncle Steven avait été tué dans un camp et la pauvre Tante Betsy abattue, héroïne de la résistance... Même son odieux cousin si guindé, Paul, avait péri dans quelque innommable camp, tandis que Niki avait survécu, skiant joyeusement dans le Berner Oberland pendant que le reste de la famille sombrait dans la tragédie. Quand son père était parvenu à gagner la Suisse, en 1944, il n'était plus le même homme. Il s'était toujours montré dur et froid, comme tant de pères, mais la situation avait été tempérée par le reste de la famille, et en particulier Steven. Après la guerre, la dureté de Matthew s'était accentuée en même temps que la honte de Niki pour avoir survécu si facilement. Quand Niki avait pris en main le secteur américain de l'affaire familiale, son père ne lui avait dispensé qu'un seul conseil : « Ne fais pas de gâchis. » Bon, réfléchissait Niki, il s'en était bien tiré pendant quelque temps,

personne ne pouvait le nier, mais maintenant il avait fait un beau gâchis et il ne lui restait plus d'autre solution que ce maudit mariage !

Niki se versa à boire, contempla son verre et doubla la dose. Il était inutile de s'attarder sur tous les « si » de l'existence mais il ne parvenait pas à s'en empêcher. S'il n'avait pas investi autant d'argent dans cette affaire de réacteur nucléaire ; si le prix du zinc n'avait pas chuté ; s'il n'avait pas perdu une fortune dans un film qui avait disparu de l'affiche dès le lendemain de sa sortie ; si ses associés, dans les nouveaux hôtels-casinos qu'il construisait à Atlantic City, à Las Vegas et aux Caraïbes, ne s'étaient pas finalement révélés être des prête-noms pour un groupe d'investisseurs assez peu scrupuleux, ce qui entraînait d'interminables retards et des problèmes de pots-de-vin pour obtenir les permis nécessaires ; s'il avait pris ces décisions, et plusieurs autres, d'une autre façon, il n'aurait pas été obligé maintenant de danser sur l'air de Biedermeyer.

Niki ne pensait pas qu'il eût tort ni même qu'il se fût trompé en signant ces divers accords, c'était uniquement une question de circonstances, rien de plus... Les retards et les problèmes avaient sérieusement affecté la trésorerie de la société, on ne pouvait pas le nier, mais tout finirait pas s'arranger. Niki était un optimiste, comme la plupart des gens qui fonctionnent à l'instinct. En attendant, il était indéniable qu'une injection de capitaux d'un milliard de dollars apparaissait souhaitable et Augustus Biedermeyer allait s'en charger — pour un certain prix.

Bah ! songea Niki en vidant son verre, il y avait un prix pour tout. L'essentiel était que l'affaire se passe bien ; pas de gaffes, comme disait son père. Niki regarda par la fenêtre et aperçut l'immeuble de Foster, reflétant la lumière de cette fin d'après-midi. Surtout, se dit-il, pas de surprises émanant de ce fou !

Le téléphone sonna. Il traversa le profond tapis blanc jusqu'au centre de la pièce, en contrebas, s'assit sur l'un des canapés de daim blanc sur lequel il avait fait l'amour quelques heures auparavant avec Angelica jusqu'à en mourir d'épuisement et décrocha le combiné. Avec un violent dégoût, il entendit la voix de son futur beau-père.

« Comment ça va, mon garçon ? mugit Biedermeyer.

— Très bien », répondit Niki. Biedermeyer se comportait déjà comme si Niki lui eût appartenu. Un second père était bien la dernière chose au monde que Niki souhaitait.

« Écoutez, reprit Biedermeyer de cette voix confiante des hommes qui savent qu'on les écoutera toujours, j'ai reçu un drôle de coup de fil d'Aaron Diamond, aujourd'hui.

— Drôle ? En quel sens ?

— Oh ! il demandait des nouvelles d'Angelica, faisait des félicitations pour le mariage, et ainsi de suite, les conneries habituelles. Bon,

vous connaissez Aaron, il avait une bonne raison pour appeler, bien sûr. Il avait appris que votre ami Foster avait tenu une petite réunion au Mexique avec Meyer Meyerman et... devinez qui ? »

Niki garda le silence. Il n'allait pas répondre à une question rhétorique ni dévoiler son angoisse.

Biedermeyer attendit un moment sa réponse puis poursuivit d'une voix contrariée. « Love Potter, voilà qui. Est-ce que cela signifie quelque chose, pour vous ? »

Cela signifiait beaucoup pour Niki et il se retrouvait soudain en sueur, mais il n'allait pas commencer à parler de ses craintes avec Biedermeyer.

« Je ne pense pas qu'il y ait lieu de s'inquiéter, répondit-il. Avec l'argent qui grimpe, ils essaient sans doute d'entrer sur le marché. C'est un peu tard, mais ils n'ont pas tort.

— Avec Potter ? Je n'en crois rien. Écoutez, mon garçon, dites-moi combien d'argent vous tenez actuellement ?

— J'ai la situation bien en main, Augustus. Je sais ce que je fais. Croyez-moi. Quand ils vont commencer à acheter, les prix vont monter encore plus haut.

— Vous avez intérêt à ne pas vous tromper, mon garçon.

— Je ne me trompe pas », répliqua Niki fermement, et il raccrocha. Il éprouva un spasme d'angoisse croissant en pensant à Paul Foster. Foster était l'ennemi, Dieu seul savait par quel esprit de compétition dément et irrationnel. Meyerman était réputé fort intimement lié avec Foster. Sa présence ne signifiait rien. Mais Love Potter ? Que diable faisait-il là-bas ? Bien sûr, il était milliardaire et totalement excentrique, mais ce n'était pas son genre de compagnie ; en vérité, il avait pour habitude d'opérer seul...

Niki frissonna. L'argent était la seule chose pour laquelle il eût vu juste, sa carte d'atout. Il avait prévu que l'argent crèverait le plafond et c'était arrivé. Disciple de Paul Sarnoff, Niki avait pour une fois fait ses devoirs, avec un sérieux qui avait surpris son équipe et son père sans toutefois les convaincre de sa sagesse. Les États-Unis utilisent cent soixante millions d'onces, leur expliquait-il avec un zèle de missionnaire, la production mexicaine baissait, le Pérou et le Canada exploitaient désormais des filons plus profonds et plus petits et enfin l'Union soviétique devenait strictement importateur. De même que le pétrole, l'argent était désormais une matière première en voie de disparition, dont la société industrielle ne pouvait pas se passer.

Les partisans les plus conservateurs de l'argent, comme Sarnoff, avaient prédit que l'argent atteindrait trente-deux dollars l'once et s'étaient révélés en deçà de la réalité, tandis que Bunker Hunt affirmait sereinement que l'argent se vendrait à plus de deux cents dollars l'once vers le milieu des années quatre-vingt. Eastman Kodak, le plus grand

utilisateur d'argent du monde, amassait des stocks, puis les Japonais étaient entrés dans le jeu pour acheter des quantités importantes, comme ils l'avaient fait en 1974 avec le cuivre et comme les Russes l'avaient fait avec le plomb et le zinc en 1978 ; à présent les Allemands, les investisseurs arabes, les banquiers suisses se jetaient tous dans la course et les prix montaient de jour en jour, de mois en mois, cependant que dans le monde entier les gens fouillaient leurs greniers pour vendre leurs plateaux d'argent, leurs trophées de tennis, leurs cuillères et leurs anneaux de dentition, touchant le bénéfice de ce jeu brûlant — et Niki avait joué le marché montant. La division des métaux de sa compagnie était devenue le secteur le plus actif. Niki lui-même y faisait de fréquentes apparitions pour regarder les écrans s'agiter (leur fabrication même nécessitait du métal d'argent) et donner son aval à de futures transactions d'une ampleur sans précédent ; il enjoignait à son équipe de directeurs d'acheter avec la passion d'un croyant véritable — ce qu'il était, car il avait enfin trouvé un moyen de compenser les pertes causées par ses autres erreurs.

Aucune compagnie ne dépendait autant du prix de l'argent que celle de Niki et il s'était donné un mal considérable pour le dissimuler. Maintenant même, Niki avait des options et des engagements sur plus de dix millions d'onces, à cinquante dollars l'once et même davantage. Pourquoi cela s'arrêterait-il ? Les mines d'argent du Canada étaient bloquées par une grève. Au Mexique et au Pérou, les troubles et les problèmes de main-d'œuvre avaient réduit la production à presque rien ; en Union soviétique, la décision de prendre l'avantage à l'industrie aérospatiale américaine dans le domaine de la miniaturisation et de l'électronique avait triplé la demande en argent... Tous les signes s'accordaient à annoncer un nouveau bond des prix, se répétait Niki.

Mais que pouvait bien dire Potter, le plus gros détenteur d'argent de tous, à Foster ?

« Dès l'instant où le señor Foster a appris ce scandale, déclara Villada, il m'a demandé d'y mettre bon ordre. Je crains que vous n'ayez été victime d'un complot cynique — et, bien entendu, de la bêtise de la police. Hélas, notre pays est encore bien arriéré pour ce qui concerne les droits de l'homme, comme vous le savez.

— On m'a dit que l'ambassadeur m'avait cherché, et qu'on lui avait nié ma présence ici, vociféra Kane.

— Oui, oui, bien sûr. Bah ! vous savez, la police ne prête guère attention aux ambassadeurs, par ici, malheureusement... Au moins, j'espère que vous avez été traité convenablement ? L'expérience n'a pas été trop rude ?

— J'ai eu la colique.

— Je suis désolé. C'est l'eau. Tout le monde y passe. Mais à part cela ?

— A part cela, je ne peux pas me plaindre. J'étais logé dans la propre chambre du *jefe,* avec un garde à la porte. C'était beaucoup plus calme qu'au Las Mananitas, avec tous ces foutus oiseaux.

— Des oiseaux ? Ah ! les hérons. Je suppose que vous souhaitez regagner New York ?

— Je voudrais d'abord découvrir qui m'a fait enfermer. Je pensais que ce devait être votre patron, Foster. »

Villada parut effaré. Il semblait tout aussi à l'aise dans le salon du *jefe* que s'il avait été chez lui.

« Strictement entre nous, déclara-t-il à voix basse, je puis vous assurer que ce n'était absolument pas Paul Foster. Il a été scandalisé. Il semblerait que Nick Greenwood ait exercé de fortes pressions sur le ministre de l'Intérieur. Apparemment, il s'agissait de pouvoir jeter un coup d'œil sur votre manuscrit.

— Je n'avais emporté que des notes. Elles se trouvaient dans ma chambre d'hôtel.

— Oui, bien sûr. La police les a saisies au cours de la fouille. Qui sait s'ils en auront établi une copie ? On doit supposer qu'ils l'ont fait.

— Je veux récupérer toutes mes affaires.

— Les voici. » Villada tira de sa mallette une liasse de papiers, plusieurs carnets de cuir et un passeport, puis empila le tout sur la table. Il alluma une cigarette et contempla Kane de ses yeux soudain rétrécis. « J'ai pris la liberté de parcourir vos notes », expliqua-t-il paisiblement.

Kane grogna.

— Intéressante histoire. Le vieux qui traite avec les nazis... Ah ! le mal est si répandu, sur cette terre. » Villada poussa un profond soupir.

« Avez-vous pour habitude de lire les papiers des gens, Villada ?

— Seulement quand c'est nécessaire. Je vous dirai franchement que j'ai eu un entretien avec Paul Foster au sujet de vos papiers. Il était *furieux* contre moi. Il m'a dit que je n'avais aucun droit de lire ces notes et il avait raison, bien sûr. La curiosité m'a vaincu. L'occasion d'étudier comment fonctionne l'esprit d'un grand écrivain... Néanmoins, il a trouvé que, dans certains domaines, vos informations semblaient un peu schématiques, et il m'a donc prié de vous remettre ceci, de manière totalement confidentielle. » Il tira un paquet de sa mallette.

« Cela signifie-t-il que je ne puis m'en servir ?

— Non, cela signifie que vous ne pouvez pas révéler d'où vous le tenez. »

Villada poussa l'épaisse enveloppe sur la table en direction de Kane, qui l'ouvrit et en tira un dossier. C'était une chemise en carton d'un

bleu vieillot et fané, devenu presque gris. En travers de la couverture étaient imprimés, en grosses lettres gothiques rouges, les mots : « *Streng Geheim !* » et au-dessous se trouvait un aigle de la Luftwaffe tenant une croix gammée entre ses serres, avec la légende « *Fall Wotan* ».

Kane l'ouvrit et en parcourut rapidement le contenu. Choisissant au hasard, il tira une lettre écrite sur le papier à en-tête de Corvina Ores, Budapest, et adressée à l'*Oberst* G. F. von Lorenberg. La signature était celle de Matthieu de Grünwald. Le mot « uranium » apparaissait plusieurs fois dans le texte.

« Le dossier de Lorenberg ? » interrogea Kane en dévisageant durement Villada.

Villada acquiesça.

« Il devait y avoir bien autre chose.

— Oui. C'est la première livraison. Elle concerne la période où Grünwald vendait de l'uranium aux nazis. Vous y trouverez d'intéressants comptes rendus d'entretiens entre Grünwald et Göring. Du matériel historique, en quelque sorte. Il y a même un compte rendu d'une visite de Grünwald à Hitler. Je me demande ce que diraient les gens, s'ils savaient que l'homme même qui collabora avec les nazis pour produire une bombe atomique essaye à présent d'obtenir le soutien du gouvernement américain pour lancer un vaste programme d'énergie nucléaire ? De chez M. Tout le monde jusqu'à la Maison-Blanche, hein ? Les gens ont déjà très peur des usines atomiques, mais l'énergie atomique entre les mains d'anciens nazis est encore plus terrifiante.

— Nick Greenwood n'est pas un ancien nazi.

— Non, mais tout le monde sait qu'il sert uniquement de façade à son père.

— Et pourquoi Foster me donne-t-il tout cela ?

— Disons simplement qu'il n'aime pas les nazis. Et puis il a été peiné de penser que vous pourriez le soupçonner au sujet de ce sordide petit coup monté. Il envisageait de remettre ce dossier au ministère de la Justice, mais il a pensé qu'un article dans le *Washington Post* ou le *New York Times* aurait sensiblement le même effet et toucherait un plus grand nombre de gens. Et puis, pour vous, ce serait une première sensationnelle, non ?

— Quand puis-je m'en servir ? » demanda Kane d'un ton soupçonneux.

Villada lui décocha un sourire éblouissant, comme pour une photo publicitaire de dentrifice.

« Le plus tôt sera le mieux. Pourquoi pas après-demain ? »

Diana avait supposé que Paul lui achèterait une bague chez Cartier, ou peut-être chez Harry Winston, mais au lieu de cela il l'emmena dans une petite pièce bondée, au premier étage d'un immeuble de la Quarante-Septième Rue Ouest, où un vieux Juif orthodoxe à longue barbe, coiffé d'un chapeau bordé de fourrure, les accueillit avec brusquerie.

Paul et lui discutèrent quelques minutes en hongrois. La conversation se déroulait à voix basse, les deux hommes se tenant tout près l'un de l'autre, les mains dans les poches et les yeux mi-clos. Ils échangèrent finalement une poignée de main et le vieillard tira de la poche de son manteau râpé un mouchoir tout froissé ; il tendit à Paul une bague ornée d'un magnifique diamant.

Paul la passa au doigt de Diana et l'embrassa.

« *Mazel tov !* déclara le vieil homme avec un hochement de tête approbateur en rangeant son mouchoir. Mon bon souvenir à Meyer Meyerman. »

L'après-midi s'écoula rapidement entre l'établissement des papiers nécessaires et les prises de sang, procédure soigneusement organisée par les secrétaires de Foster, puis ils dînèrent tranquillement au restaurant des Quatre-Saisons.

Paul leva son verre de champagne en regardant Diana dans les yeux.

« Où allons-nous faire cela ? demanda-t-elle. A l'Hôtel de Ville ?

— J'ai pensé que ce serait plus discret au bureau d'un juge, dit-il. Tout est organisé — pour après-demain. D'ici là, toute cette affaire sera terminée et nous pourrons partir quelque part.

— Pas au Mexique, j'espère.

— Non. Dans le midi de la France, je suppose. Qui sait ? J'irai peut-être même me baigner, cette fois-ci... »

Quand elle se réveilla, le lendemain matin, Paul était déjà levé, habillé et se tenait dans le salon avec une tasse de café dans la main et le *New York Times* dans l'autre. Il l'embrassa tendrement et poursuivit sa lecture, ce qui était tout à fait exceptionnel car il se contentait habituellement de jeter un coup d'œil sur les titres — les articles susceptibles de l'intéresser étaient soigneusement découpés par son personnel, placés dans des chemises et déposés sur son bureau avec de brefs « mémos » indiquant, pour chaque article, comment les affaires de la compagnie risquaient d'en être affectées. Paul ne suivait pas l'actualité en soi.

« Quelque chose d'intéressant ? » s'enquit Diana en se versant une tasse de thé.

Paul acquiesça. « Un vieux scandale qui remonte à la surface, dit-il. Il semble que ton ami Irving Kane ait mis la main sur l'affaire Wotan, ou en tout cas une partie. Un long article sur le vieux Grünwald et les nazis. Je dois dire qu'il l'a bien épicé. »

Diana prit son exemplaire du journal. En première page apparaissait une photographie d'un jeune homme massif, visiblement Matthieu de Grünwald, qui serrait la main de Göring. Tous deux arboraient des vêtements de chasse et souriaient vers l'appareil. A côté se trouvait une photo de Niki Greenwood, l'air grave et beau.

Un encadré annonçait : « Héritier Greenwood proteste contre interprétation malveillante des faits. » Joint par téléphone, Nicholas Greenwood avait qualifié l'article de Kane de calomnie indigne à l'encontre de son père, qui avait en vérité été victime des persécutions nazies. Les projets de sa compagnie concernant la fabrication de réacteurs nucléaires présentaient une importance vitale pour l'avenir énergétique de l'Amérique et ce serait une tragique erreur si ces rumeurs sans fondement devaient retarder en quelque façon les autorisations nécessaires. L'article citait ensuite les réactions de plusieurs sénateurs, qui semblaient considérer que ces allégations posaient de graves questions quant à la poursuite du programme entier. « Je suis partisan d'une enquête approfondie, avait déclaré l'un d'eux, et, s'ils ont les mains propres, peut-être pourront-ils continuer. » Il apparaissait clairement que des retards seraient désormais inévitables.

Un article daté d'Antibes indiquait que Matthew Greenwood n'était pas actuellement en état de commenter la nouvelle, du fait de son âge et de sa mauvaise santé. Son porte-parole, Nigel Boyce, le décrivait comme « fragile » et promettait des « éclaircissements » pour le plus tôt possible.

« Que va-t-il se passer ? demanda Diana.

— Nicholas aura sans doute du mal à convaincre les gens, à Washington, qu'il doit poursuivre ses activités nucléaires. Par la suite, si l'enquête est suffisamment positive, il recevra les autorisations nécessaires. Mais s'il espérait agir vite, il va lui falloir renoncer. Il aura besoin de capitaux pour combler le trou. Beaucoup de capitaux. Car tu peux être sûre que ses actions vont baisser brutalement dès l'ouverture du marché, ce matin. Cela ne va d'ailleurs pas faire plaisir à Biedermeyer. »

Paul jeta encore un coup d'œil au journal, puis prit le téléphone et composa un numéro. « Aaron, dit-il, pardonnez-moi de vous réveiller à l'heure qu'il est en Californie, mais vous souvenez-vous que nous avions parlé du cours de l'argent, au cap d'Antibes ?... Oui ? Alors souvenez-vous que j'avais promis de vous prévenir quand il serait temps de vendre. »

Paul hocha la tête avec impatience tandis qu'Aaron Diamond commençait à parler et l'interrompit rapidement. « Aaron, déclara-t-il, le moment est venu ! » et il raccrocha.

« Tu vois, dit-il en regardant Diana, il faut toujours tenir ses promesses, les bonnes et les mauvaises, peu importe. »

Augustus Biedermeyer s'enorgueillissait de savoir quand il fallait renoncer. « Ne jamais aggraver un échec » constituait l'un de ses principes et, tandis qu'il lisait le *New York Times* dans son bureau, il lui apparut clairement qu'une sorte d'échec intervenait maintenant même dans les affaires de son futur gendre. Biedermeyer prenait un petit déjeuner copieux — cela faisait partie du personnage — et aimait s'attarder à table, habitude rendue aujourd'hui obligatoire par la présence du cardinal Montenuovo qui avait choisi de séjourner chez les Biedermeyer pendant sa visite à New York.

En partie à cause de son âge, le cardinal n'aimait guère les petits déjeuners trop riches. Il buvait une tasse de café noir bien fort, les yeux clos dans la méditation.

« Une bien mauvaise affaire, observa-t-il.

— Un désastre, renchérit Biedermeyer.

— Le pire est à venir, je le crains, reprit le cardinal d'un air affligé. J'ai téléphoné à Rome. On dit que d'énormes quantités d'argent se vendent en ce moment même.

— Retrait de bénéfices. Il faut bien s'y attendre.

— Plus qu'un simple retrait de bénéfices, me semble-t-il. Quelqu'un se débarrasse. Heureusement, la Banque du Saint-Esprit est prévenue. Le Saint-Père avait hâte de nous voir prendre solidement position sur l'argent mais, quand j'ai appris que Paul Foster et Meyer Meyerman vendaient l'argent à la baisse sur le marché en hausse folle, j'ai dit à Sa Sainteté : " Ne tombons pas dans un piège ! Rappelez-vous ce qui nous est arrivé quand ce pauvre Sindona est entré sur le marché des matières premières ! " »

Montenuovo se signa au souvenir de cette malheureuse affaire, qui avait coûté plus de deux milliards de dollars au Vatican et causé un scandale gigantesque.

« Et Sa Sainteté vous a écouté ?

— Sa Sainteté écoute toujours. C'est un homme de grande simplicité, avec ce profond bon sens qui caractérise ses origines paysannes. " Dieu n'est pas favorable aux bénéfices trop rapides, Montenuovo. Il préfère la sécurité à long terme. " Voilà ce qu'il m'a dit. Paroles de sagesse ! Nous avons donc renoncé à l'argent quand il valait quarante dollars l'once. Il est vrai que nous aurions pu monter encore de quelques points, mais nous sommes obligés de prendre garde, avec l'argent du Seigneur.

— Cherchez-vous à me dire que le marché de l'argent s'effondre, Votre Éminence ? »

Montenuovo haussa les épaules.

« Comme toutes les bulles, il a éclaté. *Vanitas vanitatum.* On

m'informe que Love Potter vend toutes ses parts. Il y aura des larmes et des lamentations dans bien des maisons. Mais pas au Saint-Siège.

— Et ici non plus. J'ai toujours pensé que, quand Love Potter amassait quelque chose, cela finirait tôt ou tard par s'effondrer brutalement. Nick Greenwood va en être très atteint.

— Un coup mortel, à mon avis. C'est un charmant jeune homme. Je l'ai connu tout petit. Dieu punit souvent les fils pour les péchés de leurs pères !

— Quels péchés ? Son père vendait de l'uranium aux nazis. Mais, bon Dieu, il y a longtemps de cela. Sosthenes Behn leur vendait de l'électronique, mais cela n'a pas porté préjudice à I.T.T. Standard Oil avait conclu un accord avec Hitler pour la fourniture de carburant synthétique — qui s'en souvient ? Je ne dis pas que c'était bien, mais les gens ont la mémoire courte.

— C'est possible, mais Dieu a la mémoire longue. Matthew Greenwood était coupable de cupidité — et de mauvais jugement, d'ailleurs, ce qui est bien pis. Après la guerre, je l'ai aidé pendant les procès de Nuremberg, par suite de certains accords. Je l'ai alors prévenu qu'il était allé trop loin. Et savez-vous ce qu'il m'a répondu ? »

Biedermeyer haussa les épaules.

« Il m'a répondu : " Père, le Vatican a su prendre sa part de bénéfices, qu'il se charge aussi du péché. " Quand je l'ai répété à Pacelli, le Saint-Père a fermé les yeux et m'a dit : " Dieu le punira. " Quelle prophétie, dirait-on. »

Biedermeyer se signa, et observa :

« Comme je regrette d'avoir consenti à ce mariage !

— Pourquoi ? Niki demeure un homme beau et charmant. Vous me dites qu'Angelica l'aime. L'adversité peut fort bien faire ressortir les meilleurs traits du caractère de Niki. Cela se produit souvent.

— Peut-être. Je n'en suis pas certain. J'ai toujours eu des doutes sur toute cette affaire, à parler franchement. Angelica est une jeune fille exquise et ravissante, mais elle est restée un peu innocente pour son âge, si vous voyez ce que je veux dire.

— *Certo* », convint Montenuovo en haussant un sourcil étonné, car l'état d'innocence d'Angelica lui était bien connu, tant par les commérages que par certaines conversations avec le confesseur de la demoiselle.

« Je n'étais pas trop heureux de lui voir épouser un type qui fait une bringue de célibataire depuis vingt ans. Je craignais qu'il ne soit un peu trop, euh, expérimenté pour elle.

— Oh ! bien sûr. » L'expression de Montenuovo demeurait diplomatiquement neutre.

« Et maintenant, voilà toute cette affaire. J'aimerais rompre clair et net, mais je ne veux pas blesser Angelica, voyez-vous ? Je ne peux pas

lui demander de renoncer à son mariage simplement parce que des épines sont apparues dans notre entente.

— Non, ce serait difficile, je l'admets. Mais je pense qu'Angelica est peut-être plus réaliste que vous ne le supposez. Cependant, si Niki avait déjà été marié et qu'il eût un enfant d'une autre femme, cela ne constituerait-il pas une rupture de parole ?

— Vous ne voulez pas dire... »

Montenuovo eut un sourire consolateur.

« Oh ! si, dit-il, vous pouvez vous calmer l'esprit. Il existe de nombreuses raisons d'empêcher ce mariage.

— Par écrit ?

— S'il le fallait.

— Comment pourrai-je jamais vous remercier assez, Votre Éminence ?

— Par la prière. Par l'exemple de votre foi. Et peut-être aussi par votre aide dans certains investissements que nous souhaiterions faire aux États-Unis. Le Saint-Père a exprimé un vif intérêt pour le marché des loisirs américains...

— La brasserie ?

— La brasserie, oui. La distillerie. Et aussi la télévision, le cinéma, les sports, et ainsi de suite. L'Église est contre la frivolité, comprenez-vous, mais il n'y a rien de mal à parier son argent sur l'instinct de plaisir de l'homme, surtout aux États-Unis. Oh ! et puis, Augustus...

— Votre Éminence ?

— Si vous désiriez que j'annonce moi-même la nouvelle à cette chère Angelica...

— Je vous en serais très reconnaissant. Sans doute sera-t-elle bouleversée, vous savez comment sont les femmes.

— Bien sûr. Mais je ne doute pas qu'elle se console très vite. Dans la prière, bien sûr », se hâta-t-il d'ajouter.

Quand vint le soir, Niki Greenwood ne pouvait plus supporter l'idée que le téléphone puisse encore sonner. Pendant huit longues heures, il était resté dans son bureau à affronter une série de désastres aussi implacables qu'une inondation ou un tremblement de terre, et tout aussi inévitables. D'abord, ses cadres et ses associés s'étaient montrés compatissants, puis, quand il devint manifeste que leur propre carrière et leur avenir étaient en jeu, ils devinrent distants. Il était directeur de la société, président du conseil d'administration, actionnaire majoritaire, mais il avait coulé le navire et désormais c'était chacun pour soi. Quelques membres de la direction s'en tireraient sans doute, mais sûrement pas Niki.

Dans tout l'immeuble vitré de Park Avenue, les lumières conti-

nuaient à briller dans les bureaux tandis que les cadres fouillaient tous leurs dossiers, à l'affût de notes et de mémoires imputant à Greenwood toutes les responsabilités, et les téléphones sonnaient sans relâche dans les vestibules et les bureaux plongés dans la pénombre, maintenant que les secrétaires et les attachées de direction étaient rentrées chez elles.

Niki était seul. A midi, il avait cessé de s'enquérir du prix de l'argent. Il était déjà tombé au-dessous du niveau de ses options et de ses obligations à mesure que les lots parvenaient sur le marché, faisant chuter les prix inexorablement. A une heure, il avait cessé de recevoir les appels des banques et des courtiers. Il était inutile d'écouter une interminable série de réclamations et de menaces.

L'appel de Biedermeyer, à trois heures de l'après-midi, ne l'étonna guère. En vérité, sa seule consolation dans toute cette affaire était que le mariage avec Angelica n'aurait finalement pas lieu.

Niki éteignit les lumières, se versa à boire et se posta à la fenêtre. Autour de lui, tout n'était plus que ruines, mais il savait de longue expérience que le pire restait à venir et qu'à ce moment-là tout le reste paraîtrait supportable. Comme par un fait exprès, sa ligne personnelle se mit à sonner en cet instant précis. Il décrocha le combiné et une voix anglaise cassante et familière déclara : « Boyce à l'appareil. Je vous passe votre père. »

Niki entendit un bruit haletant et sifflant à l'arrière-plan tandis que son père prenait la ligne. « *So,* commença Matthew Greenwood, sa voix dure et gutturale prononçant le mot à la manière allemande. *Was tür eine Schweinerei !* »

Depuis son enfance, Niki redoutait son père, craignant de le décevoir, de ne pas être à la hauteur. L'argent ne signifiait rien, mais la honte, la disgrâce, les interminables récriminations et interrogatoires étaient plus qu'il n'en pouvait supporter. Il se souvenait de son cousin Paul et de son impuissance à l'alerter de l'arrivée du sanglier. Niki n'avait jamais oublié ce moment de lâcheté, jamais il ne se l'était pardonné, jamais il ne s'y était résigné. Toute sa vie il avait lutté pour l'effacer en prouvant au monde qu'il était courageux, mais le reproche muet ne s'était jamais laissé exorciser, non plus que le sentiment que son père aurait préféré avoir Paul pour fils.

Niki entendit à peine les paroles de son père, le message de fureur et de mépris était suffisamment clair. Il rassembla toute son énergie pour l'interrompre, même s'il n'y gagnait qu'un instant de soulagement.

« J'étais trop engagé, je l'admets », dit-il.

La fureur du vieil homme résonna sur la ligne.

Niki essaya encore. « J'ai sous-estimé Paul Foster, dit-il. J'aurais dû deviner qu'il était derrière tout cela. Mais pourquoi ? Dieu seul le sait ! Je ne l'ai même jamais rencontré... »

Il y eut un silence à l'autre bout, mais ce n'était pas un silence de

pardon. Matthew ne parvenait plus à contrôler sa rage, à présent, et il déclara d'une voix glaciale et cinglante, crachant les mots : « Imbécile, c'est ton cousin ! Il a toujours eu la tête plus solide que toi. »

Niki regardait fixement par la fenêtre, écoutant à demi les longues explications de son père. Il discernait confusément les noms familiers. Oncle Steven, Tante Betsy, Auschwitz, Lorenberg, la fortune des Grünwald. La voix du vieil homme avait pris une intonation de justification et d'excuse, mais Niki ne s'y intéressait pas. Il comprenait à présent ce qu'il avait soupçonné pendant toute sa vie d'adulte. Les détails ne comptaient guère — sa défaite avait été programmée de longue date et il se sentait épuisé, vidé, incapable de faire face à de nouvelles révélations.

« Niki, reprit le vieillard, je n'ai jamais agi que pour toi. »

Il semblait presque exiger d'être absous de Dieu seul savait quels crimes, quelle cupidité forcenée, quelles froides trahisons. Leur connaissance avait été épargnée à Niki, mais ils l'avaient malgré tout rattrapé. Il avait un goût amer dans la bouche. Son père avait trahi tout le monde. Et l'avait à la fin trahi, lui, son fils.

Il posa le récepteur sur son bureau ; puis vivement, comme dans la crainte de changer d'avis, Nicholas Greenwood enfila sa veste et se domina pour affronter le second et dernier moment de lâcheté de sa vie.

Du combiné posé sur sa table, il entendit son père demander : « Tu es là ? » Niki ouvrit la fenêtre, respira profondément et sauta dans la nuit. Il avait toujours cru que, si l'on sautait du haut d'un gratte-ciel, on perdait conscience avant d'arriver au sol, mais, à sa surprise et à sa terreur, cela se révéla faux.

Neuvième Partie

Le crépuscule des dieux
1945

« De Vienne à Cracovie, la ligne traverse vers l'est la jonction d'Oświeçim (Auschwitz). Région sans intérêt. »

Baedeker
Autriche-Hongrie 1912

18

« Excusez-moi », articula Steven de Grünwald pour la centième fois au moins depuis le début de leur voyage. Le père de Paul s'excusait avec une courtoisie irréprochable, bien que déplacée, chaque fois qu'il marchait sur le pied de quelqu'un, le bousculait, ou même perdait l'équilibre. Et Paul se demandait à quoi bon s'excuser pour des choses auxquelles on ne peut rien. Après tout, avec plus de cent personnes entassées dans un wagon de marchandises puant comme des sardines dans une boîte, si serrées les unes contre les autres qu'on ne pouvait même pas tomber à terre, on ne pouvait guère éviter d'enfoncer son coude dans l'estomac du voisin — ou de recevoir le sien. Quant à l'organisation sanitaire, il y avait simplement dans un coin du wagon plombé un seau sale et débordant, dont la puanteur était presque pire à supporter que l'entassement. Il était impossible de se frayer un chemin pour y parvenir et les gens les plus éloignés étaient contraints de se soulager là où ils se trouvaient, malgré les protestations indignées de leurs voisins. Steven s'était retenu aussi longtemps qu'il l'avait pu avant de laisser la nature suivre son cours et il en éprouva une telle honte que non seulement il recommença à s'excuser de plus belle, mais se mit à pleurer.

L'état de rage qui régnait dans le wagon était presque aussi entêtant que la puanteur et la peur et elle était essentiellement tournée contre Steven et Paul, car ils avaient été entassés dans le wagon après qu'on l'eut déjà rempli et fermé, ajoutant deux corps de plus à une situation déjà intolérable.

Paul se débattait afin de maintenir sa position et celle de son père à la verticale et se servait vigoureusement de ses deux coudes pour ménager à Steven un peu d'espace respiratoire. Dans l'obscurité presque totale, il était difficile de distinguer les visages de gens mais, pour autant qu'il pût voir, ses compagnons de voyage étaient presque tous vieux ou

d'âge mûr, portant encore sur eux les vestiges de la respectabilité bourgeoise — manteaux de fourrure, pardessus bordés de velours, chapeaux mous et même, dans le cas d'un monsieur fort âgé, guêtres. La rumeur selon laquelle le train était en route vers un camp de travail semblait peu probable à Paul, étant donné l'âge et l'état physique des voyageurs.

A la fin de 1944, l'existence d'Auschwitz n'était plus un secret. Le *Reichsführer* Himmler en personne était fort occupé à accumuler des documents pour prouver qu'il n'avait pas été informé des « excès » qui y avaient « apparemment » eu lieu. Ses subordonnés, confia-t-il au nonce apostolique, avaient « agi avec trop de zèle ».

Malheureusement, cette vue olympienne des événements ne fut pas communiquée aux subordonnés du *Reichsführer,* ni bien sûr au Führer lui-même, qui considérait, comme tous les membres des SS, que les chambres à gaz devaient rester en activité aussi longtemps qu'il resterait des Juifs pour les remplir.

Étant donné ces circonstances, il était particulièrement révélateur de l'optimisme inhérent à l'être humain que les personnes ainsi « transportées » pussent encore se persuader qu'elles partaient vers les camps de travail du Reich, surtout depuis que les Allemands ne se donnaient plus guère la peine de jouer sur cette tromperie. En vérité, tout le monde savait mais personne ne *voulait* savoir, et surtout pas les victimes. Il ne restait plus d'espoir que dans le mensonge. C'était là une dernière miette de réconfort à laquelle personne ne souhaitait renoncer et cela expliquait pourquoi la terreur muette du père de Paul exaspérait ses compagnons de voyage forcé — il n'y avait pas de place dans ce wagon pour les pessimistes.

A l'aube, Paul s'attendait plus ou moins à trouver son père parmi les morts, mais la faible lueur grise qui s'infiltrait par les fissures des parois lui révéla que Steven vivait encore, tout au moins dans la mesure où ses yeux étaient ouverts, et où il respirait. Paul pressa la main de son père mais Steven semblait avoir basculé dans un état de choc si profond qu'il ne sentait plus rien, ou peut-être ne voulait plus.

Paul le secoua doucement. « Réveille-toi ! » dit-il.

Steven geignit.

« Laisse-moi tranquille, Pali. Laisse-moi mourir.

— Que dites-vous là ? s'exclama l'homme placé le plus près de Steven, d'une voix indignée. Personne ne va mourir, ici !

— Les gens meurent déjà.

— Les plus vieux et les faibles, peut-être. Après tout, nous sommes en guerre. Mais ceux qui peuvent travailler mangeront.

— Taisez-vous, répondit Steven épuisé, les yeux clos. Nous allons tous périr.

— Comment osez-vous ? » cria l'homme. Sa propre peur se muant

en colère, il commença à frapper Steven aussi fort que possible, bien qu'il ne pût guère remuer les bras.

Paul réagit aussitôt. Il parvint à glisser la main dans la poche de son pantalon et en tira son canif. Il était à son avis inutile de discuter ou d'employer les poings — le seul moyen de survivre consisterait à agir calmement, rapidement et, s'il le fallait, brutalement. Il ouvrit la lame et, tenant fermement son couteau en main, l'enfonça dans le flanc de l'homme aussi fort qu'il put. La lame ne pénétra pas profondément, mais cela suffit à terminer la querelle. Paul se souvint avec un sentiment d'ironie que ce couteau lui avait été offert par Göring en personne, mais il avait bien servi.

Cependant, ce n'était pas le canif enfoncé dans ses côtes qui avait arrêté l'agresseur de Steven. En se retournant sous l'effet de la surprise, il s'était trouvé devant une paire d'yeux bleus si froids et soudain si dénués de toute humanité qu'il avait été pris d'un frisson. Le visage de ce garçon était beau et sympathique, mais les yeux étaient ceux d'un bourreau.

« Je vous tuerai si vous ne le laissez pas en paix », déclara le garçon d'une voix calme.

Et, manifestement, il était prêt à le faire.

Le lendemain, vers la fin de l'après-midi, le train s'était arrêté à grand bruit pour ce qui semblait être sa destination finale. Il lui était arrivé à plusieurs reprises de s'immobiliser sur des voies de garage, parfois pendant des heures, tandis que des chargements plus importants passaient, mais ces arrêts étaient demeurés étrangement silencieux, à l'exception du pas des sentinelles arpentant la voie cendrée du chemin de fer et du bruit occasionnel que faisait l'un d'eux en se soulageant, en toussant ou en allumant une cigarette. A présent, on pouvait discerner des signes d'activité plus concentrée : des chiens aboyaient, des hommes hurlaient des ordres de leur voix rauque et gutturale, l'air sentait l'activité humaine comme aux abords des villes : fumée, pollution industrielle, relents chimiques, puanteur douceâtre d'ordures et de déchets.

Devant eux, tout au long du train, on entendait des portes s'ouvrir brutalement, des hommes hurler des ordres et des claquements secs rappelant, à ceux qui connaissaient la vie des campagnes, les fouets de ferme. Même les plus optimistes des déportés pâlirent et se raidirent, les yeux fixés sur la porte en bois du wagon, dont les bords étaient renforcés de métal rouillé et de lourdes barres. Pendant près de deux jours, cette porte les avait oppressés, symbole de leur impuissance ; et maintenant, soudain, elle apparaissait comme une protection contre le monde extérieur et ils priaient pour qu'elle reste close.

Cette prière, comme tant d'autres à cette époque et en ce lieu, demeura sans réponse.

Paul ne distinguait pas grand-chose de ce qui l'entourait. Sur sa gauche s'étendait une masse sombre de constructions basses, avec de hautes cheminées qui crachaient une épaisse fumée noire et lançaient de temps à autre de lugubres flammes. A gauche, une route boueuse et crevassée menait à d'interminables rangées de petites cahutes en bois qui s'étiraient jusqu'à l'horizon, où les tours et les masses d'un complexe industriel gigantesque se dressaient sur le ciel déjà sombre. De l'autre côté du train se trouvait une gare à l'architecture prétentieuse caractéristique des constructions officielles des provinces austro-hongroises.

L'horloge de la gare avait été peinte en trompe-l'œil, avec les aiguilles fixées à midi moins une par quelque humoriste anonyme. Les fenêtres mêmes n'étaient en vérité que des peintures, avec des rideaux de dentelle et des pots de fleurs, mais on avait cependant placé un horaire derrière une porte vitrée, petite touche d'authenticité ajoutée en dernière minute. Quel qu'eût été naguère le but de ce décor, et cela se devinait aisément, il était depuis longtemps tombé en désuétude, de même qu'un vieux décor de cinéma abandonné sur un terrain vague à l'arrière du studio pour y moisir. Les Allemands ne jugeaient plus nécessaire de feindre qu'Auschwitz fût autre chose que le bout de la ligne pour les déportés.

Il ne fallut guère à Paul d'effort d'imagination pour conclure que la procédure vers laquelle ils se dirigeaient si péniblement, à présent, était de la même nature qu'un tournage de bout d'essai ; pour ceux qui échoueraient, il n'y aurait pas d'uniforme rayé. Pour sa part, il ne doutait guère de passer, car il était évident que les jeunes en bonne condition physique constitueraient une véritable aubaine et il éprouva un véritable soulagement en comprenant que, même à ce stade, survivre était encore possible. Au sujet de son père, néanmoins, il nourrissait de sérieuses inquiétudes. Steven paraissait en assez bonne santé, mais il semblait pétrifié et absent comme s'il avait perdu le désir de vivre. Paul le tirait avec lui, l'encourageait, lui enjoignait de paraître vivant, mais Steven se contentait de marmonner : « Je suis navré, je ne peux pas » et en effet il ne pouvait plus. Son esprit s'était fixé sur la mort de Betsy, sur la trahison de Matthieu, sur le passé. Ici, il était dangereux de songer au passé.

De même que chaque déporté avant lui, Steven se tint un moment devant un officier SS revêtu d'un uniforme élégant et portant à la main une canne à pommeau d'or. L'officier tenait sous son nez un mouchoir imbibé d'eau de Cologne, d'un geste désabusé et dégoûté, et il se comportait de manière impatiente et pourtant détachée. Au-dessus du

mouchoir, les yeux exprimaient moins la cruauté qu'un cynisme amusé, comme si la seule façon de supporter l'ennui de cette procédure sélective avait consisté à jouer ici et là un tour à quelqu'un.

« Au suivant ! » appela le *Haupsturmführer* avec impatience. Il ne tournait pas la tête. C'était au prisonnier de se présenter à l'inspection de manière à se trouver sous le regard du *Haupsturmführer*, qui cillait à peine lors de chaque arrivée.

Steven hésitait, vacillant sur ses pieds comme dans un état de transe. Impulsivement, Paul le prit par la main et le fit avancer.

« *Na, na,* déclara l'officier d'une voix qui n'avait rien de déplaisant, mais de ce fait était plus menaçante encore, un seul à la fois.

— C'est mon père, expliqua Paul sans lâcher Steven. Il est très fort. C'est simplement qu'il... ne se sent pas bien.

— C'est une honte, *mein Junge.*

— Il est banquier.

— Nous n'avons pas besoin de banquiers ici. » L'officier tâta Steven du bout de sa canne mais n'obtint aucune réaction. « Je vais vous dire comment procéder, mon garçon. L'un de vous doit aller à gauche, et l'autre à droite. Choisissez vous-mêmes. »

Avant que Paul eût rien pu dire, Steven ouvrit les yeux et parla. Il ne regarda pas son fils. Il avait l'esprit ailleurs comme s'il avait déjà pris sa décision — et même depuis déjà fort longtemps.

« Dans quelle direction se trouve le camp de la mort ? demanda-t-il.

— Voyons, à gauche, bien sûr. Vous voyez les cheminées ! Décidez-vous vite, je vous prie. Je n'ai pas la journée devant moi. J'ai même déjà raté mon déjeuner, en vérité. Poulet rôti avec chou rouge et pâtes... Ils me le garderont au chaud, mais ce n'est pas pareil.

— Alors j'irai à gauche, déclara Steven à voix lente et ferme. Laissez vivre mon fils.

— Comme vous voudrez, *Mensch* », répondit le *Haupsturmführer* d'un air absent et il poussa Paul vers la droite avec sa canne avant de porter son attention sur la personne suivante.

Paul hésita, déchiré entre le désir de survivre et le sentiment instinctif qu'il était de son devoir de se sacrifier pour son père mais, une fois la décision prise, il n'était plus question de revenir en arrière. Il fut poussé vers la droite à coups de poings et de pieds, et lorsqu'il se retourna pour crier adieu à son père, Steven avait disparu, perdu au milieu de la file vacillante qui pataugeait dans la boue et les détritus en direction des clôtures en barbelés rouillés.

Ici l'on n'avait pas de temps pour le deuil. Cela viendrait plus tard, devina Paul. Si l'on survivait assez longtemps.

Quelques années plus tard, Paul devait affirmer que la seule organisation véritablement internationale qu'il eût jamais connue était

un camp de concentration. Comme il ne tarda pas à le découvrir, Auschwitz était extrêmement cosmopolite — on y entendait toutes les langues d'Europe comme si le camp avait constitué une expérience monstrueuse et psychotique d'unité européenne. A la fin de 1944, peu de gardiens étaient encore allemands, à l'exception des officiers SS et du personnel de direction. Les unités de gardiens se composaient d'Ukrainiens, de Baltes, de Polonais, ainsi que de Russes se targuant de vagues origines ethniques allemandes, choisis pour la plupart à cause d'une inaptitude quelconque au combat.

A première vue, en fait, de nombreux détenus du camp de travail d'Auschwitz paraissaient en meilleure santé que leurs gardiens, mais il s'agissait évidemment d'une illusion, produite en partie par la *Selektion* quotidienne, au cours de laquelle les faibles, les malades, ceux qui étaient trop épuisés pour travailler ou qui semblaient susceptibles de créer des problèmes étaient « désherbés » et conduits au camp de la mort de Birkenau pour y être exécutés. Ici, le processus de sélection naturelle décrit par Darwin avait enfin été appliqué à une échelle accélérée, de telle sorte que chaque après-midi, pendant les interminables inspections qui se déroulaient jusque tard dans la soirée, seuls les mieux adaptés étaient autorisés à survivre.

Les prisonniers se coloraient le visage à la poussière de brique, se bourraient les joues de vieux chiffons pour dissimuler les creux blafards, faisaient en sorte de se trouver auprès de détenus plus mal en point dans l'espoir de sembler en meilleure santé par contraste. Une toux, une foulure, une légère blessure, ùn instant de faiblesse, garantissaient la mort immédiate grâce à l'attention de l'*Oberscharführer* Moll. Quand il remarquait un « client » (comme il se plaisait à désigner ses victimes), il pinçait la joue du détenu de toute la force de ses doigts charnus pour voir combien de temps la chair mettait à se remodeler. Si les marques duraient plus de deux ou trois secondes, il faisait signe à son *Kapo* ukrainien et disait au prisonnier : « *Mensch,* tu as assez vécu. »

Même parmi les SS, des discussions et des critiques s'élevaient, concernant cette politique — non d'un point de vue humanitaire, bien sûr, ce qui aurait été ridicule, mais quant aux conséquences pratiques. L'*Obergruppenführer* Pohl n'était pas sans mal parvenu à « vendre » son idée à Speer et à la Wehrmacht sans promettre au moins que les camps non seulement subviendraient à leurs propres besoins, mais contribueraient même à l'effort de guerre.

Se fondant sur les estimations grandioses de Pohl, I. G. Farben s'était laissé persuader de construire la plus grande usine de carburant synthétique du monde à Auschwitz, ainsi que l'énorme Bunawerk, destiné à produire de l'ersatz de caoutchouc à partir du charbon.

D'autres suivirent le sillage du projet de l'I.G. Les SS louaient les services des détenus à la journée et en tiraient un bénéfice considérable. Dans un pays qui manquait de main-d'œuvre plus encore que de tout, Pohl disposait d'un nombre illimité de corps, et le *Reichsführer* ne rêvait que de consolider l'industrie allemande sous le contrôle des SS.

Malheureusement, il y avait loin de la réalité à ce rêve. Les SS n'avaient aucune expérience concernant le maintien en vie des Juifs et manifestaient fort peu d'enthousiasme pour cette tâche. Ni les camps ni le système n'avaient été prévus pour fournir une saine force de travail, et leurs clients se plaignaient constamment de la mauvaise qualité des « marchandises » fournies.

Le mécontentement qu'exprimaient avec véhémence ses clients et, pis encore, la fureur du *Reichsführer* humiliaient Pohl et le mettaient en rage. Il ordonna au commandant Rudolf Hoess d' « améliorer la productivité ». Hoess s'attela au problème en faisant fouetter à mort douze détenus pris au hasard, à l'*Appell* du matin, devant tous leurs compagnons de détention. Il s'agissait simplement de comprendre la psychologie du prisonnier, expliqua fièrement Hoess au quartier général de Prinz Albrecht Strasse — commentaire qui provoqua non un simple sourire, chose pourtant assez rare, mais un véritable rire sur les lèvres de l'*Obergruppenführer* Pohl, qui jugeait Hoess incapable de même comprendre la psychologie d'un bœuf.

« Le bœuf serait plus malin », expliqua-t-il au *Reichsführer* devant une tasse de thé médicinal — que le Führer lui-même vénérait comme antidote contre les flatulences — mais Himmler ne trouva pas cela drôle. Si les industriels ne voulaient pas de ses détenus, il trouverait à s'en servir lui-même. Avec un peu de chance, les SS avaient encore le temps de fournir au Reich la dernière arme V, la bombe sur laquelle Göring avait ignominieusement échoué.

« Prenez-les pour Wotan », ordonna Himmler à Pohl.

A peine Paul avait-il été poussé dans un baraquement puant, sombre et glacé, qu'il découvrit la réalité de la vie au camp. Une silhouette massive émergea de l'ombre, l'empoigna par les bras et lui heurta la tête contre le mur.

« Ton nom ? hurla l'homme en allemand, avec un fort accent.

— Grünwald, Paul », répondit Paul tant bien que mal, car il était à demi étranglé.

Il y eut un moment d'incertitude et il sentit l'air revenir dans sa gorge et ses poumons.

« Magyar ? s'enquit son tourmenteur.

— *Jo.* »

Paul fut relâché. Dans la vague clarté, il pouvait voir que son

interlocuteur était un homme lourd et musclé, avec un visage vaguement familier, et qui parlait allemand avec ce fort accent hongrois que les Allemands appellent *Miklós-Deutsch.*

« Vous ne vous souvenez pas de moi ? » demanda-t-il à Paul.

Paul secoua la tête.

« Voster. Je vous ai reconduit chez vous quand vous vous étiez fait tabasser dans la rue. Je me rappelle que vous étiez avec votre sœur. Une belle femme avec du caractère, à propos...

— Que faites-vous ici, Voster ?

— Ce que nous y faisons tous. J'essaie de survivre.

— Non, non. Je veux dire : *pourquoi* vous trouvez-vous ici ? J'aurais cru qu'un officier de la gendarmerie hongroise serait en sécurité. Vous n'êtes pas par hasard...

— Juif ? Non, pas du tout. J'ai été arrêté par les Allemands avec Nicholas Horthy. Ils l'ont enlevé pour lui faire toucher la ligne. On ne peut jamais faire confiance aux étrangers.

— Sans doute pas, en effet.

— Ce fut l'erreur de votre oncle Matthieu. Comment va votre estimé père, à propos ?

— Il a été expédié au camp de la mort. »

Le major Voster se signa et soupira.

« Les Allemands n'ont aucune décence, déclara-t-il tristement. C'est une chose de gazer les Juifs, mais c'en est une autre de gazer un *gentleman.* Nous vivons dans un monde affligeant.

— Si même nous vivons », observa Paul en regardant autour de lui l'intérieur sinistre du baraquement. Les rangées de *Pritschen* — planches de bois brut clouées ensemble en guise de lits — s'étageaient sur trois niveaux. Les *Pritschen* avaient été conçus pour recevoir cinq détenus, mais chacun en accueillait jusqu'à quinze, sans oreillers ni couvertures. Il arrivait qu'un *Pritsche* s'effondre sous le poids, auquel cas les détenus du dessous étaient écrasés par les corps et le bois brisé qui tombaient sur eux.

Le plancher était humide et pourri, exhalant une puanteur de déchets humains, car les autorités du camp ne s'étaient jamais préoccupés de prévoir la moindre installation sanitaire et, dans le sol mou et marécageux, le contenu des trous qui tenaient lieu de latrines, à ciel ouvert, s'écoulaient simplement sous les baraquements et débordaient à chaque pluie. Le typhus, le choléra et la typhoïde étaient monnaie courante, la dysenterie amibienne était endémique même parmi les gardiens, et les directeurs de l'usine I.G. Farben faisaient bouillir l'eau, portaient des gants et mettaient même des masques chirurgicaux quand ils étaient obligés d'approcher de leurs ouvriers.

Pendant des années les SS avaient empêché les dignitaires allemands, soucieux de vérifier la situation, de visiter Auschwitz sous

prétexte d'une épidémie dans le camp ; et ce mensonge de convenance était désormais vrai. Les prisonniers ne pouvaient évidemment pas le savoir, mais Hoess se sentait profondément humilié par ces fréquentes épidémies. Ils devaient mourir suivant un plan, et non l'intervention divine. Il ordonna d'abattre quiconque tomberait malade, mais même cela ne mit pas fin à l'épidémie que le commandant considérait comme un acte d'insubordination et de révolte. Un détenu qui mourait de maladie avait pris son destin en main, il s'agissait là d'un cas de désobéissance aussi clair qu'un suicide, crime que le commandant punissait en faisant attacher le corps du suicidé sur une chaise et en le fusillant, pour bien montrer qu'ici, la mort demeurait la prérogative exclusive des SS.

« Oh ! vous vivrez, déclara Voster. Vous êtes hongrois, après tout. »

Dès la première lueur de l'aube, le *Kommando* de Voster parut contredire son optimisme. Les détenus, par milliers, se tenaient sous la pluie sur l'immense *Appellplatz* boueuse, telle une armée d'épaves humaines, tandis que les gardes allemands procédaient à la tâche monotone de l'appel, tâche qui par temps de pluie constituait une véritable punition en soi. Tout le monde devait être compté — si quelqu'un était mort pendant la nuit, et cela se produisait inévitablement très souvent, il fallait apporter le cadavre pour le comptabiliser avant qu'on pût le faire disparaître. Les équipes de travail ne pouvaient se mettre en route que quand tous les calculs avaient été vérifiés et revérifiés à la satisfaction de l'*Oberscharführer* Politsch. L'opération durait plusieurs heures, au cours desquelles certains détenus mouraient parfois d'épuisement tandis que les gardiens eux-mêmes devenaient irritables et donc plus dangereux.

Le petit *Kommando* de travail de Voster était en ordre, mais il blêmit quand même en voyant approcher la silhouette rondouillarde de l'*Oberscharführer* Moll. La présence de Moll signifiait qu'il allait y avoir un « nettoyage » — un certain pourcentage de détenus serait supprimé pour faire face à un nouvel arrivage. Contre ce processus de sélection, il n'y avait pas d'appel. Moll avait ses instructions et devait produire tant de corps ; c'était simple. Comme les détenus morts au cours de la nuit ne comptaient pas pour son quota, Moll n'en tenait pas compte, seuls les vivants lui étaient utiles.

Quand Moll arriva au *Kommando* de Voster, il consulta un moment sa liste sans même prendre la peine de regarder les hommes qui se trouvaient devant lui. Son œil de verre semblait regarder au loin comme si quelque chose d'autre avait attiré son attention, mais le bon œil dévisageait Voster avec une ruse porcine.

« *Na, Herr* Major, dit Moll, tout le monde en bonne santé ?

— Oui, *Herr Oberscharführer !*

— Pas de toux ? De fièvre ? De petites misères ?

— Rien, *Herr Oberscharführer.*

— Ce doit être tout l'ail que vous mangez, vous autres Magyars ! Attention, moi aussi je crois beaucoup aux vertus de l'ail. Cela vous dégage les boyaux, vous nettoie le sang, c'est formidable...

— Nous sommes prêts pour le travail. »

Moll consulta son dossier en remuant les lèvres à mesure qu'il lisait.

« Vous êtes transférés, annonça-t-il.

— Transférés ? Où cela ?

— Je n'en sais rien. Et cela ne vous regarde pas. Menez vos hommes au bloc de transfert, et vite. »

Moll jeta un nouveau coup d'œil à ses listes, puis leva la main. « Attendez, reprit-il. Vous avez un détenu pour le fouet, *nicht wahr ?* »

Voster acquiesça.

« Meyerman, admit-il.

— Où est-il ?

— Le professeur est mort. Pendant la nuit. »

Moll parut contrarié. Il devait être fouetté.

« A quoi bon ? Il est mort d'épuisement.

— Si l'on devait fouetter, il faut fouetter. Je prendrai quelqu'un d'autre. » Moll contempla la file des détenus et désigna Paul du menton. Son bon œil était fixé sur lui tandis que l'œil de verre continuait à dévisager Voster.

« Celui-ci fera l'affaire.

— Mais, *Herr Oberscharführer,* il n'a rien fait ! Il vient d'arriver.

— Voster, je n'ai pas de temps à perdre. C'est vous ou lui. Il est jeune, il est nouveau, qui sait, il vivra peut-être. Il fera aussi bien l'affaire qu'un autre. »

Voster soupira, et se tourna vers Paul en haussant les épaules. « Pas de chance, mon gars », dit-il.

Quand Paul fut traîné devant tous les autres détenus, il lui sembla brièvement que l'humiliation d'être dévêtu et fouetté devant plusieurs milliers de détenus serait bien pire que la souffrance, mais cette romantique illusion ne survécut pas au premier coup. Moll se faisait gloire de son adresse au fouet, qui lui procurait un agréable changement de rythme, étant donné qu'il passait l'essentiel de ses journées avec des cadavres.

Lié à une barrière, un bâillon dans la bouche et la tête courbée, Paul sentit la lanière découper sa chair jusque dans le muscle à l'instant où il entendit le coup. Les coups suivants, devina-t-il, lui ouvriraient le dos jusqu'à l'os et il espéra que l'on perdait conscience bien avant d'arriver aux derniers coups. Il les compta, attendant la douleur qui lui couperait

le souffle et la conscience, mais à sa surprise ils semblèrent diminuer de force et il en conclut qu'il mourait.

Il entendit Moll crier « *Zwanzig !* » en le cinglant une dernière fois, puis quelqu'un jeta sur lui un seau d'eau froide et il s'évanouit enfin. Quand il revint à lui, il gisait sur une paillasse, une couverture sur lui. Voster était assis sur le châlit voisin et le regardait. Il ne semblait guère content.

« Vous êtes vivant, observa-t-il. Moll n'était pas en forme.

— Où suis-je ?

— Au bloc de transfert.

— Où allons-nous ?

— Qui sait ? Vers l'est, sans doute, pour creuser des tranchées antichars. Tout le monde subit un contrôle médical et reçoit un bol de soupe. A moins de ne pas passer l'examen du médecin, bien sûr. Dans ce cas, on passe à la chambre à gaz sans recevoir sa soupe. Je suis navré, pour ce qui s'est passé.

— Je comprends.

— Moll est une ordure. Mais je ne suis pas trop heureux de partir quand même.

— Tout vaut mieux qu'Auschwitz, non ? »

Voster réfléchit un moment, puis fit une grimace. « Croyez-le ou non, mon garçon, mais il y a pire. Le médecin, ici, connaît bien les camps... »

Mais le médecin qui examina Paul semblait familier. Vêtu d'une blouse blanche avec son nom brodé sur le côté gauche, c'était l'homme qui avait accueilli Paul et son père sur le quai, la canne à la main.

Avec un stéthoscope autour du cou, le docteur Mengele aurait pu passer pour un médecin ordinaire, n'étaient ses bottes de cheval bien cirées et une certaine lueur fort peu hippocratique dans les yeux, dont l'effet sinistre était encore renforcé par un léger tic qu'il ne semblait pas pouvoir maîtriser.

« Votre nom ? demanda-t-il à Paul.

— Grünwald, Paul. »

Mengele consulta sa liste et barra le nom de Paul.

« Déshabillez-vous. »

Paul obtempéra aussi rapidement qu'il le put. Les yeux de Mengele exprimaient pour le moins de l'autorité. Paul grimaça de souffrance quand la rugueuse veste de détenu déchira les croûtes qui s'étaient formées sur ses blessures.

« Vous souffrez, *mein Kind ?* demanda doucement Mengele.

— Un peu.

— Montrez-moi. » Mengele tâta délicatement les blessures du dos de Paul. Il les nettoya et les pansa avec un soin professionnel tout en sifflotant entre ses dents.

« Moll doit perdre la main, observa-t-il d'une voix enjouée. Vous garderez quelques cicatrices, mais elles ne se verront pas sous les vêtements et vous observerez que les femmes en raffolent, veinard ! Je vous ai déjà rencontré, non ?

— Sur le quai de débarquement, docteur.

— Bien sûr. Avec votre père. Quelle scène touchante ! Abraham et Isaac — sauf que c'était le contraire, évidemment. Bien, vous pouvez vous rhabiller. Vous êtes en bonne santé. Le *Reichsführer* ne souhaite pas que vous rapportiez des maladies. Il est déjà bien assez déplorable de ramener des Juifs dans le Reich, sans introduire en plus leurs épidémies... »

Enchaîné près de Voster, à l'arrière du camion, Paul déclara : « Nous allons en Allemagne. »

Voster le dévisagea. « Sûrement pas ! Ils déplacent les prisonniers vers l'est mais ne les ramènent jamais en Allemagne. C'est une question de principe. »

Mais, quand le convoi quitta les routes irrégulières de Pologne pour rouler sur une surface lisse qui ne pouvait évidemment être qu'une *Autobahn* du Reich, Voster sombra dans le silence. Il somnola un peu en dépit de sa position inconfortable. En s'éveillant, il soupira et dit : « Nous étions mieux là-bas.

— Pourquoi ? Je ne vois pas ce qui pourrait être pire.

— Je ne sais pas pourquoi je n'y avais pas pensé... Pourquoi sélectionneraient-ils un convoi plein de détenus en bonne condition physique et le ramèneraient-ils en Allemagne ? Il n'existe qu'une seule réponse plausible, mon garçon. Les expériences médicales ! Nous allons servir de cobayes ! »

Et avec un sanglot étranglé il se signa, faisant tinter ses chaînes comme celles d'un fantôme.

19

Stumpff se considérait comme un policier professionnel bien qu'il n'eût à la vérité servi que deux ans, dans la *Schutzpolizei* de Munich, après quoi il avait été renvoyé pour corruption, ce qui aurait assurément mis fin à sa carrière s'il n'avait été membre du parti nazi.

Quand le parti arriva au pouvoir en 1933, Stumpff fut réintégré avec les honneurs, tout l'arriéré de son salaire, et il acquit rapidement une telle réputation de brutalité qu'il fut jugé préférable de le transférer au quartier général de la Gestapo de Munich. Là, se disait-on justement, il ferait mieux l'affaire. A présent que la fin de la guerre approchait visiblement, il avait hâte de reprendre l'uniforme de la police. La difficulté de cette ambition fort simple résidait dans le fait que plusieurs centaines de milliers d'autres individus étaient parvenus à la même conclusion, prévoyant à juste titre que les Alliés victorieux paieraient fort peu d'attention aux policiers locaux qu'ils rencontreraient et leur laisseraient poursuivre en paix leurs rondes quotidiennes.

Stumpff détestait les travailleurs esclaves qu'il gardait, il détestait le commandant — un faux jeton de pédé aux yeux furtifs de commerçant, selon l'opinion professionnelle de Stumpff — et il détestait le projet Wotan.

Non qu'il sût ce qu'était Wotan, sinon qu'il s'agissait d'une affaire vouée au secret absolu et bénéficiant de la « priorité V » réservée aux programmes d'armement les plus importants. Pour autant que Stumpff pût voir, c'était là une perte de temps — quelques centaines de Juifs creusant un bunker souterrain aux abords de Magdebourg pour une poignée de savants qui avaient l'air de s'être masturbés pendant toute la guerre. Même dans les tunnels achevés, il n'y avait pas grand-chose à voir, à l'exception d'une sorte de gigantesque cheminée en brique qu'on appelait « la Pile », et de vastes réservoirs où un genre de terre sale produisait la nuit une étrange lueur.

Debout sous l'un des rares arbres demeurés sur les lieux, arc-bouté contre les vents glacés de janvier qui venaient de l'est (et il allait venir de là bien pire, songeait-il), Stumpff surveillait son empire boueux, se raclait la gorge et crachait. Devant lui, vêtus de haillons et de couvertures déchirées, un groupe de détenus travaillaient à creuser une profonde tranchée qui serait par la suite bétonnée et servirait de conduit pour les lignes à haute tension. Pour le moment, ce n'était encore qu'une horreur, un grand puits sale où les prisonniers travaillaient, enfoncés jusqu'aux genoux dans la boue et l'eau de pluie stagnante. Il arrivait que l'un d'eux tombe d'épuisement à plat ventre et se noie, mais à part cela il n'y avait pas grand-chose pour distraire Stumpff et ses hommes. Stumpff était harcelé par ses supérieurs pour faire avancer le travail plus vite, mais, à l'exception des coups de pied, des coups de fouet et d'une rafale définitive pour ceux qui semblaient manquer d'enthousiasme à la tâche, il ne pouvait pas faire grand-chose pour accélérer le pas. Comme s'en plaignait le commandant, le matériel que Hoess leur envoyait d'Auschwitz était du déchet humain.

Stumpff se força à aller patauger dans la boue pour regarder deux hommes s'efforcer de soulever une énorme roche au moyen de leviers. Ils étaient tellement maculés qu'ils auraient aussi bien pu être nègres, sauf que ceux que Stumpff avait vus dans des films étaient plus forts, plus musclés, avec de grands sourires blancs éclatants. « Allez, du muscle ! » cria Stumpff. Les deux hommes — l'un des deux, solide, avec une allure de soldat, et l'autre à peine plus qu'un adolescent — grognèrent, ahanèrent et finalement sortirent le rocher de la tranchée. Ils se redressèrent, marquèrent une pause et le plus jeune s'essuya le visage.

Stumpff le dévisagea un instant, puis une expression méfiante lui voila le visage. « Quoi ! C'est le petit Grünwald, dit-il. Bienvenue à Wotan ! »

La découverte de Stumpff n'eut aucune conséquence immédiate pour Paul. Voster et lui travaillaient douze heures par jour, à la limite de l'épuisement physique, et la tranchée finit, aux yeux de Paul, par ressembler aux pyramides qui avaient dû inspirer aux esclaves constructeurs d'analogues sentiments de désespoir et de haine. Le travail et la fatigue produisaient un sentiment de routine abrutissante, ce qui était sans doute une bénédiction. Paul ne voulait pas penser au passé et était incapable de songer à l'avenir, si même il devait en exister un. Chaque jour apportait davantage de travail, cinq cents grammes de pain dur et une ration de soupe aqueuse. C'était là tout ce qu'on pouvait espérer, et c'était assez. La seule autre solution était la mort

aux mains des *Genickschussspecialisten* de Stumpff, qui résolvaient vos problèmes en vous logeant une balle dans la nuque.

On chuchotait que les Russes approchaient à l'est, que les Anglais et les Américains étaient en route, que le Troisième Reich s'écroulait, mais les détenus étaient trop épuisés pour échafauder le moindre espoir. L'expérience leur avait enseigné que l'espérance était une chose dangereuse — elle vous détournait l'esprit de la tâche immédiate et quotidienne qui consistait à survivre.

Plus que bien d'autres, Paul évitait de penser à l'avenir. En supposant qu'il dût survivre à la guerre, il se trouverait confronté à la nécessité de se venger — il n'y avait pas moyen d'y échapper. Car il n'était guère probable que l'Oncle Matthieu l'accueillît à bras ouverts — au contraire, Matthieu ne pourrait être en sécurité que si Paul se taisait ou mourait. Matthieu était un homme acculé. Il avait, entre autres crimes, fait mourir son frère ; il n'hésiterait guère à faire réduire Paul au silence. Il n'existait qu'un seul moyen de l'affronter — en devenant son égal. Cela allait requérir de la force, du temps et beaucoup d'argent. Et puis de la chance, bien sûr.

« Pas de veine, chuchota Voster tandis qu'ils creusaient sous la pluie glaciale. Voici ce salaud de commandant ! »

Une torpédo arrivait en tressautant sur la piste boueuse, franchit le portail, et s'arrêta. Stumpff se redressa et salua, cependant que les détenus se mettaient au garde-à-vous et ôtaient leurs bérets, la tête penchée pour éviter tout contact visuel, car ils savaient de longue expérience que si l'on regardait un officier SS dans les yeux, on encourait souvent la mort.

« Tout se passe bien ? » demanda le commandant.

Stumpff lança un coup d'œil vers le talus bourbeux sur lequel les détenus s'affairaient comme autant de fourmis alourdies d'eau. Ce n'était guère un paysage propre à inspirer l'enthousiasme.

Le commandant se mit à marcher dans la boue, accompagné de Stumpff dont le visage reflétait une aigre insubordination. Ils s'arrêtèrent devant la tranchée de Paul et y restèrent un moment. « Cela ressemble beaucoup à ce que c'était lors de ma dernière inspection, se plaignit le commandant à Stumpff. Le travail n'avance pas assez vite. »

Stumpff haussa les épaules.

« Où en est l'avance russe ? s'enquit-il.

— Ce n'est pas la question, Stumpff. Le *Reichsführer* lui-même a donné la priorité absolue à Wotan ! Ce que nous construisons ici, c'est l'arme de la victoire ! »

Stumpff se renfrogna davantage.

« Nous creusons des tranchées.

— Eh bien, creusez-les plus vite !

— Pour cela, il me faudrait davantage d'hommes.

— Absurde ! Vous avez là un stock en bon état. Ce que Hoess a de meilleur. Vous n'en tirez pas le maximum.

— Ceux qui n'accomplissent pas leur quota sont fusillés. Que pouvons-nous faire de plus ?

— *Inspirez*-les ! C'est une tâche historique ! » Le commandant se tourna vers le détenu le plus proche mais l'appel inspiré qu'il avait à l'esprit lui mourut sur les lèvres quand il se trouva face à face avec Paul de Grünwald. Il toussa, puis sourit. « Je vois que vous êtes entré dans l'affaire familiale », déclara-t-il.

Paul se redressa au garde-à-vous. Il leva les yeux et découvrit devant lui Lorenberg.

« Comme c'est ironique, reprit Lorenberg. Votre oncle Matthieu et votre père ont créé Wotan. Et maintenant vous y travaillez. C'est bien par la faute de votre père que vous vous trouvez ici... “ *Es irrt der Mensch, so lang er strebt.* ” C'est Goethe qui a écrit cela.

— Je le sais, *Herr Standartenführer.*

— Bien sûr, que vous le *savez !* Tant que l'homme se débat, il s'égare. Comment va votre père, à propos ?

— Il a été gazé. »

Lorenberg soupira.

« Oui, le processus de sélection est bien primitif. Ces décisions sont prises par les hommes les moins instruits... Dommage. Je vous assure que je n'y pouvais rien. Mais travaillez bien et vous vous en tirerez. Vous avez ma parole.

— Merci. »

Lorenberg fit signe à Paul de se remettre au travail, puis s'approcha de Stumpff. « Gardez-moi celui-là à l'œil, dit-il. C'est un petit roublard. »

« *Standartenführer* Lorenberg ? » Au téléphone, la voix était faible et lointaine, interrompue par d'étranges bruits statiques et des grésillements. Le système téléphonique du Troisième Reich s'effondrait en même temps que tout le reste.

Lorenberg pressa l'écouteur contre son oreille. Par la fenêtre de son logement à Magdebourg, le vacarme de la circulation ne cessait jamais. Tout, depuis les Tigres jusqu'aux limousines Mercedes, se dirigeait vers le sud, dans un gigantesque embouteillage qui s'étirait de Berlin jusqu'aux Alpes bavaroises, et la seule ambition de Lorenberg consistait à en faire autant. Mais son rang et ses charges rendaient pour le moment cet espoir impossible.

Sous sa fenêtre, il pouvait voir le corps d'un général des Waffen-SS

pendu à un réverbère, un carton fixé autour du cou, où les *Sicherheitspolizei* avaient inscrit : « Je suis un lâche qui s'est enfui. » L'orthographe était approximative, mais le message fort clair. Quelqu'un avait volé les bottes du général, à moins que l'un des *Feldpolizei* ne les lui eût ôtées avant de le pendre. Un policier à l'humour macabre avait fixé la croix de chevalier du général à son gros orteil. Personne ne s'était soucié de voler *cela* — les gens jetaient leurs Croix de fer, leurs décorations, et surtout leurs insignes du parti dans le fleuve en traversant le Vieux Pont.

Lorenberg tripota nerveusement sa propre Croix de guerre et répondit à son interlocuteur.

« *Götterdämmerung,* déclara une voix familière, nasale, comme s'il se fût agi d'une salutation.

— Quoi ?

— Le mot de code, bon Dieu. Faites tout sauter.

— Que faut-il faire des détenus ?

— Que *pensez*-vous ? Débarrassez-vous-en. Et aussi des documents. N'oubliez pas de brûler les dossiers. Une certaine personne tient à s'en assurer.

— Une certaine personne... en Suisse ?

— Peut-être bien. Vous aurez bientôt besoin de son aide, *nicht waks ?* Faites-lui une faveur, et il vous en fera une autre en retour...

— Je comprends.

— Évidemment, que vous comprenez. Une chose encore, dont il voudrait s'assurer. Le garçon. Pour lui tout particulièrement — *Nacht und Nebel !* Compris ?

— Compris ! » répondit Lorenberg, mais la communication avait été coupée avant qu'il pût terminer sa conversation avec le *Standartenführer* baron von Schiller. Finalement, songea Lorenberg, l'argent est plus fort que la voix du sang. Le beau-père de Matthieu de Grünwald était banquier et, bien que sa fille Cosima eût péri dans le bombardement de Vienne, il pensait déjà à l'avenir. La guerre était perdue, Matthieu de Grünwald avait préservé sa fortune et bientôt il y aurait des affaires à saisir. Sans aucun doute, en ce moment même Schiller brûlait son uniforme et Lorenberg entendait bien faire de même le plus tôt possible.

Il se versa un verre de cognac, le but d'un seul trait, s'approcha de son coffre et en tira plusieurs paquets, dont l'un était un grand tableau. Il le défit, contempla un moment le *Garçon mordu par un lézard* du Caravage et récita quelques phrases de Goethe — quel merveilleux apaisement pour l'âme !

Il découpa soigneusement la toile, la roula dans un tube et la rangea dans sa mallette. Puis il sortit les dossiers du coffre, sélectionna ceux du projet Wotan — ceux qui concernaient Matthieu de Grünwald — et les

rangea avec la toile roulée dans sa serviette. Ces dossiers constituaient son assurance-vie, mieux encore : un investissement. Il n'avait aucune intention de les détruire.

Lorenberg se changea pour revêtir un uniforme de la Luftwaffe et enfila par-dessus son pardessus en cuir noir de SS. Il plaça un képi de la Luftwaffe dans sa mallette, but un dernier cognac et demanda sa voiture.

Et, maintenant, la partie difficile va se jouer, songea-t-il.

Stumpff était rétif. Stumpff était insubordonné. Stumpff était ivre. « Pourquoi devenir criminels de guerre, maintenant que tout est terminé ? » geignit-il.

Lorenberg haussa les épaules.

« *Befehl ist Befehl.* Cela ne me plaît pas davantage qu'à vous, mais les ordres sont les ordres. D'ailleurs, il y a une troupe de policiers des services de sécurité pour s'assurer que nous le faisons. La guerre n'est pas encore finie. S'ils peuvent pendre des généraux, ils peuvent vous pendre aussi. Ou moi.

— Les détenus vont s'apercevoir qu'il se prépare quelque chose.

— Divisez-les en équipes de travail. Chaque gardien en emmènera une douzaine. Une fois qu'ils seront dans les tranchées, il devrait être assez facile de les abattre.

— Et ensuite ? Nous ne pouvons pas les laisser dans les tranchées.

— Il y a un bulldozer à la porte. Tout sera recouvert. Du beau travail bien propre.

— Si vous me le dites.

— Je vous le dis, Stumpff. Et maintenant, exécution.

— Vous n'envisagez pas d'en descendre quelques-uns vous-même ?

— Ce n'est pas une tâche d'officier. Stumpff, faites-moi tout cela de manière efficace et propre et je m'arrangerai pour que vous vous en tiriez. Vous retrouverez vos rondes de service à Munich avec les pots-de-vin des putains et nul n'en sera plus avancé. Juste une chose... Réglez le compte du petit Grünwald.

— Je n'aime pas ça du tout », grommela Stumpff, mais il n'avait pas le choix.

« Je n'aime pas ça du tout », déclara Voster.

Paul et lui avaient été conduits le long des travaux en direction d'un bouquet d'arbres, avec dix autres détenus, cependant que Stumpff titubait derrière eux en maugréant à mi-voix et en s'arrêtant de temps à autre pour boire au goulot d'un flacon de schnaps. Paul ne répondit rien. Il n'était pas inhabituel que des équipes de travail fussent

constituées de cette manière et, de toute façon, il avait depuis longtemps renoncé à imaginer ce que pourrait apporter chaque journée. Une portion de la tranchée avait dû s'effondrer, comme cela se produisait quotidiennement.

« Je ne vois pas pourquoi, chuchota-t-il.

— Stumpff est saoul.

— Il l'est toujours. »

Stumpff se hissa à grand-peine hors de la tranchée en jurant, se redressa en vacillant au bord du trou et regarda les hommes demeurés au fond. Il remit la bouteille dans la poche de son pardessus, cracha et attendit que les détenus se trouvent regroupés en ligne, coincés dans la section la plus étroite de la tranchée.

Là, à une vitesse étonnante pour un homme de sa corpulence, il porta sa mitraillette à son épaule et la braqua sur eux. « Attrapez ça, sales juifs ! » cria-t-il et il appuya sur la détente tandis qu'ils le dévisageaient, moins étonnés — car à cette époque et en ce lieu il n'y avait rien de bien surprenant à être abattu — qu'immobilisés. Cependant, on n'entendit qu'un déclic sec. Stumpff abaissa un regard effaré sur la mitraillette, qu'il avait oublié d'armer et s'exclama : « Merde ! » Il fit basculer l'articulation du fût sur son genou et se mit à manipuler le levier d'armement. Ses victimes l'attendraient. Il n'éprouvait guère d'inquiétude.

Pendant un terrible moment, Paul demeura pétrifié dans la tranchée, les yeux levés sur Stumpff, puis il se rendit compte que dans un instant ils seraient tous morts. Il poussa un rugissement de rage et empoigna Stumpff aux chevilles, en tirant de tout son poids. Le gros homme tomba, toujours cramponné à son arme. Il dégagea une jambe et frappa Paul au visage de toutes ses forces.

Paul ne pouvait pas le lâcher — à peine se relèverait-il qu'il ouvrirait le feu — et il demeurait donc suspendu à la cheville de Stumpff, au-dessus de la tranchée, tandis que Stumpff prenait appui de sa main libre dans la boue et écrasait une nouvelle fois sa botte sur le visage de Paul.

Paul se demanda un bref instant s'il ne vaudrait pas mieux mourir. Il entendit son nez se briser ; il avait la bouche pleine de boue, de salive et de sang. Il avait trop peur pour éprouver la moindre douleur, mais son visage semblait se désagréger sous les coups. Stumpff haletait et sanglotait d'épuisement quand Voster, criant aux autres détenus de s'abriter derrière les arbres, se hissa hors de la tranchée et tenta d'arracher la mitraillette des mains de Stumpff.

Stumpff fit un dernier effort héroïque. Il gisait sur le dos, les jambes pendant au-dessus de la tranchée et Paul tirait sur sa cheville tandis que Voster cherchait à lui arracher l'arme. Stumpff lâcha prise, arma la mitraillette en se laissant glisser dans la tranchée et tira à bout portant

dans la poitrine de Voster. Puis il s'affaissa dans la boue, au fond de la tranchée, trop essoufflé pour jurer, et atterrit sur Paul.

L'espace d'un instant, Paul crut avoir été écrasé mortellement ; puis il se libéra, recevant un dernier coup de pied qui lui entailla la joue jusqu'à l'os, et s'éloigna de Stumpff à quatre pattes. Il ne se retourna pas. Il se souvenait de la chasse au sanglier et de l'instant terrifiant où la bête enragée l'avait chargé. Tout autour de lui résonnaient des coups de feu et s'élevait l'odeur de la poudre et du sang, comme se déroulaient dans chaque tranchée de petits massacres invisibles.

Paul songea à Niki, immobile à l'orée de la forêt, trop effrayé — ou le haïssant trop ? — pour l'alerter d'un cri et il lui semblait à présent, dans la souffrance, la confusion et l'horreur, que cet instant ne faisait que prolonger la chasse au sanglier, tel un dernier acte longtemps retardé. Stumpff lui avait fait ce qu'avait voulu faire le sanglier et dont Niki, son vieil ennemi, sans doute occupé en ce moment à skier et à boire du chocolat chaud en Suisse, portait la responsabilité. Tout lui apparaissait enfin clairement, et le visage de Niki lui vint à l'esprit quand Stumpff, reprenant son souffle, se dressa à genoux dans la boue et tira dans le dos de Paul.

Mais Paul était déjà sorti de la tranchée et en route vers les bois. Il courut jusqu'au moment où ses poumons lui parurent sur le point d'éclater et où la souffrance commença à lui déchirer l'épaule. Il continua en rampant, se traînant sous les barbelés et le long des canalisations à la force de ses seuls doigts, son visage détruit couvert de boue et de crasse, le nez si cassé qu'il ne pouvait respirer que par sa bouche ensanglantée. Il avait été dépouillé de tout sauf de son instinct de survie et de sa soif de vengeance. Pour la première fois, il ressentait de l'espoir.

Quand la fusillade cessa, il y eut un moment de calme, bientôt interrompu par le grondement des bulldozers.

Stumpff se dirigea vers les portes du camp, à la recherche de Lorenberg pour lui annoncer la mort de Paul. Après tout, se disait-il, Lorenberg n'était pas du genre à fouiller les tas de cadavres pour vérifier la nouvelle — et puis les charniers seraient recouverts d'ici quelques minutes.

Il regarda partout mais la voiture de Lorenberg était hors de vue.

« Où est le *Standartenführer ?* » demanda-t-il à l'un des Feldpolizei.

Le policier désigna la route. « Parti, répondit-il. Il vous a laissé ceci. »

Stumpff glissa la mitraillette sur son épaule et ouvrit l'enveloppe brune cartonnée. A l'intérieur se trouvait une petite boîte en métal, comme celles dans lesquelles on vend l'aspirine. Il ouvrit le couvercle

et, pour la première fois depuis bien des années, se surprit à pleurer tandis que son estomac se contractait dans un spasme de rage et de peur.

Nichées sur un lit de coton blanc, se trouvaient deux capsules bleues de cyanure.

Quand Paul revint à lui, il leva les yeux vers un visage mince et pâle de renard, coupé d'une moustache rousse agressivement militaire.

L'uniforme de l'homme n'était manifestement pas allemand, mais Paul ne le reconnaissait pas et se demanda un instant s'il était tombé entre les mains des partisans. L'homme penché au-dessus de lui portait un pantalon de velours, un béret noir désinvolte, une chemise kaki, un foulard de soie bleu marine à pois blancs noué autour du cou et un blouson de cuir par-dessus un chandail à grosses côtes.

« Comment vous appelez-vous ? » s'enquit l'étrange apparition.

Paul étudia un moment la question à travers un brouillard de souffrance, remarquant à peine que l'homme s'était adressé à lui en anglais. L'instinct lui soufflait qu'il valait sans doute mieux mentir. Il reconnaissait confusément la nécessité d'un recommencement.

Il ferma un moment les yeux et réfléchit encore, puis déclara de cet anglais clair et bien élevé que lui avait si soigneusement enseigné sa nurse anglaise, si longtemps auparavant : « Je m'appelle Voster. » Le pauvre major, songea-t-il, n'y verrait guère d'objection. Il avait toujours cru que les Hongrois survivraient.

« Quelle heureuse surprise de vous entendre parler anglais », observa l'Anglais tandis qu'un infirmier pansait la blessure de Paul. Il ne pouvait rien pour son visage, et se contentait de détourner poliment les yeux.

« Je n'ai guère eu l'occasion de parler anglais ces dernières années, murmura Paul.

— On ne le supposerait jamais. Vous le parlez fort bien. Heureusement pour vous, à vrai dire. Nos gars commencent à se lasser de soigner les détenus des camps de concentration. Évidemment, un homme parlant anglais est une tout autre affaire. A propos, je ne me suis pas présenté. Nigel Boyce, lieutenant au second bataillon, Colstream Guards. »

La curiosité de l'armée britannique à l'égard de Paul demeura extrêmement limitée. On le « rafistola » et, vêtu d'habits empruntés, il ne tarda pas à se rendre utile comme traducteur. La guérison de son visage fut abandonnée à la nature. On n'avait guère le temps de procéder à des entreprises de chirurgie plastique sur les déportés. Il

déclara être un Juif hongrois de bonne famille dont les parents avaient péri à Auschwitz — histoire suffisamment courante pour ne susciter ni enquête ni curiosité particulière.

Les Britanniques manifestaient moins de curiosité encore à l'égard du projet Wotan, dont les Russes s'étaient emparés alors que les hommes de Boyce se trouvaient à moins de huit kilomètres de là. L'Allemagne regorgeait d'usines souterraines d'armes secrètes et, pour la plupart des soldats, l'excitation de chaque découverte s'était depuis longtemps émoussée.

De même que ses hommes, Boyce était à l'affût de trésors et non de secrets scientifiques, et il éprouvait une vive amertume à l'idée d'avoir traversé toute l'Europe occidentale sans avoir rien déniché. Partout il entendait parler de trésors nazis cachés — des Rembrandt dans les mines de sel de Moravie, des lingots d'or dans les grottes des Montagnes noires, des diamants industriels par sacs entiers dans la Ruhr —, mais Boyce n'avait rien libéré de plus précieux qu'un dépôt d'uniformes de la Wehrmacht et Paul Foster.

Tirant le meilleur parti du peu qu'il avait, il fit interroger par Paul les prisonniers qui maintenant arrivaient par milliers, encombrant les routes au sud et à l'ouest de Berlin dans l'espoir de trouver une unité britannique ou américaine qui accepterait leur reddition. Les routes étaient couvertes d'hommes épuisés en uniformes *feldgrau* de la Wehrmacht, et l'on pouvait observer que dans cet exode massif n'apparaissait aucun officier supérieur des SS ou du parti ; on aurait pu croire que la chemise brune, l'insigne à tête de mort des SS, le brassard SD argenté, et l'*Abzeichen* du parti avaient totalement disparu ou n'avaient même jamais existé. Il n'échappait pas à l'attention de Boyce que de nombreux prisonniers semblaient mal à l'aise dans leurs uniformes râpés d'infanterie et que leurs visages roses et bien portants contrastaient étrangement avec leurs bottes éculées et leurs casques cabossés. Ici enfin se présentait l'occasion de gagner de l'argent grâce à la guerre : par le racket.

Un homme de moindre envergure se serait contenté de voler ce qu'il pouvait aux longues files d'Allemands, mais Boyce ne manquait guère d'initiative et il était un gentleman. Le simple vol de grand chemin n'était pas son style. Des années de tricheries aux cartes lui avaient enseigné la sagesse qu'il y avait à laisser au perdant de quoi rentrer chez lui. Pour un pourcentage raisonnable de ce que le prisonnier avait sur lui, Boyce était disposé à lâcher ses captifs dans les camps de prisonniers de guerre comme de simples soldats où, avec un peu de chance, ils pouvaient espérer demeurer anonymes. Quant à ceux qui répugnaient à traiter avec lui, il les remettait à l'Intelligence Corps pour subir des interrogatoires en tant que « personnes suspectes » et

leurs identités d'emprunt avaient alors fort peu de chances de survivre à l'enquête.

Il ne se préoccupa guère de partager le butin avec Paul. Il suffisait bien que Paul eût trois repas par jour et un endroit pour dormir, ce qui était fort rare pour une personne déplacée à ce moment-là. Boyce fut donc l'un des premiers à commettre cette grave erreur : sous-estimer Paul Foster.

Paul ne se fatiguait jamais de questionner les « clients » de Boyce. Il avait l'œil pour les détails, l'oreille pour les langues et trouvait une certaine satisfaction à s'efforcer d'établir la différence, s'il en existait une, entre l'identité définie par les papiers militaires d'une personne et la personne véritable. Tout était dans les yeux. La plupart des prisonniers qui défilaient dans le petit bureau que Boyce s'était approprié étaient renfrognés, las, vaincus ; ils racontaient leur histoire avec les yeux baissés, l'air morne. D'autres avaient le regard vif, rapide, des gens qui devaient rester sur le qui-vive, qui étaient obligés de *réfléchir,* même pour une fraction de seconde, avant de répondre à une question. Les ongles révélaient bien des choses — un simple soldat aux mains soignées était automatiquement suspect — mais les yeux en disaient davantage encore, et Paul apprenait donc à se concentrer sur les yeux.

Il n'avait pas encore trouvé d'issue à son propre dilemme. Sa nouvelle identité ne posait guère de problèmes pour le moment, mais il allait sans aucun doute un jour être abandonné par l'armée britannique et orienté vers un camp de personnes déplacées. Cette perspective ne l'enthousiasmait guère. Plus tôt il quitterait l'Europe et le mieux ce serait, mais la possibilité de gagner l'Angleterre ou l'Amérique à partir d'un camp de réfugiés était très incertaine et Boyce n'allait assurément pas lui être d'un grand secours, même s'il le souhaitait. Paul réfléchissait intensément aux diverses manières qui pourraient peut-être lui permettre d'échapper à son sauveteur quand il se trouva soudain devant un visage inquiet et familier.

Nerveux et mal rasé, un caporal de réserve d'infanterie se tenait devant lui, son livret militaire crasseux à la main, prêt pour l'inspection de Paul. Le prisonnier semblait transpirer abondamment et ses yeux pâles allaient et venaient à une vitesse alarmante, cherchant apparemment quelque chose derrière le dos de Paul.

Paul traduisit rapidement les questions de Boyce, les yeux baissés sur des papiers pour ne pas montrer son visage.

« Qu'en pensez-vous ? s'enquit Boyce. Rien d'inhabituel ?

— Non, rien, répondit Paul.

— Il semble un peu *sournois,* pour un soldat, vous ne trouvez pas ? et le regard fuyant.

— Il était dans les services de fournitures, ils sont tous sournois. »

Boyce acquiesça. « Les nôtres aussi. Flanquez-le dans le camp. Il y a un caporal qui attend, là, avec des bottes de cheval faites sur mesure, l'imbécile. Dénonciation sans appel... »

Le soir, Paul était libre d'aller et venir à sa guise — non qu'il y eût d'endroit où aller. Son brassard lui permettait d'entrer dans le camp des prisonniers de guerre et, bien qu'il n'éprouvât aucun plaisir à s'y rendre — la compagnie de plusieurs milliers d'Allemands le rendait nerveux —, il n'eut aucune difficulté à y retrouver l'homme qu'il cherchait et qui, assis par terre, mangeait une assiettée de soupe qu'il renversa presque entièrement à la vue de Paul.

« Ne vous levez pas, docteur Becker, je vous en prie, déclara doucement Paul. Nous avons des choses à nous dire. »

La première réaction de Becker fut de s'enfuir. Comme c'était manifestement impossible, il parla. Il expliqua à Paul que toute l'affaire avait été une tragique erreur, un malentendu, en vérité, si l'on considérait les faits ; il se plaignit amèrement du comportement de Matthieu de Grünwald ; il compatit au sujet du visage de Paul et s'étendit longuement sur les miracles de la chirurgie plastique ; il mentionna son propre désir de recommencer une nouvelle vie. Le moment était venu, estimait Becker, d'enterrer la hache de guerre, et de vivre et laisser vivre.

Paul asquiesça. Dépouillé de son autorité, Becker n'était plus tant effrayant que pathétique, bien que son histoire ne parvînt à éveiller aucune sympathie chez Paul. « Combien avez-vous sur vous ? » demanda-t-il, coupant court au flot de justifications de Becker.

Becker prit un air affligé.

« Rien, répondit-il. J'aurais dû partir pour l'Argentine avec Eichmann quand il en était encore temps...

— Ne soyez pas ridicule. Vous ne seriez pas venu à pied jusqu'ici pour rien. Si je vous donne à Boyce, il vous remettra entre les mains de la police militaire comme criminel de guerre. Je vous fais une faveur, mon vieux. »

Becker soupira.

« Dix mille dollars, dit-il. J'ai toujours traité votre famille avec respect.

— Où ?

— Dans mes bottes, bien sûr.

— J'aurais dû me douter que c'était la raison pour laquelle vous boitiez. Vous avez pris des bottes trop grandes de deux pointures, et vous les avez bourrées de billets.

— Exactement. Et elles me font un mal de chien.

— Vous pouvez les retirer tout de suite. Vous me donnez l'argent. »

Becker parut sur le point de discuter puis se courba pour ôter les bottes.

« Et ensuite ? demanda-t-il.

— Ensuite vous restez tranquille, en espérant que personne ne vous reconnaîtra.

— Ce n'est pas un marché très intéressant.

— C'est le meilleur que vous puissiez espérer », répliqua Paul en mettant l'argent dans sa poche tandis que Becker se débattait avec ses bottes.

Paul quitta le camp, passa devant les sentinelles à bérets rouges, et frappa à la porte de l'officier de renseignements, un homme rougeaud et cassant dont la férocité cachait mal la nature dénuée de tout scrupule. Cet officier, ancien journaliste de Fleet Street, détestait Boyce, qu'il avait un jour au mess décrit comme « une pédale coincée d'Eton », et dans l'ensemble détestait les personnes déplacées plus encore qu'il détestait les Allemands.

Paul attendit patiemment que le major le vît.

« Eh bien ? s'enquit finalement le major.

— Que dois-je faire pour pouvoir aller en Angleterre, major ?

— Nous n'avons aucun besoin de types comme vous en Angleterre, Foster.

— Mais si je vous attrapais un gros poisson ? Directement dans votre mare, pour ainsi dire ?

— Boyce est censé m'envoyer toute personne qu'il soupçonne.

— Celui-ci est passé au travers. Il figure sur la liste des plus recherchés. Un des principaux adjoints d'Eichmann.

— Pouvez-vous me le montrer ?

— Ce n'est même pas nécessaire. Il mange sa soupe devant le château d'eau. Un grand type avec des bottes trop grandes pour lui. Il se fait passer pour un soldat réserviste du nom de Schmidt — rien de très original. En vérité, il est le *Standartenführer* Becker. »

Le major se mit à fouiller les papiers empilés sur son bureau et prit un épais dossier qu'il se mit à compulser. Il eut un sifflement étonné.

« Une vraie ordure, hein ?

— Pensez-vous que la découverte de Becker puisse me faire parvenir en Angleterre ? »

Le major resta un moment songeur, la fiche comportant la photo et le curriculum vitae de Becker posée devant lui, tel un joueur de poker.

« Ce sera sans aucun doute porté à votre crédit, admit-il, mais cela reste néanmoins... difficile...

— Il existe souvent des moyens de surmonter ces difficultés », observa Paul et, d'un geste discret et simple, il glissa cinq mille dollars de l'argent de Becker sur le bureau encombré. Avec un peu de chance,

les cinq mille autres permettraient de réparer les dommages de sa figure lorsqu'il serait arrivé là-bas. Paul se demanda qui serait le meilleur chirurgien. Sûrement Meyerman saurait cela...

Le major contempla un instant la liasse de billets, puis la glissa sous son buvard en hochant la tête.

« Voilà comme il faut voir les choses, dit-il. Je suis sûr que vous allez très bien vous débrouiller en Angleterre... Connaissez-vous quelqu'un, là-bas ?

— Oui, un ami hongrois qui s'appelle Meyer Meyerman. Il devrait s'y trouver déjà. »

Le major sourit. Il se leva, et serra la main de Paul.

« Transmettez mon bon souvenir à Meyerman, déclara-t-il.

— Vous le *connaissez ?* »

L'officier acquiesça. Il glissa la main sous le buvard, mit l'argent dans sa poche et la lissa soigneusement pour l'aplatir.

« J'ai eu l'occasion de traiter une petite affaire avec Meyerman en Palestine, expliqua-t-il. Lui aussi avait hâte de s'établir en Angleterre. Il voulait cesser de toujours courir.

— N'est-ce pas ce que nous voulons tous ? »

Dixième Partie

Un goût de cendres

20

Pour la seconde fois de sa vie, Paul Foster avait envie de s'enfuir. Partout la presse le guettait, les journalistes de télévision braquaient sur lui leurs micros et leurs caméras comme des mitraillettes de SS, les reporters étaient alignés comme des *Feldpolizei,* criant et se bousculant. Il avait éprouvé une absurde terreur quand ils l'avaient découvert à l'aéroport de Teterboro, comme s'il s'était brusquement retrouvé dans ce champ boueux trente ans auparavant, en Allemagne, et maintenant encore, dans son propre avion où la température était réglée à dix-neuf degrés, il transpirait.

Il ôta sa veste et sentit quelque chose de dur dans sa poche, puis se laissa aller contre son dossier avec un soupir. C'était le diamant qu'il avait donné à Diana. Il ferma les yeux et s'efforça de ne pas penser à elle, mais c'était presque aussi difficile que de ne pas penser à Nicholas quand il avait enjambé la fenêtre de son bureau — peut-être plus difficile encore.

En apprenant la nouvelle, Diana l'avait simplement dévisagé, deux grosses larmes apparaissant dans ses yeux.

« Qui aurait pu imaginer... », commença Paul en s'approchant pour la consoler.

Diana s'essuya les yeux. L'expression de son visage suffit à empêcher Paul de la toucher ou même de s'approcher davantage.

« Pauvre Nicholas, déclara-t-il d'une voix sourde. Mon plan ne prévoyait rien de tel. Je suis aussi bouleversé que toi. »

Elle se leva.

« Tu as eu ta vengeance, dit-elle.

— Je n'ai pas tué Nicholas. Il s'est tué lui-même.

— Je le sais. C'est plus efficace ainsi, n'est-ce pas ?

— Je t'en prie, Diana... Cela passera.

— J'en suis convaincue. Mais sans moi. Comprends-moi, Paul. Je

n'aimais plus Niki, il avait détruit tout amour. Mais je ne peux pas vivre dans ton univers. Je ne veux pas jouer de rôle dans la tragédie familiale, pas même un rôle de sympathisante.

— C'est fini, à présent.

— Non, ce n'est pas fini. Et tu le sais fort bien. »

Il haussa les épaules.

« Presque.

— Je ne m'en contenterai pas, Paul. Je suis fatiguée des secrets. Et fatiguée de tout cela. » Diana agita la main comme pour désigner non seulement la suite, mais l'immeuble, l'avion, une vie entière vécue derrière un rideau de mystère et de protection. Elle remarqua soudain qu'elle portait encore la bague à son doigt, l'ôta et la posa sur la table. « A présent, je m'en vais.

— Je t'aime, répondit Paul.

— Je sais. Je t'aime aussi. C'est bien ce qu'il y a de triste.

— Alors réfléchis.

— J'ai déjà réfléchi.

— Ne peux-tu pas me pardonner ?

— Oh ! je peux te pardonner, Paul. C'est facile. C'est à *moi* que je n'arrive pas à pardonner. Tu m'as persuadée d'aller sur le yacht, tu m'as persuadée de mentir à Kane et finalement tu as fait de moi la complice d'un meurtre.

— Je n'ai pas tué Nicholas.

— Pas de tes propres mains, non. Tu l'as simplement laissé faire, c'est tout. Exactement comme Matthieu a laissé mourir ton père et ta mère, Paul ! Je ne peux pas vivre ainsi. Je regrette.

— Essaie de comprendre », insista Paul, se sentant soudain pleurer pour la première fois depuis des dizaines d'années, mais quand il se retourna, effaré par ses propres larmes, elle avait déjà disparu.

Au moins, songea-t-il, elle n'a pas claqué la porte comme l'auraient fait tant d'autres femmes. La seule femme que j'aie jamais rencontrée qui ne soit pas théâtrale, se dit-il, et je l'ai perdue. Il essuya ses larmes mais, à sa vive surprise, se trouva incapable de cesser de pleurer.

Les événements ont une certaine logique, songeait Paul. On ne peut pas leur échapper. Il avait consacré sa vie entière à tenter de les contrôler mais, à la fin, ce sont *eux* qui *vous* contrôlent.

Il éprouvait malgré lui un sentiment de pitié à l'égard de Matthieu de Grünwald. Lui aussi avait dû vouloir s'arrêter, à certains moments, mais les événements étaient alors déjà trop avancés — il n'en maîtrisait plus le cours... Un homme qui a des associés n'est jamais vraiment libre et ceux de Matthieu incluaient même alors les nazis et le Vatican. Ni l'un ni l'autre de ces partenaires ne l'auraient lâché. Il avait donc continué jusqu'au jour où il avait dû affronter sa conscience dans une cave de banque et où il avait choisi l'argent contre la famille. En

conséquence, Steven de Grünwald était allé mourir à Auschwitz, Betsy avait été abattue et maintenant Nicholas s'était suicidé... Trop d'argent était en jeu.

Avec un soupir, Paul considéra sa propre situation. De même que Matthieu, il avait des associés, des obligations, de l'argent en jeu. Rien ne pouvait plus arrêter la machine à présent qu'elle était en marche. Nicholas était mort, mais la situation qui l'avait tué durait encore, comme prévu : les actions de sa société s'effondraient, ses dettes étaient catastrophiques, à mesure que le prix de l'argent s'effondrait, les engagements de Nicholas allaient faire sombrer toute la structure. Il était temps de faire un raid sur la compagnie. Maintenant même, les agents de Paul achetaient des petits paquets d'actions. Tout ce qu'il avait gagné en vendant son argent à la baisse serait consacré à acquérir la corporation de Nicholas Greenwood — transaction fort économique, bien que non dépourvue de dangers. Mais Paul doutait fort qu'il y eût de vrais problèmes. Savage s'occuperait de la presse, du fisc, du marché. Il l'avait toujours fait.

Une petite lumière s'alluma près de son coude. Il décrocha vivement le téléphone, heureux de voir ses pensées interrompues.

« Diana ? » demanda-t-il, mais il se rendit compte aussitôt que la voix de son interlocutrice, bien que familière, appartenait à une autre femme.

« J'ai lu la nouvelle, au sujet de Niki, annonça la voix.

— Comment vas-tu, Louise ?

— Comment veux-tu que j'aille ? Je lis de tes nouvelles mais je n'en entends jamais. Et quand je lis quelque chose sur ton compte, c'est toujours des *Schweinerei.* Après tout, je suis ta sœur. Tu pourrais m'appeler.

— Je sais, je sais. J'ai été très occupé...

— On dirait. Il vaut sans doute mieux que nous n'ayons pas eu l'occasion de parler ensemble. Je t'aurais dit de renoncer à cette lutte à mort.

— Tu me l'as déjà dit. De nombreuses fois.

— Et tu aurais dû m'écouter. J'ai tout autant de raisons que toi de détester Matthieu...

— Pas tout à fait.

— Bon, d'accord. Je ne suis pas allée à Auschwitz mais j'ai été forcée d'épouser cet odieux crapaud de Rochefaucon et il m'a fallu près de vingt ans pour obtenir une annulation.

— Que j'ai payée.

— Je l'admets, je l'admets ! Je ne dis pas que tu ne sois pas généreux, Palikam. Je ne te reproche même pas de te venger de Matthieu. Mais ce pauvre Niki, c'est une autre affaire. Enfin, bon, c'est fait. Une tragédie, mais qu'y a-t-il de nouveau à voir des tragédies dans

la famille, hein ? maintenant, tu devrais t'arrêter. Oublie le passé et essaie de vivre une vie normale. Tu es un homme riche. Sois heureux.

— Pas encore.

— Idiot ! » déclara Louise de cette voix affectueuse et bourrue qu'elle aurait prise pour gronder un cheval — et elle semblait à peine faire de différence entre les chevaux et les gens, songea Paul, bien qu'elle préférât les chevaux. « Cette fille que tu as amenée, poursuivit Louise, que pense-t-elle de tout cela ?

— C'est terminé.

— Eh bien, je n'en suis nullement surprise. Reprends-la, si tu peux. On me dit qu'elle monte très correctement. Et, Paul, si tu continues, ce que je t'implore de ne pas faire, prends garde à toi.

— Pourquoi ? J'ai gagné, non ? »

Louise se mit à rire.

« Pas encore, mon cher frère, pas encore. Matthieu peut encore te battre.

— Tu le crois plus malin que moi ?

— Non, non. Tu es malin, Palikam, et tu es dur. Mais il est mauvais vois-tu, de part en part, alors que tu es un simple amateur. Tu peux faire des choses mauvaises, oui, mais lui, il a le *cœur* mauvais. Cela constitue une différence notable. Prends garde à toi. »

La communication s'interrompit et Paul raccrocha. Il aimait beaucoup sa sœur, mais les années les avaient séparés et il ne savait jamais à présent s'il parlait à la jeune fille dont il se souvenait ou à l'écuyère professionnelle à la peau tannée qu'elle était devenue. Le mariage avec Rochefaucon avait tué en elle tout le goût qu'elle aurait pu avoir pour les hommes. La plupart des gens la croyaient lesbienne à cause de sa voix masculine, de sa force physique et de son habitude de hurler ses ordres comme un sergent-major de cavalerie, mais en vérité l'horreur de la trahison de Matthieu et son mariage forcé avec Rochefaucon avaient tout simplement détruit son aptitude à aimer les gens, hommes ou femmes. Elle plaçait toute son affection dans ses chevaux et, à un moindre degré, dans ses chiens. Paul était sans doute l'unique créature à deux pattes pour qui elle eût de la tendresse.

Cependant, même si Louise avait raison, il était trop tard. Paul préparait ce moment depuis des années, cette certitude l'avait soutenu alors qu'il était jeune et pauvre, et même avant, quand il était encore détenu esclave. Il avait prévu que la victoire sur Matthieu de Grünwald lui procurerait un immense plaisir, mais il n'y comptait plus et n'en éprouvait en vérité aucun. Diana avait raison. Il s'était construit une prison et il s'y trouvait désormais coincé. Pour la première fois depuis des années, il se sentait las. Il avait enfin gagné la partie et en éprouvait de l'horreur et du dégoût, conscient d'avoir accompli le dernier geste

sordide comme un somnambule. Finalement, ce pauvre Nicholas réduisait son triomphe en cendres, songea lugubrement Paul.

Il se versa une tasse de café et s'efforça de dormir quelques heures avant d'atterrir à Nice.

La villa Azur était complètement fermée quand Paul traversa en voiture une foule de journalistes rassemblés comme une garde d'honneur désordonnée devant le portail.

A la porte principale de la villa, hors de vue de la route, Boyce se tenait au haut du perron. Il était vêtu de noir et ressemblait à un croque-mort.

« Il y a bien longtemps », observa Boyce en faisant entrer Paul dans le vestibule. Ses manières et son intonation semblaient amicales, comme si Paul et lui-même avaient partagé naguère quelque expérience particulièrement réjouissante, mais la sueur qui lui perlait au front révélait qu'il redoutait et haïssait encore Foster.

Foster ne regarda pas Boyce.

« Londres, 1948, déclara-t-il sèchement. Comment va-t-il ?

— Il est très faible. Il m'a engagé assez peu de temps après ma sortie de prison, vous savez.

— Je sais.

— Deux ans de prison ! C'est long, Foster.

— C'était le marché, Boyce. Vous avez été payé.

— Je vous ai également sauvé la vie.

— Vous avez été payé pour cela aussi. Où est-il ?

— Il se repose là-haut. »

Boyce conduisit Foster en haut d'un ample escalier de marbre. La villa avait été construite dans les années trente, quand le bronze doré et les miroirs Art déco faisaient rage. Rien n'avait été épargné pour créer un intérieur ressemblant au Music-Hall de Radio City à New York. Une certaine obsession concernant le corps féminin dévêtu apparaissait clairement. Partout s'étalaient des nus, croqués sur des miroirs, taillés dans le marbre, sculptés en pieds de lampes et sur des colonnes de Lalique.

« Je ne conçois absolument pas pourquoi il a accepté de vous voir, déclara Boyce comme ils s'arrêtaient un instant sur le palier. Il sait que vous étiez derrière toute l'affaire. Vous auriez tout aussi bien pu pousser Nicholas de vos propres mains par la fenêtre. » Il frappa doucement à une porte et l'ouvrit.

« Ah ! non, protesta Paul tristement. C'est quelqu'un d'autre qui a poussé Nicholas.

— Et qui donc ? Meyerman ? Ou votre ami Potter ? »

Paul s'avança dans la pièce obscure et, en refermant la porte derrière lui, répondit :

« Son père, bien sûr.

— Alors te voilà, articula la voix gutturale. Écarte-toi de la fenêtre, que je puisse te voir. »

Dans la pénombre, il était tout d'abord difficile de voir d'où provenait la voix. Contre un mur se trouvait un fauteuil roulant, mais vide ; puis Paul distingua qu'il y avait deux lits dans la chambre, l'un énorme et luxueux et l'autre étroit comme un lit d'hôpital, du genre que l'on peut élever ou abaisser grâce à des moteurs électriques. Matthieu se trouvait dans ce dernier et, lorsque Paul se tourna vers lui, il appuya sur l'un des boutons de contrôle et un moteur se mit à ronfler très légèrement pour le redresser en position assise.

« Que me veux-tu ? » demanda-t-il.

Paul contemplait le lit d'hôpital. Matthieu semblait avoir rétréci, comme s'il n'y avait plus rien entre la peau et les os. La main agrippée aux manettes de contrôle était une serre tachetée. Au-dessus du lit, trônait le *Garçon mordu par un lézard* du Caravage, la toile que Loringhoven avait naguère tant admirée. La vue de cette toile évoqua un flot de souvenirs que Paul se hâta de refouler, mais pas avant que Matthieu eût remarqué l'altération de ses traits.

« Vous savez qui je suis », déclara Paul fermement, sans impliquer la moindre interrogation.

Matthieu toussa, tâta ses couvertures et trouva ses lunettes. Il les chaussa avec soin, dévisagea longuement Paul, puis les ôta.

« Tu ressembles toujours à ton père, dit-il. Les yeux... Il me manque.

— Vous l'avez tué. »

Le vieil homme ne lui prêta aucune attention.

« J'aimais beaucoup ta mère, poursuivit-il.

— Cela ne l'a pas sauvée.

— Non. Je voulais la sauver, mais elle était une femme de vertu et de courage exceptionnels... Bon, tu t'es vengé.

— Pourquoi n'avez-vous pas prévenu Nicholas ?

— Ah ! ce pauvre Niki... Il voulait toujours tout faire à sa façon. Ton cher père m'en avait averti. Comment pouvais-je le lui dire ? Ce garçon m'adorait. Qu'aurais-je dû lui dire ? Que j'avais laissé mourir mon frère ? J'ai menti pour protéger Niki. Est-ce donc si terrible ?

— Il en est mort. »

Matthieu haleta un moment, puis agita faiblement la main.

« Ne joue pas au moraliste avec moi, mon garçon. Tu t'étais juré de le détruire. Tu as réussi. C'est toi qui devras vivre avec cela, pas moi.

— Je n'avais pas décidé de sa mort.

— Je n'avais pas non plus décidé de celle de ton père. Les affaires

sont les affaires. Ces choses-là arrivent. » Matthieu toussa légèrement, puis laissa échapper un petit gloussement et Paul se demanda soudain s'il était gâteux. Mais ses yeux ne laissaient paraître aucune trace de ce vide flou et hagard qui caractérise la sénilité — ils luisaient au contraire de la plus invraisemblable bonne humeur. « Ces derniers temps, je n'allais pas trop bien, reprit Matthieu. J'ai laissé à Niki le soin de prendre les décisions d'affaires — une erreur, en fin de compte. On espère toujours que ses propres enfants... Bah ! voilà.

— Nicholas était un amateur.

— Oui, je le reconnais. Tu as très bien joué tes cartes. Je suppose que tes amis et toi allez maintenant commencer la curée ? »

Paul haussa les épaules.

Matthieu se moucha dans un mouchoir en papier, et le laissa tomber à terre.

« Tu n'en parais pas ravi, observa-t-il. Bah ! un homme qui a des associés trouve toujours des sujets d'insatisfaction... Il paraît que tu épouses Diana ?

— Je ne le pense pas. »

Matthieu ricana.

« Elle a été un peu secouée, hein ? Ah ! c'est le problème avec les femmes, mon garçon. Elles ne comprennent rien aux affaires. Ta mère n'y comprenait rien non plus... Ah ! comme tu as fait ton lit, tu te coucheras. Comme moi. J'attends de mourir ici, tout seul, à l'exception de Boyce. Regarde-moi bien, Pali. Je suis ton avenir.

— Qu'est devenue la lettre que vous avez signée avec mon père ? »

Matthieu de Grünwald sourit.

« Quelle lettre ?

— Vous avez partagé les biens des Grünwald avec lui, avant de partir pour la Suisse.

— Je ne me rappelle rien de tel. En plus de tout le reste, tu veux encore hériter de moi ? Tu sais, tu es exactement comme ton père. C'était un romantique aussi. » Matthieu parlait encore avec un fort accent que le grand âge avait accentué.

« Je n'ai rien d'un romantique.

— Un homme qui prépare sa vengeance pendant trente ans ne peut être qu'un romantique. Pour un homme d'affaires, c'est une grande erreur. Si tu regardes toujours dans la même direction, vient un moment où tu oublies de regarder derrière toi. Je disais à peu près la même chose à certains de tes amis il n'y a pas longtemps... En fait, ils sont encore ici. »

Matthieu eut un petit rire, et pressa un bouton près de son lit. La porte à double battant qui se trouvait à l'autre bout de la pièce s'ouvrit et, en tournant la tête, Paul vit derrière Boyce deux hommes debout dans une pièce claire et aérée, tels deux médecins venus en consulta-

tion, vêtus de costumes sombres sinistres qui se découpaient sur les murs blancs, les toiles impressionnistes et les fenêtres ensoleillées.

L'un d'eux était un homme corpulent qui fumait un cigare, et arborait un costume trois pièces avec une lourde chaîne de montre.

« Bonjour, Augustus », déclara Paul tandis que Biedermeyer levait la main en signe d'ironique salutation.

L'autre homme s'avança nerveusement, avec une curieuse expression sur le visage, comme un mélange de peur et de triomphe — et peut-être même de remords. « Bonjour, Paul », articula Savage en tendant la main, et soudain Foster comprit qu'il avait été frappé dans le dos.

« Il s'est bien maîtrisé, observa Savage. Cela ne fait aucun doute.

— Il avait les yeux plus gros que le ventre, c'est tout.

— Le problème, avec Foster, c'est qu'il n'est pas un vrai homme d'affaires. Il n'avait aucune raison d'*affaires,* pour s'accrocher aux basques de Nick Greenwood comme il l'a fait. C'était personnel. Il a perdu la confiance de son propre conseil d'administration.

— On ne peut guère le leur reprocher. Il ne les tenait jamais au courant. Ils entendaient parler des spéculations sur les matières premières, de la vendetta contre Greenwood, alors ils s'inquiétaient. Foster s'imaginait toujours qu'il les avait achetés, mais vous savez comment sont les administrateurs, il faut les cajoler. »

Savage acquiesça. Il n'avait eu aucun mal à saper la confiance des associés de Foster, car la plupart d'entre eux se rendaient compte de son mépris et redoutaient son goût pour la conspiration. Les deux hommes se trouvaient sur la terrasse de la villa Azur, les yeux fixés au-delà des coûteux rochers de leur hôte, d'où des filles superbes plongeaient naguère, nues, à l'époque où le vieux Greenwood était encore capable d'apprécier ce genre de choses.

« Il reste un homme riche, reprit Savage. Il a uniquement perdu le contrôle de sa compagnie.

— Évidemment, cela ne doit pas lui faire plaisir, lança Biedermeyer.

— Qui s'en soucie ? répliqua Savage. Il est fini. »

« Ils s'en sont bien tirés avec la presse », observa David Star entre deux bouchées. Il déjeunait au grill-room du Quatre-Saisons avec Irving Kane et Diana Beaumont, trônant sur une banquette semi-circulaire qui convenait parfaitement à son statut de rescapé *in extremis* d'un rachat. Kane était sombre. Lève-tard endurci, il avait commandé des œufs brouillés et du café, et avait dû affronter un refus ; puis, après

avoir vociféré et protesté en vain, il s'était laissé persuader avec la plus grande difficulté de commander un steak haché.

« Ils auraient fait des œufs pour Gore Vidal ou Norman Mailer, grommela-t-il en chipotant sur son assiette. Foster s'en est bien tiré.

— Personne ne voulait d'un scandale. Pas après la mort de Nick Greenwood. Tout le monde trouvait que Foster était allé trop loin. »

Kane haussa les épaules et parcourut la salle du regard pour voir s'il y avait quelqu'un qui valût la peine de changer de table. « Foster aurait pu se défendre, dit-il. Il a plus d'estomac qu'un Biedermeyer ou un Savage, après tout. Non, en vérité, je pense qu'il a simplement renoncé. Je ne sais pas pourquoi. Et vous, Diana ? »

Les yeux rivés sur son assiette, Diana secoua la tête. Elle se sentait malade depuis déjà plusieurs jours.

« Eh bien, si vous ne savez pas pourquoi, je suppose que personne n'en sait rien », décréta Kane en agitant le bras à l'intention d'une femme qu'il avait prise pour Jackie Onassis.

Il croqua pensivement un glaçon. « Franchement, reprit-il, les associés de Foster n'avaient pas le choix. C'est une question d'image de marque. Quand Nick a sauté par la fenêtre, la seule façon de maintenir la compagnie consistait à jeter Foster par-dessus bord. Les types comme Foster, ils montent vite et ils redescendent encore plus vite. Les banquiers ramassent les morceaux. Ce qui me surprend le plus, c'est le suicide de Nick Greenwood. On dit qu'il n'a pas sauté par la fenêtre de son propre chef... Foster l'aurait fait pousser. »

Star secoua la tête.

« Je n'en crois rien, dit-il. Rappelez-vous le type de United Brands qui avait sauté par la fenêtre avec son pardessus, son chapeau et sa serviette. Il la tenait encore à la main à l'arrivée.

— Bien sûr, concéda Kane. Mais ce type-là n'était pas du tout comme Nick. C'était un vieux. Nick était un jeune homme en pleine santé, avec tout l'argent et les filles du monde...

— Tu ne manges pas, Diana ? s'inquiéta Star. Je sais bien que cette histoire t'est pénible, mais il faut que tu préserves tes forces. Nous avons un livre à vendre.

— Je n'ai pas faim.

— Alors ça ne t'ennuie pas que je prenne un peu de ta salade ? D'après ce que j'entends dire à droite et à gauche, Greenwood et Biedermeyer s'associent pour reprendre la compagnie de Foster. Savage sera président.

— Si la commission de contrôle donne le feu vert.

— Oh ! ils seront trop heureux de se rouler sur le dos et de se laisser faire des papouilles par Biedermeyer. Les fédéraux détestaient Foster. Il créait des problèmes. Mais avec Biedermeyer, c'est une autre histoire. Tout le monde fait confiance à un brasseur. Il possède une

équipe de base-ball, il porte un drapeau américain à la boutonnière, il joue au golf au club de Burning Tree, sa fille est un véritable symbole sexuel et il est même question de le nommer ambassadeur.

— C'est un connard pompeux.

— Oui... mais malin.

— Et que va faire Foster à présent ? » demanda Kane à Diana.

Elle secoua la tête. « Je n'en sais rien. Je n'ai aucune nouvelle de lui. »

Kane poursuivit :

« Il paraît qu'ils ont été très généreux avec lui à condition qu'il quitte rapidement le pays. Bien sûr, il reste riche. Il peut vivre comme un roi, s'il ne voit pas d'inconvénient à le faire au Guatemala.

— Quelle chute, soupira Star en faisant signe au serveur d'apporter le plateau des desserts. On imagine difficilement ce qui a pu faire tout risquer ainsi à un homme aussi riche que Foster. Il connaissait à peine ce malheureux Nick, n'est-ce pas, Diana ? »

Diana semblait perdue dans ses pensées et n'avait pas touché à son assiette. « Non, dit-elle. Il n'était absolument pas proche de Niki. Mais cela devait finir ainsi. »

Avant que Star pût lui demander pourquoi, elle se leva, prit son sac et sortit.

« Que voulait-elle dire ? » demanda-t-il à Kane.

Kane repoussa son assiette.

« Merde, répondit-il. Il faut comprendre qu'elle a couché avec les deux. Les femmes détestent perdre un type, même quand elles n'en veulent plus.

— Je croyais que Foster et elle avaient rompu.

— Vous ne comprenez rien aux nanas, Star. Elles peuvent rompre, mais elles ne *renoncent* jamais. Les bonnes femmes ne lâchent jamais prise. Même pas quand le type est mort.

— Foster n'est pas mort. Il est en disgrâce.

— Pareil. Pour un type dans sa position. »

A Los Angeles, Aaron Diamond était déjà levé et actif après la première de ses quatre douches quotidiennes rituelles. Entortillé dans un peignoir, il grignotait sa papaye découpée en tranches en lisant le *Los Angeles Times* avec une loupe. « Trouvez-moi Diana Beaumont, lança-t-il à sa secrétaire. Essayez le Quatre-Saisons. »

Il y eut un moment de silence, puis elle releva les yeux de son clavier.

« On me dit qu'elle est partie, monsieur Diamond.

— Alors essayez son bureau, chez elle, bon Dieu ! Trouvez-la-moi, c'est pour cela que je vous paie ! Et notez que cette foutue papaye n'est pas mûre, une fois de plus. »

« Tu as vu les journaux ? s'enquit-il en décrochant l'appareil au moment où sa secrétaire lui faisait signe.

— Oui, répondit Diana. Je les ai vus, Aaron.

— Je regrette, mon petit. C'est un marché véreux. Mais ce sera une publicité formidable pour le livre d'Irving, je dois dire.

— Je viens de le voir à déjeuner.

— Où est Foster ? Les fédéraux ont un mandat d'arrêt contre lui.

— Voyons, Aaron, c'est impossible.

— C'est ce qu'on m'a dit. Il a beaucoup d'ennemis. Si j'étais lui, je ficherais le camp avant qu'ils mettent des types dans les aéroports pour le trouver. Si tu lui parles, passe-lui le message, O.K. ?

— Je ne vais sûrement pas lui parler, Aaron, mais pourquoi t'inquiètes-tu ?

— C'est un homme de parole, voilà pourquoi. Il m'a prévenu juste à temps pour l'effondrement de l'argent. Il avait promis et il a tenu parole. Tu ne peux pas demander plus que ça à un type.

— Il n'est pas très populaire à New York, aujourd'hui. On écrit sur lui comme s'il était Barbe-Bleue.

— Et alors, il a ramassé une gamelle ? Il est jeune, il trouvera autre chose. Comment tiens-tu le coup, toi ?

— Tu es le premier à poser la question, Aaron.

— Je m'en suis douté. Que vas-tu faire, maintenant ?

— Travailler. Je devrais peut-être accepter l'offre de David Star.

— Ne fais pas l'imbécile ! Saute dans l'avion, viens passer le week-end avec moi à Palm Springs ou à Las Vegas. En attendant, si Foster t'appelle, répète-lui ce que je t'ai dit.

— Il ne va pas m'appeler, Aaron.

— Cent dollars que tu te trompes », déclara Diamond et il passa sur une autre ligne.

21

Au Guatemala, la température avait déjà atteint trente-trois degrés et l'humidité était accablante. La grande villa au bord de la mer semblait frémir dans la chaleur et ses murs blancs formaient un contraste brutal avec la jungle massée derrière.

Il n'y avait aucune maison à proximité. La route poussiéreuse et bosselée traversait la jungle tout droit jusqu'à la grand-route — deux voies en béton délabré où les trous servaient de bains de boue aux porcs pendant la saison des pluies. A deux kilomètres, invisible de la maison, une petite armée d'ouvriers travaillait sur l'emplacement d'un nouvel hôtel de tourisme. A quatre-vingts kilomètres à l'intérieur des terres, au cœur de la jungle, une armée beaucoup plus nombreuse s'affairait à construire l'énorme complexe industriel que Foster avait créé, dont les hautes cheminées et les immenses murs argentés s'élevaient à plus de cent mètres au-dessus des arbres et que reliait à la côte l'unique autoroute à quatre voies du pays, construite par Foster. Des flammes et de la fumée s'en échappaient, illuminant la jungle pendant la nuit, et les perroquets et les singes poussaient des cris perçants quand les hélicoptères atterrissaient sur la piste éclairée. On produisait ici plus d'électricité que dans tout le pays et les républiques voisines.

Quoique Paul eût perdu d'autre, il gardait cela. Le Guatemala avait toujours constitué l'une de ses obsessions, que ne partageaient ni Savage, ni ses associés ; en fait, c'était même l'intérêt passionné de Foster pour le projet guatémaltèque qui avait soulevé les premiers doutes sur son bon sens. C'était loin ; c'était risqué ; il en découlait des problèmes de politique, d'écologie, de droits de l'homme ; comme l'exprimait succinctement l'un de ses détracteurs, c'était « difficile à vendre à Wall Street ».

Paul était allé de l'avant avec son habituelle obstination et mainte-

nant il se trouvait coincé. Biedermeyer, porte-parole du nouveau groupe de contrôle, avait été ravi de se débarrasser du Guatemala en contrepartie du départ rapide et discret de Paul.

La maison même était fort belle et même luxueuse, construite dans l'esprit local. Les pièces étaient si vastes et aérées que l'on pouvait même parfois se passer de l'air conditionné. Conçue par un élève de Frank Lloyd Wright, la maison ressemblait sous certains angles à une construction maya, avec des terrasses, des marches, des balcons de pierre en surplomb et des jardins inattendus, de telle sorte que, du dehors, il était difficile de dire où se trouvaient les pièces intérieures. La façade s'ornait d'une petite cascade que les critiques avaient abondamment louée, mais qui empêchait Paul de dormir la nuit.

« Je n'arrive pas à dormir ici, confia-t-il à Pifi Villada.

— La cascade ? Oui, elle donne envie de se lever et d'aller pisser au milieu de la nuit. Pourquoi ne pas l'arrêter ?

— J'ai essayé. Mais elle est intégrée dans le système, malheureusement. Si l'on arrête la chute d'eau, on ne peut plus tirer de chasse d'eau ni prendre de bain. J'aurais mieux fait de confier la construction de ma maison à Philip Johnson. J'aurais eu un cube de verre, mais silencieux. »

Les deux hommes étaient assis sur une terrasse de forme étrange, taillée dans le calcaire et plantée de massifs en fleurs. Derrière eux se dressait le mur impénétrable de la jungle, animée du cri des perroquets ; devant eux, jusqu'à l'horizon, s'étendait la mer, plate, calme, vide. L'eau en était si chaude qu'on aurait pu y nager pendant des heures, mais elle était infestée de requins.

« Le colonel Perez-Bernsdorf a exprimé sa sympathie et m'a chargé de ses salutations personnelles. " Notre terre est à vous ", m'a-t-il prié de vous dire.

— Pour un certain prix.

— Oh ! bien sûr, cela va sans dire. Mais il n'est pas question d'extradition. Le colonel a bien précisé que vous étiez un invité d'honneur. Il préférerait néanmoins que vous demeuriez discret pendant quelque temps. Il ne veut pas de difficultés avec l'ambassadeur américain.

— Combien réclame le colonel ?

— Un million de francs suisses.

— Ce n'est pas trop terrible.

— Non. Il ne s'agit évidemment que d'un premier versement, comprenez-vous. Il a une famille très vaste et nous allons devoir leur trouver des emplois.

— Donnez-leur des emplois mais, pour l'amour du ciel, ne leur laissez rien faire.

— Ce ne devrait pas être bien difficile. La plupart d'entre eux ont

déjà des postes gouvernementaux. Je crois que vous pourrez vivre ici en toute tranquillité. La presse sera muselée, vous pouvez compter sur Perez-Bernsdorf. »

Paul acquiesça. Avec son costume sombre et ses lunettes de soleil, il paraissait étrangement déplacé sur cet arrière-plan luxuriant.

« Vous êtes passé par New York ? s'enquit-il.

— Oui. Vous avez vu les journaux ?

— On m'a tout envoyé. Mais je n'ai pas regardé.

— Vous devriez.

— Pour quoi faire ? J'aurais pu lutter. J'aurais *dû*. Ce n'est pas Greenwood qui m'a vaincu, vous savez. Oh ! j'ai été battu un moment, je ne puis le nier, mais j'aurais pu retourner la situation... Brusquement, cela m'est devenu indifférent. C'était un sentiment très curieux. Je l'ai déjà éprouvé une fois, pendant la guerre, dans le train qui allait à Auschwitz. Je me sentais impuissant et il paraissait plus simple de simplement laisser les choses se produire. Évidemment, ceux qui réagissaient ainsi ont péri. C'est ce qui est arrivé à mon père. Bah ! je me suis ressaisi à Auschwitz et je suppose que je finirai par me ressaisir ici aussi. Mais, pour le moment, je n'ai aucune envie de lire ce qui s'est passé.

— C'est quand même toute une histoire. Les premières pages des journaux. La Chambre des représentants a ordonné une enquête, le Sénat a constitué une commission, il y a une enquête fiscale, et partout des assignations. Mais je ne pense pas que Perez-Bernsdorf leur laisse brocher une assignation jusqu'ici... Irving Kane a publié un long article dans *Newsweek*, intitulé " L'ascension et la chute d'un millionnaire ". On parle d'en faire un film pour la télévision. Vous pourriez sûrement y mettre le holà.

— Sans doute. Mais, en vérité, je m'en moque. Avez-vous vu Diana ?

— Non, je n'ai pas cru sage de m'attarder trop.

— J'avais espéré qu'elle m'appellerait.

— Elle a passé un moment difficile, vous savez. La mort de ce pauvre Niki, et puis tout ce tapage. Il paraît qu'elle voit beaucoup David Star.

— Sans doute.

— Elle apprécierait sûrement que vous l'appeliez, Paul.

— C'est possible. Dans ma position, on hésite à paraître faible. Après tout, je ne suis plus Paul Foster l'homme d'affaires, mais simplement Paul Foster l'exilé. »

Villada hocha la tête avec impatience. « Vous savez Paul, déclara-t-il après un moment de silence, ce serait peut-être plutôt un avantage. »

La brume de chaleur s'estompait chaque jour vers onze heures, mais bien avant cela Diana s'était allongée près de la piscine. Elle vénérait sérieusement le soleil et n'estimait jamais qu'un moment était perdu si elle se trouvait au soleil. Tôt le matin, aussitôt après le petit déjeuner, elle étendait un drap de bain sur le bord en marbre de la piscine, ôtait le haut de son bikini et s'allongeait. Toutes les heures, elle nageait quelques brasses, étalait à nouveau de l'huile solaire sur son corps et recommençait. Les domestiques venaient parfois la contempler avec stupéfaction, car ils passaient une partie de leur existence à s'efforcer d'échapper au soleil et les femmes de chambre se rassemblaient sur les terrasses, quand elles n'avaient rien à faire, et laissaient fuser de petits rires polis.

Non loin de la piscine, Paul s'occupait à jardiner. Il avait choisi de se spécialiser dans les légumes plutôt que les fleurs et un radio-téléphone le reliait aux vastes exploitations de l'intérieur, où l'on employait des machines ultra-modernes pour cultiver la betterave à sucre et où les Indiens travaillaient à construire un réseau d'irrigation. De temps à autre, il survolait ses terres en hélicoptère, accompagné d'un agronome. Finalement, se disait-il, la terre était bien la seule chose sur laquelle on pût compter.

« Pourquoi ne te détends-tu pas ? » lui cria Diana de loin.

Il posa les documents qu'il lisait, se leva, s'étira et examina la température de l'eau. Il portait toujours son costume sombre. Il n'était pas encore prêt à devenir un roi de la plage.

« Je suis détendu, répondit-il. Maintenant que tu es là.

— Alors cesse de travailler quelques instants.

— Il y a tant à faire.

— Paul, tu possèdes déjà l'essentiel du pays.

— C'est un petit pays.

— Peu m'importe. Tu as une maison superbe, plus d'argent que tu ne pourras en dépenser pendant toute ta vie... Que veux-tu de plus ?

— Toi.

— Je suis là.

— Mais resteras-tu ?

— Tout dépend.

— De quoi ?

— Es-tu disposé à mener une vie normale ?

— Normale ? Qu'est-ce qu'une vie normale ? Je suis un exilé.

— Il existe de nombreux pays où tu peux aller. Et ce n'est d'ailleurs pas ce que je veux dire. Je suis venue parce que tu me manquais. Mais je ne resterai pas si tu manigances un retour. Tu as eu ta vengeance, Paul. Elle n'en valait pas la peine et elle t'a atteint de plein fouet. Oublie le passé. Il est mort et enterré. »

Paul s'abrita les yeux et scruta la mer. Elle était plate, vide, vibrante

de chaleur. Contrairement à la Méditerranée, elle ne promettait aucun soulagement. S'y baigner donnait l'impression de prendre un bain de sels chauds.

« Je ne suis pas sûr d'être destiné à une existence oisive, déclara-t-il.

— Moi non plus, mais tu pourrais essayer. Tu as tout essayé dans ta vie. Tu pourrais tenter de ne rien faire pendant quelque temps. Tu m'as dit un jour que le bonheur est une ambition ennuyeuse. Ce n'est pas vrai du tout, figure-toi.

— Je vais y réfléchir, dit Paul. Cela ne me semble pas un mauvais marché.

— C'est le meilleur qu'on t'ait jamais offert. Veux-tu m'étaler de la lotion sur le dos ? »

Paul s'assit au soleil et versa un peu de lotion dans le creux de sa main. Il massa doucement le dos de Diana et, l'espace de quelques instants, parut presque détendu.

« Tu sais ce qu'il faudrait, là ? interrogea-t-il, les yeux fixés sur la mer.

— Hmmh ?

— Une zone de libre échange. Qu'ont-ils en abondance, par ici ? De la main-d'œuvre à bas prix. Il suffirait d'expédier ici des pièces détachées, des composants, n'importe quoi, de les assembler et de les réexpédier pour être terminés aux États-Unis. Il y a une fortune à faire.

— Te voilà à nouveau dans les projets. »

Paul se mit à rire et se pencha pour l'embrasser. « Juste un petit peu, dit-il. C'est dans le sang. »

Biedermeyer était nerveux. Biedermeyer était irritable. Tout lui était tombé tout rôti sur les genoux, mais il lui venait des démangeaisons. Savage et lui se dévisageaient à travers la table dans la salle à manger de la société, par-dessus leur salade et leur biscotte (ils étaient tous deux au régime), à renifler chacun la peur de l'autre.

« Il paraît que Foster se marie, hasarda Savage.

— C'est ce qu'on m'a dit, oui.

— Je n'aurais pas cru qu'il était du genre à se marier.

— Personne ne l'est. Mais tout le monde le fait quand même. Il a réussi un beau coup, au Guatemala. On cite des chiffres importants.

— Nous n'aurions pas dû lui donner le Guatemala.

— Ne venez pas me dire ce que nous n'aurions pas dû faire. Dites-moi ce que nous allons tenter maintenant. C'est pour cela que vous êtes payé.

— Les actions stagnent. Les indigènes sont agités.

— Moi aussi, je suis agité, bon Dieu ! Il y a quelqu'un qui achète des actions. Je flaire des complications. Que fabrique ce salaud de Meyerman ?

— Il paraît qu'il voyage.

— Je n'aime pas cela du tout. Où sont ces foutus petits pains, bon Dieu ?

— Vous avez dit au serveur de les emporter.

— Eh bien, dites-lui de les rapporter ! » cria Biedermeyer puis, voyant l'expression du visage de Savage, il sonna lui-même. Si Savage pouvait trahir Foster, il pouvait trahir Biedermeyer.

C'est une erreur que de pousser un type trop loin quand on a besoin de lui, se rappela Biedermeyer.

L'imposante silhouette en costume croisé s'extirpa de la limousine, avança jusque sous la cascade et s'arrêta pour reprendre son souffle au premier niveau de terrasses.

« *Servus, Pali* », annonça Lord Meyerman, plus affable que jamais.

D'en bas, on entendait Crisp diriger dans son espagnol rudimentaire le transport des bagages de Lord Meyerman. Crisp était le genre de domestique capable de maîtriser suffisamment n'importe quelle langue pour faire face aux nécessités de la vie de son maître. Tout au début de sa carrière, en tant que soldat d'ordonnance, il avait acquis des notions de base en swahéli, en ourdou et en pushtu ; au service de Foster, il avait glané suffisamment de français et d'allemand pour se débrouiller. L'espagnol ne présentait pour lui aucune difficulté particulière.

« Il est admirable », apprécia Meyerman en prenant place à côté de Paul. Il s'épongea le visage avec un mouchoir de soie.

« Indispensable.

— S'est-il adapté au mariage ? Les domestiques sont souvent jaloux.

— Il adore Diana.

— Et toi, comment t'adaptes-tu ?

— Comme tu peux le voir, je suis détendu, heureux. Le mariage me convient admirablement. Diana se change. Elle va descendre dans un instant.

— Tu as appris la nouvelle ? Matthew Greenwood est mort.

— Je l'ai appris.

— J'ai entendu dire bien d'autres choses, Paul. Ce pauvre Biedermeyer ne se tient plus. Il contrôle trois compagnies géantes, mais il se sent *vulnérable*.

— Il a bien raison. Il n'est pas à la hauteur.

— Non. C'est ce qu'on commence à dire un peu partout. Il pourrait se faire coiffer, mon vieux. Et Savage avec lui.

— Cela coûterait très cher.

— Mon cher ami, ce n'est pas un problème ! J'arrive tout droit du Proche-Orient. Mes amis de Riyad et d'Abou Dhabi sont extrêmement intéressés. Les capitaux ne sont pas un obstacle. Il leur en sort littéralement par les oreilles, tu sais. Ce qui manque, c'est quelqu'un de crédible pour prendre la direction. Ton nom ferait toute la différence. Ah ! Diana ! Plus resplendissante que jamais ! »

Meyerman se leva, baisa la main de Diana, puis se laissa retomber sur son siège en disant :

« Il paraît en excellente forme, ma chère amie.

— Il l'est. Mais agité.

— Il est difficile de ne pas être agité au Guatemala, observa Meyerman en s'éventant, avec un coup d'œil dégoûté en direction des palmiers.

— Il y a des ruines superbes.

— Oui, oui... Fascinant, j'en suis sûr. » Meyerman contemplait la mer. « Avant que j'oublie, reprit-il, je vous ai apporté un cadeau de mariage. » Il enfonça la main dans la poche de sa veste et en tira une enveloppe, hésita un moment comme pour décider à qui la remettre, puis l'offrit à Diana.

Elle l'ouvrit et en sortit un feuillet de papier à lettres taché. Elle le déplia et essaya d'abord de déchiffrer l'écriture compliquée, mais c'était rédigé en allemand. En haut de la page, la date indiquait le 8 octobre 1944, et le chiffre « 50 % » apparaissait à plusieurs reprises dans le texte. Au bas de la page étaient apposées deux signatures, toutes deux terminées par le même nom, Grünwald. Au-dessous, d'une écriture claire et précise tracée à l'encre noire, on pouvait lire :

Zum Zeugnis dessen
G. Freytag von Lorenberg
SS Stf. und Oberst
bei OB RȘHA, Ungarn

On avait noté en haut, de la même écriture, « *Existiert nur ein Exemplar* » et Diana devina qu'il s'agissait d'une confirmation du fait qu'il n'en existait aucun autre exemplaire signé.

Elle le tendit à Paul, qui le lut sans rien dire.

« La moitié des biens des Grünwald t'appartient désormais, annonça Meyerman. Cela te donne une excellente position pour reprendre le contrôle. Avec cette lettre en poche et mes amis du Proche-Orient derrière toi, tu peux revenir. Personne ne pourra se mettre en travers de ton chemin !

— Où l'as-tu trouvée ?

— Boyce me l'a apportée.

— Combien en voulait-il ?

— Peu importe ! Tu as volé vingt mille dollars dans le coffre de ton père, un jour, pour moi. Je te dois la vie. Même si cette lettre m'avait coûté un million de dollars, ce serait encore donné ! »

Le feuillet à la main, Paul se tourna vers Diana.

« Que voudrais-tu que je fasse ? » interrogea-t-il.

Elle le regarda dans les yeux, le visage neutre.

« J'aimerais que tu choisisses toi-même.

— Un choix entre le passé et l'avenir, entre la mort et la vie... C'est un choix facile à faire. Je l'ai déjà fait.

— Vous devez bien pouvoir trouver un compromis entre vous, intervint Meyerman. Il y a là des sommes colossales en jeu. Des milliards de dollars !

— Je ne crois pas qu'il y ait de compromis possible, cette fois-ci, déclara Paul d'une voix mesurée en regardant Diana et, prenant une allumette dans un coffret d'argent posé sur la table, il l'alluma.

— Voyons, mon vieux, tu ne peux pas ! s'exclama Meyerman d'une voix étouffée.

— Pourquoi pas ?

— C'est la preuve de tes droits sur trois ou quatre milliards de dollars ! »

Paul approcha l'allumette du papier qui noircit, puis brûla. Il le tint aussi longtemps qu'il put entre ses doigts, puis en souffla les fragments vers la mer.

Diana se leva, vint vers Paul, et l'embrassa.

« Que les morts restent dans leurs sépultures, déclara Paul, la guerre est finie.

— Elle est finie depuis trente ans.

— Mais elle ne l'était pas pour moi. Maintenant, elle est finie pour moi aussi. »

Dans le jardin, en contrebas, un enfant approchait d'une démarche raide, aidé par une infirmière vêtue de blanc.

Meyerman haussa un sourcil.

« Voici mon fils, expliqua Diana.

— Ah ! fit Meyerman avec un soupir. Le fils de Niki. Une nouvelle génération de Grünwald...

— Non. » Paul secoua la tête. « Je vais l'adopter. Il y a eu suffisamment de Grünwald. Il s'appellera Foster. Il a droit à une ardoise propre. Nous allons bientôt dîner ; tu feras sa connaissance. C'est un excellent garçon. Ici le poisson est délicieux, à propos. Et nous avons aussi du caviar. Crisp l'a fait venir par l'avion d'hier.

— Ah ! soupira Meyerman d'un air réjoui, l'argent est une bien bonne chose.

— Oh oui ! acquiesça Paul. Mais il faut savoir où s'arrêter. »

Table des matières

Imprimé aux Etats-Unis, 1983